中国考古发掘报告提要

隋唐五代卷（上册）

刘庆柱 ◎ 总主编

丁晓山 ◎ 主编

『十四五』时期国家重点图书出版专项规划

中国文史出版社

序

记得是在 2013 年初夏的一天，首都师范大学丁晓山先生因公事到六里桥中华书局来找我。办完公事后我们就坐在中华书局一楼大厅里聊了会儿天，晓山先生告诉我，他想编《中国考古发掘报告提要》。我深表赞同，但又觉得兹事体大，任务繁重，恐怕会和许多听上去不错的想法一样，最终也只能停留在策划阶段，无疾自终。没有想到时隔不到两年，晓山先生竟抱着十几册书稿来找我写序了。按说考古方面的著述本不该由我来写序的，但我首先是被晓山先生的实干精神所感动，感到没有理由拒绝如此埋头苦干的后辈学者；其次从考古与文献的结合角度，也还确实有些话想说，便欣然答应了下来。

夜深人静，我翻阅着堆满了小半个书桌的书稿，当然最先翻看的是我比较感兴趣的隋唐五代卷。真的是如入宝库，目不暇接。记得曾有学者讲过，考古是坐在前排看戏。的确如此，考古是跟古人直接对话，你会看到古人穿着什么样的盛装出现在社交场合，你会触摸到古人曾经喝过酒的酒盏，你会站立在当年宫女们居住的寝室，你甚至会行走在一千年前古人曾经走过的街道上……借用时下流行的词语讲，真的是让人有"穿越"之感了。这是阅读古代文献很难获得的一种体验。

正是因为考古资料如此无可替代，20 世纪 20 年代王国维先生就提出了"二重证据法"，以考古资料与传世文献相印证，并将此提高到了方法论的高度。20 世纪 60 年代，沈从文先生甚至说过要想做好学问，最好"老老实实去故宫各库房学三五年文物"[1]的话。然而，结果又如何呢？约 30 年前，张光直先生就指出："考古学与历史学不能打成两截，那种考古归考古，历史归历史，搞考古的不懂历史，搞历史的不懂考古的现象，是一种不应有的奇怪现象，说明了认识观的落后。"[2]李学勤先

---

① 沈从文：《花花朵朵坛坛罐罐——沈从文文物与艺术研究文集》，外文出版社，1994 年版，第 76 页。
② 见《中国社会科学》杂志社编《未定稿》，1988 年第 4 期。

生在约20年前讲："我们学术界的习惯，是把历史学和考古学截然分开。""学历史的专搞文献，学考古的专做田野，井水不犯河水，大多不相往来。我看这对历史学、考古学双方都没有好处。"①10年前，石兴邦先生还引用张光直先生的话讲："中国古史研究与考古学的发现成果的间距，比海峡两岸的距离还远。"②时至今日，这一状况应该说，有所改观，但恐怕还不好说已有了实质性的改观。

那么，怎么才能让历史学、考古学双方都有好处呢？这就需要沟通。而考古发掘报告，恰恰是双方有望沟通的一个很好的现实选择。从考古学来说，考古发掘报告是发现、发掘、整理、研究这一系列考古活动的最后结晶，是考古发掘过程中必不可少的关键一环。从历史学的角度看，考古发掘报告几乎是认识考古发掘的唯一文字凭证，历史学者不可能老是如同考古学者一样坐在前排看戏，他们在绝大多数情况下，只能通过发掘报告，来了解他们关心的考古事实（或许以后还可以通过网播、专题片等视频来了解）。应该说，考古界、史学界双方都很重视考古发掘报告。

然而，考古发掘报告似乎并不是准备给考古圈以外的人看的，专业词汇触目皆是，叙述过程长篇大论。不用说厚度令人生畏的考古详报，就是所谓考古发掘简报，也是动辄几十页，简报不"简"，难以卒读。李学勤先生曾谈到，早在1955年《考古》杂志开第一次编委会时，夏鼐先生就郑重其事地提出办刊的四项任务。头一条任务居然是"普及"③。我理解这个"普及"，不仅仅是向群众普及考古知识，提高文物意识，也理应包括向非考古专业的其他学科学者，介绍考古成果，传播相关信息。也早有学者呼吁，考古发掘报告专业性太强，必须加以改进，"使学科内、学科外的读者都可以直接阅读和使用可靠资料"④。也曾有学者强调"考古界应该更快地从迷恋于资料信息的占有，转入对资料信息的共享、共商、共研"⑤，而《中国考古发掘报告提要》所做的，不正是这样一种"普及"和改进工作吗？不正是这样一种"共享、共商、共研"吗？

说实话，如果说考古学和中国传统的金石学还勉强沾上点边的话，那么考古发掘报告，可就是完完全全、百分之百的舶来品了。中国传统文献里没有这种写法，也难怪国人读起来不太熟悉。而提要，则是我们十分熟悉的写法了，姚名达先生甚至说中国古代目录"优于西洋目录者，仅恃解题一宗"⑥。打个比方，如果说考古发

① 李学勤：《走出疑古时代》，辽宁大学出版社，1994年版，第62页。
② 张得水：《"文明探源：考古与历史的整合"学术研讨会综述》，《中原文物》2006年第1期。
③ 《〈考古〉50年笔谈》，《考古》2005年第4期。
④ 谢尧亭：《从〈天马——曲村〉谈考古资料的整理和报告的编写》，《考古》2005年第3期。
⑤ 张忠培：《中国考古学：九十年代的思考》，文物出版社，2005年版，第5页。
⑥ 《中国目录学史》，上海古籍出版社，2002年版，第346页。

掘报告是道洋味扑鼻的"西餐"，而"提要"则有如"西餐中做"。《中国考古发掘报告提要》煌煌十卷本，收录自 1928 年至 2015 年 80 多年间出版和专业刊物上的考古发掘报告 13000 多种，超过《四库全书总目》收书 10000 出头的规模了。而每种发掘报告，又力求用最简洁的语言，讲清楚发现、发掘的时间、地点，发现的过程，发掘出什么，属于什么时代或年代，墓主身份，遗址的性质，遗物的价值等。其实非专业学者，也许只需要了解这些基本信息就够了。其写法，又像是《四库全书简明目录》的路数。考古发掘报告这道"西餐"，经过中国传统目录学的改造，终于比较适合国人的胃口，能够满足读者的初步诉求了。

翻阅一过，却又感到《中国考古发掘报告提要》所包含的信息十分丰富。如编者比较注重趣味，一般人感兴趣的信息会予以收录。编者比较注重考证，凡有通过与文献对读并由此得出结论的部分，大多予以保留。编者还比较注重信息，尽可能多地提供了一些相关学术信息。在细节上，有些地方也做得很好。如某篇发掘报告是否有照片（彩照还是黑白照片）、拓片，如出土有墓志等是否转录全文，都一一予以交代。这些都是做得不错的地方，是为本书加分的地方。

说完为本书加分的地方，也应说说为本书减分的地方。主要是工程浩大，书出众手，各人取舍标准有宽严之别，难免会出现漏收、误收现象；对内容的把握有高下之分，也会有该"提"的"要"而未"提"或错"提"的情况。至于录校方面的漏网之鱼、分卷方面的可议之处等等，还在其次。但扪心自问，不论是谁来编纂这样一部大书，上述问题几乎可以说是在所难免。

当然，学术型工具书也如同学术专著一样，最大的"加分"还在创新。如《中国丛书综录》（上海古籍出版社 1959 年版、1982 年版），收录丛书 2797 种，遗漏错讹甚多，以至有阳海清先生的《中国丛书综录补正》（广陵书社 1984 年版）问世。日后又扩充成《中国丛书广录》（湖北人民出版社 1999 年版）上、下两册，声称收录《综录》未收或与《综录》有所不同的丛书 3279 种。施廷镛先生的《中国丛书知见录》（北京图书馆出版社 2005 年版）6 册，共收丛书近 2000 种，据称其中 700 种是《综录》失收的。当然这几部书是"知见"性质，与《综录》是依托图书馆藏书的"目睹"性质有所不同。尽管《中国丛书综录》有着种种不足和缺憾，甚至被人讥笑为"大跃进"的产物。但效果如何呢？公道自在人心。可以说，《中国丛书综录》的问世，极大改变了丛书的利用状况。以往即便是学问大家，都很少利用丛书；而此后哪怕是一篇普普通通的毕业论文，都会用到丛书。因为要用什么丛书，一查便知，十分方便。晓山先生和我讲过一个观点，我很赞同。他说学术积累到一定程度，会促使相关工具书的出现；而一部优秀的学术工具书，反过来又会促进学术的发展。

丛书的利用是如此，考古发掘报告呢？我们期待也是如此。

《中国考古发掘报告提要》的创新之处，在我看来，主要就在为中国考古发掘报告算了次总账。台湾"中央研究院"院士周法高先生讲，他研究学问，用的是"结账式的研究方法"。周先生所编《金文诂林》《金文诂林补》和《金文诂林附录》计22册，500万字，就是将容庚《金文编》所收18000多个例字原来的出处一一查出，并登录原出处的句子、器名和器号。这是非常费时劳神的工作，等于是替金文研究贡献了一部"算总账"式的著述，且已成为研究金文不可或缺的工具书。据悉已有数位博士、硕士生以此为题来作学位论文。一部工具书居然有人来写学位论文，可见内涵十分丰富。事实上，各个学科、各个门类都应有这种"算总账"的著述才好。而《中国考古发掘报告提要》，不正是在这一领域的一部"算总账"式的工具书吗？

在开学术会议时，我私下曾请教过考古界的朋友：已发表的考古发掘报告到底有多少？结果说法不一，相差甚远，从几千到上万个都有。而《中国考古发掘报告提要》却首次给出了一个数字，这个答案当然还不能说是标准答案，但至少是向最终答案"逼近"和"靠拢"了一大步。在这一点上，编者是有首创之功的。季羡林先生曾讲过："专就学术界而言，编纂目录或者索引，就是积累功德。"① 在我看来，这种花了大力气的"算总账"式的工具书，可真是积了大功德了。

对于这部功惠学界的书应如何利用呢？除了通常的查阅和翻阅外，我想至少还有以下几种读法。

其一，通读。即老老实实、认认真真地一本一本、一篇一篇地把《中国考古发掘报告提要》通读一过，这当然要费上一番功夫，花上一点时间。但这么读下来，对全国从史前到明清的主要考古发掘成果都会大致有个印象，这不也算是前辈学者提到的"遇到问题会冒出来"的底子吗？晓山先生有一比，他说《中国考古发掘报告提要》，就好比是地下的《四库全书总目》提要。我倒是很欣赏这个提法。其实，不要说《四库全书总目》提要，如果能够认认真真地把《四库全书简明目录》通读一过，脑子里不就有了3000多种书的信息吗？如果再把《中国考古发掘报告提要》通读一过，脑子里不就又有了13000多条考古信息了吗？二者相加，差不多是小20000条信息了，"存储量"不可谓不大。遇到什么问题，"数据库"里总会调出几条相关信息。这也应算是一种学术功底吧。

其二，对读。所谓的"对读"，当然是指传世文献与考古材料的对读。但以往似乎是以传世文献为本的成果多一些，王国维先生的大作、陈直先生的《汉书新证》，

---

① 季羡林：《西文中国学研究图书目录·序》，王树英编。《季羡林序跋集》，新世界出版社，2008年版，第757页。

都是如此。如果把考古材料比作"六经"，把传世文献比作"我"，以往大多是"六经注我"。我们在这里提倡的"对读"，是"我注六经"，即用文献来诠释、印证考古材料。或许还可以借用陈佩斯、朱时茂的小品《主角与配角》来打比方：以往我们一般是以传世文献来充当主角，以考古资料来当配角；而今应该倒过来，让考古资料来当主角，以传世文献来当配角，以传世文献来诠注考古资料。而欲这么做，考古资料总得有个文字凭证才行，而这个文字的凭证，只能是考古发掘报告。

其三，核读。"核"是核校的意思。我们可以拿考古发掘报告原文，甚至用出土遗物原件来核校，我们还可以用其他考古研究成果来核校。攻其过，补其阙。最终也形成如同余嘉锡先生的《四库提要辨证》，胡玉缙、王大隆先生的《四库全书总目提要补正》那样的成果，使《中国考古发掘报告提要》更趋完善。当然在这个过程中，自己的学术水平也终会得到提高。

其四，译读。现在不少青年学子都很重视英语。眼下考古发掘报告，往往都有英文书名或刊名，甚至还有英文的内容简介。这样我们不妨通过译读，一方面学习考古知识，一方面提高英语水平。即一边读一边将书名、篇名和内容译成英语，再与专家译的进行比较，在比较中看到自己的不足，达到学习考古、英文的双重目的。据说英国考古学家格林·丹尼尔（Glyn Daniel）讲过"未来的世界考古学要看中国"①一类的话，中国青年学子要向世界介绍中国考古学成果，当然免不了要谈到考古发掘报告。

其五，解读。《中国考古发掘报告提要》已尽量少用隐晦难懂的专业词汇，但仍然难免有一些词语非专业读者难辨其意。如青铜器名称、墓葬形制等，这就需要解读。可以上网搜一搜图片；还不清楚，有条件的话可以上博物馆看一看实物；如果有点绘画基础的话，可以试着自己画一画复原图、示意图。一个难点一个难点地去克服，一个词语一个词语地去弄懂。学问也会在这个过程中一点一滴地积累起来了。

其六，走读。这个"走读"，不是指改革开放之初"走读大学"那个"走读"，而是指依照《中国考古发掘报告提要》的方位指引，实地去踏察一番。考古仅仅坐在家里是不行的，一定要走出书斋。何况有些事情真的是只可意会无法言传，写得再好的报告，也无从传达。只有去实地看一看，才能更多地理解先民传递给我们的信息。

其七，群读。可以通过兴趣小组、QQ、微信群等方式组织起来，一起来攻读某一类、

---

① 转引自对俞伟超先生的访谈，见《考古与文化续编》，曹兵武编著，中华书局，2012 年版，第 348 页。

某一地甚至某一篇考古发掘报告。这也可以说是一种集体研读。好处是可以互相学习，相互激励。

行文至此，我想到了一个词：落地。考古与文献相结合说得很不少了，历史与文物相对应也喊了很多年了，大方向当然是没有问题的，但为什么一直效果不是那么明显呢？原因之一，恐怕就在于缺少一个"抓手"，而《中国考古发掘报告提要》，不正是这样一个"抓手"吗？它有助于将考古与文献相结合，扎扎实实地落到实处。当然，这还仅是第一步，甚盼日后有《中国考古发掘报告提要补正》《中国考古发掘报告提要·补编》《中国考古发掘报告提要·续编》等陆续推出，如同《四库提要》一样形成一个系列。这就需要众人拾遗补阙，共襄盛举。

最后想到的一个词，在文章开始时已提到过，那就是：感动。这部书的篇幅不小，隐藏在其后的工作量更大。听晓山先生介绍，每篇考古发掘报告，要经过初选、确认、撰写、审定、分卷和汇总共6道程序。一篇报告，要翻来覆去地看好几遍，阅读量之大，可以想见。更难能可贵的是，晓山先生没有申报任何一级课题，而是不等不靠，先干起来再说。近日偶然读到兰州大学历史系赵俪生先生的集子，赵先生说："我们这些干了一辈子的人的眼睛是比较清楚的，知道谁在搞腐败，谁在规规矩矩地干活计。"[1]的确，我们这些人是知道的。

拉杂写来，暂且就说这些，是以为序。

傅璇琮[2]

2015年1月于北京

---

① 赵俪生：《赵俪生文集》第一卷，兰州大学出版社，2002年版，第119页。
② 傅璇琮（1933－2016），浙江宁波人，历任中华书局总编辑、国务院古籍整理出版规划小组秘书长、副组长，清华大学古典文献研究中心主任等职，博士生导师。

本书说明

一、编纂《中国考古发掘报告提要》的目的，在于为读者提供了解中国考古成果的简便途径。从这一意义上讲，或可视其为"地下的《四库全书总目》提要"（见本书"序"）。

二、《中国考古发掘报告提要》，收录 20 世纪 20 年代至 2015 年 1 月在中国大陆正式出版的考古详报和考古专业核心期刊登载的考古简报，共计收书 1008 部、文12242 篇，合计 13250 种。

三、考古发掘报告，包括以书籍形式出版的考古详报，以文章形式发表的考古简报。仅限中文报告，外文报告不收；仅限中国境内，涉及外国不收；仅限出土文物，征集、捐献等无明确出土地点的不收。

四、每一报告，给出作者、出处（出版社及出版年、刊物名称、期数），述其所在地点、发现经过、发掘时间、主要发现、重大价值等。

五、《中国考古发掘报告提要》共计 10 卷：

史前卷

夏商西周卷

春秋战国卷

汉代卷

魏晋南北朝卷

隋唐五代卷

宋·西夏卷

辽金元卷

明清卷

综合卷

六、涉及两个或两个以上时代内容的报告，收入"综合卷"。

七、另有《总目》一册，包括目录汇总、参考文献和后记等内容。

八、详情请参阅各卷前的"本卷说明"。

本卷说明

一、此卷为《中国考古发掘报告提要》中的隋唐五代卷，共收录以书籍形式出版的考古详报 54 部，以文章形式发表的考古简报 1152 篇，二者合计 1206 种。

二、本卷分为上、下编，上编收录考古详报，下编收录考古简报。

三、上编下依 34 个省级行政区排列，省级行政区下依出版年为序。同一出版年的，依文物出版社、科学出版社、中国大百科全书出版社及其他出版社的顺序排列。涉及两个或两个以上省市自治区的考古详报，列于 34 个省级行政区之前。

四、下编下依 34 个省级行政区排列，每一省、自治区下再列地级市（州、盟）及省、自治区直管市。涉及两个或两个以上地级市（州、盟）的考古简报，列于该省、自治区之首。

五、其他相关事宜，请参阅"本书说明"。

目录

上编　考古详报

北京市

天津市

河北省

山西省

内蒙古自治区

辽宁省

吉林省

黑龙江省

上海市

江苏省

浙江省

安徽省

福建省

江西省

山东省

河南省

湖北省

湖南省

广东省

广西壮族自治区

海南省

重庆市

四川省

贵州省

云南省

西藏自治区

陕西省

甘肃省

青海省

宁夏回族自治区

新疆维吾尔自治区

香港特别行政区、澳门特别行政区、台湾省

下编　考古简报

北京市

天津市

河北省

石家庄市

唐山市

秦皇岛市

邯郸市

山西省

内蒙古自治区

辽宁省

铁岭市

朝阳市

葫芦岛市

吉林省

长春市

吉林市

四平市

辽源市

通化市

白山市

松原市

白城市

延边州

黑龙江省

江苏省

浙江省

马鞍山市

淮北市

铜陵市

安庆市

黄山市

滁州市

阜阳市

宿州市

巢湖市

六安市

亳州市

池州市

宣城市

福建省

福州市

山东省

河南省

湖北省

湖南省

广西壮族自治区

防城港市

贵港市

海南省

海口市

三亚市

三沙市

重庆市

四川省

成都市

贵州省

贵阳市

六盘水市

遵义市

安顺市

铜仁市

毕节市

黔西南州

黔东南州

黔南州

云南省

西藏自治区

陕西省

西安市

甘肃省

青海省

宁夏回族自治区

新疆维吾尔自治区

香港特别行政区、澳门特别行政区、台湾省

参考文献

后记

上编　考古详报

北京市

天津市

河北省

1.五代王处直墓

作　者：河北省文物研究所、保定市文物管理所　编著

出　处：文物出版社 1998 年版

该书 16 开精装一册，是 1995 年河北省曲阳县西燕川村五代王处直墓的考古发掘详报。该墓 1994 年被盗，但仍有重大收获，对研究五代时北方义武军等均有着重要价值。该书简目如下：

前言

壹　概况；

贰　墓葬形制；

叁　墓内壁画与浮雕；

肆　出土器物；

伍　结语。

附有"五代王处直墓志录文"和"义武军大事年表"。王处直，曾任易、定、祁州节度使，五代同光二年（924 年）下葬。墓室约 100 平方米，内有精美壁画、浮雕。

2.邢台隋代邢窑

作　者：河北省邢台市文物管理处　编著

出　处：科学出版社 2006 年版

本书为 16 开一册，共 342 页，彩色图版 12 幅，黑白图版 72 幅。

本书是1997 年邢台市文物管理处发掘的1 处隋代邢窑址的考古详报，也是邢窑研究方面的首部专著。书中全面、客观地介绍了发掘中出土的隋代白、黄、黑釉深腹碗、杯、高足盘、瓶等瓷器，以及窑柱、支架、垫圈等窑具。此外发掘中出土的黑釉板瓦、筒瓦及高足尖顶桃形器等建筑构件，在国内属首次发现。本书对邢台隋代邢窑址发掘成果的公布，有助于全面了解邢窑发展与演变的过程，是我国邢窑考古的重要成果。

该书第一章为概述，介绍了邢窑的地理位置及资源、沿革、发掘经过等，第二章介绍了邢窑的遗迹与遗物，第三章讨论了邢窑窑址的年代及性质，第四章讨论了烧造工艺。

今有张志忠、李恩玮、赵庆钢先生《邢窑研究》（文物出版社 2007 年版）一书，可参阅。又有李恩玮、张志忠、李军先生主编的《邢窑遗址研究》（科学出版社 2007 年版）一书，这是一部考古资料和研究论文的合集。

山西省

3.唐代薛儆墓发掘报告

作　者：山西省考古研究所　编著

出　处：科学出版社 2000 年版

此书为 16 开精装一册，是对位于山西省万荣县皇甫村唐睿宗女婿薛儆墓的考古发掘详报。该书简目如下：

一、薛儆墓发掘经过概况

二、墓葬形制

三、葬具和葬式

四、出土器物

五、结语

附有"大唐郧国长公主神道碑铭"和"唐万泉县主薛神道碑"。

4.太原隋虞弘墓

作　者：山西省考古所、太原市文物考古研究所、太原市晋源区文物旅游局　编著

出　处：文物出版社 2005 年版

本书为 16 开全彩色精装一册，有文字 234 页，文内有大量彩色图版，文后有彩色图版 90 版。

该墓位于山西省太原市晋源区王郭村，1999 年发掘。虞弘墓是 1 座以仿木构石椁为葬具的古代墓葬，墓葬内的石椁质地、形制罕见，内外皆有浮雕和彩绘图画，图像内容丰富，具有浓厚的波斯、中亚地区风格。发掘报告分八部分对虞弘墓的发现和发掘经过、墓葬地理环境、历史背景、墓葬形制、葬具、随葬品、墓志、石椁装饰图像等进行了详尽的描述，中间插入了大量的线图和图版，最大程度地介绍了虞弘墓的各方面内容。在本书的结语中，对墓葬的年代和形制、随葬品的特点、石椁的形制、墓主的身份、图像内涵及墓志的价值、虞弘墓石椁与其他入华粟特人石葬具的比较以及鱼国的地望进行了细致的分析。正文后有"虞弘墓出土器物登记表"、

"虞弘墓石椁装饰图像规格统计表"和"虞弘墓石椁装饰图像所见人物表",最后还有包括虞弘墓人骨鉴定在内的6篇学术报告和研究论文。内容详细,研究细致。

据介绍,虞弘为茹茹贵族子弟,即中亚人。曾出使波斯、吐谷浑等国,在北齐、北周、隋3朝任过官职。

文物出版社2005年所出《隋代虞弘墓》画册,可视为本详报的下册。

5.佛光寺东大殿建筑勘察研究报告

作　者：清华大学建筑设计研究院、北京清华城市规划设计研究院、文化遗产保护研究所　编著

出　处：文物出版社2011年版

此书为大16开精装一册。系佛光寺东大殿考古详报。佛光寺东大殿建于唐朝大中十一年（857年），是我国现存规模最大、结构保存完整且未经改动的年代最早的木构殿堂式建筑。东大殿在历史上曾进行过多次测绘,此次勘察结合前人的成果,首次以三维激光扫描的精确测量方法,确定东大殿建筑结构的变形,并通过对变形的量化分析,使重建或复原东大殿,消除结构变形影响的标准形态成为可能。本书汇集大量详实的资料,多方面地展示了此次勘察工作,为东大殿今后的修缮创造了必要的条件。本书目次如下：

内蒙古自治区

6.海拉尔谢尔塔拉墓地

作　　者：中国社会科学院考古研究所、呼伦贝尔民族博物馆、海拉尔区文物管理所　编著

出　　处：科学出版社 2006 年版

该书为 16 开精装一册，正文共 254 页，约 37.6 万字，文后附有彩色图版 36 页。

海拉尔谢尔塔拉墓地，位于内蒙古呼伦贝尔市海拉尔区谢尔塔拉东部，年代应为晚唐五代时期。1997 年考古调查时发现，1998 年进行正式发掘。海拉尔谢尔塔拉墓地的发掘，是呼伦贝尔草原游牧民族考古的一项重要收获。

本书分上、下两编：上编为考古发掘报告，系统介绍了谢尔塔拉墓地 10 座墓葬的发掘资料，并提出"谢尔塔拉文化"的命名；下编是对相关问题的研究，共收录 10 篇论文，从考古学、历史学、民族学和人类学等角度对谢尔塔拉文化的内涵、室韦史料、蒙古族源等重要课题进行了论述。

谢尔塔拉文化代表了公元 7 ~ 10 世纪活动在呼伦贝尔草原的室韦人遗存。体质人类学的研究结果表明，谢尔塔拉人群基本上属于蒙古人种北亚类型。谢尔塔拉文化的发现，为研究室韦的历史以及探索蒙古族的起源提供了珍贵的考古实证资料。

辽宁省

7.朝阳隋唐墓葬发现与研究

作　者：辽宁省文物考古研究所、（日本）奈良文化财研究所　编著

出　处：科学出版社 2012 年版

该书 16 开精装一册，是中日两国考古学家合作的结晶。主要内容有两部分：一是辽宁省朝阳市唐代墓葬发掘简报 10 篇，二是研究论文 12 篇。简目如下：

上篇　发掘报告

朝阳唐杨和墓出土文物简报

朝阳唐孙则墓发掘简报

朝阳唐张狼墓发掘简报

朝阳唐王德等 7 座墓葬发掘简报

朝阳唐韩相墓出土文物简报

朝阳唐骆英墓发掘简报

朝阳双塔区中山营子村唐墓出土文物简报

朝阳市区中心广场唐墓发掘简报

朝阳市衬布厂历年清理的 9 座唐墓出土文物

朝阳市双塔区零散唐墓出土文物

下篇　相关研究

朝阳的隋唐纪年墓葬

朝阳地区隋唐墓葬的初步研究

墓志所见隋唐时期营州地区军事制度的变迁

朝阳发现唐代铁器的初步考察

唐杨和墓志考

蔡泽、蔡须达墓志考

朝阳地区隋唐墓出土带饰金属部件的制作技法

朝阳地区铁制环形弹簧剪考

辽宁省唐墓出土文物的调查与朝阳出土三彩枕的研究

使用携带型荧光 X 线分析装置对俑的分析调查

陶俑研究之一视点——以辽宁省韩相墓出土武官俑为中心

辽宁省隋唐时期墓葬出土考古资料的立体测量

这种将"发现"与"研究"合编为一书的形式，虽说比不上正式的考古详报，但研究论文往往与考古简报内容相关，发掘提供了资料，论文可视作考古简报的补充与延伸。对读者的帮助，往往比仅是将相关考古简报汇编成书要大一些。

吉林省

8.西古城：2000～2005年度渤海国中京显德府故址田野考古报告

作　者：吉林省文物考古研究所、延边朝鲜族自治州文化局、延边朝鲜族自治州博物馆、和龙市博物馆　编著

出　处：文物出版社2007年版

本书为16开本一册，共381页，图版68幅。

西古城位于吉林省延边朝鲜族自治州和龙市西城镇城南村。城址由内城、外城两部分组成，平面均呈长方形，总面积约0.46平方公里。2000～2005年，对西古城进行了考古发掘，本书即是这5年的考古详报。

渤海国（698～926年）相当中原唐至五代年间。本书对西古城外城和内城的城墙及门址、一至五号宫殿址、内城一号房址、水井等遗迹进行了介绍，其中出土遗物主要是作为建筑构件的板瓦、筒瓦、瓦当等，还有少量陶瓷器等。在此基础上，本书对西古城内城建筑布局和城址内出土的瓦件类型进行了考察，认为西古城应为渤海国中京显德府故址。本书对于认识西古城的文化性质和文化内涵具有重要意义。

9.吉林集安高句丽墓葬报告集

作　者：吉林省文物考古研究所　编著

出　处：科学出版社2009年版

该书为16开本一册，正文328页，彩版12页、黑白版26页。

该书共收集了1962～2003年吉林省内高句丽墓葬调查、发掘工作的考古报告35篇，动物骨骼鉴定报告1篇。其中不仅有三室墓，五盔坟四、五号墓，长川一、二号墓，麻线一号墓等壁画墓的发掘报告，同时也包括了上、下活龙，东大坡和集锡公路等几次规模较大的积石墓群的报告。此外，书中还收录了近年调查的几座可能为高句丽王陵的资料。这些材料是高句丽墓葬研究的基础。将这些资料汇集在一起，可以减少研究中因这批资料发表分散而产生的查阅不便。

本书目录如下：

前言

集安 JSZM145 号墓调查报告

集安禹山 M2112 墓室清理报告

黄泥岗大墓调查报告

集安禹山 540 号墓清理报告

03JYM0540 出土的动物骨骼遗存研究

10.八连城：2004 ～ 2009 年度渤海国东京故址田野考古报告

作　者：吉林大学边疆考古研究中心、珲春市文物管理所

出　处：文物出版社 2014 年版

该书 16 开精装一册，是吉林省珲春市八连城遗址 2004 ～ 2009 年考古发掘详报。考古人员对八连城实施了考古调查与发掘。6 年期间的田野考古工作包括：对八连城遗址进行全面考古调查，测绘遗址地形图；对八连城内城主要宫殿建筑址、内城南门址、外城南门址、内城南墙、外城南墙等遗迹实施考古发掘。

此报告八连城遗址调查发掘成果的最终考古报告，包括绪论、城墙与门址、内城建筑址、城址形制考察、出土遗物分析、结语六个部分。绪论部分介绍自然历史概况、调查发掘简史和 2004 ～ 2009 年的田野考古工作；城址调查和内城建筑址部分分别报告城址调查及发掘成果；城址形制考察和出土遗物分析部分论述八连城规划布局、出土建筑构件类型及制作工艺；结语部分讨论城址年代、宫殿建筑功能以及八连城在渤海王城中所处位置。

报告认为：八连城始建于 8 世纪后半期，废弃年代约在 928 年，为内外两重城规划设计，宫殿建筑采取中轴对称的院落式布局，位于内城北部中轴线上的两座宫殿建筑分别承担"前朝"和"后寝"功能。

黑龙江省

11.六顶山与渤海城：唐代渤海国的贵族墓地与都城遗址

作　　者：中国社会科学院考古研究所　编著

出　　处：中国大百科全书出版社 1997 年版

该书 16 开精装一册，系 1963 ～ 1964 年吉林省敦化县六顶山、黑龙江省宁安县渤海镇唐代渤海国贵族墓地和都城遗址的考古发掘详报。论及六顶山贵族墓地的布局、各墓构造、葬俗及随葬品。对渤海国都城上京龙泉府的规划及城墙、城门、城中宫殿、官署、佛寺、街道、里坊均进行了介绍。本书是迄今有关唐代渤海国的内容最为丰富、资料最为详实的考古报告，在研究渤海的历史、社会、产业、民俗及其与唐王朝在政治、经济和文化上的关系等方面有较高的学术价值。

12.渤海上京城

作　　者：黑龙江省文物考古研究所　编著

出　　处：文物出版社 2009 年版

该书 16 开精装，分为上、下、附图共三册。渤海上京城，是唐代渤海国都城，遗址位于今黑龙江省宁安市渤海镇。辽天显三年（928 年）废弃后，自伪满时期起都进行过发掘。该书简目如下：

第一章　绪论
第二章　第 2 号宫殿基址
第三章　第 3、4 号宫殿建筑群基址
第四章　第 5 号宫殿基址
第五章　第 50 号宫殿基址
第六章　皇城南门基址
第七章　郭城正南门基址
第八章　郭城正北门基址
第九章　第 1 号街基址

第十章　城墙建筑结构

第十一章　结语

最后有测试报告等 4 篇附录。

13.宁安虹鳟鱼场 1992 ～ 1995 年度渤海墓地考古发掘报告

作　　者：黑龙江省文物考古研究所　编著

出　　处：文物出版社 2009 年版

该书为大 16 开精装两册。渤海国是公元 8 ～ 10 世纪以粟末靺鞨和白山靺鞨为主体，联合其他民族，仿照唐朝体制建立起来的我国东北地区少数民族政权。渤海初称震国，归附唐朝后被册封为"渤海国"，后为契丹所灭，传国 15 世，200 余年。渤海国鼎盛时期，"地有五京、十五府、六十二州、一百数十县"，"地方五千里"，号称"海东盛国"。其辖境大体东至日本海；南部隔泥河（今朝鲜的龙兴江）与新罗为界；西南部达到鸭绿江的伯咄口，与唐安东都护府相接；西部到达辽河东岸及昌图、梨树、农安、乾安、哈尔滨一线，与契丹、室韦相邻；北部控制了靺鞨黑水部以后，势力到达黑龙江中下游一带。在这一区域内，由于各地各部族自身发展水平和接受外界文化影响程度不尽相同，社会发展也不均衡。渤海上层社会封建化程度很高，其发展水平与中原相差无几，而其下层社会发展程度很不统一，有的甚至还处于氏族社会时期。渤海（震）国最早定都东牟山（今吉林省敦化市境内），不久迁都显州（即中京，今吉林省和龙县西古城），继而迁都忽汗城（即上京龙泉府，今黑龙江省宁安市的渤海上京城遗址）。渤海立国多年，国王的陵墓葬在何处？当时平民的丧葬习俗又是怎样？这些问题一直是中外学者非常关注的。近年在渤海上京城址北郊三陵一带陆续有大型的渤海墓葬发现，对了解渤海上层社会生活状况有很大的帮助。

虹鳟鱼场渤海墓地位于黑龙江省宁安市西南约 45 公里处的渤海镇虹鳟鱼场，东南距渤海国上京龙泉府 6 公里左右，东距三灵 2 号墓 4 公里左右，是 20 世纪 60 年代黑龙江省文物普查时发现的。1981 年为配合莲花水库工程，考古人员对其附近的古代遗存进行了第二次文物调查，同时对此墓地进行了复查，初步确认有几百座石墓。墓地因挖沙采石现时遭到一定破坏，若不及时发掘，破坏将会更加严重，于是从 1992 年至 1995 年，考古人员对墓地进行了抢救性发掘。

在进行此次发掘以前，1984 年黑龙江省文物考古研究所曾在此发掘了 1 座大型砖室墓。1990 年 3 月，当地居民从墓地北坡（第一墓区北侧）取沙，破坏墓葬数十座，所出部分文物被黑龙江省渤海上京博物馆征集。

1992 年 7 月至 11 月，对墓地进行正式发掘，当年共发掘 88 座墓葬，清理范围基本上是墓地的西南部，在这基础上进行了全面的地面调查，断定绝大多数墓葬是随着漫长的岁月被自然破坏的。

本书简目如下：

14.六顶山渤海墓葬：2004～2009年清理发掘报告

作　者：吉林省文物考古研究所、敦化市文物管理所　编著
出　处：文物出版社2012年版

该书16开精装一册，是2004～2009年吉林省敦化市六顶山墓群考古详报。该墓群早在新中国成立之初已发现，1961年被公布为第一批全国重点文物保护单位，20世纪50～60年代的工作，大多集中在《六顶山与渤海镇》一书中，此书报道的是2004～2009年的工作成果。简目如下：

第一章　墓群概述
第二章　墓群复查
第三章　墓葬发掘
第四章　附属设施遗迹
第五章　墓群相关问题探讨
结语
附有表格4种，文章7篇。

详报页187称："六顶山墓群是一处以靺鞨为主包括有王室、贵族和平民的多民族公共墓地。"但中小型墓占多数。时代为公元8世纪前半期至8世纪后期，个别的会晚至公元8世纪末或9世纪初，相当于中原地区唐代时期。

上海市

江苏省

15.南唐二陵发掘报告

作　　者：南京博物院　编著

出　　处：文物出版社 1957 年版、南京出版社 2015 年版

该书 8 开精装一册。计 298 页。南唐二陵，是指五代时南唐皇帝李昇陵、李璟陵，位于江苏省江宁县东善镇西北。1950 年发掘，是新中国成立后第一次发掘的古代帝王陵墓。该书简目如下：

前言

第一章　地理环境及发现和发掘的经过

第二章　二陵的建筑

第三章　出土遗物——陶器和瓷器

第四章　出土遗物——陶俑

第五章　出土遗物——玉哀册、石哀册及玉、骨、铜、铁等器

结束语

后附"南唐二陵出土遗物一览表"和"南唐大事年表"

饶惠元先生写有书评，载《考古通讯》1958 年第 7 期

该报告 1957 年版分绸面本、布面本两种，绸面本仅印 500 本，布面本也只印了 1000 册。南京出版社 2015 年推出的《南京稀见文献丛刊》第十辑中，又收入了经南唐二陵文物保护管理所重编的《南唐二陵发掘报告》，增添了南京大学蒋赞初先生的《导读》。

浙江省

16.雷峰塔遗址

作　者：浙江省文物考古研究所　编著
出　处：文物出版社 2005 年版

该书为 16 开精装一册，系对杭州西湖畔五代十国时吴越国所建雷峰塔的考古发掘详报。简目如下：

第一章　概况
第二章　雷峰塔塔基、塔身及外围遗迹
第三章　雷峰塔遗址出土遗物
第四章　雷峰塔地宫
第五章　雷峰塔地宫出土器物
第六章　结语

附有分析报告、鉴定报告及《雷峰塔文献资料汇编》《中国境内出土的历代阿育王塔资料汇编》共 4 种。

17.晚唐钱宽夫妇墓

作　者：浙江省文物考古研究所、杭州市文物考古研究所、临安市文物馆　编著
出　处：文物出版社 2012 年版

该书 16 开精装一册，系 1978 年浙江省临安市钱宽夫妇墓的考古发掘详报。钱宽，系五代吴越国王钱镠之父。简目如下：

第一章　地理环境与历史沿革
第二章　墓葬位置与发现发掘
第三章　钱宽墓（临 M23）
第四章　水邱氏墓（临 M24）
第五章　认识与讨论。

附有"临安青柯五代墓葬发掘报告""五代钱氏家族墓葬统计表"。

18. 五代吴越国康陵

作　　者：杭州市文物考古研究所、临安市文物馆　编著

出　　处：文物出版社 2014 年版

该书 16 开精装一册，系浙江省临安市玲珑镇祥里头村上家头五代吴越国康陵 1996～1997 年考古发掘详报。墓主人为钱元瓘之王后马氏，公元 940 年下葬。该书简目如下：

第一章　绪言

第二章　墓葬结构

第三章　出土遗物

第四章　采集遗物

第五章　讨论和认识

安徽省

福建省

江西省

19.江西南丰白舍窑——饶家山窑址

作　者：江西省文物考古研究所、南丰县博物馆　编著
出　处：文物出版社 2008 年版

该书 16 开精装一册，系江西省南丰县白舍镇饶家山窑址的考古发掘详报。该窑主烧青白瓷，1998 ～ 1999 年发掘。

简目如下：

前言

第一章　白舍窑址概况

第二章　饶家山窑址

第三章　发掘收获与相关问题探讨

据介绍，该窑可分三期，从北宋中晚期、北宋末至南宋初至南宋初年不等。

南丰白舍窑是江西省境内一处规模较大的宋代青白瓷窑场，其主要地点之一在南丰饶家山。1998 年 10 月～ 1999 年 1 月进行了抢救性发掘。报告详细介绍了白舍窑的概况和饶家山窑址的出土材料，并对相关问题进行了深入探讨。

山东省

20.灵岩寺

作　者：《灵岩寺》编辑委员会　编著
出　处：文物出版社 1999 年版

　　灵岩寺位于山东济南长清县泰山西北麓的方山之阳，是隋唐时期著名的佛教寺院。唐李吉甫所撰《十道图》中，将灵岩寺与浙江天台国清寺、湖北当阳玉泉寺、南京栖霞寺并称为"四绝"。现寺院内保存着大量唐宋时期的珍贵文物。尤其是 1995 年，文物部门发掘清理了寺院内般舟殿、鲁班洞等遗址，发现了隋唐时期的建筑遗址，并出土有佛教造像，引起了学术界的关注。《灵岩寺》一书刊布了几件造像及方山积翠龛、神宝寺造像资料。

　　李裕群先生《灵岩寺石刻造像考》（《文物》2005 年第 8 期）一文，对《灵岩寺》一书的一些结论提出了不同看法，如认为灵岩寺般舟殿遗址出土的佛头像、菩萨像各 1 件，应为北齐造像，而非唐宋时期造像。该文还对灵岩寺周边的神宝寺唐代四面佛像、方山积翠龛造像进行了综合研究，认为灵岩寺与隋炀帝一家关系密切。

　　相关的通俗读物，有济南出版社 2011 年出版的《灵岩寺史话》一书。

河南省

21.唐安国相王孺人壁画墓发掘报告

作　　者：洛阳市第二文物工作队　编著

出　　处：河南美术出版社 2008 年版

本书为 16 开一册，共 215 页，彩色图版 114 幅。

2005 年 3 ~ 8 月，洛阳市第二文物工作队在洛阳市洛南新区翠云路抢救性清理了两座大型唐墓。两墓东西并列，形制基本一致，墓主均为唐安国相王孺人，东为唐氏墓，西为崔氏墓。该书对这两座墓葬的形制、壁画、出土遗物、壁画的清理和保护情况等进行了详细介绍，并对墓主死因和出土壁画进行了分析。正文后有 1 个附录、3 个附表。这两座墓出土了大面积壁画。本书为了解唐代的政治、历史、绘画、服饰、葬俗等提供了珍贵的史料。

今有李星明先生《唐代墓室壁画研究》（陕西人民美术出版社 2005 年版）一书，可参阅。

22.隋唐洛阳城：1959 ~ 2001 年考古发掘报告

作　　者：中国社会科学院考古研究所　编著

出　　处：文物出版社 2014 年版

该书 16 开精装四册，系隋唐洛阳城遗址 1959 ~ 2001 年的考古发掘详报。简目如下：

第一册

第一章　综述

第二章　郭城

第三章　皇城

第四章　东城

第二册

第五章　宫城（上）

第三册

第四册，全部为图版。

今有中国唐史学会洛阳唐文化研究中心编辑的《洛阳隋唐史研究》，不定期出版。

23.洛阳红山唐墓

作　　者：洛阳市文物考古研究所　编著

出　　处：中州古籍出版社 2014 年版

该书 16 开精装一册，系 2009～2011 年洛阳市红山乡工业园区 5 座唐墓的考古发掘详报。简目如下：

壹　发掘概况

贰　HM1164 唐洛州刺史贾敦颐及妻房氏合葬墓

叁　HM1940 唐慎州司仓窦州潭峨县丞张文俱墓

肆　HM1939 唐墓

伍　HM1938 唐墓

陆　HM2026 唐墓

柒　结语

附有"洛阳地区纪年唐墓简表"。

湖北省

湖南省

24.长沙窑

作　　者：长沙窑课题组　编著

出　　处：紫禁城出版社 1996 年版

该书 16 开精装一册，是 1983 年湖南长沙望城古窑遗址的考古发掘详报。简目如下：

第一章　发掘概况

第二章　窑址与探方

第三章　出土遗物

第四章　国内出土和收藏的长沙窑瓷器

第五章　国外出土的长沙窑瓷器

第六章　长沙窑的历史背景、产品特点、销售及年代

附有《泰国出土的长沙窑产品》《长沙窑产品的仿制》等文。

李效伟先生《长沙窑·大唐文化辉煌之焦点》(湖南美术出版社 2003 年版)一书中，公布了多幅此前没有公布的照片，可参阅。

广东省

广西壮族自治区

海南省

重庆市

四川省

25.前蜀王建墓发掘报告

作　者：冯汉骥　著

出　处：文物出版社 1964 年第一版，2002 年第二版

该考古发掘报告 16 开精装一册，2002 年版增加了原营造学社现场测绘的墓葬结构图及部分照片等。简目如下：

一、永陵的发现及发掘

二、地理环境

三、陵台的外形及建筑

四、墓室的建筑

五、木门

六、前室

七、中室

八、棺椁

九、棺中随葬器物

十、中室内其他出土物

十一、后室

十二、玉册

该墓为五代前蜀王建墓，位于成都老西门外，以往误传为司马相如琴台，1940年秋，当地铁路部门挖地下防空室时发现，1942 年 9 月开始发掘，1943 年结束。

本详报除了对墓室的结构、雕刻和出土遗物等作了详细叙述外，还对墓室的某些细部结构作了适当的复原。同时，更结合古代文献，对一部分雕刻和遗物作了考证和研究。本详报为研究唐五代考古、工艺美术史、建筑史、音乐史等都提供了重要的实物参考资料。

今有秦方瑜先生《王建墓之谜》（四川大学出版社 1995 年版）一书，可参阅。

26.安岳卧佛院考古调查与研究

作　　者：大足石刻研究院等　编著
出　　处：科学出版社 2014 年版

该书 16 开精装一册，分为上下两篇，上篇为现存摩崖、造像的介绍，下篇为刻录经文，用台湾所出《大正藏》与卧佛院刻经拓片进行校对。安岳卧佛院位于四川省安岳县城北八庙乡卧佛沟，现有窟龛 139 个，造像 1613 个，以唐、五代时期遗存为主。

27.四川邛崃龙兴寺：2005 ～ 2006 年考古发掘报告

作　　者：成都文物考古研究所、邛崃市文物管理局　编著
出　　处：文物出版社 2011 年版

该书 16 开精装一册，公布了该遗址发掘所获资料，清理房屋、墓葬、水井、塔等遗迹，出土佛、菩萨等各类石刻造像及瓷器等的资料。该书简目如下：

第一章　遗址概况
第二章　地层堆积
第三章　遗迹现象
第四章　出土遗物（一）——佛教造像类
第五章　出土遗物（二）——建筑材料及构件
第六章　出土遗物（三）——生活用器及期
第七章　初步认识与研究

另有《四川邛崃唐代龙兴寺石刻》（中国古典艺术出版社，1958 年版）一书，可参阅。

贵州省

云南省

西藏自治区

28.藏王陵

作　者：中国社会科学院考古研究所　编著
出　处：文物出版社 2006 年版

该书 16 开平装一册。简目如下：

前言

琼结藏王陵

雅鲁藏布江与雅隆河

庸布拉康、桑耶寺、昌殊寺与朗色林

青瓦达孜和雕楼遗址

木惹山、东嘎沟与琼结河谷

陵地环境与布局

西陵区

东陵区

陵墓保存现状

文物保护工程

据介绍，琼结西藏王陵位于西藏山南行署琼结县，距拉萨约 300 公里。藏王陵是目前西藏境内规模最大的一处吐蕃赞普墓葬群，埋葬着松赞干布等不下 20 位吐蕃赞普。该书图文并茂，并附有《琼结藏王陵主要陵墓和石碑资料》《琼结藏王陵一览表》等文章 5 篇。

陕西省

29.唐玄奘法师骨塔发掘奉移经过专册

作　者：玄奘法师顶骨奉安筹备处　编

出　处：编者 1943 年自刊

该书 16 开一册，系抗战时期沦陷区出版物。含发掘报告和考证论文集。全书分图像、摄影、拓片、序文、新闻记载、报告、考证及附录 8 部分。其中考证部分收文 5 篇：顾天锡著《唐玄奘骨塔之事实考证》，何海鸣著《玄奘大师与唯识学》，萧剑青著《西游记与玄奘》和《唐玄奘取经路线图释》（附图一幅）。附录：陈曾亮著《玄奘法师遗骨及发掘出土物品接收经过》。

30.唐长安大明宫

作　者：中国科学院考古研究所　编著

出　处：科学出版社 1959 年版

该书 16 开一册，分精装、平装两种。唐长安大明宫遗址位于今西安城北 1 公里的龙首原上。1957 ~ 1959 年发掘，共发掘城门遗址 4 座，麟德殿遗址 1 座等。该详报是在发掘尚未完全结束时编写的。简目如下：

一、引言

二、城垣

三、宫殿遗址

四、太液池与龙首渠

五、含光殿的发现

六、结语

附有清代王森文"汉唐都城图"前记、后记、考辨附。

详报介绍了大明宫在唐长安城中的位置。对宫城的范围、形制、城门的位置及主要宫殿的分布等，基本勘测清楚，并发掘了其中的城门 4 座、大型宫殿遗址 1 座、及其他遗址等多处。明确了宫城的位置、形制和布局的大体情况，并对历代有关文献提出若干补正，是研究唐代宫城建制的重要参考资料。

陈明达先生写有书评，载《考古》1960 年第 3 期。

31.西安郊区隋唐墓

作　者：中国社会科学院考古研究所　编著

出　处：科学出版社 1966 年版

本书 16 开一册，分精装、平装两种。是 1955～1961 年西安郊区发掘的 175 座隋墓、唐墓的考古详报。根据大批的墓葬和丰富的随葬品作了分类比较，找出了其发展演变的规律。根据陶俑的演变，并参考铜镜、钱币和墓型的差异，把这批墓葬分为三期：第一期隋至初唐；第二期盛唐时期；第三期中、晚唐时期。这批资料的发表，为研究隋唐时代的生产水平、社会生活和意识形态等方面，提供了可靠的实物资料，对隋唐史的研究具有重要的价值。

32.唐长安城郊隋唐墓

作　者：中国社会科学院考古研究所　编著

出　处：文物出版社 1980 年版

该书 16 开精装一册，系 1950～1958 年考古人员在西安城郊发掘的 6 座隋、唐墓葬的考古发掘详报。简目如下：

壹　前言

贰　隋代李静训墓

　　一、发掘经过和墓葬形制

　　二、石制棺椁的形制

　　三、随葬器物

　　四、墓志

叁　唐代墓葬

　　一、独孤思贞墓

　　二、独孤思敬和元氏墓

　　三、杨氏墓

　　四、鲜于庭诲墓

　　五、杨思勖墓

肆　结语

此 6 座墓墓主都是贵族、官员。隋代李静训,死时年仅 9 岁,但因家中是北周、隋两朝皇亲,随葬品十分丰富。杨思勖墓曾被盗,但因他是唐玄宗亲信,墓葬规模宏大。独孤氏及鲜于氏墓中,出土大量的三彩俑,为研究隋唐历史提供了实物资料。

33.唐代黄堡窑址

作　　者:陕西省考古研究所　编著

出　　处:文物出版社 1992 年版

该书为 16 开精装上、下两册,系陕西省铜川黄堡唐代窑址的考古发掘详报。共发掘三彩作坊 1 座、制瓷作坊 8 座、三彩窑 3 座、瓷窑 5 座、灰坑 7 个、墓葬 1 座及大量出土遗物。据介绍,黄堡窑是我国北方烧制陶瓷品种最为丰富的综合性窑场,黑、白、青、三彩瓷均有出产。唐代时,黄堡窑曾向朝廷供应"官"字款瓷器。

34.唐惠昭太子陵发掘报告

作　　者:陕西省考古研究所、临潼县文物园林局　编著

出　　处:三秦出版社 1992 年版

该书 16 开精装一册,是 1990 ～ 1991 年对陕西省临潼唐代惠昭太子陵的考古发掘详报。简目如下:

一、发现与清理过程

二、陵墓葬形制

三、出土器物

四、册文和哀册的初步考证

五、主要收获

35.五代黄堡窑址

作　　者:陕西省考古研究所　编著

出　　处:文物出版社 1997 年版

该书 16 开精装一册,计 318 页。系陕西省铜川黄堡五代窑址的考古发掘报告,共发掘出五代时期制瓷作坊 4 座、烧瓷器的窑 7 座、灰坑 18 个。重点介绍了 70、66、17、68 号作坊及 15、29、31、32、43 等窑址。该书简目如下:

前言

第一章　探方分布和地层堆积

第二章　遗址

第三章　遗物

第四章　有关五代黄堡窑的几个问题

经过发掘证实，五代时期，黄堡窑在唐代基础上继续发展，并不断创新，推出不少精美的产品。

36.唐华清宫

作　　者：陕西省文物事业管理局　编著

出　　处：文物出版社 1998 年版

该书 16 开精装一册，是 1982 ～ 1995 年间对唐华清宫 15 次发掘的考古详报。可分为骊山上（宗教建筑）、骊山下（淋浴设施）两部分。该书以骊山下发掘的资料为主，包括唐代华清宫缭墙与宫墙、唐昭应县城遗迹与遗物等。

37.五代冯晖墓

作　　者：咸阳市文物考古研究所　编著

出　　处：重庆出版社 2001 年版

该书 16 开精装一册，是 1992 年陕西彬县五代后周冯晖墓的考古发掘详报。详报介绍了其墓葬形制、出土壁画、彩绘浮雕砖、墓志等。

38.唐金乡县主墓

作　　者：西安市文物保护考古所　编著

出　　处：文物出版社 2002 年版

该书 16 开精装一册，系 1991 年西安市东郊唐代金乡县县主墓的考古发掘详报。简目如下：

前言

壹　概述

贰　墓葬形制

叁　随葬品出土状况

肆　壁画

伍　彩绘陶俑（上）

陆　彩绘陶俑（下）

柒　其他遗物

捌　墓志

玖　金乡县主墓有关问题的探讨

拾　金乡县主墓彩绘陶俑初探

据介绍，此墓为唐开国皇帝李渊孙女金乡县主与其夫合葬墓，唐开元十二年（724年）下葬，1981 年发掘。随葬品丰富，仅彩俑就多达 150 余件。

39.唐新城长公主墓发掘报告

作　者：陕西省考古研究所、陕西历史博物馆、礼泉县昭陵博物馆　编著

出　处：科学出版社 2004 年版

本书为 16 开精装一册，有制版 16 幅，黑白版 34 幅，是关于唐太宗李世民昭陵陪葬墓唐新城长公主墓的考古发掘详报。该墓位于陕西省礼泉县烟霞乡东坪村村北，1994 ～ 1995 年发掘。该书简目如下：

第一章　绪言

第二章　地面概况及遗存

第三章　墓葬形制

第四章　随葬器物

第五章　壁画

第六章　墓内石刻

第七章　结语

附有《墓志考释》《关于以"皇后礼葬"的问题》两篇文章。

40.唐节愍太子墓发掘报告

作　者：陕西省考古研究所、富平县文物管理委员会　编著

出　处：科学出版社 2004 年版

此书为 16 开精装一册，是唐中宗李显定陵陪葬墓唐节愍太子李重俊的考古发掘详报。该墓位于陕西省富平县宫里镇南陵村西北 200 米处，1995 年发掘。对出土的各类彩俑、三彩俑、明器等进行了全面介绍，特别介绍了出土的玉哀册，谥册散片，

对该墓的墓制形制、壁画进行了详细描述。该书简目如下：

第一章　绪言

第二章　节愍太子陵园布局

第三章　太子墓的地宫形制

第四章　节愍太子墓壁画

第五章　出土遗物

第六章　结语

附有表格 3 种及《有关太子墓壁画的历史内涵与艺术手段的讨论》《唐节愍太子墓出土文物所反映的问题及初步研究》等文章 4 篇。

41.唐惠庄太子李㧑墓发掘报告

作　　者：陕西省考古研究所　编著

出　　处：科学出版社 2004 年版

本书 16 开本一册，135 页，彩版 10 幅，黑白版 26 幅。

唐惠庄太子李㧑墓是唐睿宗李旦桥陵陪葬墓之一，位于今陕西省蒲城县坡头乡桥陵村东。惠庄太子李㧑为唐睿宗次子，开元十二年（724 年）病逝。1995～1996 年对李㧑墓进行了发掘，出土有哀册、陶俑等重要文物，计1300 余件。其中墓葬壁画文吏进谒图等为研究唐代宫廷生活提供了宝贵的形象资料。本书所公布的此次发掘的系统资料，是有关唐代帝陵的第一部综合性发掘报告。该书简目如下：

第一章　绪言

第二章　地面遗迹与遗物

第三章　墓葬形制

第四章　出土遗物

第五章　结语

附有《出土文物登记表》。

42.唐李宪墓发掘报告

作　　者：陕西省考古研究所　编著

出　　处：科学出版社 2005 年版

该书 16 开精装一册，系对陕西省蒲城县三合乡三合村北唐代李宪夫妇合葬墓惠陵的考古发掘详报。该墓因遭盗掘,2000年进行了抢救性发掘,记录了墓葬形制、葬具、壁画,出土了陶瓷器、陶俑、铜器、铁器、银器、玉器及玻璃料器等。出土石刻史料与传世文献记载所记,大体一致。

43.唐大明宫遗址考古发现与研究

作　　者:中国社会科学院考古研究所等　编著
出　　处:文物出版社 2007 年版

本书为 16 开本一册,共 464 页,彩色图版 24 幅,黑白图版 124 幅。

本书是有关唐大明宫遗址考古调查和发掘以及研究资料的萃集。全书共分两部分。第一部分为相关的考古简报及报告,共15篇。第二部分为论著,包括六个方面内容,即综论、遗迹考论、文物考论、历史地理、古建复原、中外交流,共31篇。本书将有关唐大明宫的考古发现和资料汇为一书,对于考古专业研究者和广大历史爱好者来说是一本方便而实用的资料书。

44.法门寺考古发掘报告

作　　者:陕西省考古研究院、法门寺博物馆、宝鸡市文物局、扶风县博物馆　编著
出　　处:文物出版社 2007 年版

本书为 16 开本,分上、下两册,上册为报告正文、附表等,共 393 页,下册为256 幅彩色图版。

本书是 1982 年、1985 年、1987 年 3 次对陕西省扶风县法门寺塔身、塔基和地宫进行发掘的考古详报,全面揭示了明代塔基、唐代塔基、唐代地宫的结构,详细介绍了塔体建材中和寺院内所见的刻铭砖、碑碣、刻石和塔身所出造像、经卷,以及地宫内出土的大量珍贵遗物,如金银器、丝织品、琉璃器、瓷器、铜铁器、漆木器、石器、珠玉宝石,还有佛骨舍利,共计 340 件(组),多数为唐懿宗和僖宗供奉佛祖的奇珍异宝,为研究唐代的历史文化提供了重要资料。

45.陕西凤翔隋唐墓:1983 ～ 1990 年田野考古发掘报告

作　　者:陕西省考古研究院、西北大学文博学院　编著
出　　处:文物出版社 2008 年版

该书16 开精装一册,系 1983 ～ 1990 年陕西省凤翔县南郊、东郊 364 座隋唐墓

的考古发掘详报。详报还附带介绍了凤翔境内零星发现的唐墓，讨论了此次发掘发现的殉葬现象及隋唐奴婢状况。附有人骨鉴定报告。

46.隋仁寿宫·唐九成宫——考古发掘报告

作　者：中国社会科学院考古研究所　编著

出　处：科学出版社 2008 年版

该书为大 16 开精装一册，正文共 98 页，约 18 万字，文后附有彩色图版 8 页、黑白图版 100 页。

隋仁寿宫始建于开皇十三年（593 年），历经 3 年，于开皇十五年竣工。负责设计和营建这座行宫的是隋代建筑大师宇文恺。隋朝覆灭后，仁寿宫也随之废弃。贞观五年（631 年），唐太宗以隋仁寿宫为基础，加以修缮，并改名为九成宫。

1978～1994 年，中国社会科学院考古研究所西安唐城工作队对麟游新县城及其周围进行了多次考察和发掘，充分证实了隋仁寿宫、唐九成宫遗址即在陕西省麟游县的新城区。本书为十几年考古工作的总结性报告。由于西安地区隋代的建筑遗址多已破坏殆尽，仁寿宫是目前所知唯一保存下来的建筑大师宇文恺的作品，代表着隋代建筑的最高水平。此详报的出版将填补中国建筑史上隋代宫殿遗址资料的空白。本书公布的考古发掘和研究成果，除 37 号殿址外，其余均为首次发表，为历史学、艺术史学、古建筑学的研究提供了许多珍贵的第一手资料。

该书简目如下：

一、序言

二、城址

三、建筑遗址

四、醴泉铭牌与醴泉石渠及万年宫铭牌

47.五代李茂贞夫妇墓

作　者：宝鸡市考古研究所　编著

出　处：科学出版社 2008 年版

该书为 16 开本一册，正文共 207 页，约 33.2 万字，文后附有彩色图版 56 页、黑白图版 19 页。

"大唐秦王忠敬"即李茂贞及其夫人"晋国秦国贤德太夫人"刘氏，生于唐末，死于五代的后唐、后晋，是唐末、五代时期极为重要的历史人物。两人的墓葬位于宝鸡市凌源村，是按"同茔不同穴"的墓葬形式合葬的，既承袭唐制，又有新的变化。本书全面介绍了李茂贞夫妇墓的墓葬形制及出土器物，并对墓葬形制、砖雕、随葬品的特点及其所反映的问题进行了综合分析，从而为研究五代历史提供了非常珍贵的实物资料。

该墓 20 世纪 70 年代已发现，90 年代因有盗墓活动而进行了抢救性发掘，2001年发掘结束，该书简目如下：

第一章　概述

第二章　墓葬分述

第三章　结语

附有《大唐秦王忠散墓考释》《后晋秦国贤德太夫人墓志考释》《李茂贞年表》《李茂贞官职爵位一览表》《李茂贞家族官职爵位一览表》等文章、表格共 9 种。

48.唐长安醴泉坊三彩窑址

作　者：陕西省考古研究院　编著

出　处：文物出版社 2009 年版

该书 16 开一册，为唐代长安醴泉坊三彩窑址的考古发掘详报。

该窑址位于今西安市西门外西关正街——丰镐路以南、草阳村及劳动南路以西、原西安民航机场跑道北端偏东处，所在范围是当年隋唐长安城醴泉坊。1999 年 5 ～ 7月，考古人员对这一遗址进行了抢救性发掘，共发掘出唐代残窑 4 座、灰坑 10 个，发现大量窑业堆积，出土包括唐三彩、素烧器、模具、窑具等各类陶制残片近万片，并出土了部分玻璃残块及骨器边角料等。此处遗址的发掘，为唐三彩的产地研究等均提供了重要材料。

49.潼关税村隋代壁画墓

作　者：陕西省考古研究院　编著

出　处：文物出版社 2013 年版

该书 16 开精装一册，系陕西省潼关县高桥乡税村村北隋代壁画墓 2005 年的考古发掘详报。简目如下：

绪言

　一、地理位置与历史沿革

　二、发掘经过

三、墓前石刻

壹　墓葬形制

　　一、形制结构

　　二、葬具与葬式

贰　随葬器物

　　一、陶质遗物

　　二、其他质料遗物

叁　壁画

　　一、墓道壁画

　　二、过洞壁画

　　三、天井壁画

　　四、过道壁画

　　五、墓室壁画

肆　石棺线刻画

　　一、盖板线刻画

　　二、档板线刻画

　　三、底板线刻画

伍　结语

　　一、墓葬时代的制定

　　二、墓主人身份的推断

　　三、相关问题探讨

附有表格 2 种，鉴定结果等 3 篇。

据该书页 136 介绍，该墓墓主人极有可能是隋朝第一位太子——杨勇。

甘肃省

青海省

50.都兰吐蕃墓

作　者：北京大学考古文博学院、青海省文物考古研究所联合编著
出　处：科学出版社 2005 年版

本书为 16 开精装一册，正文共 170 页，约 25 万字，文后附有彩色图版 40 页。

1999 年，北京大学考古文博学院与青海省文物考古研究所合作，对位于青海都兰的吐蕃墓地进行了抢救性发掘，共清理墓葬 4 座。尽管这 4 座墓均被盗过，但仍为研究吐蕃文化提供了宝贵资料。这本发掘报告全面报道此次工作的主要收获，详细介绍了四座墓葬的形制和所出随葬品的情况。残留的一些木版画、金银饰件、木器件、陶器和织物残片等，颇为珍贵。在本书中还附有专题研究文章对出土的古藏文、道符以及人骨、颜料等加以论述。

该书简目如下：

附有《青海都兰新出吐蕃汇释》《都兰三号墓织物墨书道符初释》等文章 5 篇。

宁夏回族自治区

51.固原南郊隋唐墓地

作　者：罗　丰　编著
出　处：文物出版社 1996 年版

该书 16 开精装一册，系 1982 ～ 1987 年考古人员对宁夏固原南郊隋唐墓地进行发掘的详报。共发掘隋墓 1 座、唐墓 7 座。简目如下：

第一章　绪言
第二章　隋唐史射勿墓
第三章　唐代史索岩夫妇墓
第四章　唐代史诃耽夫妇墓
第五章　唐代史道德墓
第六章　唐代梁元珍墓（上）
第七章　唐代梁元珍墓（下）
第八章　墓地有关问题的讨论
第九章　固原出土的外国金银币
第十章　墓志中所见异体字辑录
第十一章　史氏墓志考释
第十二章　唐代墓葬中出土的初唐"开元通宝"钱
第十三章　史诃耽墓出土的小玻璃器
第十四章　史诃耽墓出土的宝石印章
第十五章　固原隋唐墓葬出土金属器物的鉴定

52.吴忠西郊唐墓

作　者：宁夏文物考古研究所、吴忠市文物管理所　编著
出　处：文物出版社 2006 年版

本书为 16 开精装一册，正文 365 页，文后有彩色图版 24 版，黑白图版 100 版。吴忠西郊唐墓于 2003 年 3 月在吴忠市城市基本建设中发现，它与随后调查发

现的吴忠北郊和城区唐墓相连,是迄今为止在宁夏北部发现的最大的1处唐代墓地。本书以墓区为单位,对此次发掘的120座墓葬的位置与地层、墓葬形制、葬式以及出土遗物全部进行了报道,在对墓葬形制和随葬品进行研究后,对墓葬进行了分期。吴忠西郊唐墓的发掘,对研究宁夏地区唐代墓葬形制、唐代吴忠地区的政治、经济、军事和文化以及确立唐代灵州城的具体位置等提供了十分重要的实物资料。

本书简目如下:

第一章　绪言

第二章　红星家园墓区

第三章　西部嘉园墓区

第四章　中央大道北段墓区

第五章　中央大道南段墓区

第六章　结语

附表　吴忠西郊唐墓墓葬形制和随葬品统计表

附录一　《大唐故东平郡吕氏夫人墓志铭》墓志

附录二　宁夏吴忠西郊唐墓人骨鉴定研究

53.唐史道洛墓

作　者:原州联合考古队　编著

出　处:文物出版社 2014 年版

该书16开精装一册,系宁夏固原市唐代史道洛墓1995年发掘详报,先以日文在日本东京勉诚出版社出版,中文版有修订。简目如下:

前言

第一章　概述

第二章　周围遗迹与隋唐墓地

第三章　墓葬形制

第四章　遗物出土状况

第五章　出土遗物

第六章　墓志

第七章　人骨鉴定

第八章　动物骨骼鉴定

第九章　彩色陶俑的修复

第十章　结语

据介绍,史氏墓地系一处大型粟特人家族墓地。

新疆维吾尔自治区

54.吐鲁番考古记

作　者：黄文弼　著
出　处：中国科学院 1954 年版、1958 年第二版

该书 16 开平装一册，系根据前西北科学考察团在新疆吐鲁番所收集的古代文物编辑而成，内容为考察经过和遗物说明。考察经过对 1928 年及 1930 年在吐鲁番调查的古城、古遗址、废寺庙等全面叙述，墓葬亦简略论及，附路线图及古城图为参考，使读者对吐鲁番古代文化遗存有完整的认识。遗物说明介绍的大部分为唐人所写残纸，包括汉文典籍及佛典题记残片，公元 7 世纪后半叶至 8 世纪唐人统治西州时期的缴纳地租、户籍、军屯、诉讼牒状等，是研究西州时期社会生活的珍贵资料，著者尽可能加以诠释和考订；另有部分古维吾尔文写本及印本、拓本，是公元 9 世纪后半叶回鹘人迁入西州以后所写的，其中关于宗教典籍或文书者是研究维吾尔族历史的参考资料；还介绍了一些唐代的绢画、纸画和佛教壁画及泥塑等艺术品。图版的释文均见于遗物说明中，可以互相参考。

今有《吐鲁番唐代军事文书研究》（新疆人民出版社 2013 年版）上中下三册、《吐鲁番唐代交通路线的考察与研究》（青岛出版社 1999 年版）等书，均可参阅。

香港特别行政区、澳门特别行政区、台湾省

下编 考古简报

北京市

1.北京万佛堂孔水洞调查

作　　者：北京市文物管理处　吴梦麟
出　　处：《文物》1977年第11期

北京房山县城西北，大房支脉云蒙山区，丛山起伏，葱郁秀丽，是隋唐以来的所谓佛教胜地，山的南麓有古迹大历万佛堂孔水洞。附近还有两座古塔耸立在附近的小山冈上。简报分为四个部分，有照片。

据介绍，万佛堂孔水洞，最早见于魏郦道元《水经注》卷十二。孔水洞上万佛堂的创建，在唐玄宗时。简报引用元大德元年（1297年）碑、明正德十一年（1516年）碑碑文以证此说。目前，万佛堂孔水洞仅留存隋唐时期的造像、刻经、浮雕和明清碑碣，当时寺院的布局，已无任何遗迹可寻。但从现存石雕的规模来观察，这个地方应是隋唐两代幽州西南的佛教活动场所。我国现存的古塔有多种不同的类型，其中塔上半部装饰巨大莲瓣，密布佛龛，或塑造狮、象等动物形象以及各种动植物花饰，看上去好像一束巨花的，称之为花塔或华塔。耸立在万佛堂山坡上的辽代华塔，雄伟壮丽，造型优美，浮雕内容丰富，手法细腻，又有数处辽纪年题记，为探讨我国华塔出现的年代提供了新的材料。

2.北京出土青釉红陶人首四足鱼身俑

作　　者：高桂云
出　　处：《文物》1983年第12期

1976年，在北京宣武区白纸坊地图出版社工地上，距地表面约3米深处出土了一件青釉红陶胎人首四足鱼身俑。简报配以拓片和照片予以介绍。

据介绍，此俑上有"大业元年造"5字，大业元年（605年）为隋炀帝杨广即位之年。知此俑为隋代遗物。隋朝统治38年，传世的釉器不多，而且此俑造型奇特，四足、人首、鱼身，与《山海经·北山经》所记相符。简报认为此青釉四足人首鱼身俑尽管有残，但仍很珍贵。至于此俑的用途，简报认为应是祭品。

3.嵌金铁马蹬

作　者：首都博物馆
出　处：《文物》1984年第4期

1966年，北京市丰台区林家坟兴修农田时发现1座古墓，出土嵌金铁马蹬1副。简报配以照片予以介绍。

据介绍，蹬座为镂孔椭圆形，铁质已生锈，所嵌金箔微有脱落。现藏首都博物馆。与嵌金铁马蹬同时出土的还有残玉册3枚及铜兽等。北京市文物工作队在1981年对此墓进行了清理，结果尚待整理研究。根据遗迹，结合文献记载，有人推测墓主为史思明。按《新唐书·史思明传》载史思明葬于梁乡境内。梁乡即良乡，今林家坟址距良乡不远。但目前墓主问题还只能存疑。

4.北京近年来发现的几座唐墓

作　者：洪　欣
出　处：《文物》1990年第12期

北京市文物研究所在北京地区清理了几座唐墓。这些墓都属中、小型墓，破坏较严重，随葬品保留极少，但都保存了墓志，简报配以拓片、照片予以介绍。

据介绍，清理墓葬有：海淀区钓鱼台唐墓、阳氏墓、王肘邕墓、茹弘庆墓、海淀区翠微路唐墓。

简报称，对唐代幽州城及城内乡、村的划分，史籍记载很简略，只知幽州分置两县，东为蓟县，西为幽都县，"幽都十二乡，蓟县二十二乡"。1949年以来北京地区先后发现唐代墓葬几十座，出土墓志中常见幽州城所属的地名。此次报道的5座唐墓中出土的墓志，对研究唐代幽州城及乡、村的设置，无疑有一定的价值。

5.北京丰台唐史思明墓

作　者：北京市文物研究所　袁进京、赵福生等
出　处：《文物》1991年第9期

唐史思明墓位于北京市丰台区王佐乡林家坟西约100米处，地面原有高大的封土堆，故当地称之为"大疙瘩"。农民长年在此取土，封土取尽后露出汉白玉石块和石条。1966年春发现玉册、马蹬、铜牛等文物。1978年，北京市举办出土文物展览，展品中的玉册、马蹬、银牛等文物引起了人们的关注。玉册所刻文

字说明文物出土地应是一座唐墓，而墓主又直接与唐代安史之乱有关。1981 年 3 ~ 5 月，考古人员对这座唐墓进行了清理。

简报分为：一、墓葬的发现与发掘，二、墓葬形制，三、出土遗物，四、墓主及有关问题，共四个部分予以介绍。有照片、手绘图。

据介绍，墓葬坐落于风化的砂岩中，墓底距地表 5 米。此墓出土遗物计有玉、金、石、陶、瓷等。墓中出土了墓主的头盖骨、下颚骨、肢骨等。经专家鉴定死者为一 50 ~ 60 岁之间男性。据史书记载，史思明死时不到 60 岁。据哀册，史思明下葬时间为宝应元年（762 年）五月十八日。

6.北京近年发现的几座唐墓

作　者：北京市文物研究所　黄秀纯、朱志刚、王有泉等

出　处：《文物》1992 年第 9 期

近年来，北京市在基建施工中陆续发掘和清理了几座唐代墓葬。简报分为几个部分，配以照片、拓片、手绘图予以介绍。

简报介绍了以下唐墓：

一、1985 年 12 月，在丰台区永定门外四路通北京市邮政汽车保养场院内发现两座唐代砖室墓（编号 M1、M2）。其中 M1 出土有墓志，知墓主人叫赵悦，死于大历十二年（777 年），终年 64 岁。

二、1987 年和 1989 年，在丰台区西罗园小区内相继发现两座唐墓。一为唐大和元年（827 年）陶氏墓，一为唐大中十二年（858 年）董庆长及夫人合葬墓。两墓均曾被盗，仅有墓志 3 方：陶氏 1 方，董氏及夫人各 1 方。

三、1985 年在丰台区蒲黄榆方庄小区发现唐大和七年（833 年）唐墓 1 座，出土墓主周璬及夫人墓志各 1 方。

四、1989 年在西城区灵境胡同东口外发现唐天宝十二年（753 年）纪宽墓 1 座，该墓曾被盗，仅出土陶罐 2 件，墓志 1 合。

简报指出：北京市历年来发现的唐墓不多，有确切纪年的唐墓则更少。这几座唐墓不但纪年明确，而且均有墓志出土，为北京市唐代墓葬的分期提供了依据。同时墓志所记唐幽州城坊与乡、村的名称和地点，为探讨唐幽州城的历史地理、村坊沿革提供了重要资料。

墓志简报均未录全文。

7.北京市海淀区八里庄唐墓

作　　者：北京市海淀区文物管理所　杨桂梅等

出　　处：《文物》1995 年第 11 期

1991 年 9 月初，海淀区八里庄发现 1 座墓葬。考古人员进行了为期 1 个半月的清理工作。简报分为：一、墓葬形制，二、墓室壁画，三、墓室雕砖，四、随葬器物，五、结语，共五个部分。有照片、拓片、手绘图。

墓葬位于玲珑公园西墙外，东距京密引水渠约 400 米。墓葬为弧方形单室砖墓，由墓道、甬道和墓室 3 部分组成。出土有陶器等。有壁画和砖雕。该墓出土有墓志，简报录有全文。据墓志记载，此墓建于唐开成三年（838 年），是王公淑夫人吴氏的墓室，而王公淑卒于大中二年（848 年），并于大中六年（852 年）祔葬到其夫人的墓室中。王公淑为山西太原人，官至幽州节度判官兼殿中侍御史，官品为从七品上阶；其文散官为银青光禄大夫，从三品；勋官为上柱国，正二品。葬于"幽州幽都县西北界樊里之原"，可知今北京市海淀区八里庄一带属于唐代幽都县的西北边界地区。简报指出，北京地区的唐墓与西安地区及南方地区的唐墓有地区性的差异，而与朝阳地区（辽宁西南部地区）的唐墓在形制上有许多相似之处。朝阳地区唐墓最大的特点是墓室平面呈抹角弧方形。

天津市

8.天津军粮城发现的唐代墓葬

作　者：天津市文化局考古发掘队　云希正
出　处：《考古》1963年第3期

军粮城现属天津东郊区，此地离市区约25公里，南距海河3公里。1956年天津东郊张贵庄发现战国墓以后，1957年又在军粮城刘家台子西1.5公里的地方发现了一座石棺墓。1958年在军粮城塘洼、1959年在白沙岭都有唐代遗物及墓葬发现。简报分为：一、刘家台子石棺墓，二、塘洼砖墓，三、白沙岭出土青瓷，共三个部分。有照片。

据介绍，刘家台子石棺墓石棺由6块大理石厚石板合成，有浅浮雕，出土有青瓷壶1件及陶器、陶俑等。塘洼砖墓为圆形砖券墓，随葬品为三彩陶罐、海兽葡萄镜各1件。白沙岭出土青瓷3件是收集到的，墓穴已不甚明了。

9.天津蓟县邦均两座古墓的清理

作　者：天津市文物管理处考古队　敖承隆
出　处：《考古》1985年第6期

1975年11月间，蓟县邦均镇北平整耕地发现古墓两座，考古队前往清理。简报配以手绘图予以介绍。

据介绍，1号墓的墓室以小砖筑造，墓形结构比较简单，属于汉代弧顶砖券类型。该墓券顶"纵排并列"的砌法，要比相错起券的形式原始。从随葬器物的组合和陶器形制及葬俗特征来看，其年代推断可能相当于隋唐之际；2号墓的年代，由于该墓形构造甚为简陋，而随葬器物且少又残，因此，从本墓砖绳纹比较粗深的特点来看，简报推断其年代可能相当于隋唐之际。

简报称，鉴于1956年的调查发现，1973年在配合基建工程中又发掘了中小型汉墓27座（这批资料尚未整理）。可见，蓟县邦均汉墓群属于东汉时期一般平民的墓地。

河北省

石家庄市

10.石家庄市振头村发现唐代贴花人物瓷壶

作　　者：石家庄市文物保管所　孙启祥
出　　处：《考古》1984年第3期

1954年，石家庄市郊区振头村农民烧砖取土时，发现一座古代墓葬，市文物考古队发掘清理时，墓道已破坏，仅得墓志1方，瓷壶1件。

据介绍，和贴花人物瓷壶同时出土的，还有"唐故云麾将军□太常卿乐安孙公墓志铭"一方，墓志文有"元和七年十一月十六日奄□于恒府石邑县之私弟春秋六十五"，这就为贴花人物瓷壶的年代下限提供了确切的纪年。元和七年为812年，简报认为贴花人物瓷壶当是中唐时代的遗物。

简报称，振头村古为石邑城址。《史记·赵世家》有赵武灵王攻中山取石邑的记载。孙岩墓志中的恒府，据《旧唐书·地理志》记载，恒府即指恒州都督府，治所在石邑。宋开宝六年（973年）始将石邑县并入获鹿县。简报指出，石邑城遗址是石家庄市重点文物保护单位之一，贴花人物瓷壶在这里出土也就不是偶然的了。1982年2月，经有关专家鉴定，这件贴花人物瓷壶为国家一级文物。

11.河北晋县唐墓

作　　者：石家庄地区文物研究所　刘习祥、汪秀峰
出　　处：《考古》1985年第2期

1983年11月，考古人员在晋县北张里村发现一座古墓。经过清理发掘、整理研究证明，这是一座唐代中期墓葬。该墓出土了邢窑白瓷、铜净瓶、汉白玉石药碾，对研究唐代的物质文化有一定价值。简报分为：一、墓室结构，二、随葬器物，三、结语，共三个部分。有手绘图、照片。

据介绍，北张里村位于晋县城北，南距县城 8 公里，北临滹沱河。墓葬建造不甚规整，三面明显向外凸出的结构，常见于河北地区中晚唐墓中小型墓葬。白瓷执壶的造型是唐代中期较为流行的。河南安阳薛家庄唐墓和长沙唐墓所出执壶与此相类。汉白玉质的药用石碾上雕刻的云头、花卉等，都具有唐代中期作风。

根据墓的结构及随葬品的特征，简报称晋县唐墓虽系小型墓葬，但所出器物反映了一些问题，具有一定的科学价值。

12.石家庄市郊发现唐代窖藏钱币

作　者：李胜伍
出　处：《考古》1985 年第 4 期

1983 年 4 月 22 日，石家庄市郊桃园公社南高营大队农民在村西高岗地取土，挖至距地表深 1.5 米深处，发现一个灰色陶瓮。出土时陶瓮已破碎，瓮内装满唐代钱币。简报配以拓片予以介绍。

据介绍，这批唐代钱币重 375 市斤，近 5 万枚。经整理知，开元通宝共 48899 枚，可分二型；乾元重宝 6 枚，钱文清晰，光背。

13.河北省正定县出土隋代舍利石函

作　者：赵永平、王兰庆、陈银凤
出　处：《文物》1995 年第 3 期

1987 年 9 月，河北省正定县北白店村农民建房挖房基土时，发现隋代舍利石函一合。考古人员当即前往考查。石函位于地下 1 米左右深处，函外四周砌有砖圹，函盖与函体吻合并用石灰封闭，但已被当地农户打开，启封的函中有半函水，函中遗物保存较好，没有锈蚀痕迹。现石函及函内文物存于正定县文物保管所。

简报配以照片予以介绍。

据介绍，隋大业元年（605 年）石函，青石凿成，正方形。盖为盝顶式，平口与体吻合，顶面阴刻方格线，格内阴刻铭文："大业元年二月廿八日绍禅师奉内舍利" 4 行16 字。石函周围有砖砌结构，简报推测石函出土地点原应为一早期塔基。

简报称，从出土舍利铜盒的制作工艺看，盒外壁的瓦棱纹及凸弦纹，其间距尺寸相等，深浅一致，既不像传统浇铸工艺，也不是捶击而成，而是用机械旋转切削而成。

14.河北正定开元寺发现初唐地宫

作　者：刘友恒、聂连顺
出　处：《文物》1995 年第 6 期

开元寺是河北正定国家级历史文化名城中的重要佛教文化遗存，坐落在县城中部。寺于东魏兴和二年（540 年）创建，原名净观寺。隋开皇十一年（591 年）改名解慧寺，唐开元年间又改名开元寺。后世陆续扩建和修葺。寺内现仅存砖塔、钟楼、法船正殿遗址和后来改为天王殿的建筑 3 间。1956 年，砖塔和钟楼由河北省人民政府公布为省级重要文物保护单位，其中钟楼于 1988 年被公布为全国重点文物保护单位。在修缮过程中发现了地宫，出土有鎏金铜函、金函等一批珍贵文物。简报认为文物应为初唐文物。

简报称，地宫是佛塔建筑的附属部分，一般建于塔身基座之下。埋藏佛舍利和其他供奉物的做法，是佛塔建筑传入中国后与古代陵墓制度相结合而产生的。我国已发现并清理了许多塔基地宫，而此地宫却为何建于钟楼之下？简报推测地宫之上原有塔，后毁。晚唐建钟楼时，将地宫压在了下面。

15.河北正定舍利寺塔基地宫清理简报

作　者：正定县文物保管所　樊瑞平、郭玲娣
出　处：《文物》1999 年第 4 期

全国历史文化名城正定，素有九楼四塔八大寺之称。舍利寺即八大寺之一，始建于唐开元年间，宋代以后历代均有修葺，现仅存遗址。此遗址位于正定城内西北隅，由于这里已规划为居民小区，建筑工程开工在即。为了保护地下文物，考古人员于 1995 年 11 月对遗址中的塔基进行了抢救性发掘。简报分为：一、地宫结构，二、出土遗物，三、结语，共三个部分。有彩照、拓片、手绘图。

据介绍，塔基坐北面南，地势较高，清理时于地表下 2.4 米深处发现地宫。地宫顶已被盗掘，以下分上宫室、下宫室和甬道 3 部分。出土石函上有铭文。从铭文中知造塔的负责人为扈彦珂。此人《宋史》有传，由此知舍利寺塔及石函的建造制作年代应为扈彦珂任左都押衙一职的五代后晋天福五年至十二年（940～947 年）四月间。

简报指出，正定地区已多次发现塔下地宫建筑并出土舍利石函。这次五代石函的出土和以上、下宫室为例的舍利寺塔地宫的发掘，为研究中国古代塔基地宫瘗藏制度及相关问题提供了新的实物佐证。

16.河北平山县西岳村隋唐崔氏墓

作　者：河北省文物研究所、平山县博物馆　刘连强、夏素颖、韩双军
出　处：《考古》2001年第2期

　　墓地位于河北省平山县两河乡西岳村北约700米处，北依西林山，西南临滹沱河支流南甸河，地势略有起伏，当地俗称"侯子坟"。墓地东距战国中山国都城灵寿城址约2公里，东南距1968年发现的北齐崔昂墓约4.5公里。1998年4月，西岳村砖场于该处取土时发现两座东西并列的砖室墓（M1、M2），墓葬随即遭到破坏。考古人员闻讯后即刻前往调查处理，并对墓葬进行了抢救性清理。6月初，砖场于M1、M2东北部又发现一座砖室墓（M3），考古人员于6月4日至6月11日对M3进行了抢救性发掘。先后清理的三座墓内均有墓志出土，据墓志可知这三座墓均系博陵崔氏家族的迁葬墓，其中M1为隋李丽仪墓，M2为李丽仪夫崔仲方墓，M3为崔仲方子隋崔大墓。按迁葬时代顺序简报分为：一、M1（李丽仪墓），二、M3（崔大墓），三、M2（崔仲方墓），四、结语，共四个部分。有手绘图、拓片。

　　据介绍，三座墓均出土有石墓志一合。M1石墓志阴刻正书29行，全文共797字；据志文，墓主李丽仪卒于北周天和六年（571年），隋开皇五年（585年）迁葬于西岳村墓地。M3石墓志阴刻正书，全文共488字，据志文，墓主崔大卒于隋开皇七年（587年），开皇十五年（595年）迁葬于西岳村墓地。M2石墓志阴刻隶书全文共1393字，据志文，墓主崔仲方卒于隋大业十年（614年），唐贞观十一年（637年）迁葬于西岳村墓地。以上简报均未录墓志全文。

　　崔仲方及其家族世系如图：

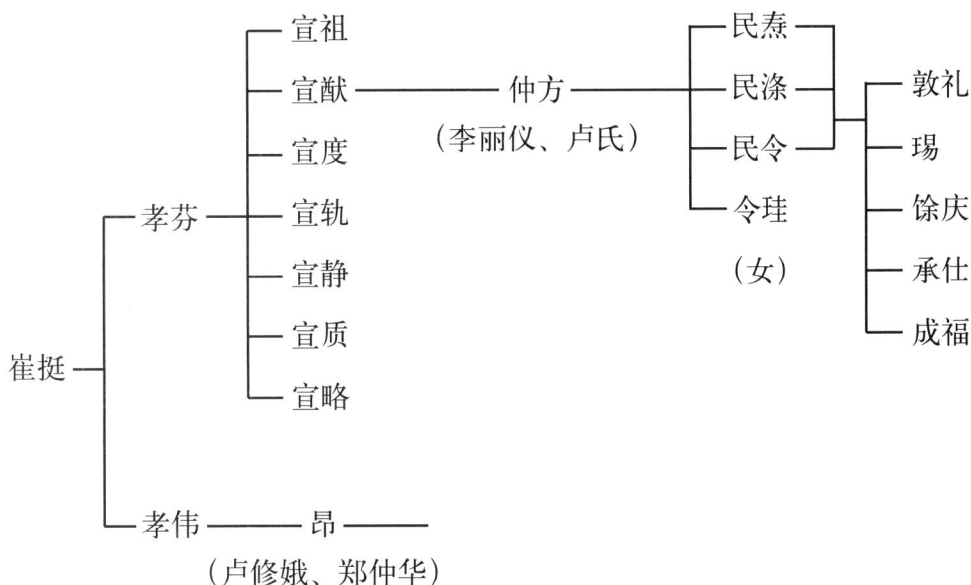

简报指出，从上述世系可以看出自北魏确立门阀制度以来，博陵崔氏历北魏、东魏、西魏、北齐、北周、隋、初唐，累世高官，地位显赫。他们不但与荣阳郑氏、陇西李氏、范阳卢氏等高门大族存在着较为普遍的联姻通婚关系，而且与帝王世家也有着千丝万缕的联系。

简报称，在墓葬布局方面，虽然此次于西岳村仅发现了3座墓葬，但墓主人夫、妻、子关系明确，为探讨当时的家族茔地规划提供了极其宝贵的线索。

17.正定出土五代巨型石龟碑座及残碑

作　者：正定县文物保管所　郭玲娣、樊瑞平
出　处：《文物》2003年第8期

2000年6月，河北省正定县房管所在住宅楼施工时发现一巨型石龟碑座及残碑，考古人员进行了抢救性发掘。出土了一巨型石龟碑座和残碑，并将出土文物运至城内开元寺保管。简报分为：一、钻探情况，二、出土文物，三、几个问题，共三个部分。有照片、拓片。

据介绍，出土地点位于正定县城内民主街路西120号院内，在以石龟碑座为中心的东、南、西三面约8米范围内，进行重点发掘清理。北侧因有民宅仅清理5米。除巨型石龟碑座外，先后出土残碑首5块和不规则带字残碑13块，伴随出土的还有大量既无文字，又无纹饰的碎石块。简报估计此巨碑高度应在14米至15米之间。此碑的出土对研究晚唐至五代时期的军阀藩镇割据以及历史、地理、艺术等情况均有重要价值，特别是对唐时成德军节度使治所及宋元时河北西路考古皆有重要意义。

简报录有碑文，中多缺字。

藩镇对唐代历史影响至深，今有冯金忠先生《唐代河北藩镇研究》（科学出版社2012年版）一书，可参阅。

18.河北元氏县使庄村唐墓

作　者：石家庄市文物局、元氏县文保所　夏素颖
出　处：《北方文物》2008年第3期

墓葬位于河北元氏县马村乡使庄村北约50米处，北临北沙河，西临107国道及京广铁路。2000年3月，使庄村村民在取土时发现该墓，考古人员对墓葬（编号M1）进行了清理。简报分为：一、墓葬形制，二、随葬品，三、结语，共三个部分。

有手绘图。

据介绍，墓葬为砖砌券顶单室墓，无墓道。墓底距地表约 4 米。墓室南宽北窄，平面近梯形。墓壁为单砖错缝平砌，至高 0.78 米处起券，券顶以单砖侧砌，缝隙处以半砖、碎砖补砌，不甚整齐；墓底用一层砖错缝平铺。据了解，墓内原有头南脚北的两具骨架，现已不存。随葬品均被村民从墓中取出，共收缴 12 件。据了解，除 1 件陶罐出土于墓室南部外，其余随葬品均放置于墓室北部。简报推断为唐前期墓葬。简报称，该墓规模较小，结构简单，但却出土有铜器、鎏金器、银器、石俑等高等级的随葬品，推测墓主人至少应该比较富有。

19.永安遗址两座砖雕墓的考古发掘

作　者：吉林省文物考古研究所　蒋　刚、王志刚、刘玉成
出　处：《中原文物》2010 年第 2 期

2006 年考古人员发掘了两座彩绘圆形砖雕墓葬，从墓葬结构和出土文物判断其年代大致为晚唐五代时期。这两座墓葬的发掘为研究唐宋时期砖雕墓葬提供了新的实物资料。简报分为：一、地层堆积，二、06ZYIM5，三、06ZYIM7，四、结语，共四个部分。有手绘图。

据介绍，发掘地点位于河北省石家庄市正定县正定镇北贾村，东南距县城 3.5 公里。这两座雕砖墓墓室破坏严重，仅能确认墓葬存在阶梯式墓道、短甬道，06ZYIM5 墓门外侧可能存在翼墙，墓室形状规整，接近正圆，可能为穹隆顶，墓室内有仿木构砖雕，元壁画，有"一"字形砖雕棺床。随葬品有陶仓、陶罐、绿釉双系瓷罐、白瓷器、鎏金铜甲片、铁构件等。

唐山市

秦皇岛市

邯郸市

20.河北磁县贾璧村隋青瓷窑址初探

作　者：冯先铭

出　处：《考古》1959 年第 10 期

1959 年 6 月，冯先铭、陈万里先生赴邯郸磁县青碗窑乡考察。在距青碗窑乡 5 公里的贾璧村发现隋代窑址一处。简报配以手绘图等予以介绍。

据介绍，贾璧窑未见文献记载，窑址位于与贾璧中学隔河相望的寺沟口。师生经常捡到青瓷碎片，还曾办过一个小型瓷片展。此次共采集到青瓷碎片及窑具 70 件。简报认为安阳卜仁墓、曲阳隋墓、武昌周家大湾隋墓出土青瓷，都应是贾璧窑的出品。

21.河北永年清理一座唐墓

作　者：天津市历史研究所　董振修

出　处：《考古》1966 年第 1 期

1965 年 7 月下旬永年县施庄生产队发现了一座唐墓，考古人员清理了这座古墓。简报配以照片予以介绍。

据介绍，该墓为长方形单室砖墓，顶部已坍塌，墓内充满泥土和残砖。此墓为男女合葬墓。葬具已腐朽。骨骼散在室内积土中。随葬品的位置十分凌乱，可能已被扰乱过。仅有塔形盖陶罐 1 件、陶制火盆架 1 件等不多的几件。有墓志 1 合，志文楷书，简报未录志文全文。据墓志记载，死者时清，钜鹿郡人，死于太和五年（831 年），其妻王氏死于大中七年（853 年），大中十二年（858 年）合葬。

22.邯郸地区发现一批古钱

作　者：邯郸市响堂赵王城文物保管所　李常云、陈光唐

出　处：《考古》1965 年第 11 期

1964 年 10 月底，邯郸峰峰矿区北留旺发现一批古钱，重约 83 公斤。简报配以拓片予以介绍。

简报介绍，这批古钱是北留旺砖瓦厂工人掘土时发现的。据当时在场的工人谈：在地表下2米许的黄褐色土中发现1个破陶缸，古钱较整齐地装在缸内，缸的四周未发现任何遗物。由于陶缸早已破碎，故古钱锈蚀较重，绝大部分已黏结在一起。经过初步整理除一小部分不能辨认外，其余的有"半两"等8种。此外，还有铁"开元通宝"、锡"开元通宝"、花孔"开元通宝"、花边"开元通宝"和"乾元重宝"。

简报称，这批古钱以"开元通宝"最多，有1.8万余枚。

23.河北邯郸鼓山常乐寺遗址清理简报

作　者：邯郸市文物保管所、峰峰矿区文物保管所　陈光勇、刘　勇

出　处：《文物》1982年第10期

常乐寺系全国重点文物保护单位北响堂石窟的附属建筑，在石窟之下，早年已遭破坏。寺西距和村2.5公里，位于鼓山的西麓，南为滏水之源。和村原属武安县管辖，1953年划归邯郸市峰峰矿区。

1960年，董家庄村农民在常乐寺遗址东北约百余米处平整土地，发现了红砂石造像，随即由省地市联合清理，出土残石造像三百余件。1979年该村农民又在遗址的西南部发现了同类型的石造像。为了弄清常乐寺的建造年代、寺和石窟的关系，同年4月至8月，考古人员进行了清理，清理面积约1040平方米，出土石造像等遗物140余件。第二次清理情况简报分为：一、常乐寺地面建筑基址的清理，二、地面现存的和清理的碑碣、石造像、经幢，三、常乐寺的建筑年代，共三个部分。有照片、手绘图。

据介绍，常乐寺是一处南北向的建筑群，规模较大，占地面积约7000平方米（不包括和尚的墓地）。其布局，由南到北有山门、天王殿、三世佛殿，形成一条中轴线。大雄宝殿和三世佛殿之间的左右两侧，为东西廊房（配殿），西廊房的南边有钟楼1座，东廊房之北为禅房。山门之外的左侧有自来佛殿，右侧为普同塔。现在山门已毁，仅能辨认门前的台阶残迹。其他建筑物也都残毁。现存碑碣27块，计宋碑2块、金碑1块、明碑5块、清碑12块、民国碑4块、时代不明碑3块。现有石造像9尊。石供桌4张、石塔1座、经幢2座及明代石香亭、莲纹柱础等。出土有建筑材料、石造像、生活用具等计143件。造像大多为唐中晚期作品。

简报称，常乐寺始建不晚于北齐，与北响堂石窟大约同时，到了金代大部已被毁，残存不到十之一二。宋金以后经过多次修建、改建。后期规模最大的一次维修是在康熙二十二年（1683年）。1947年再次被毁。

24.河北大名县发现何弘敬墓志

作　者：邯郸市文管所　陈光唐
出　处：《考古》1984 年第 8 期

　　1973 年，大名县城北 11 公里的万堤公社万堤农场在打井时发现一座古墓，考古人员前去调查。墓室平面为圆形，一合墓志置于墓道内。据传，"文化大革命"期间，附近的磨庄村曾在此处挖出并运走一合稍小些的何弘敬妻安氏墓志，现已毁。此墓除墓志外未见其他遗物，可能早年曾遭盗掘。简报配以拓片、照片予以介绍。

　　据介绍，墓志及盖均为青石质，顶面正中篆刻 25 字"唐故魏博节度使检校太尉兼中书令赠太师庐江何公墓志铭"。志石正面楷书 59 行 3800 余字。

　　墓主何弘敬，据墓志"卒于咸通六年（865 年），享年六十"，可知其生于永贞元年（805 年）。墓志载，何弘敬18 岁从军，文宗时曾为御史中丞、御史大夫、赐上柱国勋。武宗时袭父位为魏博节度使，封游击将军、金吾卫将军、金吾大将军、银青光禄大夫、户部尚书。以东面招讨泽潞使参加讨伐刘稹，又加右仆射。泽潞平定后，诏加金紫左仆射平章事，封公开国，食封百户。不久，加司空。宣宗时封光禄大夫、司徒平章事、太保兼司徒。时逢"党羌扰攘侵轶圻服。……以兵器五万事事上献助军，诏褒之，又加太傅司徒"。懿宗即位后，又加兼侍中、中书令。懿宗时"群蛮盗扰交趾"，"征天下精甲戍五岭"，何弘敬献马五百匹以助征车。咸通六年收复交趾，"帝让加号，归功臣下，册拜公检校太尉兼中书令"，同月何弘敬卒。

　　简报称，何弘敬与其父何进滔、其子何全皞三代为魏博节度使，"子孙相继，四十余年"。新旧《唐书》中有传，只是传文过于简约，故以志可补史书记载之不足，史书则可验证志文的溢美、隐讳之处。志文对于研究晚唐藩镇、边境的关系提供了有价值的参考资料。

　　简报未录志文全文。

25.河北肥乡发现唐代椒石佛造像

作　者：程蓉生
出　处：《文物》1988 年第 2 期

　　1986 年 5 月，考古人员在肥乡县毛演堡乡郝家堡村发现唐代石佛造像一座。简报配以照片予以介绍。

　　据介绍，造像为汉白玉石质，双手残，着双领下垂式袈裟，结跏趺坐在束腰须弥座上。座上的仰莲瓣上刻一周浮雕小佛像。底座四周刻有发愿文："上为开元神武皇帝下为师僧父母普为法界同得安乐合村人等发愿敬造玉石像一铺天宝元年造"，"洛州广平郡肥乡县……刘吕村……合村人"等，列发愿人姓名。

简报称，据说这座石佛像原在永年、肥乡二县之交的农田中发现，后移至村中农民家里，出土已有百年之久。

邢台市

26.唐代邢窑遗址调查报告

作　者：河北临城邢瓷研制小组　杨文山、林玉山等
出　处：《文物》1981 年第 9 期

为了研究和恢复邢州白瓷生产，1980 年 5 月，成立了临城邢瓷研制小组，先后对内丘、临城两县交界处和临城县境内的古瓷窑遗址进行了普查。在瓷窑沟、山下等地发村、南程村等发现了 17 处古窑遗址。尤其令人振奋的是，8 月上旬考古人员在岗头村古窑址群中第一次发现了 1 座唐代的窑址，并在窑址附近发现了具有唐代风格的白瓷器物和窑具。11 月中旬，考古人员又在祁村和西双井一带发现了 3 处唐代窑址，搜集了大量瓷片、窑具，第一次拣到"类雪"的邢窑细白瓷片和器物。1981 年 3 月上旬，根据当地农民提供的线索，考古人员在祁村窑址处试挖，发现了古窑遗物堆积层，获得了大量的实物标本。

简报分为：一、窑址分布，二、窑址中出土的白瓷器物，三、窑址中出土的窑具，四、结语，共四个部分。

在临城县境内先后发现唐代窑址 4 处：1 处在岗头，2 处在祁村，1 处在西双井。在所发现的唐代窑址中，出土的白瓷器物可分为粗瓷和细瓷两大类，发现的窑具共有 5 种，简报推断这些窑址为唐代邢窑。

简报指出，从出土的窑具和窑具与器物的粘连关系分析，唐代邢窑的装烧方法有四种：一、漏斗状匣钵咬口叠烧法，二、浅盘状匣钵与深盘匣钵对口叠烧法，三、三角形垫片叠烧法，四、筒状匣钵笼罩叠烧法。

细瓷碗和细瓷盘都是用前两种方法烧造的，细瓷坛、壶、盒等较大器物都是用第四种方法烧造的；粗瓷碗或盘都是用第三种方法烧造的。

今有孙欣先生《唐代邢窑青花瓷器研究》（中国文联出版社 2015 年版）一书，可参阅。

27.唐代邢窑窑址考察与初步探讨

作　者：李辉柄

出　处：《文物》1981 年第 9 期

邢窑是唐代著名的瓷窑之一，在中国陶瓷发展史上占有十分重要的地位。1980年 8 月，邢窑窑址被发现。1981 年 4 月 25 日，有关邢窑的学术讨论会上一致认为邢窑窑址的发现，解决了中国陶瓷史上的一个重大问题。简报分为：一、邢窑在中国陶瓷发展史中的地位，二、邢窑窑址未发现前的情况，三、对邢窑窑址考察后的意见，四、对邢窑烧瓷历史的分析，共四个部分。有照片。

据介绍，我国陶瓷远在唐代就已销往海外。唐代瓷器，出现了以浙江越窑为代表的青瓷和以河北邢窑为代表的白瓷两大系统。因之瓷器研究者就以"南青""北白"而概之。考古资料证明，青瓷、白瓷，实际南北皆有，所谓"南青""北白"，指的是代表当时青瓷发展成就的是南方的越窑青瓷，代表白瓷发展成就的是邢窑白瓷。从陶瓷发展上看，青瓷为早，白瓷是在青瓷的基础上发展起来的。邢窑瓷器质地坚硬，制作精美，洁白如雪，是其他白瓷窑所无法比拟的，时代也较其他瓷窑为早。唐代陆羽《茶经》说："邢瓷似银似雪，越瓷似玉似冰。"考古发现邢窑窑址在河北省临城县的程村、解村、澄底、岗头等地，尤以岗头以北的祁村为最重要。祁村窑的时代上限为初唐，从考古发掘看，似乎唐代以后就衰落了。

28.隆尧唐陵、《光业寺碑》与李唐祖籍

作　者：隆尧县文物保管所　李兰珂

出　处：《文物》1988 年第 4 期

河北省隆尧县城正南6公里的魏庄乡王尹村北200米处，有唐高祖李渊第四代祖宣皇帝李熙的建初陵和第三代祖光皇帝李天赐的启运陵，二陵共茔，合称"大唐帝陵"，简称唐陵。陵区原有附属建筑光业寺，今已不存，只有唐《大唐帝陵光业寺大佛堂之碑》（以下简称《光业寺碑》）1 通存于隆尧县碑刻馆。陵、碑都是河北省重点文物保护单位。简报分为：一、二祖生平及建陵，二、陵区现状及石刻，三、光业寺及《光业寺碑》，四、隆尧唐陵与李唐祖籍，共四个部分。有照片、手绘图。

据《唐会要》帝号条记载，唐高祖武德元年（618 年）六月二十二日追尊李熙为宣简公，李天赐为懿王。接着，在唐太宗、唐高宗时代，修建了祖陵，并追封二祖帝号。此事史书均有记载，但都不如《光业寺碑》记载详备，简报录有此碑全文。

关于李唐世系，目前在史学界主要有"陇西李"与"赵郡李"二说。两《唐书》均称李氏出自陇西，其中《旧唐书》谓李氏为"陇西狄道人"，《新唐书》谓李氏为"陇西成纪人"，二地相距 300 余里。著名史学家陈寅恪先生 40 多年前在《唐代政治史述论稿》一书中，以隆尧唐陵和《光业寺碑》碑文为主要依据，参证其他史籍，去伪存真，独探真源，得出隆尧唐陵所在地即李唐祖籍，李唐为"赵郡李"的结论。但陈先生生前未能实地考察唐陵，也未看到《光业寺碑》全文。简报指出，《光业寺碑》碑文中尚有其他几处，可以佐证陈寅恪先生的结论：李唐祖籍是北魏南赵郡广阿县，即唐之赵州昭庆县（前身象城县），亦即今之河北省隆尧县，唐史记载的"陇西"当为后人伪托。

据称李兰珂先生有《李唐祖籍》未印稿一册，详情不知。

29.河北临城七座唐墓

作　者：李振奇、史云征、李兰珂
出　处：《文物》1990 年第 5 期

1976 年以来，河北省临城县境内临城镇东街、郝庄、射兽村、中羊泉村相继发现 7 座唐代墓葬，可惜均遭当地村民破坏。经调查，只知其中有砖室墓 3 座和土坑墓 4 座，均为 2 米多长、1 米多宽的小型墓葬，有 2 座墓有明确纪年。共收集到 7 座墓出土的文物 62 件，主要为邢窑白瓷器。除中羊泉村唐墓出土遗物由省文物研究所、隆尧县文保所征集收藏外，余均藏临城县文物保管所。这几座唐墓出土的文物反映了临城地区唐代物质文化的风貌，尤其为邢窑的研究和邢瓷的断代提供了珍贵实物资料。简报分为：一、出土遗物，二、墓葬年代，三、关于邢窑历史的几点认识，共三个部分。有照片、拓片、手绘图。

据介绍，7 座唐墓中，刘府君墓、赵天水夫妇墓据墓志等有明确纪年，属晚唐时期。其余 5 座墓未发现所年资料，简报推断，东街两座唐墓年代为唐代晚期，中羊泉唐墓更晚至唐到五代。郝庄唐墓为唐前期偏晚，下限应不晚于盛唐。射兽村唐墓为唐中期墓。

简报指出，临城发现的 7 座墓葬，均为唐代墓葬。临城 7 座唐墓都是小墓，应是低级官吏或平民的坟墓，但出土较多精美的白瓷器，且出土遗物多有使用痕迹，可能为墓主人生前使用之物。当地临近烧造细瓷的窑场，因此当地官吏、窑主甚至窑工都有可能得到这类产品。

简报称，临城唐墓所出白瓷，应为临城祁村唐代窑址所出，此窑应属邢窑的一部分，至少是其近支。出土白瓷上的"张"字，应起到商标的作用。

30.河北清河丘家那唐墓

作　者：辛明伟、李振奇
出　处：《文物》1990 年第 7 期

1987 年春，河北省清河县丘家那村发现唐安固县令孙建、孙玄则父子墓两座。墓葬位于今清河县东南 1.5 公里丘家那村中干涸坑塘内。两墓相距 3 米，西南侧为孙建墓（编号 M1），东北侧为孙玄则墓（编号 M2）。考古人员进行了清理。简报分为：一、孙建墓，二、孙玄则墓，三、结语，共三个部分。有照片、拓片、手绘图。

据介绍，孙建、孙玄则墓均为砖室墓。孙建墓未见葬具及骨架，出土随葬品 34 件，有陶俑、陶器、铜镜、石墓志等。孙玄则墓曾被盗，骨架已被扰乱，葬式不明，遗物仅存陶罐 3 件和墓志 1 合。简报均未录志文全文。

据墓志得知，孙建死于唐贞观八年（634 年），与其子孙玄则同于咸亨元年（670 年）十一月葬于清河旧茔。因此丘家那唐墓群应为孙氏家族墓地。孙建死于何地志文未明记，经过 35 年后才迁葬回清河旧茔，清理墓葬时未发现遗骨及葬具痕迹，但发现有题铭"立德"的特殊陶俑，推测是墓主造像。可能迁葬时死者骨殖已无法迁回，故用陶俑代替。孙玄则墓随葬品中缺乏陶俑及车马冥器，仅出土几件日用陶器，或许表明当时孙氏家族已从下级官员降为平民身分。据志文，墓主孙玄则，字元象，为孙建之子，生前任"南康公国尉"，55 岁时"终于私室"，咸亨元年（670 年）下葬。

31.河北南和东贾郭唐墓

作　者：李振奇、辛明伟
出　处：《文物》1993 年第 6 期

1990 年 5 月，河北省南和县贾宋乡东贾郭村农民在农田耕地时发现一座唐墓。考古人员赶赴现场时，墓室已遭严重破坏，随葬品也被取出。考古人员将随葬品全部追回，对墓葬形制进行了调查。简报分为：一、墓葬情况，二、出土遗物，三、结语，共三个部分。有照片、手绘图。

据介绍，东贾郭村地处南和县城西北 9 公里。该墓位于村南 200 米，为穹隆顶砖室墓，由墓道、甬道和墓室组成。葬具已朽，棺床上有两具骨架，已被扰动。知该墓早年曾被盗过。墓中出土随葬品 26 件，均为泥质红陶器。墓葬因长期水浸，器物表面彩绘全部脱落，但烧制火候极高。随葬品除确知武士俑置于甬道两龛内，其余仅知置于棺台前，排列顺序已不明。该墓的年代，简报认为应在武则天垂拱四年（688 年）左右。出土的陶俑等明器为邢窑制作。与瓷器一样精益求精。

32.河北南和唐代郭祥墓

作　者：辛明伟、李振奇
出　处：《文物》1993 年第 6 期

1986 年 3 月，河北省南和县侯郭村农民在取土过程中发现墓志 1 合，出自 1 座唐墓中。考古人员进行了抢救性清理。简报分为：一、墓葬形制，二、出土遗物，三、结语，共三个部分。有照片、拓片、手绘图。

据介绍，侯郭村位于南和县城东偏北 14 公里处，墓葬位于该村西北 500 米的沙洛河西岸。墓葬为砖筑，由墓道、甬道和墓室 3 部分组成。墓顶已毁，形制不明。在棺床西北角堆放 1 副男性骨架。墓中共出土遗物 39 件，除 2 件瓷碗及石墓志外，均为陶器。清理时随葬遗物位置已部分扰乱，但可知甬道壁龛内放置武士俑，墓室东侧主要放置模型、日用品及墓志，南侧放置神煞类冥器，棺床前放置人物俑。墓室因长年被水浸蚀，陶器所施彩绘已大部脱落。除罐、公鸡、猪为红陶质，男仆俑为灰陶质外，其余均为白陶质，并施以黄色彩绘，火候高，保存完好，应为邢窑出品。墓志楷书，计 534 字，简报仅节录其中一部分。据墓志，墓主为郭祥，唐垂拱四年(688年) 下葬。

另外，墓志盖上书"葬后四百年为奇黄头所发"似为一种预言。郭祥后代预言其祖先墓 400 年后为人所盗掘，将预言写于志盖的做法实属奇特。

33.河北邢台市唐墓的清理

作　者：邢台市文物管理处　石从枝、李　军等
出　处：《考古》2004 年第 5 期

1995 年以来，邢台市文物管理处在配合基建过程中，于市区陆续发掘了一批唐墓。简报分为：一、桥东区北部唐墓，二、桥东区西南部唐墓，三、桥西区唐墓，四、结语，共四个部分。介绍了这批唐墓的发掘情况，有手绘图、照片。

据介绍，20 世纪 90 年代，邢台市文物管理处在市区清理了 10 座唐代砖室墓和洞室墓，出土了彩绘陶罐、三彩钵、水盂、独流壶、碗、执壶、罐和墓志等遗物，墓志为"唐故史夫人志"，20 行，每行 25 字。简报未录志文。遗物中葫芦形执壶、三彩钵、绿釉水盂、黄釉独流壶为邢台市区首次出土。此次所获的瓷器及三彩器应为邢窑产品，简报指出："这 10 座唐墓的发掘，对研究唐代制瓷工艺和瓷器的使用都是很有价值的。它们在一定程度上反映了河北一带的唐墓面貌，为研究邢台之唐代历史提供了可贵的实物资料。"

34.河北邢台中兴西大街唐墓

作　　者：邢台市文物管理处　李　军、李恩玮等
出　　处：《文物》2008 年第 1 期

2004 年 4 月，邢台市文物管理处配合煤田地质局 1 号楼建设工程，在建设区内发现了一批汉唐时期的墓葬。

简报分为：一、墓葬位置，二、墓葬形制，三、出土遗物，四、结语，共四个部分。配以照片、手绘图，先行介绍其中的 4 座唐代墓葬的情况。

据介绍，河北煤田地质局位于邢台市桥西区中兴西大街北侧，北有小黄河。其 1 号楼建设区即位于小黄河南煤田地质局所在地的南部。4 座墓葬均位于 1 号施工区内，坐北朝南，东西向排列。编号分别为 04HMM6、M11、M16 和 M18。4 座墓葬的形制、墓室结构大体相同，均为带竖井式墓道的土洞墓。墓道南宽北窄，平面略呈梯形，南端有一级或二级生土台阶，墓道四壁均修整得较规整。M6、M11、M16 盗扰严重，墓室部分被破坏，无器物出土，此 3 座墓葬不再详述。M18 出土有瓷器、铜器、铁器、陶器等。

这 4 座墓的年代，简报推断为盛唐时期稍晚，不会晚于中唐早段。

保定市

35.河北曲阳发现隋代墓志及瓷器

作　　者：薛增福
出　　处：《文物》1984 年第 2 期

1982 年，河北省曲阳县沟里公社王家弓大队农民在村西北角距地表 1.5 米处发现 1 件墓志和 2 件瓷器。3 件文物现均藏县文管所。简报配以照片予以介绍。

简报介绍，墓志为汉白玉质地，志文 15 行，每行最多 9 字，共 130 字。据志文记载，墓主尉仁弘曾任右骁卫司骑参军等职，死于隋大业八年（612 年）二月一日。查《北齐书》和《北史》，尉仁弘之曾祖尉景、祖父尉璨、父亲尉世辨均有传。出土的瓷器中 1 件为青釉四系罐。

简报称，器物出土地点当是尉仁弘墓。除以上 3 件文物外，墓葬遗迹已不可见。

36.河北易县张格庄出土的唐代铁农具

作　者：河北省文物研究所　石永士

出　处：《农业考古》1987 年第 2 期

1977 年 4 月，河北易县梁格庄公社张格庄大队农民在平整土地时掘出一批窖藏铁农具。简报分为：一、铁农具的种类，二、窖藏的年代，共两个部分。有手绘图。

据介绍，易县张格庄出土的这批铁农具仅有锄镰 2 种类型，共计 7 件，其中铁锄 4 件，铁镰 3 件。

河北易县张格庄出土的这批铁农具，没有共存物出土，因此，对窖藏年代的判定存在着一定的困难。不过从铁锄的形制来看，与辽宁朝阳中山营子唐墓出土的铁锄相似。辽宁朝阳中山营子唐墓的时代，简报推断在唐代中期或晚期，故河北易县张格庄出土的这批窖藏铁制农具也大体属于这一时期。

简报称，河北窖藏唐代铁农具的出土，这在河北来说还是首次，这无疑为研究河北唐代的农业生产技术提供了宝贵的实物资料。

37.河北易县北韩村唐墓

作　者：河北省文物研究所　石永士等

出　处：《文物》1988 年第 4 期

1975 年 1 月，在河北易县北韩村东北 200 米处的一处土场发现 1 座唐墓（编号为 M1）。简报配以照片、拓片、手绘图予以介绍。

据介绍，此墓为长方形单室墓。墓室破坏严重，其结构和随葬器物的位置均不清楚。出土遗物有陶瓷器、石碾、铜钱和墓志。简报录有墓志全文。据志文所载，北韩村 1 号墓的墓主人为唐易县录事孙少矩，卒于咸通五年。咸通是唐懿宗李漼的年号，咸通五年即 864 年。可知此墓属于唐代晚期。

38.河北曲阳八会寺隋代刻经龛

作　者：刘建华

出　处：《文物》1995 年第 5 期

八会寺刻经龛位于河北省曲阳县西羊平村西北约 100 米的少容山顶。少容山，又称黄山，以盛产白石而著名。据县志载：八会寺创建于北齐时期，原有上阁、下阁、菩萨、资福、普同、圣寿诸院和钟、鼓楼。几经劫难，至清末已焚毁殆尽。1935 年，著名的中国古代建筑专家刘敦桢先生曾对八会寺遗址及刻经石龛作过调查，当时尚存覆莲石柱础1件，石造像两尊和若干八角石柱。1991年5月，中国社会科学院世界宗教研究所及河北省文物部门的有关专家登少容山考查，所见八会寺遗迹遗物已远不及刘敦桢先生当年所见。寺院中部尚存殿堂遗址，垒石为墙，别无遗物。遗址前方有水井1口，井水清澈。南侧竖立1通明代弘治元年（1488年）"重修八会寺碑记"，东侧有1座石屋，屋内中央为刻经龛。1993年4月，八会寺东南侧已辟为采石场，遗址被碎石掩没0.5米有余，石屋已被碎石包围。简报分为：一、石屋已刻经龛形制，二、刻经与造像，三、经龛特点与凿刻年代，四、刻经及其意义，共四个部分。有照片、手绘图。

石屋是用略加修整的石片层层堆垒而成，无勾缝，无木构及其他建筑材料。石屋平面呈长方形，南北9.4米、东西9.55米，高3米，南壁中央辟圆券门。屋内有刻经龛。上刻佛经5部。简报附有"曲阳八会寺刻经一览表"。八会寺刻经龛的凿刻年代，简报推断上限不晚于隋开皇十三年（593年），下限不超过隋大业三年（607年）。

39.河北曲阳五代壁画墓发掘简报

作　者：河北省文物研究所、保定市文物管理所、曲阳县文物管理所　李恩佳、李文龙等

出　处：《文物》1996年第9期

1994年6月，曲阳县灵山镇西燕川村西坟山上一座古墓被盗，随后文物部门确认该墓是一座五代时期壁画墓。1995年7至11月，考古人员对墓葬进行了抢救性清理。简报分为：一、墓葬形制，二、壁画与浮雕，三、随葬品，四、结语，共四个部分。有彩照、拓片、手绘图。

据介绍，西燕川村位于曲阳县城西北约30公里，定州至阜平的公路在村北通过。墓葬位于村西约2公里坟山的山间小盆地中，据当地人讲，1949年后仍见此处有1个土丘，用长条石包砌，现土丘已被削平，条石用以垒砌拦水坝。现在墓葬周围的拦水坝上还有很多长方形和方形青石，有的石块书还有长方形榫。墓葬坐北朝南，用青石砌筑，由墓道、墓门、甬道、前室、东西耳室和后室组成，自墓门至后室全长12.5米。墓上地表有约5米高的夯筑封土，夯层内夹杂大小不等的石块。墓道内几乎填满了天然大石块，有的重达1吨，其作用主要是防盗。

该墓出土有墓志1合，简报未录全文。由墓志可知墓主人为唐末、五代时期的义武军（治定州）节度使王处直，此人是当时河北地区的重要藩镇将领，卒于天祐二十年(后梁龙德三年，923年)，次年下葬(后唐同光二年，924年)。王处直在《旧

唐书》《旧五代史》有传，然史书本传较为简略。而志文洋洋两千余言，较为详细地记载了王处直家世、生平，时代明确，特别是记载了义武军在王氏家族统治时期发生的几件大事，对研究唐末、五代河北地区藩镇割据斗争提供了可靠材料。

此次发掘除了墓志，另外的重要收获在壁画和浮雕。此墓墓室壁画不仅内容丰富，而且色彩艳丽，技法娴熟，大部分采用勾勒填色法，人物体态丰腴，女子长裙曳地，男子幞头袍衫，花卉怒放，禽鸟蜂蝶纷飞，承袭了晚唐绘画"绮罗人物""花鸟屏风""祥云仙鹤"的风格。前室北壁和东耳室东壁的山水画，山峰或巍峨耸立，或柔媚平缓，既有奔腾的激流，又有河水出山后的平静、缥缈，比例适当，透视感、立体感较强，确有"远近山川，咫尺千里"之感，表现了作者较高的观察认识自然景象的能力。墓中出土的大型高浮雕作品和十二生肖浮雕及墓志盖上的四神浮雕，为研究我国古代雕刻艺术提供了珍贵的素材。这次出土的浮雕无论人物还是生肖动物，都神情俱备。尤其是侍女群像浮雕构思精巧，线条流畅、舒展，立体感极强，具有深厚的艺术感染力，充分显示了我国古代公元 10 世纪的雕刻艺术水平。

张家口市

40.河北蔚县榆涧唐墓

作　者：蔚县博物馆　刘建华、任亚珊
出　处：《考古》1987 年第 9 期

1982 年 9 月，河北省蔚县黄梅乡榆涧村农民在村中动土盖房时，发现一座唐代墓葬，考古人员进行了清理。简报分为：一、墓葬形制，二、随葬遗物，三、墓葬年代，共三个部分。有手绘图。

据介绍，这座墓葬为砖结构圆形单室墓，由墓门、甬道、墓室 3 部分组成。墓室为圆形，顶部已塌，现存高度 140 厘米。墓底用单层横卧砖铺地。墓室西侧用砖砌筑棺床，棺床长 170 厘米、宽 120 厘米、高 6 厘米。其上散置人骨架 2 具，均为仰身直肢，头北足南，经辨认为夫妇合葬。在骨架周围发现了一些铁钉和腐朽木板灰，原应有木棺。在棺床的东下端有铜饰皮腰带（皮带内外均镶嵌铜带饰，皮带已腐朽，仅剩铜带扣、带銙、铊尾）、铜镊子、铁器残片；在棺床的西上端，有釉陶盒、骨梳、小铜环。墓室东南处铺一木板，木板已朽，其上放置釉陶器，计有塔形罐、凤首壶、小铃铛。随葬遗物共清理出 16 件。其中塔形罐、凤首壶十分罕见。该墓的年代，简报推断应为唐代前期偏晚一段，下限不会晚于盛唐时期。

41.河北阳原金家庄唐墓

作　者：张家口地区文管所、阳原县文管所　贺　勇
出　处：《考古》1992 年第 8 期

1987 年 9 月，河北省阳原县金家庄农民在村中动土建房时发现唐代墓葬一座（编号为 M1）。考古人员随即对该墓进行了抢救性发掘。发掘情况简报分为：一、墓葬形制，二、出土器物，三、墓葬年代，共三个部分。有手绘图、照片。

据介绍，这座墓葬为砖结构圆形穹隆顶单室墓，由墓道、墓门、墓室三部分组成。出土已复原陶器 16 件，同时出土铁器 6 件、漆器 1 件、瓷器 1 件、铜钱 5 枚，共计 29 件。墓壁用砖浮雕的门窗，家具和仿木构建筑斗拱，粗糙单调，具有唐代晚期的建筑特点。据此简报推断，阳原金家庄墓葬的年代相当于晚唐五代时期。此墓未发现墓志，墓主人身份尚难推测。但从墓葬形制、结构、规模、随葬品以及出土的铁质皮腰带饰分析，有可能是一座下级官吏墓。

42.河北怀来县寺湾唐墓

作　者：张家口地区文管所　贺　勇
出　处：《考古》1993 年第 7 期

1979 年 3 月，怀来县李官营乡寺湾村村民在村西北山坡上平整土地时，发现唐墓一座。因墓室挖开，随葬遗物已被取出，故器物位置不清。简报分为：一、墓葬概况，二、出土器物，三、墓葬年代，共三个部分。有拓片、手绘图。

据介绍，该墓位于寺湾村西北 500 米的山坡上，西、北两面环山，南依果园水库，东距李官营乡 3.5 公里。墓地表面无封土堆积的标志，这座墓葬为砖结构长方形单室墓，由墓道、墓门和墓室组成，为夫妇合葬墓。墓室内随葬遗物不多，共 17 件。计有瓷注子、瓷碗、陶罐、三足铁炉、铜带铐、铜镜和铜钱等。该墓的年代，简报推断为唐代晚期。

43.河北蔚县九宫口唐墓

作　者：蔚县博物馆　李新威
出　处：《考古》1993 年第 8 期

1986 年 4 月，河北蔚县九宫口村农民在村南坡地上种田时，发现一座砖室墓。编号 M1。该墓已被村民完全破坏，文物已被取出，墓室结构及随葬品的位置均不清

楚。考古人员将散落在农民手中的文物全部收回，有陶器、瓷器、铜器、铜钱。简报配以手绘图予以介绍。

据介绍，追回文物中绿釉塔形罐、鎏金铜带饰等均十分精美。简报认为蔚县九宫口墓葬的年代定在唐代晚期是比较合适的。它的发现，对研究唐代晚期北方的历史文化有着重要意义。

44.河北张家口市宣化区发现唐代石棺墓

作　　者：张家口市宣化区文物保管所　刘海文、只海梅
出　　处：《考古》2003 年第 8 期

1972 年，张家口市宣化区皇城桥街居民挖菜窖时发现一座石棺墓。石棺内放有骨灰和钱币，由于当时石棺座与地面粘接十分坚固，故只将棺盖和钱币收回后回填。1985 年秋，对该墓再一次进行了清理。两次清理情况简报配以手绘图、拓片予以介绍。

据介绍，宣化区出土的这座石棺墓无纪年，通过出土遗物简报推断，其年代为唐代时期。此石棺结构合理，做工精细，造型美观，形象逼真，线条流畅，堪称唐代石棺之精品，有着一定的研究价值和艺术价值，1992 年被列为国家三级文物。

简报称，此墓的墓室结构和墓室外堆砌了大量石头，这种埋葬方法极为少见，应该引起注意。

45.河北宣化纪年唐墓发掘简报

作　　者：张家口市宣化区文物保管所　刘海文、寇振宏、冯渊渊等
出　　处：《文物》2008 年第 7 期

宣化位于河北省西北部，属张家口市辖区。近年来，在配合基本建设的文物勘探工作中发现了唐代墓葬 30 余座，其中有 3 座为纪年墓。

简报分为：一、杨钊墓，二、苏子矜墓，三、张庆宗墓，四、结语，共四个部分。配以照片、拓片、手绘图，介绍了这 3 座纪年唐墓的发掘情况。

据介绍，杨钊墓位于宣化城东 1200 余米处，地表为库房建筑，地下为沙层和卵石层，2001 年 9 月在兴建住宅楼的基槽内发现，同时征集到杨少愃墓志 1 合。墓室出土于基槽的东端，建在距现存地面 3.8 米处，墓顶无存。墓道和墓门已毁。

苏子矜墓位于宣化城东 1300 米处，2003 年 10 月在建设工地发现，由墓道、天井、墓门和墓室组成，亦征集到墓志 1 合。

张庆宗墓位于宣化城东南2300米处，2001年兴建炼钢炉时发现，已遭破坏，有墓志。

简报称，3墓中出土的器物不算丰富，以陶器为主，有鼎、罐、盆、塔式罐和俑等，另有少量的瓷器、骨器和铜器等。但3座墓葬均出土有墓志，为研究宣化及周边地区唐代的历史、社会制度、军事和生活习俗提供了重要的资料。

简报录有3个墓志全文。

据墓志，3位墓主人基本情况如下：

杨钊，祖籍弘农郡，前任节度使，太常寺奉礼郎。后任衙前亲事，兵马使，桃林镇将，太中大夫，试殿中监。唐乾符六年（879年）卒于平州桃林镇私第，享年47岁。

杨少愃，祖籍弘农郡，节度要籍，试太常寺奉礼郎，摄雄武军兵曹参军。唐大中六年（852年）卒于雄武军，享年59岁，于咸通十一年（870年）四月二日合祔。

苏子矜，唐贞元年（785～805年）中迁于雄武押衙云麾将军守左金吾卫大将军，会昌二年（842年）七月廿九日终于幽州蓟县界卢龙坊之私第，至会昌四年（844年）十月十二日乃扶灵归于本军合祔，享年82岁。夫人为太原王氏。

苏全绍，官至幽州雄武军知军副使试左武卫郎将。太守名荐，元戎时遇涿州故刺史兼御史中丞李公，葺军之日，特为上论迁授当军知军副使。卒于唐乾符四年（877年）五月廿一日，以其年十月十七日迁殡于军东西北之原茔域，享年52岁。

王氏，苏子矜之夫人，族本太原即汉司徒王龚之苗裔，唐元和九年（814年）九月二日疾殒于广边军私第，享年44岁，大和二年（828年）十一月二日改窆于雄武军城东三里平原。

张庆宗，官至幽州雄武军马步都将、衙前散兵马使、银青光禄大夫、检校太子宾客兼监察御史，以会昌初载于雄武军，燕国公降赴，大燕化行寰宇，始职亲事兵马使，续以于旄复逾周朔，抠阘委重密地。迁转瀛州马军大将，历过九镇，四十余秋。唐乾符四年（877年）卒，享年76岁。

上述墓主人均为雄武军要员，墓葬年代从元和九年（814年）至乾符四年（877年），均为唐代晚期墓葬。

简报指出，宣化在唐代为武州，领文德县，即武州城。设幽州雄武军，即雄武军城，是州、军治所所在地，属北部边远城市，常年驻守官兵，战略地位十分重要。历史上这里是民族杂居、战事频繁的地区。此次发掘为研究宣化及周边地区唐代的历史、社会制度、军事和生活习俗提供了宝贵的资料。

承德市

46.河北宽城出土两件唐代银器

作　者：宽城县文物保护管理所　刘兴文
出　处：《考古》1985 年第 9 期

1984 年 3 月，宽城县峪耳崖乡大野峪村农民在房院东侧山边取土，于地下 1 米左右深处的土层中发现银盘、银执壶各 1 件。银执壶在下，银盘底朝上扣在银执壶上，银盘已脱落的三足不规则地放在盘底上，此外无其他共存物。简报配以手绘图、照片予以介绍。

据介绍，宽城出土的鎏金银盘是我国目前发现的唯一的三足保存完整的银盘，其形制及图案风格、装饰方法与日本正仓院收藏的 1 件银盘（《特别展·正仓院宝物》1981 年，104）十分接近，只是宽城银盘为六瓣菱花形，盘心鹿纹昂首向前；正仓院银盘为六瓣葵花形，盘心鹿纹回首后顾，这两件银盘可能是同时期的产品。简报推断宽城银盘制作时间当属盛唐时期。

简报称，1975 年敖汉旗李家营子发现的一批银器中（《考古》1978 年第 2 期）有 1 件执壶，这次宽城出土的银执壶的形制与其相似，但柄部已残缺，腹部较小而圆。这两件银器出土于偏僻的小山沟，简报从出土情况判断，应是有意埋藏的。宽城出土的银器为研究唐代的金银工艺增添了新的实物资料。

沧州市

47.河北献县唐墓清理简报

作　者：王敏之、高良谟、张长虹
出　处：《文物》1990 年第 5 期

1980 年，河北省献县东樊屯村农民取土时挖到一处砖券，随后又发现陶俑数件，因此知道地下是一座古墓。献县文化馆得到报告后前去进行了清理。简报分为"墓葬形制""出土遗物""结语"共三部分，并配以照片。

据介绍，东樊屯村东北距献县城约 9 公里，墓葬在村南约 50 米的滏阳河北岸，由墓道、甬道、墓门、墓室构成，地表未见封土。此墓位于河堤内侧，早年曾受到严重破坏，墓道、甬道的形制已不清楚，仅知甬道长约1.2米。墓内共出土陶质随葬品54件，此墓未见墓志，简报推断墓主人似为中下级官吏，墓葬年代应属唐中期。

简报称，此墓出土陶俑不仅造型多样，而且制作较细，比例适度，不失为唐俑中的上品，河北省发现唐墓不多，沧州地区则更少，此墓的发现，为研究唐代沧州一带的历史提供了新的实物资料。

48.河北河间出土隋唐鎏金铜造像

作　者：王敏之、何占通
出　处：《文物》1991年第2期

河北省河间县近年出土两批鎏金铜造像，1982年城上村农民于村西动土时发现11件；1983年北李子口村农民在房基下发现42件。这些造像均无包裹或盛装物，直接埋在1米多深的土层里。造像中有些不仅工艺精湛，而且造型生动，比例匀称，具有较高的历史和艺术价值。简报分为：一、城上村铜造像，二、北李子口村铜造像，三、结语，共三个部分。有照片。

据介绍，河间出土的两批窖藏铜造像，从造型特点分析，应为隋、唐间物。除1座观音坐床刻有"开皇十一年"年款可知为隋代造像以外，其余多属唐代造像。如形体优美的菩萨和形象威武的力士，均具有明显的唐代风格。另外，在城上村出土的造像中有2件老子造像和1件刻有"敬造黄道像"铭的六足床，印证了唐代道教盛行的情况。这批造像中还有2件佛装菩萨像，这也是不多见的。这批造像具有较高的艺术价值，大多比例适度，铸造工艺精湛，造像表情姿态细腻传神，表现出隋唐时期宗教造型艺术的高超水平。两批造像的埋藏地附近，尚未发现寺庙遗迹。因无晚于唐的共存遗物，简报推测，其窖藏时间约在武宗灭佛或五代世宗毁佛之间。

49.河北沧县前营村唐墓

作　者：沧州市文物保护管理所、沧县文化馆
出　处：《考古》1991年第5期

1988年初，沧县纸房头乡前营村发现3座唐墓，墓中随葬物全被村民取出。考古人员于9月作了清理发掘。沧县纸房头乡前营村，地处津浦铁路之西，北距沧（州）石（家庄）公路3.5公里，东北距沧州市10公里。3座墓均在村南，M1在村南20米处的枣林边，东侧是芦苇坑。M2、M3同在村南偏西的一条南北向的无水沟中，

北距村舍80米，两墓相距9.4米。简报分为：一、一号墓，二、二号墓，三、三号墓，四、结语，共四个部分。有拓片、手绘图。

据介绍，3墓均为砖室墓。这3座墓的地点，在唐代为长芦县。长芦县曾隶属瀛州，唐武德四年（621年）归景州，贞观元年（627年）属沧州。M1是一座出有墓志的纪年墓，简报未录志文全文。据志文，此墓为刘元政与夫人张氏、齐氏的合葬墓。墓主刘元政，祖籍彭城（今徐州），无甚官职，曾在义昌军中任后院军头。唐史载：义昌军节度使，治沧州，管沧、景、德三州（见《旧唐书》卷三十八志第十八地理一）。此墓营建于咸通九年（868年），已属晚唐。M2、M3的年代，据随葬器物与墓葬形制分析，应早于M1。

简报指出，这3座唐墓的发掘，对研究唐代制瓷工艺和瓷器的使用都是很有价值的。

50.河北盐山县出土唐代铜镜

作　者：盐山县文物保管所　王长虹、刘红卫
出　处：《考古》1991年第7期

河北盐山县文物保管所，在文物普查工作中，征集到出土唐镜2件，均有明确出土地点。简报配图予以介绍。

据介绍，花鸟镜1件。镜呈八出菱花形，青灰色。从形制、纹饰看，当属唐镜。1985年7月，孟店乡流汗寨村西南乱葬岗出土。瑞鸟奔马镜1件。镜呈八出菱花形，银灰色。此镜纹饰布局疏密有序，构图秀丽，给人以浑厚庄重感觉，从装饰艺术风格看，当为唐镜。1987年4月，刘范乡马家砖瓦厂出土。

廊坊市

51.河北文安麻各庄唐墓

作　者：廊坊市文物管理所、文安县文物管理所　刘化成等
出　处：《文物》1994年第1期

1977年5月，河北省文安县修筑公路时，在城关镇麻各庄村南发现圆形单室墓1座。墓葬直径3.5米，以单面绳纹砖砌就，因破坏严重，墓室砌法已不清楚。考古人员收集到墓内出土的石墓志1方，陶俑、骆驼、镇墓兽等38件。简报配以照片、

拓片、手绘图予以介绍。

据介绍，该墓出土有石墓志1方，志文343字，楷书体，简报未录全文。据志文记述，墓主人为董满，字士盈，原籍为邢州平乡。唐高宗乾封元年（666年）奉诏版授藁城县令，咸亨二年（671年）十二月十四日终于家，享年88岁。咸亨三年（673年）三月卅日迁葬于文安县北三里之平原。

简报指出，河北省北部以往发现的唐代墓葬较少，且均为随葬品简单的平民墓，有明确纪年的墓更少。一般认为是地处唐朝北部边陲的缘故。此次发现的这座唐墓及近年文安县境内发现的唐墓形制与中原地区的不同，为圆形单室，随葬品中不见三彩器，具有北方地域的特征。此墓出土的人物俑神态自然。陶家禽家畜、骆驼、镇墓兽形象生动，与中原地区唐墓同类器风格相同。

简报称，此墓的发现为探索北方地区与中原地区唐文化的统一性和差异性提供了新的实物资料。

52.河北廊坊市大城县出土四方隋唐墓志

作　者：廊坊市文物管理处　刘化成
出　处：《考古》2000年第10期

1985年以来，廊坊市大城县文物保管所收集隋代、唐代墓志各2方，简报配以拓片予以介绍。

据介绍，2方墓志为隋代墓志，均于1992年出土于城关镇东关村。一方为解盛墓志，志文19行，满行22字。据志文，解盛字鸿徽，"景州平舒人也"，祖籍山东济南。祖解普贤任"魏威远将军兖州慎阳县令"。父解显庆任兖州从事、县司功。解盛于北周武帝宣政元年（578年）任章武郡主薄，隋文帝仁寿二年（602年）卒，四年葬于"县城之东北一里"。一方为章武郡主簿解君妻张氏墓志。志文22行，满行19字。根据志文，张氏为河间平舒人，祖籍河南南阳，隋大业三年（607年）卒，六年与夫解盛合葬。

2方唐代墓志，一方为刘纲墓志，1990年出土于城关镇西关村南。志文15行，满行17字。根据志文：刘纲曾任"隋仪同三司"，唐"授朝散大夫，辞不就职，乃退居闾里"。唐高宗永徽五年（654年）卒，麟德元年（664年）"迁窆于县城西南二里"。一方为邓明墓志，1985年出土于城关镇东关村。志文20行，满行21字。根据志文，邓明"字君奭，瀛州平舒人也"。"曾祖鼎，齐渤海郡州都，祖暾，周任和州司功；父孝义，隋开皇五年任章武郡功曹"。邓明卒于唐高宗上元三年（676年）。

以上墓志简报均未录志文全文。

衡水市

53.饶阳县王桥村隋墓清理简报

作　者：河北省饶阳县文化馆　刘玉杲

出　处：《文物》1964年第10期

河北省饶阳县文化馆，于1963年3月在饶阳城南25里王桥村清理了1座隋代墓葬。葬者为隋定州刺史李敬族夫妇合葬墓。李敬族字远钦，即《北齐书》作者李百药的祖父。简报配以照片予以介绍。

据介绍，墓室平面为方形，椎顶，每壁中部外张，略呈弧形。出土物有红陶俑，约有40个。室中部发现朽木痕迹，棺钉3枚，已锈烂。中部略靠东边有墓志3方：1方为死者的妻赵氏墓志铭，另2方，一为李的墓志铭，一为志盖，盖面刻"三司定州刺史李孝公墓志铭"12个大字，里面刻志文，简报未录全文。李敬族第二子名德林，先为北齐天保中秀才，累官通直散骑侍郎，周武帝克齐，授内史上士。后佐高祖定大计，及即位授内史令。德林之子名百药，初仕隋，后入唐，高宗时累官宗正卿。作铭者陆开明，隋文帝时官太子洗马，与宇文皒撰有《东宫典记》。

山西省

太原市

54.太原市金胜村第六号唐代壁画墓

作　者：山西省文物管理委员会　李奉山、沈振中

出　处：《文物》1959 年第 8 期

1959 年 3 月中旬，在太原市西南郊 30 里金胜村西，距村约 0.5 公里的基建工地发现了砖室墓 1 座，墓顶一侧被挖土机挖穿，发现墓内满绘壁画并有其他随葬品，当即停止取土，报知省文管会，考古人员作了清理。简报分为墓室结构、壁画、随葬品三部分，有照片、手绘图。

据介绍，墓坐北朝南，墓道在墓室的南端，墓为单室，平面正方略带弧形。棺床上有 2 具骨架，为仰身伸直葬，已腐朽。墓室内壁画保存完整，鲜艳如新，计有人物和四神画共 16 幅。墓室全部用白灰粉饰，顶部绘有红色莲花及彩云图案，下绘人字拱及青龙、白虎、朱雀、玄武 4 神，东西两壁顶部空隙各绘日月星辰。在东壁红色太阳里，用墨笔绘三足乌一只；西壁月亮里，绘人像两个。人物画 12 幅分绘于下边四壁上。在棺床的前面，靠近墓的西壁处放置灰黑色大陶罐 1 件，还有小陶罐 5 件，里面都放着谷粒，素面小铜镜 1 件，"开元钱" 6 枚。靠近墓的东壁有残木俑头 1 个，残马身 1 块，墙角下有铜质马饰 5 个。

简报称，这座墓的壁画与太原董茹庄发现的唐武后万岁登封元年的壁画墓极相似，墓内殉葬物也与一般唐墓中所见相同，所以墓的年代简报推断应为唐代盛期。

55.太原南郊金胜村唐墓

作　者：山西省文物管理委员会　代尊德

出　处：《考古》1959 年第 9 期

1958 年 4 月，考古人员为配合基建工程在太原南郊 15 公里处的金胜村一带清理

了一批汉、唐墓。简报分为：一、第四号墓，二、第五号墓，三、结语，共三个部分。配以照片等，先行介绍其中两座带壁画唐墓。

据介绍，这 2 座墓的规模不大，形制结构相同，墓中壁画保存较完整，虽五号墓中有墓志出土，简报也录有志文，但因志文遗失，其绝对年代仍未能稽查，简报推断应系初唐墓葬。2 墓中的壁画，除了男、女侍者和牛车、牵马诸图外，在棺床周围均绘有树下老人图，也许是用连环图的方式描绘的一段故事。死者未用棺木装殓，而直接置于砖砌棺床之上，是当时的一种葬俗。五号墓出土有波斯萨珊朝银币 1 枚，是研究中西文化交通的新资料。

56.太原南郊金胜村三号唐墓

作　者：山西省文物管理委员会　边成修等
出　处：《考古》1960 年第 11 期

1958 年 4 月，考古人员在太原南郊金胜村西南约 0.5 公里许的基建工地上，清理了 1 座唐墓，编为第 3 号墓。这座墓的墓顶早已坍塌，但室内随葬器物颇为丰富。墓内器物绝大部分已被取出，为了解墓内器物原来的位置情况，我们将墓内全部器物作了位置复原工作，因此，随葬器物的位置，大致保持了原来的概况。清理的结果，简报分为：一、墓的结构，二、葬式与葬具，三、随葬器物，四、结语，共四个部分。有照片。

简报介绍，此墓是单室墓，坐北向南，墓的构造是由墓室、甬道、墓道组成，墓室与甬道是绳纹条砖砌成，墓室平面呈方形。清理时室内人骨架已被扰乱，棺床上原有人骨架 2 具，已腐朽，北壁下发现 2 个人头骨。葬具只见腐朽的棺木灰与数枚铁棺钉。此墓从墓的结构、形制和出土器物的造型方面来观察，简报推断约为初唐时期。

57.太原西郊出土唐青釉人物狮子扁壶

作　者：高寿田
出　处：《考古》1963 年第 5 期

1956 年春，太原市西郊修筑玉门沟车站时出土 1 件青釉人物狮子扁壶，现存山西省博物馆。简报配以手绘图予以介绍。

简报称，这件瓷壶从形制、纹饰与表现方法等方面来看，都具有西方风格，而浮雕手法和颈部加出的一层有包嵌意味的云纹，都显出了它可能系仿效金属扁壶面烧成的。然而就瓷胎色釉等方面来看，它又和太原唐墓中出土过的青瓷相类似。因此，对于研究中西文化交流等方面，具有一定的参考价值。

58.太原市南郊唐代壁画墓清理简报

作　者：山西省考古研究所　宁立新、马　升等
出　处：《文物》1988 年第 12 期

1987 年 7 月，考古人员在太原市南郊区金胜村附近，为配合太原化工焦化厂的基建施工，清理了 1 座唐代壁画墓。简报分为：一、墓葬形制，二、墓室壁画，三、出土文物，四、结语，共四个部分。有彩照、拓片、手绘图。

据介绍，该墓为单室砖结构，由墓道、甬道、墓室组成。墓道、墓顶均已在施工中被挖坏，墓室有 2 具朽骨，西侧为女性，东侧为男性，应为夫妻合葬。墓室内有壁画。画面均以黄色起稿，再以墨笔勾出轮廓，然后填上红、黄、绿各色。此墓的年代，简报推断为唐高宗或武周时期。

该墓壁画，顶上疑似星象图。壁画中的树下老人图，简报认为与道教有关。

59.太原金胜村 337 号唐代壁画墓

作　者：山西省考古研究所、太原市文物管理委员会　侯　毅、孟耀虎等
出　处：《文物》1990 年第 12 期

1988 年 6 月，考古人员为配合太原第一热电厂扩建施工，在太原市南郊区金胜村附近，清理了 1 座唐代砖室壁画墓（编号为 TD1988M337）。简报分为：一、墓葬位置及形制，二、墓室壁画，三、随葬器物，四、结语，共四个部分。有彩照、拓片、手绘图。

据介绍，墓葬位于市中心以南 15 公里，西距太原西山约 2 公里。墓葬为单室砖结构，由墓道、甬道和墓室 3 部分组成。墓道由于压在厂区马路之下，无法进一步发掘，长度不详。墓室平面为弧边方形，在墓室的北半部，有砖砌长方形尸床。墓室四壁和尸床边缘都抹一层厚约 1 厘米的白灰泥皮，上施彩绘。尸床上有骨架残骸，葬式不明，经鉴定为一成年男性。

简报称，墓室壁画分为墓顶和墓壁两部分。画面均以黄色起稿，以墨笔勾出轮廓，然后填以黄、红、绿等色。由于墓顶在施工中遭受严重破坏，壁画已不存。从施工现场捡到的壁画残片看，墓顶绘有日、月、星象和青龙、白虎、朱雀、玄武四神。墓室四壁壁画保存完好。壁画中的人物造型线条流畅传神，门卫威武雄壮，仕女高

雅恬静，女童毕恭毕敬，而身着长袍的老翁或凝神沉思，或掩面悲哀。各种不同身份的人物的不同动作或表情，都刻画得栩栩如生，堪称佳作。

该墓的随葬器物共 11 件，多为陶器，破损比较严重，可以辨认器形的有三彩罐 2 件、器盖 1 件；彩绘陶镇墓兽 1 件，施浅黄、褐色彩；陶奁 2 件、小兽 1 件、莲花纹瓦当 2 件，铜丝 1 段；"开元通宝"钱 1 枚。

该墓的年代，简报推断为唐高宗时期。

60.太原隋代虞弘墓清理简报

作　者：山西省考古研究所、太原市考古研究所、太原市晋源区文物旅游局
　　　　张庆捷、畅红霞、张兴民、李爱国等
出　处：《文物》2001 年第 1 期

1999 年 7 月 9 日，山西省太原市晋源区王郭村的村民在修整村南边的一条土路时，在距路面 10 多厘米深处触到 1 块坚硬而且巨大的石板，顺着石板四缘挖开，发现用砖砌成的四道墓壁，村民辨出这是一个墓顶已被破坏的砖室墓，立即将此发现报告晋源区文物旅游局。考古人员对该墓葬进行清理，证实这是隋代虞弘夫妇合葬墓。简报分为：一、地理位置，二、墓葬形制，三、葬具，四、随葬品，五、石椁彩绘，六、结语，共六个部分。有彩照、拓片、手绘图。

据介绍，该村距太原市约 25 公里，向东近 3 公里就是汾河，离晋祠不远。该墓葬具独特，为一仿木构建筑的三开间汉白玉石椁，石椁四周内外皆雕刻彩绘，图案内容丰富，有宴饮、乐舞、射猎、家居、行旅等画面。图中人物均高鼻黑发，有些画面与祆教有关。此椁图案对研究丝绸之路及古代东西文化交流有重要意义。该墓有墓主墓志及其夫人墓志出土，简报未录志文全文。据志文，虞弘下葬于隋开皇十二年（592 年），其夫人墓志残缺，简报推断其与丈夫合葬时间在开皇十八年（598 年）。

据墓志，墓主虞弘为鱼国人，为北魏领民酋长之孙，茹茹莫贺去汾之子，自 13 岁起，任茹茹国莫贺弗，出使波斯、吐谷浑等国，后转莫缘，出使北齐。又在北齐、北周和隋 3 个朝代任过官职，历任直突都督、轻车将军、直斋都督、直荡都督、使持节、都督凉州诸军事、凉州刺史、射声校尉、假仪同三司、游击将军、仪同大将军、仪同三司等职，封爵广兴县开国伯，食邑六百户。在北周还曾检校萨宝府，职掌来华外国人事务。临终为隋仪同三司，"教领左帐内，镇押并部"，是一个经历和身份均比较特殊又受到皇帝宠信的官员。墓志又称虞弘为"鱼国尉纥骢城人"。志文又追叙其先"派枝西域"，说明鱼国曾在西域发展。据石椁图案中人物看，无论侍者、

射猎奏乐者还是宴饮者,皆深目、高鼻、黑发,多须髯,均为西域人种,与志文"派枝西域"相吻合,亦可作为鱼国曾处西域的证据。阳关、玉门关外以西包括波斯(今伊朗)均属西域,地域广阔,鱼国究竟在什么位置暂难确认,简报认为鱼国应是位于中亚的一个游牧国家。

61.山西太原晋源镇三座唐壁画墓

作 者:太原市文物考古研究所 裴静蓉等
出 处:《文物》2010 年第 7 期

2001 年 6 ~ 9 月,为配合太祁高速公路的建设,考古人员于晋源区段取土场抢救性发掘清理了战国、两汉、北朝、唐、宋时期墓葬300 余座,其中以汉唐墓葬居多。

在这一期间清理了3 座唐砖室壁画墓,3 座墓分别为温神智墓(编号TL2001M618)、TL2001M552、TL2001M1。温神智墓和TL2001M552 两座墓葬位于晋源镇(明太原县城)西门外的果树场内,TC2001M1 位于晋源镇赤桥村北约200米。这一区域为太原市西山山前坡地,属于晋阳古城遗址墓葬区。简报分为:一、温神智墓(TL2001M618),二、TL2001M552,三、TL2001M1,四、结语,共四个部分。配以拓片、照片、手绘图,介绍了这 3 座墓葬的发掘情况。

据介绍,3 座墓葬均由墓道、甬道和墓室组成,单室结构,壁画绘于墓室四壁及墓顶,内容有生活场景、树下老人、四神星象等。随葬器物具有唐代早期至盛唐时期的特点,其中温神智墓有开元十八年(730 年)纪年墓志,简报未录志文。3 座壁画墓的时代应基本相同。

62.太原市龙山童子寺遗址发掘简报

作 者:中国社会科学院考古研究所边疆考古研究中心、山西省考古研究所、
　　　 太原市文物考古研究所 李裕群、阎跃进等
出 处:《考古》2010 年第 7 期

山西太原市龙山童子寺位于太原市西南约 25 公里处,曾是北朝至隋唐时期著名的佛教寺院,属于晋阳古城宗教祭祀区范围。现存遗址内尚有北齐摩崖大佛、石窟以及中国现存最早的燃灯石塔。该寺院是一处石窟和地面寺院相结合的特殊类型寺院。2002 ~ 2006 年,考古人员对童子寺遗址进行了发掘。简报分为:一、遗址概况,二、发掘经过,三、寺院遗址,四、佛阁遗址,五、唐代石窟,六、出土遗物,七、

结语，共七个部分。有彩照、手绘图。

据介绍，共发现2座唐代洞窟。2004年清理了佛阁的前廊。2005年对佛阁前廊北部和南部的建筑遗址进行发掘。2006年对佛阁内北半部进行发掘，出土一批北齐和唐代石刻造像。寺院遗址一直为树林和灌木所掩盖，清理灌木和表层浮土后，遗址全貌即展现出来。现存遗址坐西朝东。平面呈长方形，东西长45.52米，南北宽31.8米。中轴线上有山门、唐代经幢和正殿，左右有石筑厢房和钟鼓楼。厢房、山门与钟鼓楼之间为石砌院墙。院内均用不规则的石块铺地。正殿面阔五间，进深二间，宽17.7米，进深7.5米。大殿后墙、左右山墙及两梢间均为石砌墙体。明间和次间开门。明间二柱础为宝装覆莲式，风化严重。殿内中央设石筑长方形佛坛，坛高0.73米、宽8.8米、进深2.3米。坛面两侧均立有5根石柱，中心则为4根已朽的木柱，大概是用于树立塑像。在大殿内北侧清理出明正德十年（1515年）的铁钟和清乾隆二十三年（1758年）石碑《兴复十方童子禅寺记》，南侧为嘉庆十年（1805年）石碑《凤峪村职员裴大功重修童子寺碑记》以及刻有明"正德"字样的脊饰构件。

简报认定该佛寺创建于北齐时期，唐代达到鼎盛，唐高宗、武则天均来过此寺，武周至盛唐、中晚唐时曾两次大修，约金代天辅元年（1117年）毁于兵火。现存寺院为明正德初年所建，清代曾两次修葺，但未改变原有格局。

简报称，此次发掘不仅对研究北朝佛寺有重要意义，还有一大收获是童子寺遗址出土的莲花纹瓦当以唐代为主，数量多，种类丰富。作为唐代的北都，以往发表的太原地区出土的唐代瓦当十分少见，可以说是空白。因此，这批瓦当对于研究太原地区唐代瓦当的类型、特点及其与两京（长安和洛阳）的关系具有十分重要的意义。

大同市

63.山西大同振华南街唐墓

作　者：大同市博物馆　白艳芳
出　处：《文物》1998年第11期

1987年7月，大同市振华南街城市建设开发公司工地发现一座唐墓。该墓发现时上部已被推土机毁掉，人骨架已暴露，只能判定其为土圹墓。墓底平面为长方形，棺木已朽，骨架头南脚北，腰下放置1面铜镜，其余3件随葬器物已被推土机铲到了墓外，原位置不明。简报配以照片予以介绍。

简报介绍，该墓随葬器物共 4 件，有三彩器、白瓷器和铜镜。在该墓的出土文物中虽未发现可作为断代依据的纪年铭文，但根据随葬陶瓷器的造型、色彩，尤其是出土铜镜所饰瑞兽、宝装莲瓣等纹饰均属唐代流行图案，简报推断该墓应属唐代墓葬。

64.大同市南关唐墓

作　者：大同市考古研究所　刘俊喜、高　峰等

出　处：《文物》2001 年第 7 期

2000 年 3 月，大同市电力公司在市区南关建职工住宅楼时，于 10 号楼基内发现古墓葬。考古人员对施工所占地段（8、9、10 号楼基）进行全面钻探，并对所勘探出的 15 座古墓葬（编号 M1～M15）进行抢救性清理发掘。简报分为：一、墓葬形制，二、随葬器物，三、结语，共三个部分。有照片、拓片、手绘图。

据介绍，这批墓葬位于市区南关迎宾西路南端，市中行办公楼南面的高坡地带，墓葬形式有砖室墓（M3、M7）和洞室墓两类，而洞室墓又可分为刀把形（M6、M14、M9、M11）和直壁形两种。以单人葬为多，夫妻合葬墓 2 座，即 M9、M14。葬式以仰身直肢为主，仅 M8 一例为仰身曲肢状。葬具除 M14、M4 有棺外，其他墓葬均未发现有板灰痕迹。限于篇幅，简报重点介绍了 M3、M4 等墓葬。

简报称，这次发掘清理的唐墓是本地区首次发现数量最多的一处唐代墓地。此次出土有 3 合墓志，但由于是以墨书在砖面上，大部分志文已漫漶不清，仅从 M14 的 1 合墓志依稀可辨："曹氏墓志"及"四百六十二甲□□永贞元年一月□日迁祔于军□□三里……"等字形。即死者曹氏，迁葬时间是永贞元年（805 年），刀把形土洞室和座身分离式的塔形罐又是唐代中晚期较为流行的做法和随葬品，因此简报把这处墓地的时代定为唐代中晚期。鉴于墓型小、葬具简陋、随葬品少的特点，墓主身份应为一般的平民。大同地处雁门关外，唐代在此设置云州，是汉族与北方少数民族接触最多的地方，素为临边用武之地。

简报说：这批墓葬的发掘，从一个侧面反映了这一时期经过安史之乱后，藩镇割据，战争频繁，赤地千里、百业萧条的衰败状况。

简报附有"曹氏墓志"铭全文，中多有缺字。

今有王炳文先生《从胡地到戎墟：安史之乱与河北胡化问题研究》（北京师范大学出版社 2020 年版）一书，可参阅。

65.山西浑源县界庄唐代瓷窑

作　　者：山西省考古研究所　孟耀虎、任志录

出　　处：《考古》2002 年第 4 期

浑源瓷窑于 20 世纪 70 年代被发现。1977 年，冯先铭先生曾前往调查，1982 年，李知宴先生再次在此做考察。两次调查，收获都较大，然而两次调查都未涉及界庄唐代窑址。冯先生报告中的唐代资料出自古磁窑，李先生文章中的界庄窑实际上就是金代盛烧并以之为村名的青磁窑。1997 年，山西省考古研究所对浑源古瓷窑进行了全面调查，并对界庄唐代窑址和青磁窑遗址进行小规模的试掘，获取了一批新资料，为研究浑源瓷窑提供了重要线索。

界庄地属青磁窑镇，位于浑源县城东南 24 公里处，北距古磁窑 3 公里，西距青磁窑 2.5 公里。界庄唐代窑址地处界庄村西南一个叫大水床的山坳中，地势东北高，西南低。窑区所倚即坩土坡，南侧至西南有一沟壑，沟内有泉水常流。简报分为：一、地层堆积情况，二、出土器物，三、结语，共三个部分。予以介绍，有手绘图。

据介绍，浑源唐代瓷窑址共有古磁窑村窑和界庄窑两处，古磁窑村窑在烧造时期的规模可能要大于界庄窑。界庄瓷窑烧造的器物有青瓷、白瓷、黑瓷、三彩器和绞胎器等多种，界庄唐代瓷窑在文献中没有记载，出土器物也没有刻划纪年及其他能表明烧造历史的资料，从出土器物的特征分析，简报推断其时代应在中唐后期至晚唐前期。

66.山西大同新发现的四座唐墓

作　　者：大同市考古研究所　尹　刚等

出　　处：《文物》2006 年第 4 期

2003 年以来，考古人员在配合城市基建中，于市区陆续发掘了 4 座唐墓，编号为 04M1 ～ 04M4，为研究唐代的政治、经济、文化、宗教及大同的历史提供了新的实物资料。简报分为：一、04M1，二、04M2，三、04M3，四、04M4，五、结语，共五个部分，予以介绍。有彩照、手绘图。

据介绍，M1、M2、M3 均属南北向竖井土洞墓。M4 为东西向土洞墓。墓室为横室、斜室或梯型。墓道为竖井或斜坡式。出土器物均分布在墓室两部，多为一组塔形陶壶和塔形陶罐。简报推断 M1、M2、M3 年代为唐代中晚期，M4 为唐代晚期。墓主人应为一般平民或下级官吏。

简报指出，大同地处雁门关外，唐代在此设置云州，是汉族与北方少数民族接触最多的地方，也是胡汉各民族军事力量角逐的地带。随着封建割据和安史之乱，云州陷入长期的战乱中。此次发掘，为研究唐代大同地区丧葬习俗、百姓生活提供了新的实物资料。

朔州市

67.山西平鲁出土一批唐代金铤

作　者：山西省考古研究所　陶正刚
出　处：《文物》1981 年第 4 期

1979 年 4 月，平鲁县平鲁公社屯军沟大队农民和公社中学学生在劳动中偶然发现了大批金铤等物，考古人员闻讯后，立即前往现场进行实地调查。简报配以手绘图和照片予以介绍。

据介绍，这批金器出土在平鲁公社西南方的屯军沟大队附近，位于距屯军沟村约 1 公里的土沟坡地悬崖上。在断崖上可以看到上小底大的 1 个近似梯形的夯土堆积层，这一堆积可能是一处房屋建筑遗址。出土金器的土坑位于建筑台基的西南角。

简报称，这批金器系安放在一个木匣中间，全部共有 193 件（包括断成两截后的总件数），合计毛重为 34810 克，折合成纯金重量为 33025.64 克。其中有铭文的金铤 5 件。根据金铤上的铭文，简报认为这批金器是属于中唐时期的历史文物。

忻州市

68.山西五台山佛光寺大殿发现唐、五代的题记和唐代壁画

作　者：罗哲文
出　处：《文物》1965 年第 4 期

1964 年 7 月，考古人员对五台山佛光寺内的唐代木构大殿进行了比较仔细的观察，发现了多处唐、五代、金以及明清题记多种，并且还发现了 1 幅唐代的壁画。简报分为：一、题记与壁画介绍，二、题记和壁画的历史价值，共两个部分。有照片。

据介绍，题记的位置在大殿大门的背后和大门门颊（即门框立枋）上，均系墨

笔题写的。由于字迹不整齐，加之千余年来的灰尘蒙盖，很难识别。经过 3 天的工夫，终于找出了唐咸通七年、咸通八年、乾符五年各 1 处，五代天祐十八年 2 处，同光三年 1 处，金天德五年、泰和四年各 1 处，未题年月的唐、五代、金以及明、清题记数十处。简报追录了 8 条题记。壁画的位置在大殿正中一个佛座的须弥座束腰上。殿的佛像、佛座已经重装油彩过许多次，最后一次是 30 多年前。1 块高 30 厘米许、长约 80 厘米的壁画因位置原因保存了下来，且色彩如新。

简报称，题记进一步证实此大殿为唐代遗物，壁画更是我国木构建筑中罕见的早期实物。题记还反映了唐代的一些政治军事情况。如乾符五年（878 年）的题记中记载的江西道散将柳诚送振武（军）将士到代州的情况，可以作为唐代中期以后在代州一带军事部署的佐证。也可以得知当时由江南西道调集将士到北方的情形。

阳泉市

晋中市

吕梁市

69.山西汾阳唐曹怡墓发掘简报

作　者：山西省考古研究所、汾阳市博物馆　王　俊、王仲璋
出　处：《文物》2014 年第 11 期

2007 年 4 月，山西省考古研究所和汾阳市博物馆在汾阳市胜利西街抢救性发掘了 1 座砖室墓（编号 M3）。墓葬封顶已被破坏，距地表 1.43 米。墓道未清理。墓室内出土了少量陶器、瓷器、陶俑及墓志 1 合，其中墓志记载内容较为重要。该墓发掘情况简报分为：一、墓葬概况，二、出土器物，三、结语，共三个部分。有拓片、照片、手绘图。

据介绍，墓室出土有瓷器、陶器、陶俑及墓志。墓志志文显示，墓主人为曹怡。曹怡及其祖上均为介州萨宝府的中低级武官，地位不高。墓葬中出土的青瓷梅瓶和青瓷龙柄鸡首壶形体硕大、釉色光亮、器形规整，显示出曹怡与众不同的粟特人身份。

曹怡为西域"昭武九姓"中曹国人后裔,曹怡墓是山西汾阳首次发现的唐代粟特人遗存。

简报称,该墓的发现为研究隋唐时期汾州、介州地区粟特人及唐代山西地区中西文化交流史提供了珍贵资料。

长治市

70.山西长治唐代舍利棺的发现

作　　者:山西省文物管理委员会、山西省考古研究所

出　　处:《考古》1961 年第 5 期

晋东南长治市城内西南隅,有 1 座残塔。1958 年秋,在该残塔下发现舍利棺 2 座。简报配以照片予以介绍。

据介绍,残塔为八角砖砌仿木构建筑形式,最下层是须弥束腰基座,座上有塔身一层。塔基正中有直径 1.5 米,深 1.8 米的圆形土坑,内置石椁,棺内埋放小银棺,银棺内装有小金棺,内有丝织物一方,未见舍利。总共有四重棺椁,除外椁已毁外,其余 3 棺虽大小、质地不同,形制花纹却基本一致。

在圆土坑正南 1.5 米处,又有方土坑,满填煤层,中间有一长方形石函,石函内装一带盖白瓷罐。罐内又用折叠很厚的绸子包着金黄色素面金属圆盒 1 个,盒内装有白色珠半盒,1000 粒左右,分量沉重,即所谓的"舍利"。

简报推断此塔乃在隋唐舍利塔的基础上重建,塔基保留未动,因此,塔下舍利及遗物仍为唐代风格。

71.山西平顺县古建筑勘察记

作　　者:杨　烈

出　　处:《文物》1962 年第 2 期

简报分为大云寺、明惠大师塔,共两个部分,有照片、手绘图。

据介绍,大云寺在今平顺县实惠(石灰)村北双峰山下。主要建筑大佛殿,为后晋天福三年(938 年)始建,其余均为清以来所重建。明惠大师塔,位于平顺县紫峰山下的虹霓村,为唐代建筑。

72.山西长治北石槽唐墓

作　者：山西省文物管理委员会、山西省考古研究所　沈振中
出　处：《考古》1962 年第 2 期

1961 年 4 月中旬，考古人员在长治市东郊北石槽清理了 2 座砖室唐墓。北石槽东倚壶口山，北临石子河，是一块漫平的台地，这里古墓丛集，以唐墓为多。简报分为：一、二号墓，二、三号墓，共两个部分。有照片、手绘图。

据介绍，二号墓墓室平面为正方形，前接竖井形墓道。木棺已朽，葬式不明。墓内有随葬品陶俑、陶模型、铁器、铜泡等 60 余件和墓志一方。简报未录志文全文。据志文知墓主人为大周（武则天）故云骑尉王义，于长安二年（702 年）12 月疾终，长安四年（704 年）12 月单葬于州城东五里平原。志文中有许多武后时创用的新字。因墓顶塌陷，器物多被砸毁，但原来位置基本未变。三号墓位于二号墓东北，相距 100 余米，结构与二号墓大致相同。墓室东壁处顺置木棺，现仅存板灰痕迹，发现 7 枚铁钉及棺上镶嵌的铁片等物。人骨架 1 具保存基本完整，头向南，仰身伸直葬。墓内随葬品 50 件，其中以俑为主，全部是红陶质，火候很高，胎质坚硬，制作较精美。未见墓志，但应与二号墓一样属唐代早期墓。

73.山西省平顺县大云寺的壁画与彩画

作　者：李春江
出　处：《文物》1963 年第 7 期

大云寺，在山西省平顺县实会村北双峰山下，三面环山，南临漳水，风景非常优美。分前后两进院落，除大殿为五代晋天福五年（940 年）所建外，其余如天王殿、后佛殿及东西厢房等，皆属明、清或民国时期的遗物。关于建筑部分，杨烈先生已于《文物》1962 年第 2 期上作了详细的报导，不再重复。

简报分为：一、壁画，二、彩画部分，共两个部分。配以照片，重点介绍清理出来的壁画与建筑彩画。

据介绍，大殿的四壁和扇面墙上，原有早期的壁画，由于经年久远，西壁不知何时残毁，现已不存；后壁仅在东北角上保留不到 1 平方米。东壁和扇面墙上，于清嘉庆年间整修时用夹草泥和石灰泥掩盖，这次整修中才被发现，多为佛教图案。大佛殿的栱眼壁部分及梁、枋、斗、栱之上，原绘有彩画，由于年代久远而大部剥蚀损毁，除栱眼壁及斗栱之上尚可辨出一些真迹外，其他如梁、枋、替木之上，很难察其全貌。这些壁画与彩画，应与建筑同时，为五代时作品。

74.山西长治唐墓清理略记

作　者：王秀生、丁志清
出　处：《考古》1964 年第 8 期

1963 年 8 月，考古人员在长治西城墙下（城为明代所筑），清理了 1 座唐墓。按该地区唐墓清理顺序，编为 16 号。墓是取土时发现的，墓道已被破坏，未清理。

简报分为：一、墓葬形制与葬具，二、随葬品，三、结语，共三个部分。有手绘图等。

据介绍，此墓是砖砌单室墓。墓道在墓室南端，墓室东半截已遭破坏，现仅存西半部。墓顶塌陷，室内积满淤土。木棺 1 具，骨架两具，已腐朽，只存头骨等零乱碎骨。随葬品分布情况是：武士俑、镇墓兽、女骑俑、持箕俑、陶狗置于墓门口；蹲兽、匍匐兽、碾轮、墓志、陶仓、铅带饰、驮鞍置于墓室中间；铜耳环放于人骨架胸部，开元钱置于棺内左侧。

墓志为楷书，简报录有全文。知墓主名叫张仁，字旻寂。开元四年（716 年）故，享年 84 岁，同年下葬。

75.山西长治唐王休泰墓

作　者：山西省文物管理委员会晋东南文物工作组　沈振中
出　处：《考古》1965 年第 8 期

1964 年 12 月，在长治北郊 7.5 公里处的南垂公社王村发现唐代砖室墓 1 座，该墓南距王村沟 300 余米。原来墓顶已塌，乱砖距地面深约 30 ～ 40 厘米，发现时部分遗物即被取出。简报配以手绘图、拓片、照片予以介绍。

据介绍，该墓坐北向南，墓室平面近方形，墓壁内外凸出呈弧形，距地表深约 1 米。墓道未发掘。墓门全被拆毁，原高不详。墓内填满乱砖淤土，在清除淤土后，仅发现残棺钉数枚。人骨架已朽成粉末，葬式无法辨认。

该墓共出土随葬器物 30 余件，其中有石墓志 1 合，楷书，简报未录志文全文。据志文记载，墓主人叫王休泰，死于大历六年（771 年）。其余全为陶器，胎质分红、灰两种，烧制火候颇高，因之保存得尚属完整。特别是出土的一套陶屋，是很重要的资料。陶屋由前、中、后三进组成，从平面布局看，是沿着中轴线构成一个层次分明、左右对称的完整建筑体系，很值得注意，为研究唐代住宅提供了有用的资料。

76.山西长治北石槽唐墓

作　者：山西省文物管理委员会晋东南文物工作组　沈振中、李奉山
出　处：《考古》1965年第9期

1960年7月，考古人员在长治城东2.5公里的壶山西侧清理了2座唐代砖室墓（编号四号、六号）。

简报分为：一、四号墓，二、六号墓，三、结语，共三个部分。予以介绍，有拓片、手绘图。

据介绍，四号墓墓为单室，用绳纹砖构筑，四壁向外凸出弧度，室顶早已坍塌，高度不明。墓底为长方形，墓道已被破坏，原来情形不详。棺木已朽，墓内人骨5具，均为二次葬。出土有陶俑、陶器、镇墓兽等，其中陶厕所1件，四周有围墙，留有小门。出土有墓志一合，楷书，简报未录志文全文。墓志载墓主乐氏，字道仁，唐骁骑尉，南阳人，卒于文明元年（684年）五月。

六号墓墓室结构与四号墓大体相近，平面呈长方形，距地表4.5米，墓顶已塌陷。出土有陶俑、镇墓兽、陶器等。石墓志1合，楷书，简报未录志文全文。志文载墓主人乐方，字士则，南阳人，柱国府朝散大夫，卒于显庆四年（659年），其妻卒于上元三年（676年），仪凤四年（679年）合葬于州城东五里石槽村西北1公里处。

简报称，据墓志，2墓主人均为乐姓。另外，还收集到隋大业六年（610年）崖州州都乐微墓志1石。3石均载"祖籍南阳"，看来这里是乐姓同宗墓地。

77.山西长治市北郊唐崔拏墓

作者：长治市博物馆　王进先
出处：《文物》1987年第8期

1984年8月，在长治市北郊25公里安昌村，因施工发现一唐代砖室墓。考古人员前往清理。

简报分为：一、墓葬形制与墓室情况，二、出土器物，三、结语，共三个部分。予以介绍，有照片、手绘图。

据介绍，墓顶已坍塌，墓室两侧有对称的两个耳室，出土有陶俑、墓志、三彩器等。简报录有墓志全文。由志文知墓主人为崔拏，字季玉，武城人，魏上党郡守崔晖之后，官至朝散大夫。曾祖崔怀，征南将军；祖父崔济，直阁将军；父亲崔琳，凤池县县令。崔氏家族数代为官，当为一显赫家族。

据志文，崔拏死于乾封二年（667年），与夫人合葬于永昌元年（689年）

78.山西长治市唐代冯廓墓

作　　者：长治市博物馆　侯良枝、朱晓芳等
出　　处：《文物》1989 年第 6 期

1986 年 10 月，位于山西长治市西郊瓦窑沟的建华菜场在建房时发现 1 座唐墓。当时墓葬已被扰动，大部分器物已被取出。考古人员对此墓进行了清理。简报配以照片、手绘图予以介绍。

据介绍，墓葬为穹隆顶砖室墓，墓室为圆角方形，四壁微外凸，墓室地面用条砖错纹平铺。墓室西侧为砖砌棺床，棺床上置 1 具骨架，已被扰动。墓室内的随葬品已被百姓取出，原来放置情况不明，经追回基本完好。其中除瓷罐、铜镜、墓志外，有陶镇墓兽 2 件、陶镇墓武士俑 2 件、陶踞坐俑 1 件、陶仪仗俑 5 件、陶跪伏俑 1 件、陶驭手俑 2 件、陶骑马女俑 3 件、陶骑驼男俑 1 件，以及陶制人首鱼、双人首蛇、兽、马、牛、羊、猪、狗，还有陶制灶、碓、磨、罐等。陶俑艺术价值尤其高。

简报称，墓志计 370 字，属武周时期，其中"天""授""年""月""日""地""载"字均为武则天所造新字。据志文，墓主人叫冯廓，字师寿，潞州上党人。曾祖、祖、父均为官宦。天授二年（690 年）三月九日死于家中，享年 71 岁。夫人朱氏。合葬于当年五月三日。

79.长治县宋家庄唐代范澄夫妇墓

作　　者：长治市博物馆　侯良枝、李奉山等
出　　处：《文物》1989 年第 6 期

1986 年 7 月，考古人员在山西长治县宋家庄砖场取土前进行了钻探，发现了几座唐墓，并清理了其中 1 座。简报分为墓葬形制、随葬器物、小结，共三个部分。有照片、拓片。

据介绍，该墓由墓道、墓门、墓室组成。墓道在以前取土时被破坏，情况不明。清理时，墓室内积满淤土，尸骨曾被积水浮动，并已腐朽，原葬式不明。据现存的头骨拼认，原来可能是头南脚北，葬式为仰身直肢。随葬器物基本上保持着原来的位置。靠近墓门处放置镇墓兽，其后散置陶俑。尸骨位于墓室西部，其头部两侧各有 1 枚铁镜。墓室中部置墓志铭。墓室东北角放明器及陶动物，四角放置陶罐。共有随葬品 45 件，其中有墓志 1 方，铁镜 2 枚，铁剪、铜钱、铜智、青瓷钵各 1 件。其余为陶制品，包括陶俑 20 件、陶模型 6 件，陶动物 7 件、陶罐 5 件，均为泥质

灰陶。简报未录墓志全文。据墓志可知，墓主为唐代范澄及其夫人韩氏。范澄字世清，并州晋阳人。祖、父均曾任官。而范澄"以志便山水，性好清虚，玩习琴书，不求荣仕"。范澄卒于贞观十年（636 年），韩氏卒于显庆五年（660 年），合葬于显庆五年。

80.长治市西郊唐代李度、宋嘉进墓

作　者：长治市博物馆　侯良枝等
出　处：《文物》1989 年第 6 期

1987 年 5 月，在山西长治西郊发现 2 座古墓，考古人员闻讯后进行了发掘清理。两座墓均为唐墓，墓主一为李度，一为宋嘉进。简报分为：一、李度墓，二、宋嘉进墓，三、小结，共三个部分。有彩照、拓片、手绘图。

据介绍，两墓均为唐代常见的中小型砖室墓。出土有青瓷器、铜器、唐三彩俑等。其中李度墓出土的三彩抱鸭壶俑是难得的珍品。两墓均有墓志。

李度墓简报未录墓志全文。据墓志，李度字仁才，赵郡人，唐折冲府校尉，葬于景云元年（710 年）。

宋嘉进墓志 181 字，简报亦未录全文，据志文可知，宋嘉进，字八弘，祖先为晋州临汾人。本人曾因战功授节度总管、宁远将军，葬于贞元八年（792 年）。

81.山西沁源隋代韩贵和墓

作　者：山西大学历史系、山西省考古研究所　郎保利、杨林中
出　处：《文物》2003 年第 8 期

1999 年秋，考古人员在山西长治地区发掘一夏商遗址，接到山西沁源县郭道镇东村村民药玉明的报告，告之其在院内取土时，发现砖墓 1 座，考古人员随即前往。墓葬已被扰乱。村民药玉明主动将墓内文物全部无偿上交国家。简报分为：一、墓葬形制，二、随葬器物，三、结语，共三个部分。有照片、拓片、手绘图。

据介绍，墓葬位于东村村内。发现于断崖之上，墓底距现地面约 2 米。墓葬为青砌砖室墓，墓室四壁略呈弧形。壁上为叠涩内收的穹隆顶，墓顶已塌落，墓门外的墓道因压在村庄建筑下，未清理，结构不明。墓室内已被扰乱，据村民描述：墓室北、东、西三面各有一棺床，西棺置两具骨架。北棺床置一具完整骨架，头向东，骨架南侧有一头骨。东棺床置一具完整骨架。人骨已被全部毁弃，墓室内未发现棺

椁葬具。因墓室正中靠近北棺床处，放置石质墓志一合，墓志南部放置随葬陶俑，东西两侧放置随葬陶器，近墓门处置一陶壶。

墓内出土随葬器物57件，包括墓志1合、陶俑32件、动物及器物模型冥器9件、陶器13件、五铢钱2枚。墓志计182字，简报录有志文全文。据志文，知墓主人叫韩贵和，开皇四年（584年）卒，享年91岁。

据墓志，韩贵和一生最高官职为荆州刺史和两个郡的郡守，但这都是在韩贵和80多岁以后封的，应是虚授而不是实封。实际身份应为隋早期一个下级官吏。简报指出，墓志志文虽短，但对研究北朝至隋的职官、历史地理等颇有价值。

82.山西长治唐代王惠墓

作　者：长治市博物馆　崔利民
出　处：《文物》2003年第8期

1993年12月，长治市博物馆在市东郊长淮机械二厂住宅楼工地，发掘清理了一座墓葬（编号M1）。简报分为：一、墓葬形制，二、随葬器物，三、结语，共三个部分。有彩照、拓片。

据介绍，该墓为单室砖墓，墓室底部距地表约3.6米，由墓道、墓门与墓室组成。墓室顶部坍塌，墓道未清理。墓室因早年渗水，顶部坍塌，然室内随葬器物基本保持原有位置。清理时发现，墓室北壁正中放置一长方形木质葬具，已朽。一具男性尸骨因受水力漂移散落棺外。随葬的陶骆驼、骑马俑、镇墓兽等大件器物，分置棺具两端。棺具后有陶罐，前面放置小件陶俑。墓门两侧有瓷钵和陶井、灶、磨、碾、碓等。正对墓门置墓志一合。

出土遗物共47件。其中陶马，鞍鞯装饰华丽，马体肥壮，比例适度，或奔驰或静立，动静之态形象逼真。胡人骑驼俑造型奇特。陶俑中有一个表情肃穆，服饰华贵，右手上举，手指结八字形，表示某种寓意。从造型与服饰看，其地位要高出其他陶俑。

简报未录墓志全文，据志文，知墓主叫王惠，上党人。卒于高宗上元三年(676年)，葬于州城东南五里之平原。根据资料，唐初改郡为州，太宗贞观元年(627年)，把全国分为十道，开元中又增至十五道。武德元年(618年)，置潞州，州治在今长治市，属河东道。墓志记载州城位置与资料吻合。

83.山西襄垣隋代浩喆墓

作　　者：襄垣县文物博物馆、山西省考古研究所　张庆捷、刘耀中、张继民等
出　　处：《文物》2004 年第 10 期

2001 年 11 月，山西省襄垣县煤运公司在家属楼建设过程中发现一座古代墓葬。考古人员闻讯赶到时，墓顶已被破坏。经观察，这是一座前后室砖墓，后室已经在早年被盗，遂通知建设方停工并做了抢救清理。墓葬编号 2001M49。简报分为：一、墓葬形制，二、随葬器物，三、结语，共三个部分。有彩照、拓片、手绘图。

据介绍，墓葬位于襄垣县城新建西街中段，墓葬坐北朝南，为双室砖墓，由墓道、甬道、前室及左右耳室、后甬道和后室组成。墓内共发现 15 具人骨架，并出土有陶俑、龟形墓志等。简报录有志文全文。

据志文，该墓年代明确，为隋代大业三年(607 年)。同时从墓志可知，墓主人浩喆，其远祖建功汉室，封于屯留；祖父任北魏太尉公、录尚书事、东北道大行台等职；父亲任折冲都尉、河东太守、渔阳镇将等职。浩喆曾任北齐岳阳县令、北周汾州仵城县令，官至隋魏郡太守，应属官品当为从四品。浩氏家族自汉代居住屯留，至隋已历经数百年，是当地望族，但其族人在史书中均不见记载。浩喆享年87岁，当属高寿。

84.山西襄垣唐墓（2003M1)

作　　者：山西省考古研究所、襄垣县文物博物馆　张庆捷、刘耀中等
出　　处：《文物》2004 年第 10 期

2003 年 3 月，山西省襄垣县县城的一户居民在修建住宅时，在院中挖到一座古墓葬。考古人员赶赴现场时，墓葬已经被破坏殆尽，于是一边派人去倒掉的淤土中寻找随葬品，一边清理墓葬残存部分。墓葬编号为2003M1。简报分为：一、墓葬形制和随葬器物，二、结语，共两个部分。配以彩照、手绘图，介绍了清理结果和捡回的随葬品。

据介绍，墓葬位于襄垣县县城新建西街中段路南，据残存情况看，这是一座单室砖墓。随葬器物除墓志外，尚有瓷质的男女俑、镇墓兽、人首鱼身俑、牛、羊、猪、鸡、鸭、狗、骆驼，以及香炉、罐、壶、盆、磨等器物共 41 件。其瓷质坚硬，灰白色胎。器物是先烧制成形，然后再上色，至今色彩鲜艳，但有些脱落。服饰及图案中包含外来文化的因素。唐代瓷质俑在山西属首次发现。墓志砖质，文字用朱砂书写，计 325 字，多处漫漶难辨。简报未录全文。由墓志得知，墓主人为唐代的低级官吏，

祖上曾任襄垣中正。夫人张氏，南阳白水人。墓主于贞观年间在雍州长安县等地为官，永徽三年（652年）卒于私第，次年与夫人合葬于襄垣县西南五里。该墓是山西地区发现的已知年代最早的唐代墓葬。

今有赖瑞和先生《唐代基层文官》（中华书局2008年版）一书，可参阅。

85.山西襄垣唐代浩氏家族墓

作　　者：山西大学文博学院、襄垣县文物博物馆　郎保利、刘耀中等
出　　处：《文物》2004年第10期

2001年秋，山西省襄垣县煤运公司在襄垣县城西南基建过程中发现多座隋唐时期墓葬。县文博馆闻讯后，派工作人员进入工地。经抢救性发掘，清理了一批隋唐墓葬，其中有隋唐时期浩氏家族墓3座。另外从已破坏的墓葬出土物中，收缴浩氏家族墓志2方。隋代浩喆墓已另文发表。

简报分为：一、墓葬形制，二、随葬器物，三、浩廉墓志和浩约墓志，四、结语，共四个部分。配以彩照、拓片、手绘图，介绍了唐代浩氏家族墓葬清理情况。

据介绍，浩氏家族墓葬位于襄垣县城西南新建西街，该地区从2000年以来陆续发现了不少唐代墓葬。发掘的唐代浩氏家族墓的编号为2001M32和2001M51，均为单室砖墓。据出土墓志记载，墓主人分别为浩宽和浩顼。浩宽墓（M32）曾被盗扰，仅见零散人骨，埋葬人数、性别等均不明，葬具不存。浩顼墓墓道未发掘，两墓均出土有墓志，墓志收有全文。浩宽墓和浩顼墓的陶俑中，镇墓兽、武士俑和牵马驼俑较有特色，体形高大，制作精良；浩顼墓的镇墓兽形制，在山西的唐墓中较为少见。

简报称，山西襄垣唐代浩氏家族墓地，目前已发现5座墓，据墓志记载，其家族成员可见名字的共有9代16人。年代确切的最早可到浩喆的出生时代，为北魏熙平二年（517年），最晚的为唐神龙二年（706年），共189年。其中寿命最长的为浩约，享年88岁，寿命最短的浩顼也有60岁。在浩氏家族中，已知官职最高的为隋代的浩喆，官至魏郡太守。可参阅赖瑞和先生《唐代中层文官》（中华书局2011年版）、《唐代高层文官》（中华书局2017年版）等书。据墓志记载可排列出浩氏家族谱系表。

墓志中可以考见的浩氏家族谱系如下：

```
浩怜（远祖）
   │
浩壑
   │
浩买
   │
浩喆（517～604 年）
   │
浩晖 ── 浩休 ──────── 浩钦（591～654 年）
           │                    │
         浩廉    浩宽 ── 浩范 ──────── 浩辉（583～655 年）
                         │                    │
                     浩顷（640～700 年）      浩操
                         │                    │
                     浩令忠                浩约（618～706 年）
                                              │
                                           浩缔节
```

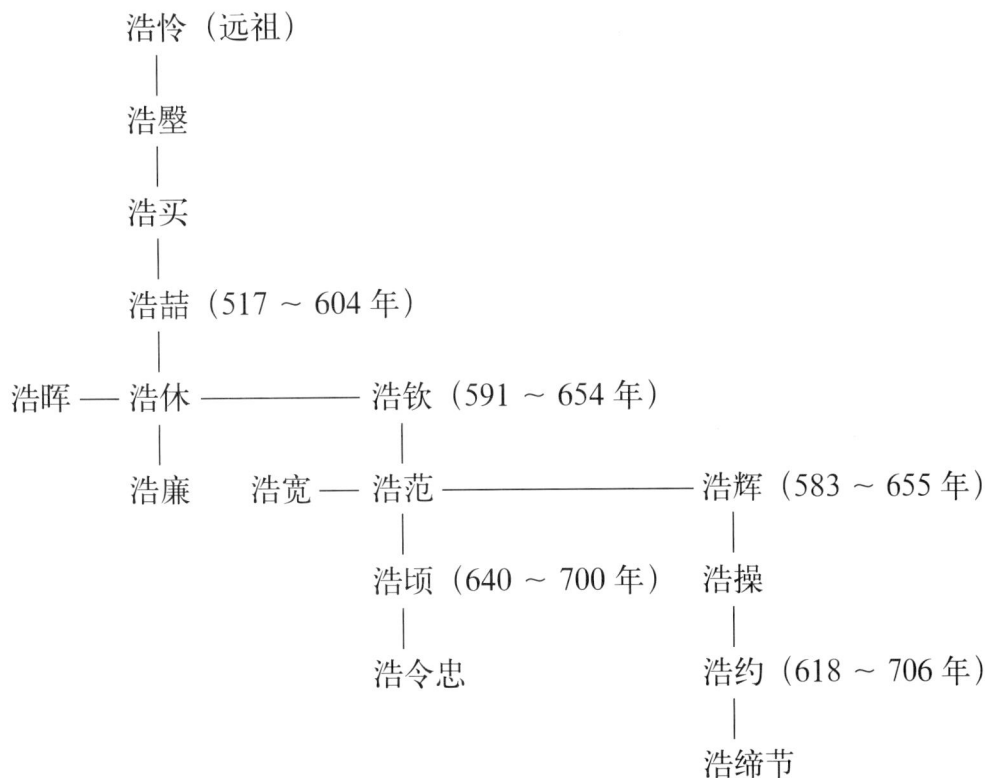

简报指出，浩家的繁盛在北朝和隋代，浩壑、浩买、浩喆官职都在四品以上。浩钦的官职各志所载有异，应以浩宽墓志记载最为准确，因为浩宽为浩钦之子。而浩约墓志记载浩钦的官职为晋阳令，可能是把浩钦和浩钦之父浩喆的官职岳阳令搞混了。浩约是浩钦的曾孙，相隔 4 代，时约百年，搞错也是可能的。浩氏家族在唐代大都没有官职。或任乡里之职，如浩宽、浩休作乡长；或任小吏，如浩顷当"府录事"；或无任何职事，如浩廉，只是躬耕垅亩；也有"慕朱公之术，习叔夜之风"的浩约，经商致富，得享高年。总之，这个家族有相当的财富，在当地应有一定影响力。这是一个涉及 9 代 16 人的考古发现，时间跨度长达 189 年，揭示了在北朝至隋唐具有相当实力和地位的家族历史。而浩氏家族的这批墓志资料，对于了解唐代社会，有很重要的学术意义。

86.山西襄垣唐代李石夫妇合葬墓

作　者：山西大学文博学院、襄垣县文物博物馆

出　处：《文物》2004 年第 10 期

2002 年 7 月，在山西省长治市襄垣县新建西街的扩建工程中，发现唐代砖室墓 1 座。发现时墓葬已被工人扰乱，县文物博物馆立即派工作人员进行了清理发掘。出

土了陶俑和唐代武周时期墓志铭等文物，墓葬编号 2002M3。简报分为：一、墓葬形制，二、随葬器物，三、结语，共三个部分。有彩照、拓片、手绘图。

据介绍，2002M3 的墓葬位置在襄垣县城新建西街，因工地客观条件限制，仅发掘了墓室，未能对墓道进行清理和钻探。墓葬为带墓道的单室砖墓，墓葬由墓道、甬道和墓室3 部分组成。甬道位于墓道和墓室之间。出土有陶俑、墓志等。简报录有墓志全文。墓志中见武则天所造字7 个：星、月、天、授、年、正、国。

墓主人李石早年战死疆场，被唐朝政府追授为骑都尉，于久视元年（700年）与夫人杨氏合葬。

87.山西平顺县荐福寺遗址出土的唐代佛教石造像

作　者：长治市博物馆、平顺县博物馆　崔利民、宋文强等
出　处：《考古》2007 年第 8 期

山西平顺县位于太行山南端，长治市的东部，其东南与河南、河北交界。荐福寺遗址位于平顺县西南 30 公里的北社乡东禅村，创建年代不详，目前仅存一处高 10余米、面积约 660 平方米的斜坡土台。1987 年 5 月，当地村民在土台斜坡处挖窑时于距地 3 米处发现一个面积约 4 平方米的土坑，坑内堆放 10 尊石刻造像及一些石像残块。这 10 件石造像分为佛头像、单体佛坐像和背屏式佛坐像，5 件底部有题记，其中 4 件有纪年题记。石材均为青石质。简报配有拓片等。

据介绍，荐福寺造像多有残损，推测被毁原因应与唐武宗会昌年间灭佛有关。据此简报推测，荐福寺应创建于初唐或略早，兴盛于高宗和武则天时期，衰败于武宗会昌年间，历时近 200 年。

简报称，荐福寺造像为单体佛坐像、背屏式造像和背屏式一佛二菩萨造像，个体皆较小。菩萨为立像，未见立佛像。壶关清凉寺造像也与此相同。造像石质与当地石质相同。雕刻手法以圆雕为主，纪年略晚的佛头像、倚坐像、背屏式多体像雕刻精细，技法较为娴熟，线条流畅；纪年略早的造像线条生硬，雕刻较粗，手法也极为粗糙。发愿供养的造像皆为下层民众所造，内容简单，题记也不太规整。造像形式以弥勒像为主，在发愿文中提及的"天皇天后"应指高宗与武后，当时并称为"二圣"。武氏宗佛，自称为弥勒转世，荐福寺造像与此同期，或是受此影响？

简报指出，长治地区唐代佛教造像发现极少，尤其是出土的石造像，见诸报道的仅壶关清凉寺出土的一批。因此，荐福寺出土的石造像，为进一步研究该地区唐代佛教及佛教造像艺术提供了一批有价值的实物资料。

晋城市

88.山西晋城碧落寺石窟调查记

作　者：中央美术学院石窟艺术考察队、山西省泽州县旅游文物管理中心　王中
　　　　旭、邵菁菁、罗亚琳等
出　处：《文物》2005 年第 7 期

碧落寺石窟为山西省文物保护单位，位于晋城市西北约 7.5 公里处的泽州县巴公镇南连氏村东，背倚碧落山南麓，面对万松岭，是古泽州境内的名寺。据石窟西窟外石阶旁题记，寺始建于北魏太和六年（482 年），完成于唐大和六年（832 年），之后五代、宋、金、元、明、清历代都有重修。《山西通志》载，此寺古名圣佛院，宋治平中赐号治平院，元代更名"碧落"。

碧落寺石窟的调查始于 20 世纪 80 年代。2001 年 4 月和 2004 年 10 月，考古人员两次联合对这组石窟进行了调查。简报分为：一、西窟，二、中窟，三、东窟，四、几个相关问题，五、结语，共五个部分。有照片、手绘图。

据介绍，碧落寺西窟开凿于北齐武平七年（576 年）前后。中窟和东窟均为唐高宗武则天时期的造像，其中东窟年代较中窟略晚。中窟的开凿或与韩王元嘉诸子为其母妃房氏祈福造像一事有关。西窟内北齐造像在题材与风格上呈现出与邺城、晋阳石窟造像相同的特点，但同时又带有较浓厚的民间特色。中窟、东窟则造像精美，可以作为观察唐代长安样式形成过程的重要参照。

临汾市

运城市

89.山西临猗发现两幅五代绢画

作　者：张献哲
出　处：《文物》1984 年第 7 期

1974 年，山西省临猗县文化馆从 1 座已毁的宋塔塔基中清理出一堆绢画残片，后

由山西省博物馆送北京故宫博物院修复装裱成2幅绢画。简报配以照片予以介绍。

据介绍，2幅绢画均分上下两部分，上部为经变图，下部为供养人像。画面设色用赫色、红（朱红）、黄、绿、紫、黑等色，浓淡相宜，层次分明。第二幅画下层供养人的口部用朱红点出。绢画虽经千年，色彩仍很鲜艳。这两幅绢画经北京故宫博物院徐邦达先生鉴定，认为应是五代作品。

90.山西平陆县出土一批隋唐佛道铜造像

作　者：平陆县博物馆　杨亨利
出　处：《考古》1987年第1期

1983年初，山西省平陆县县城西约50公里的西侯乡西侯村初级中学平整院基时，在学校东侧距地表1.1米深处挖掘出一批隋唐时代铜造像。较完整的59件，其中佛教造像21尊，道教造像4尊，像座26件，刻铭铜碑牌3件，另外还有背光1件、栏杆4件。这批造像大小不等，姿态各异。造像最大的高14厘米，最小的高3厘米；像座最大的高8厘米、长17.5厘米、宽15厘米，最小的高1.5厘米、长2.5厘米、宽2厘米。较有特点的遗物简报分为：一、佛教造像，二、道教造像，三、其他遗物，共三个部分。有手绘图、拓片。

据介绍，根据这批遗物中的隋炀帝杨广大业二年（606年）、唐高祖李渊武德四年（621年）、唐高宗李治仪凤四年（679年）、唐玄宗李隆基开元八年（720年）的纪年刻铭，比较造像的形制，可知大部分造像是隋唐时期的，个别的可能早到北朝。

从铭文中张姓佛弟子为亡父母敬造释迦牟尼像、阿弥陀像，刘姓道士为亡父母敬造老君像、元始天尊像，简报认为当时民间对佛教道教都崇信，造像修福风靡一时，这批遗物中未见唐代晚期的作品，可能是武宗会昌五年（845年）大兴灭佛时，人们埋藏起来的。

简报称，这批佛道造像，造型准确逼真，比例适度，衣纹流畅，铸造精细，显示出铸造的悠久传统和较高的工艺水平，反映了隋唐时期造像的特征，为研究隋唐时期的佛教艺术以及人们的宗教信仰，提供了宝贵的实物资料。

91.山西平陆圣人涧发现唐代鎏金铜造像窖藏

作　者：卫　斯
出　处：《考古》1991年第12期

1988年5月下旬，山西省平陆县城北郊的圣人涧村村民冯氏在雇工凿院取土过

Sui Tang Wu Dai Juan

程中，于距地表 3.2 米深处，发现了一处以鎏金铜造像为主并兼有石造像的窖藏。简报分为五个部分予以介绍，有照片。

据介绍，窖藏计有佛道鉴金铜造像 21 件、铜造像 1 件、石造像 1 件、零星鎏金铜床座 8 件、背光 3 件、"开元通宝"钱 1 枚、铜器残片 11 件。这批造像最高的 7.4 厘米，最低的 2.5 厘米。像座最大的高 3.8 厘米、长 9 厘米、宽 7 厘米。造像没有盛器，系直接入土窖藏。简报称，值得注意的是，这批窖藏造像中有 2 件老子鎏金铜造像与其他佛教造像共存。这当是当时佛道合流情况的一种反映。老子立像头光两侧所刻的日、月形符号及符号之上的气体升腾线刻，应是对修道成仙意境的描绘。至于这批遗物埋藏的原因及时间，简报估计可能与武宗会昌五年（845 年）大兴灭佛事件有关。

92.晋西南地区发现一批小型佛道石造像

作　者：张国维
出　处：《文物》1994 年第 8 期

晋西南地区的芮城、闻喜、永济等县市，近年陆续出土、征集了一批小型佛道石造像。这里所说的小型佛道石造像，是相对较大型的造像碑而言，一般高度不逾50 厘米。因芮城县博物馆收藏的有关造像已经发表，在此不再赘述。简报配以照片，择其未见报道的小型佛道造像予以介绍。

据介绍，从这批造像雕造形式看，佛道两教造型艺术相互交流、影响较为明显和普遍。简报指出，我国早期道教并不讲究形象崇拜，后来逐渐模仿佛教造像的仪轨形式进行宣传活动，这批造像中道教造像的一些造型，完全出自佛教形式，表明道教已发展为更加成熟、规范的宗教，在当时且有与佛教互补、合流的情况。另外，从造像铭文看，这些小型石造像的出资者多是当地一般民众，仅个别为官吏。其中有署名"纥□（疑为干）纹兴"者，应是当时我国北方少数民族的姓氏。从铭文看，此批石造像应为唐代作品。

93.山西稷山出土崇化寺唐开元石经幢

作　者：运城市河东博物馆　王泽庆
出　处：《文物》2003 年第 8 期

1992 年 3 月，山西省稷山县白池村村民取土制砖坯时，在村北 0.5 公里处崖下发现一大型石刻唐开元佛教经幢。经将出土时散落于四处的幢身、盘盖、底座等重新组合拼接后，运回运城市河东博物馆收藏。简报配以照片予以介绍。

据介绍，此幢为唐开元经幢，青石质，平面八角形，建于唐开元二十四年（736年）。幢身刻《佛顶尊胜陀罗尼石幢文并序》。幢身上置八角形盘盖，盘盖上雕8个小石狮，2佚6残。盘盖周边浮雕八兽头，刻流苏。幢身高100厘米，直径上44厘米、下49厘米；每面宽上19厘米、下20厘米，有收分。盘盖高17厘米、直径90厘米，每边出檐46厘米。底座高51厘米、直径92厘米。雕工精细，气势博大，表现了盛唐时的艺术风韵。幢身下出榫，插入莲花座中，幢底须弥座，幢顶不存。除经文外，上刻有17个供养人像及姓名。从经幢掩埋情况及砸损痕迹考察，系人为破坏后推倒，埋于崖下土中。据此推测，经幢可能系唐武宗灭佛时所毁。

简报称，经幢所刻序文、经文，书法精妙，艺术价值很高。经文后半部分因受水土中盐碱长期侵蚀，字迹漫漶不清。前半部分保存较好。因石刻长期掩埋土中，未经风化、捶拓损伤，笔迹清晰，刀口如新，所刻行书保留了书写萦带笔锋，对研究唐人书法、刻经有重要价值。

内蒙古自治区

呼和浩特市

94.内蒙古清水河县山跳峁墓地

作　者：内蒙古文物考古研究所、乌兰察布博物馆、清水河县文物管理所
　　　　魏　坚、计　红、李兴盛等

出　处：《文物》1997 年第 1 期

山跳峁墓地位于内蒙古清水河县窑沟乡山跳峁村东约 0.5 公里的向阳山坡之上，墓地北侧有呼和浩特—东胜的公路东西穿过，西南距南流黄河约 5 公里。墓地属黄土缓坡地段，水土流失严重，在东、南、西三面形成宽深的自然冲沟。其中西面冲沟曾多次有古墓葬暴露，并在 1993 年夏、秋季几次遭盗掘。考古人员对墓地进行了发掘清理，共清理墓葬 7 座（编号为 94QYM1 ～ M7）。简报分为：一、墓葬形制与壁画，二、随葬品，三、结语，共三个部分。有照片、手绘图。

据介绍，已清理的 7 座墓，除 M4、M6 未被盗掘，其余 5 座墓葬均遭不同程度的盗掘破坏。均由墓室、甬道、墓门、墓道组成。墓道较短，作斜坡式。墓室皆为圆形穹隆顶仿木结构砖室，墓壁绘壁画，地面多用红色方砖铺砌，少量的使用灰色长方砖。甬道位于墓室南侧，呈拱券式，墓门亦作仿木结构。清理的 7 座墓葬中，除 M7 严重破坏、葬式不明外，其他 6 座墓中有 4 座墓内葬有骨灰，M3、M5 两墓内葬有尸骨。山跳峁清理的 7 座墓葬中，随葬品数量均较少，一般多者 5 件（M3），少者仅 1 件（M2），7 座墓共出土遗物 22 件（套）。可分为陶、瓷、铜、砖雕、珠饰、铁器等。7 墓共出土遗物 22 件。简报推断年代为五代，认为是一处使用时间不长的家族墓地。

简报称，墓葬中骨灰墓占有很大比例，墓内大多随葬陶塔式罐，加之壁画中的僧人、四神和墓门上端的火焰纹等，反映出墓主人生前受佛教思想影响，尚佛、礼佛在日常生活中应占有重要地位。

此次发掘的重大收获在壁画。墓内所存壁画中的人物多为汉人形象。但在 M4

东壁壁画中2位对饮男子的身后站立4位披发、左衽的女子，无论在形象、服饰等方面都与其他壁画人物有明显的差异，为典型的少数民族形象和服饰，加之双鹿、双驼、野猪、飞禽等反映浓郁草原游牧民族生活气息的壁画内容，以及酱釉穿带瓶、双鹿纹鎏金铜带铐等，说明墓主人在一定程度上受到了北方游牧民族文化的影响。墓室仿木结构和砖雕的门、窗及生活用具是墓主人生前家居生活的真实再现，壁画内容多为武戏、劳作、吹奏、侍应等内容，反映了墓主人生前过着一种自给自足的休闲生活。同时壁画中一些诸如上半身裸露的妇女和妇人手搭在男性老者手臂之上等一些与封建礼教相悖的嬉戏场面，也在某种程度上反映出与北方少数族杂居错处并深受其影响，表现出较为开放的社会风气。

简报指出，砖雕和壁画内容中反映出的房屋建筑、家居劳作、山川树木、花草禽兽等内容，为我们了解五代时的北方社会风貌、经济生活以及生态环境等方面，提供了不可多得的形象资料。

包头市

95.内蒙古清水河塔尔梁五代壁画墓发掘简报

作　者：内蒙古师范大学科学技术史研究院、内蒙古文物考古研究所　曹建恩
　　　　党　郁、孙金松等
出　处：《文物》2014年第4期

塔尔梁墓地位于内蒙古呼和浩特市清水河县窑沟乡塔尔梁村东南坡地之上，西距黄河约3公里，东北距清水河县城约50公里。墓地于2010年11月被发现，考古人员对其进行抢救性发掘，共发现2座五代砖室壁画墓（编号M1、M2），除M1顶部略有破坏外，基本保存完整。这两座墓的发掘情况，简报分为：一、M1，二、M2，三、结语，共三个部分。有彩照、手绘图。

据介绍，塔尔梁墓地M1、M2的墓葬形制、埋葬习俗、砖雕及壁画内容皆较为一致，应大体为同一时期的一处家族墓地。简报推断年代大体相当于五代末期或宋代初期；M1壁画中丧葬、四神、宴饮、耕作、出行、商旅、狩猎、捣米、打马球、抚琴等题材均属唐至辽金时期较为流行的壁画内容，反映了汉人的日常生活场景。宋代以后中原地区极为流行的孝行图在这两座墓中也有发现。

简报称，此墓地的发掘为研究这一时期中原民族与北方民族杂居相处的生活状态和南流黄河两岸地区的经济、生活、民俗及宗教等提供了新资料。

乌海市

赤峰市

96.内蒙古昭盟发现"大唐营州都督许公德政之碑"碑额

作　者：苏　赫
出　处：《考古》1964 年第 2 期

考古人员于 1962 年 10 月 14 日在昭乌达盟阿鲁科尔沁旗白音花苏木乌兰苏木生产队，发现残碑额 1 块。此碑额已残破，周雕龙纹，中刻楷书"大唐营州都督许公德政之碑"12 字。其中"碑"字已残缺。碑额系花岗岩石刻制，下方已残断，碑身下落不明。碑额中之"许公"，查《唐书》中任营州都督之许姓者，只有开元初年营州都督许钦澹 1 人。许曾于开元初遣安东都护薛泰、奚王李大辅等率兵讨可突于助松漠郡王婆固复国，兵败，婆固、李大辅均被杀，薛泰被生擒，营州震恐，许钦澹移军入渝关。事见《唐书·契丹传》。据此，碑额中之"许公"，似应为许钦澹。此人《唐书》无传。唐玄宗时，改唐初镇压政策为和蕃安抚政策，而许钦澹又正当其任，碑称德政，疑是契丹首领于其领地为之立碑称颂。

97.内蒙古巴林右旗李家园子村出土唐印

作　者：巴林右旗博物馆　韩仁信
出　处：《考古》1997 年第 8 期

1976 年秋，内蒙古自治区巴林右旗宝日勿苏苏木李家园子村一农民在菜地里发现 1 方铜印。简报配以照片、拓片予以介绍。

据介绍，印为铜质，模铸而成。印面方形，四角微圆。印文为朱文小篆汉字"八作使印"。字形规整，笔划朴实圆润，线条细挺曲劲。此印有二层台，印文中的"作"字现缺一横，是人为破坏所致。该印原为鎏金印，在一层台与二层台交角处仍有鎏金痕迹。

"八作使"其名其制，是在唐玄宗时所设，北宋时改称为"八作司"，属将作监，掌京城内外修缮之事。通常无职掌，仅为官员迁转之阶。"八作使印"同已知的众多辽、金官印章相比较，无论从印的形制、印文的书体、铸印的技艺以及印章上有无"边款"和"上"记等来考证，李家园子出土的这方"八作使印"，简报推断当为唐代官印。

通辽市

98.哲里木盟发现的鲜卑遗存

作　者：张柏忠

出　处：《文物》1980 年第 2 期

鲜卑是我国北方历史上的一个主要民族。鲜卑早期的历史没有留下文字记载，我国东汉以后的史书上才对鲜卑有一些简单的勾画。1949 年以后，发现了一些鲜卑的遗物和遗迹，但它们多属于拓跋鲜卑和鲜卑同其他民族融合之后的遗存，对于东部鲜卑的文化我们还所知甚少。由此看来，哲盟地区发现的一些多属于东部鲜卑遗物就十分珍贵了。虽然这些资料多从地面采集和出于被破坏的墓葬，但是这些遗物对于研究东部鲜卑的社会生活和精神文化还是有价值的。

简报分为：一、舍根墓群出土的陶器，二、哲盟境内发现的舍根文化遗存，三、典型器物分析，四、关于时代和族属的讨论，五、余论，共五个部分。有照片、手绘图。

据介绍，1975 年，考古人员在科左后旗茂道吐公社舍根大队征集到一些陶器。据当地人介绍，这些陶器出于该大队北边沙丘的墓葬之中。墓葬均为石棺墓，墓室长 1.8 ～ 2 米、宽 0.6 米、深 0.4 米左右，均为东西向，头向东。多单人墓，只少数为二人合葬墓。墓中随葬的器物多少不等，有陶罐、陶壶、马具、青铜管等装饰品，有的墓葬中还随葬海螺。随葬品除征集到的 12 件陶器外，余皆不存。同年，在开鲁县和平公社平安大队、科右中旗代钦他拉公社代钦他拉大队、科左中旗敖宝公社西腰伯斯吐大队、扎鲁特旗前进公社前进大队、奈曼旗平安地公社毛头敖宝大队、北京铺子大队、清河公社公益大队等处，也均征集到与舍根墓群遗物大致同期的陶器等。

简报认为，所谓"舍根文化"应为东部鲜卑遗存，时代下限当不晚于唐。

简报还指出，梁思永先生 1930 年调查时，误把舍根文化遗物归入新石器时代了。

鄂尔多斯市

呼伦贝尔市

巴彦淖尔市

乌兰察布市

兴安盟

锡林郭勒盟

阿拉善盟

辽宁省

沈阳市

99.辽宁沈阳市石台子高句丽山城第一次发掘简报

作　者：辽宁省文物考古研究所、沈阳市文物考古工作队　李晓钟、佴峻岩、
　　　　刘焕民、李　威、王剑峰

出　处：《考古》1998 年第 10 期

　　石台子山城位于沈阳市东北约 35 公里辉山风景区内的棋盘山水库北岸。该地属于长白山余脉哈达山山脉的辉山丘陵。这座石城是沈阳地区目前保存比较完整的一座高句丽时期城址。因该城山下原有石台子村（因修建水库，整个村子迁移），故称石台子山城。山城于 1987 年文物复查时被发现，为确定和认识山城的文化性质及其内涵，考古人员于 1990 年秋和 1991 年春夏，对山城进行了小范围的试掘工作并取得了一定的收获。为进一步对山城进行研究，考古人员在 1991 年试掘工作的基础上，于 1997 年 5 月 12 日～11 月中旬，对石台子山城进行了正式发掘。此次发掘的主要收获是城墙墙体的发现与发掘。简报分为：一、山城发掘基本概况，二、城墙形制与结构，三、门址与涵洞，四、建筑材料与墙体砌筑方法，五、出土遗物，六、结语，共六个部分。有手绘图、照片、拓片。

　　据介绍，通过对石台子山城墙体外侧进行的全部清理和对墙体进行的局部解剖，对该山城的形制、建筑结构、防御能力、城门及排水设施、砌筑方法、建筑材料等诸方面有了较深刻的认识。该山城的建筑年代，简报推断其时代应是公元 613～645 年。简报认为：土城与石城应与当地地理环境与军事防御的需要有关；从几处门址及马面附近墙外侧的火烧迹象观察，山城内外曾发生了一次大火，火烧四门应与战争有一定联系。

　　至于石台子山城的城名，目前还难以定论，有待进一步的发掘和研究。

　　今有王绵厚先生《高句丽古城研究》（文物出版社 2002 年版）一书，可参阅。

100.沈阳市石台子高句丽山城蓄水设施遗址

作　者：辽宁省文物考古研究所、沈阳市文物考古研究所　刘　明、陈　山、李龙
　　　　彬等

出　处：《考古》2010 年第 12 期

石台子山城位于辽宁省沈阳市东北38 公里的棋盘山水库北岸。该山城于1980年沈阳市文物普查中发现，1987年复查并最终确认为高句丽时期的山城遗址。1990～1991 年，考古人员对山城进行了试掘。1997～2006 年，对山城进行了正式发掘，先后清理出石筑城墙、敌台、城门、排水设施、瞭望台、蓄水设施等，还清理了城内的房址和城外的墓葬。石台子山城蓄水设施遗址于2000 年5 月发现。2000年5 月至2005 年8 月，对该遗址进行了发掘，揭露了蓄水设施遗址的全貌，出土陶器、铁器、石器、骨器等遗物共96件。简报分为：一、地理位置和地层堆积，二、遗迹，三遗物，四、结语，共四个部分。有彩照、手绘图。

据介绍，石台子山城蓄水设计遗址由蓄水池、拦水坝、过滤池和坡道等四部分组成。使用年代应在 613 至 645 年，与山城相始终。这一隋唐时期蓄水设施遗址，对研究中国水利史、中国城市史等均有价值。

大连市

鞍山市

抚顺市

101.辽宁抚顺市施家墓地发掘简报

作　者：辽宁省文物考古研究所、抚顺市博物馆　吕学明、李新全、肖景全、
　　　　张　波等

出　处：《考古》2007 年第 10 期

2000 年 10 月，抚顺市博物馆接到报告，在抚顺市施家北山有古墓被盗，考古人员进行了现场调查，初步确认这里是一处高句丽墓地。并于 2000 年 11 月和 2001 年

10～11月，对该墓地进行了考古调查和抢救性发掘。墓地位于抚顺市顺城区，在抚顺市卫生学校至市师范学校一线北侧的山坡上。南距浑河2.5公里，西距高尔山城1.5公里。整个墓地坐落于两条山脊的阳坡，经过现场勘察，发现约百座墓葬显露于地表之上，自然形成东、西两区。墓葬分布范围东起市卫生学校，西至市地震局，全长650米。从山顶至山腰处的菜库围墙约100米，墓葬显示出成行成列的分布规律。据当地百姓讲，在修建菜库和卫校时，有大量墓葬被破坏。据此推断，墓葬应该从山顶一直向山脚开阔处分布，数量相当可观。简报分为：一、地理位置与墓地概况，二、墓葬形制，三、随葬品，四、结语，共四个部分。有彩照、手绘图等。

据介绍，共发掘了41座封土石室墓，包括1座壁画墓。多数墓葬为多人合葬。墓葬均遭早期盗扰破坏，出土随葬品因曾被盗数量较少，但是种类仍丰富，其中金、银、铜饰件很有特色。多数墓葬中保留有人骨，从幼儿、青年、中年、老年都有，这也很难得。根据出土遗物推断，墓葬的时代为高句丽晚期，即中原地区隋至唐初，应属于高尔山城的附属墓地。

本溪市

丹东市

锦州市

营口市

阜新市

辽阳市

盘锦市

铁岭市

102.辽宁铁岭市催阵堡山城调查

作　者：周向永、王兆华

出　处：《考古》1996 年第 7 期

催阵堡山城是辽北地区规模较大的一处高句丽山城，近年来，这座山城逐渐引起国内外研究学者的注意。1992 年 4 月至 1993 年 11 月，考古人员在以往工作的基础上，又发现了一批比较重要的遗迹。简报分为：一、地理位置和自然情况，二、山城的基本形制，三、结语，共三个部分。有手绘图、照片。

据介绍，催阵堡山城位于铁岭市东南 17 公里处的铁岭县催阵堡乡所在地以北 1.5 公里，山城南门外有汛河由东而西入辽河。山城正当汛河之阳横亘东西的青云山山脉中部，山南地势开阔，平畴万顷。催阵堡山城略作四指并拢而拇指伸开的掌形，直线距离东西长 1500 米、南北宽 1100 米，系利用青云山系中段一自然形成的近封闭山谷稍加修葺而成。全城北高南低，城内沟壑呈"干"字形分布。山城主要由南北 2 门、拦水堤坝及泄水口、蓄水池、角台、建筑址及部分辅助防御设施组成。而催阵堡山城西 5 公里，有一座小型高句丽山城遗址，城内瓦件多见，似乎反映了催阵堡山城与这处小型山城的某种联系。催阵堡山城军事防御性质突出，应该是战时的主要御守之地，而附近的小城，则可能主要用于平时的生产和生活，遇有战事，作为催阵堡山城的外围也能起到配合防御或策应作战的作用。简报综合相关资料，认为催阵堡山城应是高句丽的金山城。唐军曾在此作战，事见《新唐书·高丽传》。

朝阳市

103.辽宁朝阳西大营子唐墓

作　者：金殿士

出　处：《文物》1959 年第 5 期

1958 年春，辽宁省朝阳县西大营子乡农民挖肥时，在县城西南的八里堡屯南及城南五里的中山营子屯北大凌河西岸冲积平原上，发现唐墓 2 座，两墓相距约 8 里。

6月考古人员进行了清理。简报分为：一、八里堡屯唐墓，二、中山营子唐墓，共两部分，予以介绍。有照片。

据介绍，八里堡屯唐墓位于八里堡屯南 0.5 公里许锦承铁路北侧，墓为券顶圆形砖墓，有墓门墙和甬道，墓门外两侧各有翼墙 1 道。甬道为拱顶。甬道中央有墓志 1 合，中心刻篆文"大唐故人孙（霅）（君）墓志铭"。墓志刻楷书 24 行，共 1000 余字，简报未录全文。从志文上知道墓是唐武则天垂拱三年（687 年）的，距今已 1274 年。可以知道龙城即现在的八里堡。

墓主夫妇 2 人的尸床在墓室后半部，人骨架在墓室左方。殉葬品以陶俑为最多，俑成队地列在尸床周围，由于受水浸土压，大部已朽坏或变形。其他出土物有小陶碗 2 件，黄绿釉双耳小口大瓷罐、骨制耳挖子、带銎铁锄、莲纹小瓦当各 1 件。

中山营子屯唐墓位于中山营子屯北朝阳县通往杨杖子公路西侧。墓室平面圆形，顶已塌陷。据现存情况看，该墓遭人为破坏恐不止一次，墓内原状及原葬人数已不知，器物有一些镀金铜饰片、铜器、石器、骨雕、陶器等，有墓志碎块和泥俑残片。

简报推断由于墓志不存，墓室被扰，只能从出土物推测，墓是唐中期或晚期的。朝阳唐墓的发现，在东北地区还是第一次。

104.辽宁朝阳唐韩贞墓

作　者：朝阳地区博物馆
出　处：《考古》1973 年第 6 期

唐韩贞墓位于朝阳镇西北，工人在附近取土时发现墓砖，1972 年 4 月，考古人员前往清理。简报分为墓的形制、葬式葬具、随葬器物、关于韩贞墓的几个问题、结语予以介绍，有手绘图、照片。

据介绍，这座墓是用青灰色绳纹长方砖筑造的圆形券顶多室墓，中央为主室，东西各有一小室。各室之间，有甬道相通。从墓道南端算起，其范围南北长 12.7 米、东西宽 11.9 米。墓室券顶早年都已塌陷，室内充满填土和乱砖，又经扰乱与破坏，墓门、甬道、主室南壁以及东小室甬道多已残缺不全。这座墓葬发现尸骨 4 具。主室棺台上放尸骨两具，一男一女，早被扰乱，仅能辨出头西足东。葬具不明，从出土棺钉看，似为木棺。棺台前西部，即西小室甬道口外，发现双系瓷罐 1 个，内盛骨灰。西小室中部放置尸骨 1 具，头南足北，保存尚完好。据出土墓志，知这座墓是唐代五品以上官员韩贞及其妻双氏的合葬墓，主室棺台上的两具尸骨，当是韩贞夫妇，西小室一具尸骨和主室棺台前西部双系瓷罐中的骨灰，应是韩贞的家属。墓志说：韩贞"有子四人，次子元昌、元俊早亡"。从骨髓和牙齿看，西小室所葬者系一男性，年龄较轻。

双系瓷罐所盛骨灰，火化程度较高，骨灰较碎，未发现牙齿，死者的年龄可能更小。据此推测，因小室所出尸骨和双系瓷罐内所盛骨灰很可能就是他的 2 个儿子元昌、元俊的遗骸。既称"早亡"，应当是先于韩贞夫妇而死。简报指出，韩贞墓是一座大型砖墓，殉葬了彩色斑斓的三彩釉器，雕刻精致的子母狮，以及象笏和铜器等 47 件珍贵文物。韩贞，两《唐书》无传，可能不是出身名门，只是因战功升职。简报未录墓志全文。

105.辽宁昭盟喀喇沁旗发现唐代鎏金银器

作　者：喀喇沁旗文化馆
出　处：《考古》1977 年第 5 期

1976 年 4 月 21 日，昭盟喀喇沁旗楼子店公社筑路民兵连，在旗革委会所在地锦山公社河南东大队哈达沟门筑路取土工程中，掘出 6 件鎏金錾花银器。简报配以照片、手绘图予以介绍。

据介绍，这批银器原埋藏在锦山公社东约 5 公里的锡伯河东岸，位于河南东大队哈达沟门东侧的台地上。银器埋在距现地面深约 50 厘米处，器物的放置没有什么规律，而且都是先压折后再埋进去的。大型的银盘都压折成几折后，卷压在一块。錾花的圆银罐也经敲砸压扁，并残损成两块。可以看出当时埋藏的人可能是为了携带方便而将这些银器砸扁，而后又因突然的原因把它们埋在路旁的。也有可能是为了埋藏方便，在埋藏前把器物砸扁的。在银器出土地点附近，没有发现任何古代墓葬或遗址，更可证明当时是有意把这些器物埋藏在这里的。出土的银器一共 6 件，共重约 11 公斤，其中银盘上有铭文，知是一个叫刘赞的地方官进奉之物。

106.辽宁朝阳出土唐三彩三足罐

作　者：李宇峰
出　处：《文物》1982 年第 5 期

1980 年 9 月，在朝阳地区微生物研究所院内发现一座小型唐墓。墓平面呈长方形，船篷式顶距表土约 40 厘米，墓壁仅为一层单砖砌筑，第二层向上即开始起券，形制在朝阳附近唐墓中比较特殊。墓里出土遗物不多，两件陶器已经残破。值得注意的是出土 1 件唐三彩三足罐，其造型、赋彩、贴塑图案都颇具特色。简报配以照片予以介绍。

简报介绍，口微侈，圆唇，短颈，圆肩，鼓腹，小平底，下有 3 只兽爪足。胎质细腻，呈淡红色，质地坚实，火候稍高。罐身施黄、白、绿、蓝四色釉，釉色深沉，光洁度不强，有极细的开片。唇颈部施黄釉（色显微黄红），罐身施绿釉（实为灰绿色），变形蝶纹上边肩部各施一椭圆形白釉，蝶、蝉纹身上施黄、白、绿、蓝釉。

107.辽宁朝阳五座唐墓

作　者：张洪波、贾宗梁
出　处：《北方文物》1994 年第 3 期

考古人员自 1987 年 7 月至 1990 年 7 月先后在朝阳市区外围发现了 5 座唐墓。这 5 座唐墓已遭到不同程度的破坏。其中双塔区孟克乡东三家村 1 座、双塔小区 1 座、朝阳市衬布厂 1 座、朝阳市西药厂 2 座（以下简称东 M、双 M、衬 M、西 M1、西 M2）。考古人员对衬 M、西 M1、西 M2 进行了抢救性清理，并将散失的文物收回。简报分为：一、墓葬概况，二、随葬品，三、小结，共三个部分。有手绘图。

据介绍，3 墓均为砖砌棺形墓。共出土瓷器 2 件、陶器 11 件及铁器等。简报认为：3 座砖砌棺形墓为唐代中晚期，西 M2 可能晚至唐代末期。这 5 座墓葬墓主的身份都较低，从墓葬规模、埋葬深度以及随葬品数量看，应为平民。虽然衬 M 随葬 2 件瓷器，但唐代后期瓷器在平民家庭使用已是普遍现象。5 座墓中有 3 座墓出土铜镜和铁镜，有 2 座墓出土铁剪刀，1 座墓出土铜管。根据我国的传统习俗，这 3 座墓的墓主应为女性。西 M2 为母子合葬，这在朝阳唐墓中属首次发现。另外 2 座墓的墓主性别不详。

108.辽宁朝阳唐墓出土农业文物

作　者：辽宁省朝阳市博物馆　杨铁男
出　处：《农业考古》1995 年第 1 期

辽宁省西部的朝阳市城区相继发掘了一些唐墓，出土了多种俑类。这些墓俑除有武士、文官、仕女、胡人外，还有相当大的一部分是属于家庭农业生产和家庭畜牧饲养的俑畜及用于粮食加工的陶塑工具。这些俑畜的发现为我们研究朝阳在唐代的农业生产及有关问题提供了宝贵资料。另外，从这些俑畜中也看出了当时的家庭农业劳动和家庭饲养的情况。简报配以照片介绍了这些俑畜及陶塑工具，各个唐墓出土的相同俑畜不做重复介绍。

简报介绍了朝阳鲁善都墓出土的女持物俑、陶马、陶牛、陶羊、陶骆驼、陶猪、陶狗、陶磨、陶灶，朝阳交通局 2 号唐墓出土的女簸箕俑、陶鸽，朝阳中山营子唐左才墓出土的泥碾。这些墓大多为初唐至盛唐时下葬。

109.朝阳双塔区唐墓

作　　者：辽宁省文物考古研究所、朝阳市博物馆　李新全等

出　　处：《文物》1997 年第 11 期

1992 年 8 月，朝阳市教育教学研究中心在双塔区政府西北处建住宅楼，经双塔区文物管理所勘探，发现古墓 6 座，其中 3 座早年已遭破坏。考古人员对余下的 3 座墓葬进行了清理。简报分为：一、地理位置与自然环境，二、墓葬形制及随葬品位置，三、随葬器物，四、结语，共四个部分。有照片和手绘图。

据介绍，墓葬位于朝阳市双塔区政府西北约 30 米处，南距文化路约 100 米，东距大凌河约 500 米，河对岸不远即是凤凰山，这里在古代是大凌河的冲积台地，河淤白沙土层厚达 2～3 米，墓葬即建于河淤沙土中。3 座墓均为砖筑单室墓，呈西北至东南方向排列，各墓之间相距约 8 米。3 座墓共出土金、银、铜、铁、陶器等 35 件，简报推断其年代上限不早于唐武德四年（621 年），下限不晚于唐中期。

简报称，从这 3 座墓的形制、结构和出土遗物来看，它们之间存在着一定的差异。M2 的墓主人为一般平民的话，那么 M3 的墓主人则可能是中小地主或富裕的商人。

M3 出土的金币是朝阳地区，也是东北地区首次发现东罗马帝国的金币，它的出土，为研究唐代营州与西方国家的物质文化交流提供了宝贵的实物资料。

110.辽宁朝阳市黄河路唐墓的清理

作　　者：辽宁省文物考古研究所、朝阳市博物馆　李新全、于俊玉

出　　处：《考古》2001 年第 8 期

1993 年 5 月初，东风朝阳柴油机公司在朝阳市黄河路北侧兴建住宅楼，建筑工地经朝阳市双塔区文物管理所勘探，发现古墓 4 座，其中砖室墓 1 座，土坑墓 3 座。1993 年 5 月末，经辽宁省文物主管部门批准，考古人员对其进行了清理，发掘工作历时 40 余天，至 7 月初结束。3 座土坑墓为清代墓，只做了简单清理，重点清理了砖室墓，编号为 M1。简报分为：一、地理位置与自然环境，二、墓葬形制与埋藏状况，三、随葬器物，四、结语，共四个部分。有手绘图、照片。

据介绍，根据墓葬形制、出土陶俑的特征，大体推断 M1 的形制与河北南和县郭祥墓略同，出土陶俑的种类、特征亦多相同。郭祥墓建于唐武则天垂拱四年（688年），M1 的年代简报推断应与之相近，M1 应略晚于郭祥墓，应在 8 世纪前叶。M1 的墓主人官位应在五品以上。

简报称，M1 是历年发掘的朝阳唐墓中规模较大的 1 座。尽管该墓早年曾多次被盗，仍出土了各类遗物 78 件。如此丰富的随葬品在朝阳唐墓中是罕见的。

111.辽宁省朝阳市文化路唐代窑址

作　　者：朝阳博物馆　寇玉峰、韩国祥
出　　处：《北方文物》2011 年第 2 期

2001 年 9 月，考古人员在朝阳市文化路东段辽宁省微生物研究所院内发掘了 5 座唐代窑址，除 1 座烧陶器外，其余都是砖瓦窑，这几座窑址大小不一，形式各异，集中在一起，为研究唐代窑址及建筑材料提供了很重要的资料。

简报分为：一、地层堆积，二、窑址形制，三、出土遗物，四、结语，共四个部分。有手绘图。

据介绍，5 座窑址形制不同，保存状况也不相同，Y1、Y4 破坏严重，仅存部分窑床及窑壁。Y2、Y3、Y5 保存相对较好，窑顶均塌落。出土遗物有陶钵 1 件、青砖、瓦等。建造时代应大体一致，只是其建筑的绝对年代略有早晚，Y1 略晚于其他 4 座窑址。简报推断 Y1 ~ Y4 的年代应为唐代中期。Y1、Y2、Y3、Y4 窑体均为长方形，规模相对较大，窑内存有摆放规矩的砖坯、青砖或残碎的青瓦，由此可以断定这 4 座窑应为烧制砖瓦等建筑构件的。

葫芦岛市

吉林省

长春市

吉林市

112.吉林永吉县查里巴村发现两座渤海墓

作　者：尹郁山

出　处：《考古》1990 年第 6 期

1985 年10 月11 日，永吉县乌拉街镇汪屯村农民在查里巴村挖鼠洞时，发现1 座古墓，出土铜牌饰等随葬品。考古人员随即前往现场进行了清理。7 天后，汪、查两村村民又挖出1 座古墓，考古人员进行了清理。

两墓位于查里巴村与汪屯村之间的一处岗梁上，依照发现的先后次序，两墓分别编号为M1 和M2。M1 位于岗梁顶部，M2 在M1 之西约15 米处。两墓的清理情况简报配以手绘图予以介绍。

据介绍，M1 出土的双唇筒形深腹罐与黑龙江省东宁团结遗址、吉林省敦化县六顶山遗址、永吉县乌拉街杨屯大海猛遗址第三期出土的同类器相似。M2 出土的陶罐，与黑龙江省宁安县渤海上京龙泉府遗址出土的同类器相一致。两墓的特点与杨屯大海猛遗址的同类墓相近。这两座墓的时代简报推断应属渤海早期。

113.吉林省蛟河市七道河村渤海建筑遗址清理简报

作　者：吉林省博物馆　马德谦、丁宏毅、唐　音

出　处：《考古》1993 年第 2 期

七道河村渤海建筑遗址位于吉林省蛟河市天岗镇七道河村北约 300 米许 1 个略高出于周围地表的小高岗上。高岗为遗址北侧老爷岭支脉南麓的边缘地带，系自然

形成。从遗址南缘往南5米许即为牤牛河。遗址北侧紧邻乡道。该遗址为1985年吉林省文物普查时发现，近年来，由于修道和开垦农田，遗址不断地遭到破坏。1990年7月间，对该遗址进行了抢救性清理发掘。简报分为：一、遗址结构，二、遗址遗物，三、结语，共三个部分。有照片、手绘图。

据介绍，遗址为正南北向，由天井、地面铺石、柱础石、级石、护坡石等部分构成。遗物有建筑材料、陶器、残碑等。其中铁制风铃值得注意。

简报称，唐朝武则天圣历元年（698年）至五代初年（926年），在我国古代的东北地区建立了以粟末靺鞨为主体的渤海族政权。七道河村地处渤海王国的范围内。遗址出土的建筑构件等遗物，与渤海上京龙泉府（今黑龙江省宁安县渤海镇）及吉林省延边朝鲜族自治州等渤海遗物发现较多且典型的地区所发现的同类渤海遗物非常相似。因此，简报推断该遗址为渤海王国的建筑遗址。简报指出，渤海王国共开辟了五条主要交通路线，其中的契丹道是从渤海的上京龙泉府出发前往辽政权的都城临潢。该遗址正位于契丹道上。遗址可能主要是作为亭站使用，但也可能是具有某种宗教性质的建筑遗存。

114.吉林永吉查里巴靺鞨墓地

作　　者：吉林省文物考古研究所　何　明、程建民、李　刚等
出　　处：《文物》1995年第9期

查里巴村地处第二松花江畔，南距吉林市约50公里，属永吉县乌拉街镇所辖。墓地位于村南约1公里处的漫岗上，岗下有一水泡与松花江相通。1986年10月，当地农民取土时发现1座墓葬，随后由永吉县文管所将其清理。1987～1988年考古人员对该墓地进行了清理发掘。简报分为：一、墓葬分布与地层堆积，二、墓葬形制，三、葬式与葬俗，四、随葬品，五、结语，共五个部分。有彩照、拓片、手绘图。

据介绍，墓葬中有石圹墓与土坑竖穴墓2种。石圹墓仅见3座，即M1、M33、M42。墓圹均以大小不等的石块垒成。墓底较为讲究，有的采用白灰抹面或平铺一层均匀的河卵石块。墓顶均以土为封。这类墓葬一般规模较大，墓圹长约3米，略呈方形。这3座墓葬中，仅一例内存木质葬具，由于腐蚀与火烧甚重，已无法窥知其形制结构。出土遗物有陶器、铜器、银器、铁器、石器、玉器以及玛瑙珠、琉璃串珠、骨珠等。二次葬较多，火葬也极盛行。

查里巴墓葬的年代，简报推断上限为隋末唐初，下限为唐代中叶。应为粟末靺鞨的墓地，已出现贫富差距。

四平市

辽源市

115.吉林辽源市龙首山城内考古调查简报

作　者：辽源市文物管理所　唐洪源
出　处：《考古》1994年第3期

位于吉林省中南部的辽源市龙首山，早在20世纪50年代有关考古人员就在此山顶部发现有座山城，但事隔几十年也无专人对此城遗物概况进行过报道或研究。近些年来，为了弄清古城年代及有关文化性质，曾多次对城内进行了实地调查，并先后采集一些具有代表性的典型器物标本。特别是1990年7月，在城内南、北沟塘中间临近西门约50米处的山坡水沟旁，又意外发现被水冲出较多陶片，并及时对水沟两侧进行了抢救性清理发掘。

简报分为：一、古城周围地理环境及有关城址概况，二、城内北沟塘南断壁文化层堆积情况，三、城内小型探方清理概况，四、城内采集遗物，五、结语，共五个部分。有拓片、手绘图。

据介绍，龙首山城内出土和采集的大量陶器，器型特点普遍以鼓腹双横耳平底罐为主，其他器类发现略少。这次出土的夹砂陶敞口鼓腹大罐，器形不但具有汉代陶器之特征，而且陶质夹砂程度又非常相似原始夹砂陶。城内虽然瓦当发现不多，但对古城断代和研究该城文化内涵，却具有相当重要价值。从已发现的几件莲瓣变形纹瓦当来看，瓦当边缘明显凸起的宽边高棱，是高句丽时代建筑瓦当中的主要特点。但从瓦面纹饰来分析，它既不同于集安所出土的各种莲瓣纹瓦当图案，又不同于目前已发表的有关渤海城内出土的瓦当纹饰。简报认为龙首山城内出土的几种瓦当纹饰，目前在东北三省还是首次发现。

根据这次发掘和城内所采集的大量实物特征，简报推断龙首山古城应为高句丽晚期修筑，唐代渤海早期沿用。

今有《高句丽研究文献目录》（吉林大学出版社2013年版），可参考。

通化市

116.集安县老虎哨古墓

作　　者：集安县文物保管所　赵书勤
出　　处：《文物》1984 年第 1 期

老虎哨位于吉林省集安县城西南约 50 公里处。这里三面环水，鸭绿江绕老虎哨东、南、西面流过，隔江是朝鲜。老虎哨北面为黑驼山，山下是一道南北向的狭长漫岗，古墓分布在漫岗中部。1981 年 10 月，集安县文物保管所配合老虎哨水力发电站工程，对这里的古墓进行了发掘和清理。简报分为：一、墓葬类型与结构，二、出土遗物，三、小结，共三个部分予以介绍。有手绘图、照片。

据介绍，老虎哨共有古墓葬 17 座，除 5 座已遭严重破坏外，这次清理的 12 座均有封土。按结构可分为两种类型：一种为石室墓；一种为洞室墓。两种墓都有单、双室之分，双墓的东室多略大于西室。种墓平面又有铲形和刀形两种不同形状。由于墓葬均经盗掘，出土遗物不多，总计 25 件，主要为石器和陶器，多已残。还出土少量铁器和银器。简报认为此为高句丽（族）墓葬，年代为高句丽晚期。高句丽建国于公元前 37 年，公元 668 年亡国。晚期或已入隋唐时期。

117.吉林集安发现一处渤海时期遗址

作　　者：集安县文物保管所　董长富
出　　处：《北方文物》1985 年第 4 期

1975 年 11 月，集安县太王乡民主村六队群众在平整土地时，发现了一批陶器和大量陶片，同时发现的还有炕洞等遗迹。县文管所闻讯即前往调查并进行了征集和记录，确认这里是一处古代遗址。简报配以手绘图予以介绍。

据介绍，遗址位于集安洞沟平原东部，西距县城约 2 公里，其南 200 米左右为鸭绿江。这里是一片狭长的冲积台地，高出今江面约 4 米，遗址即在台地西端的一处高阜上。发现的遗物主要为陶器，共复原 6 件。在出土陶器不远的同一层位中，发现较多被烟熏成黑色的石板，在北部剖面上还可见到炕洞遗迹。

简报分析民主六队遗址的年代应属渤海时期。

白山市

松原市

白城市

延边州

118.渤海旧京城址调查

作　　者：单庆麟
出　　处：《文物》1960 年第 6 期

渤海国京城废址，位于今吉林省敦化县城东南，考古人员于 1958 年前往调查。简报分为：一、环境与位置，二、城的形制，三、遗物，四、小结，共四个部分。有手绘图。

据介绍，渤海国旧京城分内外两城，外城呈长方形，东西长而南北短，城墙只残存下部，估计当时城墙宽度在 10 米左右。内城呈正方形，城墙仅断续高于平地，应位于外城中央而偏西。遗物有石臼、白瓷片、青瓷片、陶片等。

渤海国建于 698 年，为粟末靺鞨人大祚荣所建，初名震国，713 年改称渤海国。

119.吉林敦化六顶山渤海古墓

作　　者：王承礼、曹正榕
出　　处：《考古》1961 年第 6 期

渤海国最初建都的旧国，便是现在的吉林敦化，敦化六顶山古墓葬群是渤海国前期王室贵族的墓地，在其附近的敖东城，就是渤海大钦茂王迁都上京前的旧国。1949 年 8 月至 10 月，敦化启东中学和延边大学历史科，曾在六顶山清理了 9 座古墓。1959 年 8 月，吉林省文化局在请示了文化部以后，进行了第二次清理，试掘了两座，并把过去由原延边大学清理过的6座又做了1次清理。简报分为：一、地理位置，二、墓葬形制，三、遗物，四、结语，共四个部分。有手绘图、照片。

据介绍，敦化位于长白山北坡，六顶山在敦化城南5公里处，呈东西走向，六小山峰起伏相连，当地称之为六顶山。墓葬有大型、中型、小型石棺墓3类。出土遗物有贞惠公主碑，碑文楷书，共700余字，尚能识别的528字，其余已剥蚀难识。据考证，贞惠公主为渤海国第三代王——大钦茂的第二女，大兴宝历孝感□□法大王即文王大钦茂，大兴宝历为文王大钦茂的年号，立碑的宝历七年十一月廿□日，即唐德宗建中元年（780年）十一月廿□日。贞惠公主墓碑是首次发现的渤海石刻文字。另有石狮、砖、瓦和瓦当、玉璧、棺钉、陶器等。此外，尚有残铁片和质地细腻的青色瓦片等物。

简报称，敦化六顶山古墓群，由于贞惠公主墓碑的出土，可判定是渤海王室贵族的茔地。贞惠公主墓碑及其他遗物，是渤海前期文化的见证，可确知渤海国使用汉字，也告诉了我们渤海国贵族熟悉汉文学，并有一定造诣。当时渤海已普遍使用铁器，生产力和社会文化达到一定水平。

120.吉林敦化牡丹江上游渤海遗址调查记

作　者：王承礼

出　处：《考古》1962年第11期

敦化位于长白山北坡，境内多山，地势南高北低。遗址因敦化镇南多峡谷，发现很少，大部分密集在敦化镇到南湖头一段，尤以敦化镇附近最为丰富。

1957年5~8月，考古人员对遗迹进行了一次调查，1960年又进行了一次复查。两次共调查古城址9处、建筑址4处、墓葬址1处，此外，还发现新石器时代遗址3处。简报分为：一、古城址，二、建筑址四处，三、六顶山渤海古墓群，四、结语，共四个部分。有手绘图。

据介绍，敦化为渤海"旧国"所在。敦化六顶山渤海古墓群的存在，证实了敦化应是渤海最初的都城——"旧国"的所在地。敦化的渤海遗址，大体上以文王大钦茂（738~793年）以前和同时的遗存为多，即主要为渤海前期的文化遗存。从遗址的分布，能看出渤海的国力是比较强的，国家的组织水平达到一定程度。

简报称，敦化（旧国）到宁安（上京龙泉府）是渤海的政治、经济、文化的中心，并且，这个中心是逐渐从旧国移向上京龙泉府和东京龙源府（今珲春八连城）的。但是各平原城、山城、建筑址、墓葬址的内涵以及相互间的关系，尚待今后的发掘和深入研究来解决。

121.和龙县龙海古迹调查

作　者：郑永振

出　处：《黑龙江文物丛刊》1983 年第 2 期

龙海大队位于和龙县头道平原南端。1980 年 10 月，考古人员在和龙县龙海大队西山发掘了渤海贞孝公主墓，同时在附近进行了调查，发现有古代城址、建筑址、墓葬等遗迹。为了进一步弄清古遗迹的年代及分布情况，1981 年 6 月，再次进行了调查。简报分为：一、古城址，二、古建筑址，三、古墓葬，四、小结，共四个部分。有手绘图。

据介绍，在龙海一、二队有古城址 1 处，当地人称高"蚕头城"。此城长年受到破坏，仅残留有约 100 米的北墙和部分城垣残段，部分已荡然无存，不易看清城墙位置。经过调查，对城郭的基本轮廓有所了解。该城呈长方形，北墙长约 299 米，东墙残长 320 米，西墙残长约 90 米，此外部分被民房所占，不存城墙痕迹。现存北墙残宽约 6 米，残高约 0.5 米。从一部分残留的情况分析，城墙可能是用河卵石垒砌，调查中没有完全确定南墙的位置，东西墙接南墙转弯处不明。城外发现有两处疑似寺庙遗址及古墓葬 2 处。此处简报推断为渤海时期古城。墓葬处一为贵族墓地，一为平民墓地。

122.珲春市东六洞二号遗址发掘简报

作　者：吉林省图珲铁路考古发掘队　刘景文

出　处：《北方文物》1990 年第 1 期

东六洞二号遗址位于图们江右岸的珲春市密江乡东南 2 公里的山下台地上，高出西部的平地约 3 米。遗址西边为一条南北走向的小路。遗址上边比较平坦，北约 100 米为一号遗址、东北约 300 米为一处同时代墓群，其东偏南距县城 25 公里。1988 年 7 月 16 日至 31 日，考古人员对该遗址进行了发掘，发掘面积 400 余平方米。清理渤海时代房址 1 座，出土遗物 30 余件。简报分为：一、地层堆积，二、房址，三、遗物，四、结语，共四个部分。有手绘图。

据介绍，迄今所见的渤海时期建筑资料，尤其是房址甚少。这处房址虽不甚完整，但大致清楚。其建筑规模宏大，简报分析，此建筑绝非平民住房。从地理位置上看，其东南 29 公里是八连城。史书载：785 年（渤海文王大兴 48 年，唐贞元元年），渤海的第三代王大钦茂把京都由上京龙泉府迁到东京龙原府，即今珲春八连城，以此为都 10 年。在这 10 年中，作为京城的龙原府及其附近的经济和文化必当得到相当迅速的发展。东六洞二号遗址仅距八连城 20 公里，当属京城范围，其建筑规模宏大、有施釉的建筑饰件、规范的瓦当、筒瓦、板瓦等。其北不远亦有较大的建筑址及墓群，这都应与京城有关。简报推断，这些建筑群大体应属这一时期。

123.吉林省珲春市甩弯子渤海房址清理简报

作　者：图珲铁路考古发掘队　王洪峰
出　处：《北方文物》1991 年第 2 期

1988 年夏季，为配合图（们）珲（春）铁路建设工程，考古人员对沿线诸遗址进行了全面发掘。其中，在珲春市英安乡的甩弯子村清理了 1 座渤海时期的房屋建筑址。此次发掘情况，简报分为：一、遗址概况，二、遗迹和遗物，三、小结，共三个部分。有手绘图。

据介绍，遗址位于甩弯子村西 2 公里处的沿江台地上，北依一道横岭，南濒滔滔东去的图们江，向西北越岭为密江乡辖境，东南距英安乡政府所在地约 8 公里，根据室内外出土的诸多板瓦、筒瓦等遗物，简报推知属渤海时期无疑（相当于中原地区的唐五代时期）。

124.吉林省和龙县北大渤海墓葬

作　者：延边博物馆、和龙县文物管理所　郑永振、千太龙等
出　处：《文物》1994 年第 1 期

1988 年 7 月，和龙县八家子林业局准备在北大渤海墓群西部山麓下进行基建，考古人员于 7 ～ 8 月分两次对存留的墓葬进行了发掘，共清理墓葬 11 座（编号 88HBM1 ～ M11）。简报分为：一、地理位置及墓群概况，二、墓葬形制，三、出土遗物，四、小结，共四个部分。有彩照、手绘图。

据介绍，北大墓群位于吉林省和龙县八家子西部北，原属西城乡北大村。墓群南临海兰江，东北 5 公里是渤海中京址——和龙西古城。北大墓群原占地面积约 4 万平方米，有几百座墓葬。20 世纪 30 ～ 40 年代，日本人曾对墓群进行几次调查并清理了个别墓葬。新中国成立后，于 1964 年，曾做过调查并发掘了个别墓葬。1973 年，延边博物馆与和龙县文化馆在墓群东端清理了 54 座墓。以后，八家子林业局在墓群中心地带建楼，整个墓群基本破坏。这次清理的是位于墓群最西部山麓的 11 座墓葬。均为封土石室墓，这是渤海墓葬的主要形制。封土流失过甚，墓顶盖石多已外露。4 座墓已遭不同程度的破坏，另 7 座墓较完整。其构筑方法是先挖一长方形土坑，用

石块紧挨土壁垒砌墓室。墓壁石与土坑壁间用土填实。墓室南部设墓门，墓口用石块垒砌封堵或竖立几块长条石板封堵。墓底多是在生土上铺一层黄黏土，个别墓铺一行石板或木炭。墓顶部皆用大小不同的石板平盖封顶，多数墓顶盖石只剩一部分。出土遗物中最重要的是三彩器。唐三彩是唐代主要外销产品之一，各地均有仿烧。此三彩器与中原相比，色彩不够艳丽。

125.吉林汪清县红云渤海建筑遗址的发掘

作　者：吉林省文物考古研究所　王培新
出　处：《考古》1999 年第 6 期

红云建筑遗址位于吉林省东部汪清县春阳镇红云村北约 500 米，东距春阳镇约 0.9 公里。建筑址坐落在一处渤海时期居住遗址的西部，该遗址分布在嘎呀河支流八道河上游河谷平地中，其北面和东面紧临起伏的群山，南面和西面地势比较开阔，一条小溪由遗址的东、南、西三面绕过汇入八道河。1983 年，汪清县在进行文物普查时发现了红云遗址，在遗址西侧不远处，还发现了一处渤海时期的墓地，从地面调查能够确认 10 余座墓葬。1991 年夏季，洪水将红云遗址部分冲毁。考古人员对该遗址中的建筑址（编号 91WYF1）进行了抢救性发掘。发掘情况简报分为：一、遗迹结构，二、出土遗物，三、结语，共三个部分。有手绘图。

据介绍，此次发掘的红云建筑遗址，出土了许多与佛教宗教性建筑密切相关的遗物，如陶佛像残件、铁风铃、刻有"檀主"字样的文字瓦等。简报认为，种种迹象表明，红云建筑遗址应是一处佛教寺院遗迹；从础石布局及出土遗物的情况分析，此寺院佛殿为一座四周设有回廊的方形单间木瓦结构建筑，简报推测这一建筑遗址的年代应在渤海后期。

126.吉林省汪清县兴隆村的二十四块石遗址

作　者：尹铉哲
出　处：《北方文物》2002 年第 3 期

兴隆二十四块石遗址，早在 1964 年 5 月就已被延边大学朴真奭教授所发现，只因诸多原因，至今还未在任何刊物上发表过。简报据朴真奭教授 1964 年 5 月 28 ～ 29 日的勘查记录，将兴隆二十四块石遗址加以介绍。

据介绍，兴隆二十四块石遗址位于吉林省汪清县百草沟镇兴隆村内。遗址周围地势平坦开阔，西200 米为通往延吉、汪清的旧公路，东南约3 里处有渤海时期的兴隆古城堡，东有由北向南流的嘎呀河。兴隆二十四块石遗址系由24块大石头组成的渤海时期的建筑址，石质均为玄武岩。石块分3列，每列8块，南北向。遗址东西宽8米、南北长9.5米。1964年5月，朴真奭教授勘查时，尚存有21块，即西列有8块，中列有8块，东列有5块（从南往北数第1块、第2块、第4块缺）。兴隆二十四块石及其古城被发现至今已30余年，随着时间的流逝，其遗址亦破坏殆尽。现只剩下一小块用炸药震裂的石块。简报称，兴隆二十四块石的发现非常重要，为"二十四块石是驿站址"的观点提供了新论据，也为二十四块石的新发掘及进一步的调查研究提供了科学依据。

127.吉林安图县仲坪遗址发掘

作　者：吉林省文物考古研究所、安图县文管所　刘景文、程建民、石晓轩
出　处：《北方文物》2007年第4期

2003～2004年考古人员对安图县仲坪遗址进行了抢救性发掘，发现青铜时代和渤海时期两个时代的遗存。从青铜时代瓮棺墓的结构及出土的石器、陶器的器形看，均与图们江流域青铜时代距今3000～2500年的同期遗迹、遗物形制一致，应属同一文化类型。发掘的11座渤海时期的土圹石椁墓的结构及出土的陶器、铜器、铁器的形制与渤海中期的同类遗迹、遗物相近，应为渤海中期左右的墓葬。简报配以手绘图、照片予以介绍。

据介绍，仲坪遗址位于安图县城东南16公里的仲坪村南1公里的山峦西麓南坡下部，其西5.5公里为石门镇。遗址四周远处群山环抱，近处南、西、北为较开阔的山间盆地。为配合公路建设进行了发掘。出土遗物有石器、陶器、筒瓦、板瓦、铜器、铁器等。遗址的遗存应分两个时期：早期距今3000～2500年，约相当于商周时期；晚期为渤海中期，约相当于中原地区的唐代。

128.吉林敦化市六顶山墓群2004年发掘简报

作　者：吉林省文物考古研究所、敦化市文物管理所　王洪峰、杜运发等
出　处：《考古》2009年第6期

六顶山是吉林省敦化市区以南5公里许的一座孤立小山，因有连续六座山包而得名。1959年，考古人员对墓群进行调查发掘后，调查者王承礼先生将西侧山坳内的墓葬称作一墓区，东侧山坳内的墓葬称作二墓区。1961年4月墓群被国务院批准为第一批全国重点文物保护单位。2004年夏秋两季，对六顶山墓群再次进行了复查。

复查以二墓区为重点，发掘墓葬9座。另外，还对一墓区过去发掘的7座大型石室墓进行了重新清理，对墓葬的外部形制有了新的了解。简报分为：一、墓群分布概况，二、典型墓葬，三、结语，共三个部分。有彩照、手绘图。

据介绍，此次发掘确认该墓群的二墓区现存墓葬130座，可分为土坑墓、石构墓两类。而对以往发掘的7座大型石室墓重新清理时，发现了一种全新的墓葬外部结构。从此次发掘的墓葬形制看，二墓区的土坑墓和石构墓可进一步分期。根据墓葬形制与布局，墓群的年代应为渤海前期。简报认为，六顶山一墓区墓葬级别较高，当为渤海国王室贵族墓地；而二墓区绝大多数当为平民墓葬。从年代上看，二墓区的年代可能要早于一墓区。

129.吉林珲春市八连城内城建筑基址的发掘

作　者：吉林省文物考古研究所、吉林大学边疆考古研究中心　王培新、梁会丽、
　　　　张文立、李今锡等
出　处：《考古》2009年第6期

八连城遗址地处吉林省珲春平原的西北部，位于珲春市西6公里。现在城址及周边地带属珲春市良种场耕地，八连城遗址内多已开垦成水田，部分地势稍高处为小面积的旱田。由于长期耕作，遗址及其周边田畦阡陌、沟渎纵横，遗址面貌已有较大改变。对于八连城遗址的调查、著录，始于20世纪20年代。20世纪初，一些日本学者开始在中国东北地区进行考古调查，认为城址与渤海国有关。2004～2006年，考古人员对八连城内城建筑基址进行了发掘。简报分为：一、前言，二、建筑遗迹，三、出土遗物，四、结语，共四个部分。有彩照、手绘图。

据介绍，此次发掘，清理出一、二号建筑基址及其之间的中廊和一号建筑基址两侧的东、西廊等遗迹。两座建筑基址南北向排列，中间有廊道，形制为"工"字形。一二号建筑基址位于内城中轴线上，规模宏大，出土遗物包含高等级建筑上使用的绿釉脊饰和瓦件。

简报指出，八连城为渤海国东京龙原府故址的观点，已广为渤海史研究者所接受。八连城内城建筑址位于内城北部，一号建筑基址坐落在内城中心的位置，二号建筑基址在其北38.2米，两座建筑址的中分线与内城南门址构成内城中轴线。一、二号建筑基址中间设廊，形制为"工"字形。一号建筑基址东、西行廊和两侧的东、西廊将二建筑址之间区域围成庭院，并且东、西廊遗迹从一号建筑基址东西两侧继续向南延伸。据早年发表的八连城实测图可知，东、西两廊的南端可达内城南墙。因此，在一号建筑基址以南和内城南门之间还有一处由回廊围成的庭院。

简报称，一号建筑基址由正殿和东、西行廊组成，正殿台基东西长42.45米、南北宽26.32米、残高约2.2米，南面左右两侧设有上殿台阶，是八连城遗址内规模最大的建筑址。

二号建筑基址由主殿和东、西朵殿组成，主殿台基东西长30.59米、南北宽18.54米、残高0.98米，建筑规模及台基高度都小于一号建筑基址。东、西朵殿台基东西长约20米、南北宽约15米，高度低于主殿。二号建筑基址主殿与东、西朵殿在建筑方式、建筑结构、室内设施等方面均有所不同，其建筑性质应有区别。

简报认为，一、二号建筑基址联系紧密，二者之间有3条廊道相通。中廊为穿廊，直接连接一、二号建筑基址。中廊台基分3段由南向北逐渐降低高度，中段加宽似应建有亭一类的建筑。东、西廊为进深二间的回廊，即把一、二号建筑基址之间区域围成庭，又将一号建筑基址与二号建筑基址朵殿接通。

简报指出，八连城遗址内城建筑址布局严谨，规模宏大，出土遗物包含高等级建筑上使用的绿釉脊饰和瓦件。据建筑址在城址中的建筑形制、脊饰与瓦件样式等综合判断，一、二号建筑基址应为八连城遗址宫殿遗迹。

简报推测，一号建筑基址是内城中轴线上最南侧的大型建筑，应是朝政大殿，与其南面由回廊围成的庭院构成"前朝"。二号建筑基址居北，主殿设有取暖设施，应为寝宫，与其南面由回廊围成的庭院构成"后寝"。

八连城遗址由内、外两重城垣构成，外城城垣近方形，内城位于外城中央略偏北，呈南北向长方形。八连城遗址考古发掘、调查、测量所取得的最新成果为渤海都城建制渊源、格局演变等问题的深入研究，提供了重要的基础资料。

130.吉林和龙市龙海渤海王室墓葬发掘简报

作　者：吉林省文物考古研究所、延边朝鲜族自治州文物管理委员会办公室
　　　　李　强等
出　处：《考古》2009年第6期

龙海渤海王室墓葬位于吉林省延边朝鲜族自治州和龙市头道镇龙海村西龙头山中部，属龙头山渤海王室墓群的一个墓区。墓群发现于20世纪70年代，但引起人们关注的是1980年在龙海墓区发现并清理了渤海第三代文王大钦茂之四女贞孝公主墓。其后的20余年间，考古人员多次对龙头山进行了细致的勘查，并开展物探、测绘以及抢救性发掘等多项基础工作，从而基本搞清了墓群的分布情况。2004年7月至11月和2005年6月至11月，考古人员对龙海墓区进行了发掘。两个年度共发掘墓葬14座、井1眼，并获取了极为丰富的考古资料。简报分为：一、地理形势与墓葬布局，二、

墓葬形制，三、出土遗物，四、结语，共四个部分。有彩照、手绘图。

据介绍，此次在龙海墓区共发掘了14座渤海王室墓葬。墓葬形制有大中型石室墓、大型砖室墓、大型砖室塔墓以及墓上有建筑的同封异穴砖椁墓。墓中出有金冠饰、金托玉带、菱花形嵌银鎏金珍禽瑞兽镜、三彩俑及顺穆皇后墓志等遗物，为研究渤海王室的墓葬形制、丧葬制度等提供了全新的资料。两方墓志出土于M12、M3内，分别为孝懿皇后墓志、顺穆皇后墓志。顺穆皇后墓志出土于M3内，砂岩，红褐色。正视近圭形，上端两角呈圆弧状。宽34.5厘米、通高55厘米、厚13厘米。碑文竖向9行，共计141字。除两字脱落外，余皆可辨识。碑文分两部分，序6行，铭2行。其中有"渤海国顺穆皇后"即"简王皇后泰氏也"，"建兴十二年七月十五日，迁安□陵，礼也"等记载。简报称"碑文待考"，均未录志文。

简报认为，龙海墓区是渤海国8世纪后半叶至9世纪前半叶的王室陵寝，墓志均为汉文，三彩俑均着唐装，这是渤海国"儒染唐风"的具体体现。当然，简报也指出渤海在学习唐朝先进文化的同时，也保留着自己浓郁的民族特色。首次发现的三叶形金冠饰就是渤海特色冠饰，它为研究渤海高等级身份者的冠饰，提供了极为珍贵的实物资料。

今有张碧波、张军先生《渤海国外交史研究》（黑龙江人民出版社2011年版）、魏国忠、朱国忱、郝庆云先生《渤海国史》（中国社会科学出版社2006年版）、《唐代渤海国五京研究》（杨雨舒、蒋戎若，香港亚洲出版社2008年版）等，均可参阅。

黑龙江省

哈尔滨市

齐齐哈尔市

鸡西市

鹤岗市

131.黑龙江省萝北县团结墓葬清理简报

作　者：李英魁

出　处：《北方文物》1989 年第 1 期

萝北县地处黑龙江省东部，三江平原西端。1982 年，砖厂在烧砖取土过程中，发现了一批古代墓葬。8 月 4 日，考古人员赶到现场，并根据现场情况，采取了相应的保护措施。次日对该墓地进行了调查清理，至 8 月 8 日结束，先后清理墓葬 3 座（其中 2 座已被破坏），共获得文物标本近 100 件，其中完整和可复原陶器 19 件，铁器 7 件。简报分为：一、墓葬分布和地层堆积，二、墓葬形制和葬式，三、随葬品，四、小结，共四个部分。

据介绍，清理的 3 座墓，皆为长方形土坑竖穴，无葬具。因破坏严重，其葬式难以确定，从 M3 暴露情况看，似为仰身屈肢一次葬。出土的零星木炭，可能与当时的火葬习俗有关。随葬品中陶器最多，与绥滨县同仁遗址下层出土的陶器基本一致，可将两者视为同一文化类型，其年代也应大体相当，简报推断为隋唐时期；该墓葬是隋唐时期居住在黑龙江沿岸的黑水靺鞨的遗存。

双鸭山市

大庆市

伊春市

佳木斯市

七台河市

牡丹江市

132.黑龙江宁安、林口发现的古墓葬群

作　者：吕遵禄

出　处：《考古》1962 年第 11 期

黑龙江省博物馆于 1960 年春对牡丹江中游及镜泊湖地区进行考古调查时，在宁安县大朱屯发现了一处古墓葬群。简报分为：一、宁安县大朱屯古墓群，二、林口县头道河子石墓群，共两个部分。有手绘图、照片。

据介绍，宁安县大朱屯古墓群位于东京城镇附近大朱屯西北约 2 公里处，与阿堡村隔江相望。石墓分布在牡丹江左岸一级台地上，共 70 余座。墓葬均为南北向，排列有序，大部已残毁，保存完整的仅有 30 余座。这里石墓的形制，大体可分为大型积石墓和小型积石墓两种，其中后者占大半数，也有少数双室石墓。石材加工比较粗糙，均用附近所产的玄武岩石，有的不做加工，有的仅略加修整。林口县头道河子石墓群简报只对 1 号墓和 2 号石墓做了清理。在牡丹江下游一带所分布的墓葬群，除在头道河子、北站附近的四处墓群外，在沙河子也曾发现过一处。这 5 处

墓群包括的石墓近 170 座，在形制与结构上是一致的，应属同一时代。从墓葬形制与结构上看，又与大朱屯所发现的墓群相同。在牡丹江中下游沿岸所发现的积石墓群附近，也发现为数不少的渤海遗址和遗存，这与墓葬是有密切关系的。因此，头道河子墓群的时代，简报推断极可能是渤海时期或时代更早一些的，最迟也不会晚于渤海晚期。

133.黑龙江东宁县大城子渤海墓发掘简报

作　者：黑龙江省文物考古工作队、吉林大学历史系考古专业　魏存成
出　处：《考古》1982 年第 3 期

东宁县位于绥芬河流域。县城西 4 公里的绥芬河南岸有大城子古城。今城内为大城子生产队。古城西北有渤海时期的一个古代墓葬区。1977 年考古人员对此墓区进行部分发掘。从 7 月 5 日到 28 日，前后共发掘了 4 座墓，编号为 M1～M4。简报配以手绘图等予以介绍。

据介绍，4 墓均为土包下用河卵石垒砌成的方形石室墓，葬式有二次葬及一墓多人葬。如 M1 墓内共发现 16 具人骨架。简报推断为渤海中晚期墓葬。墓主人应是大城子渤海古城居民。简报称，东宁大城子渤海墓葬和渤海古城是研究渤海地方政权的历史及其与唐中央政权关系的重要遗迹之一。

134.渤海上京宫城第 2、3、4 号门址发掘简报

作　者：黑龙江省文物考古工作队　赵虹光、刘沪平、刘晓东
出　处：《文物》1985 年第 11 期

渤海上京龙泉府宫城，位于龙泉府北部居中，1928～1934 年，日本学人曾作过几次调查发掘，1963～1964 年，中朝联合考古队也曾对宫城正南门进行过发掘，但许多具体情况尚未搞清。1979 年，宁安县文物管理所为加固门壁，清理了午门址（又称"五凤楼"）东侧门址（即 1 号门址），对宫城城门的形制等有了新的认识。1982～1983 年，又发掘清理了午门址和宫城南墙的另 3 座门址（编为 2～4 号门址），并在 3 号门侧发掘了 1 座房址（编号 F1）。简报分为：一、午门台基址与 2 号门址，二、3 号门址，三、4 号门址，四、结语，共四个部分。有手绘图等。

据介绍，午门系指宫城正南门门楼和台基，现前台基尚存，门楼除础石外均已不存。2 号门同 1 号门应为当时渤海国上层统治者出入所用，位于南墙正中，规模更大些；3 号门则为运输及宫廷其他人员出入所用，其门道石上留下的车辙沟及附近出

土的车辆零件即说明了这一点。4 号门应为一假门。简报推断上京宫城应始建于天宝末年，926 年，渤海国亡，上京城破而未毁。据考古发掘情况看，2、3、4 号门址均毁于大火。起火时间简报未提。

135.渤海上京宫城第一宫殿东、西廊庑遗址发掘清理简报

作　　者：黑龙江省文物考古工作队
出　　处：《文物》1985 年第 11 期

渤海上京宫城第一宫殿东、西廊庑遗址位于第一宫殿址东西两侧，相互对称，各呈曲尺状，20 世纪 30 年代日本学人曾经进行过发掘。但从其发掘收获来看，除揭露出大部分础石外，对于立柱、墙、地面、基础结构等项情况还不甚了解。考古人员于 1981 年再次发掘清理了第一宫殿西侧廊庑遗址（简称西廊）。1982 年开始发掘清理第一宫殿东侧廊庑遗址（简称东廊）。目前，东廊的发掘清理工作尚未结束，这里暂介绍其主要收获。简报分为：一、地层堆积，二、遗迹现象，三、出土遗物，四、小结，共四个部分。有照片、手绘图。

据介绍，发掘清理的最大收获，是探明第一殿址平面的础石排列情况与唐大明宫正衙含元殿及麟德殿前殿的础石排列情况基本一致，其整体布局也应有一定的相似处。含元殿东廊南接翔鸾阁，西廊南接栖凤阁，"麟德殿东廊有郁仪楼，西廊有结麟楼"。推测建于第一殿东、西廊中的建筑单元很可能也是这种楼或阁之类的附属性建筑。根据出土的建筑材料上多有火烧痕迹，可知东、西两廊皆毁于火。又整个宫城的主要建筑皆有火烧痕迹，可见整个宫城皆毁于同一场大火。这种整个宫城的全面焚毁，不可能是偶然发生的局部性火灾所致，很可能是契丹人灭渤海后出于某种需要而进行的大规模焚城。按文献中记契丹破渤海上京城事颇详，多谓于渤海建东丹国，改上京城为天福城，未见有焚城方面的记载。推测契丹人对此城的大规模焚毁可能在东丹国南迁（928 年）前后。

136.渤海上京宫城内房址发掘简报

作　　者：黑龙江省文物考古研究所　赵虹光
出　　处：《北方文物》1986 年第 3 期

为了配合渤海上京龙泉府城址清整工作，考古人员于 1981 年 7 月至 1984 年 11 月，对城内的午门台基及门墩，一号殿台基及两侧慢道，东西长廊，宫城南墙上的 2、3、4 号门址及部分城墙，水沟等遗址进行了清理发掘，在发掘 3 号门址时发现了该房址。

房址位于宫城南墙西侧 3 号门址西口墩的西北角，编号为 F1。简报配以手绘图、照片予以介绍。

据介绍，房址同 2、3 号门址一样，是被火烧后废弃的。从房内出土的陶器及房址的地层关系来看，简报推断该房址应为渤海上京宫城内晚期建筑遗存。这次出土的"开元通宝"红色漆器残片、陶质刷金佩饰，简报认为均为以往所罕见。

简报称，房址建在门旁，说明它不是一般的民房。3 号门南侧与该房对应处也有 1 座房址（由于破坏严重，形制规模已不详）。这种在城门两侧建房的现象，与唐长安城"明德门"遗址相同，也应是所谓"门仆"值班的门房。

137.渤海砖瓦窑址发掘报告

作　者：黑龙江省文物考古研究所　朱国枕、赵虹光
出　处：《北方文物》1986 年第 2 期

渤海砖瓦窑址，早在 1963 年春就已被发现。以后，曾做过几次复查。

1980 年 6 月，为探明窑址结构及烧制情况，考古人员自 6 月始至 9 月止，对窑址进行了正式发掘。除发掘窑址外，还进行了调查和钻探。简报分为：一、地理环境和地层情况，二、窑址分布及其构造，遗物，结语，共四个部分。有手绘图、照片。

据介绍，窑址在宁安县城西南 100 余里的杏山公社境内，东京城至镜泊湖公路在附近通过。窑址东南 1 里是杏山公社梁家大队，其南相距 0.5 里是低山丘陵，其北临近公路，再北约 0.5 里是牡丹江。由窑址西行 74 里便到风光秀丽的镜泊湖，东行偏北 30 里可至渤海上京龙泉府。根据窑址结构和出土砖瓦看，其年代简报推断应为渤海中晚期。

简报称，渤海于 8 世纪 30 年代前后营筑上京城。该城是规模宏伟的中世纪城市。以宫城为中心的建筑群使用了大量的石、砖瓦、木、白灰等建筑材料。然而这些砖瓦究竟烧造于何处？是一直没有解决的问题。这次发掘的渤海砖瓦窑，为这一问题的解决提供了可靠的实物资料。

138.黑龙江海林北站渤海墓试掘

作　者：黑龙江省文物考古研究所　王永祥、吕遵禄、李陈奇
出　处：《北方文物》1987 年第 1 期

北站村位于牡丹江左岸，西南距海林县城约 37 公里，属于海林县柴河镇。墓地坐落在村西约 1.5 公里的西山东南脚下的缓坡上，墓葬分布较为密集，一般间距 1～2

米左右，共有 50 余座。所有墓均高出于地表 0.8～1 米，其上杂草丛生。由于当地农民长期于此取石，以致绝大多数墓葬均受到不同程度的破坏。此墓群是 1958 年 4 月考古人员在牡丹江下游进行考古调查时发现的，曾有过报导。1983 年 5 月，考古人员在牡丹江中下游莲花水库淹没区进行考古调查时，选择墓地西南部的 3 座墓（编号为 83 月 BM1～M3）进行了试掘。简报配以手绘图予以介绍。

这次清理的 3 座墓均为长方形垒石平顶封土墓。其构筑程序是：先挖一略低于地面的长方形土坑，然后用当地产花岗岩石块垒砌四壁（其中一面留门，两侧以 2 块长条石为立柱，其上横一板石为楣，其下以一横排小石块组成门槛，并以石块将门封堵），再用长条状或方形石板盖顶，最后以土将墓封闭，呈圆丘状。3 座墓共出土器物 11 件，其中有铁器、陶器和银、铜、石质装饰品等。3 座墓的时代，简报推断为渤海国时即唐代时墓。

139.渤海上京宫城内房址发掘简报

作　者：黑龙江省文物考古研究所　赵虹光
出　处：《北方文物》1987 年第 1 期

1981 年 7 月至 1984 年 11 月，考古人员对渤海国上京宫城内的午门台基及门墩，一号殿台基及两侧慢道，东西长廊，宫城南墙上的 2、3、4 号门址及部分城墙、水沟等遗址进行了清理发掘，在发掘 3 号门址时发现了该房址。房址位于宫城南墙西侧 3 号门址西门墩的西北角，编号为 F1。简报分为：一、遗迹，二、遗物，三、结语，共三个部分。有照片、手绘图。

据介绍，此房面积为 3.5 米 ×2.4 米，约 8.4 平方米，并不大。房址同 2、3 号门址一样，是被火烧后废弃的。从房内出土的陶器及房址的地层关系，推断该房址应为渤海上京宫城内晚期建筑遗存。这次出土的器物，如铁器盖、漆器残片等，在一定程度上反映出当时较高的手工业生产水平。从锤、钉、车辖及灶内出的坩锅等遗物推测当时的房主人是从事手工业劳动的。另外，从出土的手摇磨、插等，似乎又说明房主在从事手工业劳动的同时，还要进行必要的农业生产及加工。再者，房子附近发现的大量铠甲片、镞，而且房址又建在进出宫城的主要城门旁，并在其内还设置"内重门"可推知，渤海晚期战事较频繁，该门是重点防御的地方。房址建在门房，说明它不是一般的民房。3 号门南侧与该房对应处也有一座房址（由于破坏严重，形制规模已不详）。这种在城门两侧建房的现象，与唐长安城"明德门"遗址相同，也应是所谓"门仆"值班的门房。

140.黑龙江牡丹江市郊出土唐代铜镜

作　者：樊万象

出　处：《考古》1990 年第 11 期

1983 年 7 月，农民郭学、孙淑华，在牡丹江市西南郊敖东大屯北约 2 公里的二道沟铲地时，在土中铲出 1 面铜镜，献给了国家。简报配以照片予以介绍。

据介绍，铜镜黑漆古色，面径 10 厘米、背径 9.8 厘米、镜缘厚 1.7 厘米，重 0.9公斤。简报认为，这种用禽兽葡萄串枝叶实装饰的铜镜，是唐代一种新兴工艺铜镜，流行于盛唐时期。

141.黑龙江省牡丹江桦林石场沟墓地

作　者：黑龙江省文物考古研究所　赵虹光

出　处：《北方文物》1991 年第 4 期

石场沟墓地是在文物普查中发现的。近年来，由于当地农民修筑水库在此大量取石，致使大部分墓葬遭到不同程度的破坏。1982 年 8 月，考古人员对该墓地进行了第一次发掘，出土的遗物和埋葬形式比较特殊。为了进一步了解墓地的分布范围、遗物总体特征等，1984 年 7 ~ 8 月又进行了第二次发掘。两次共发掘墓葬 18 座。发掘情况简报分为：一、地理位置，二、墓葬形制，三、随葬品，四、结语，共四个部分。有手绘图。

据介绍，石场沟墓地的墓葬分别集中在 3 个区域内，因而构成了相对独立的墓区。3 个墓区内的墓葬形制、出土器物形态等方面大体上是一致的，但在某些方面尚存有一定的差异，石场沟墓地是由若干不同的家族墓地构成的一个氏族部落的公共墓地。石场沟墓地形成的年代，从 M16 出土的 11 枚"开元通宝"来推断，应为 7 世纪末 ~ 8世纪中叶。该墓地的各墓之间的埋葬早晚，因无打破叠压关系，还不能一一判定。

简报称，石场沟墓地的埋葬习俗、墓葬形制、出土遗物特征等方面，对研究及区别它们各自内在的物质文化特征提供了新的资料。

142.渤海故都上京龙泉府发现金佛

作　者：孙元吉、樊万象

出　处：《北方文物》1991 年第 4 期

1988 年 7 月，宁安县渤海镇西地村农民在种菜时发现小型金佛 1 尊，现已上缴国家。简报配以照片予以介绍。

据介绍，小金佛为立式，全身金黄色，身高 5 厘米、肩宽 1.15 厘米、插座高 2 厘米，重 49.3 克。小金佛出土地在渤海国故都上京龙泉府内城西南约 1 公里，东距上京城西马道约 150 米，南距西地村约 250 米。地表散着人们常见的渤海时期的青灰色布纹瓦、褐胎绿釉琉璃瓦残片、灰黑色和黄褐色轮制陶片等。根据小金佛的面相、姿势、发型、服式和持物特点，当为观世音菩萨像，其造型与南北朝晚期和隋唐早期佛造像接近。渤海国上京出土小金佛，虽在造型设计和冶炼技术上受中原影响，但不一定就是由中原传入，简报认为似为渤海国所铸，它的发现，对研究渤海文化、佛教艺术以及与唐王朝的关系具有重要价值。

143.渤海上京城御花园南门址被首次发现

作　者： 黄林启

出　处： 《北方文物》1993 年第 1 期

渤海上京城遗址是我国唐代地方民族政权——渤海国故都。其城址占地面积 18 平方公里，分为外城、内城、宫城。在宫城东侧有御花园遗址，曾是渤海贵族游乐场所。

1992 年 3 月，考古人员在对遗址进行普查时发现御花园南垣处，裸露出 4 块排列整齐的大型础石。础石距西侧宫城墙 70 米，距东侧内城墙 117 米。础石间距均为 4.5 米，与已发掘的宫城 3 号门址础石间距相等。础石附近残瓦甚多，而在两侧墙段不见瓦砾。残瓦砾多为灰色布纹瓦，其厚度相等，采集到带有"田"字的瓦若干块和绿釉瓦、绿釉建筑饰件。础石附近地表高于四周并与御花园中两亭榭址遥遥相对。在础石南有矮墙类似瓮城。地表土中可见红烧土、木炭、白灰块，有着明显的建筑物被烧毁后遗迹。从础石的位置、间距、地貌、残瓦、建筑饰件等进行分析，初步推定这 4 块础石址应为上京城御花园南门遗址。

简报称，渤海上京城遗址考古史上几次重大发掘报告，均无有关此处的发掘记录，在城址图上也未加标明。这一发现为研究渤海上京城的园林建筑格局补充了新的资料。

144.黑龙江宁安市虹鳟鱼场墓地的发掘

作　者： 黑龙江省文物考古研究所　金太顺、赵哲夫、王祥滨

出　处： 《考古》1997 年第 2 期

宁安市位于黑龙江省东南部，虹鳟鱼场墓地即位于宁安市西南约 45 公里处的渤

海镇虹鳟鱼场北部熔岩台地的两座沙丘上，墓地南部和东部毗邻耕地，北临河溪与沼泽。香磨河从墓地西南向东北流去，西南有一条蜿蜒曲折的小芹菜河从墓地东侧流过注入牡丹江。

该墓地1990年被批准公布为省级文物保护单位，1984年曾在此发掘了1座大型砖室墓。1990年3月，当地居民从墓地北坡取沙，破坏墓葬数十座，所出部分文物被黑龙江省渤海上京遗址博物馆征集。从1992年至1995年，考古人员对墓地进行了全面揭露，共清理墓葬323座、祭坛7座及居住址1座，出土文物达2000余件。M2124、M2125、M2028、M2241、M2239、M2308、M2205、M2267及1号祭坛（简称T1）的发掘情况，简报分为：一、墓葬分布与地层关系，二、墓葬与祭坛，三、出土遗物，四、结语，共四个部分。有手绘图。

据介绍，虹鳟鱼场墓地的发掘是迄今为止渤海墓葬发掘中规模最大、数量最多的1次，其墓葬类型和形制多样，是前所未见的。虹鳟鱼场墓地中发现的遗物包括陶器、铜器、铁器、玉器、墨金器、银器等。通过这次发掘，简报认为刀形墓是渤海墓葬的一种主要类型。从现有资料看，这次发现的砖室墓是黑龙江地区年代最早的，同时这种小型砖室墓在渤海墓葬的发掘中属首次发现。

简报称，宁安虹鳟鱼场墓地是渤海上京城周围墓区中墓葬数量最多、分布范围最广的，这次发掘所获得的资料是全新的、系统的，不仅大大丰富了对渤海国文化的认识，而且也为靺鞨——渤海文化的过渡形态找到比较可靠的依据，为渤海文化类型与分期的研究提供了非常珍贵的实物资料。

145.牡丹江市郊江西遗址调查简报

作　者：牡丹江市文物管理站

出　处：《北方文物》1997年第1期

江西遗址位于牡丹江市郊区北安乡江西村，濒临牡丹江左岸、西沟小河入江口右侧江岸二级台地上，遗址呈西南—东北方向，分布面积约5万平方米。牡丹江市文物管理站于1979年发现该遗址，此后又多次对其进行调查，采集到较为丰富的遗物。简报分为：一、采集遗物，二、结语，共两个部分。有手绘图。

据介绍，江西遗址迄今为止尚未进行科学发掘，但从调查中所观察的情况分析，大致可分为早晚两期：

早期以手制夹砂灰褐陶重唇罐为代表，这种罐是靺鞨文化的典型遗物。江西遗址早期兼有黑水和粟末靺鞨文化两种因素，更接近黑水文化。年代相当于中原南北朝至隋唐之际。

晚期以轮制泥质灰陶卷沿罐和莲花瓦当、筒瓦、布纹瓦为代表，与渤海上京龙泉府遗址出土遗物基本一致，当属渤海中期文化，年代相当于中原唐代中期。

简报指出，据文献记载，靺鞨分为七部，彼此间存在着松散的联盟，文化特征既有相同之处，又有一定差异。江西遗址地处牡丹江中游，史学界的意见，大多倾向于在南北朝隋唐之际，居住在该地域的是靺鞨拂涅部，因此江西遗址早期可能是拂涅部文化遗存。由于拂涅部北有黑水，南有粟末，其文化面貌必然兼有二者的文化因素。又据《新唐书·黑水靺鞨传》记载，拂涅部在黑水强盛时，曾一度依附于黑水，成为黑水八部之一，故其文化应更接近于黑水。至渤海兴起，拂涅部被迫东迁，牡丹江中游则完全为渤海所控制，江西遗址早晚两期的变化，正是这一史实的反映。

146.海林市细鳞河遗址

作　者：张　伟
出　处：《北方文物》1997 年第 4 期

1995 年 9 ～ 10 月，考古人员为配合莲花水库淹没区的工程建设，对海林市细鳞河遗址进行试掘。翌年 7 ～ 10 月，对该遗址进行了大规模发掘。两次发掘，揭露面积约 1000 平方米，清理房址 8 座，井 2 口，灰坑 40 个；出土完整和可复原陶器 60 余件；石、骨、角、铜及铁等质料的器物 300 余件。房址多为方形半地穴式建筑，中央设灶。陶器器类有罐、盆、甑、壶、瓶、碗及器盖等；铁器中除小型工具及饰品外，还有锅、鼎、铧、车辖等；铜器中有 3 枚"开元通宝"铜钱具有断代意义。据初步推测，该遗址的年代可能为渤海晚期，并存续至渤海灭亡后的一段时间。相当于唐晚期、五代时期。

简报称，以往渤海考古的发掘与研究工作多偏重于城址与墓葬，对一般村落址却涉及不多。该遗址的发掘为渤海时期聚落考古研究提供了难得的实物资料。

147.海林市柴河羊草沟墓群

作　者：赵永军
出　处：《北方文物》1997 年第 2 期

为配合莲花水库工程建设，1996 年 8 ～ 9 月，考古人员对海林市柴河镇羊草沟墓地进行了发掘，共清理墓葬 26 座。

据介绍，墓葬皆为封顶石室墓，其构筑程序为：先挖一低于地面的长方形土坑，然后用石块垒砌四壁，上面用长条状或方形石板盖顶。其中一侧壁中间留门，门两端以二长条石为立柱，上横一板石为门掘。门外两端又砌墓道，门及墓道用碎石或条状石块封堵。墓底一般多用河卵石和碎石铺砌。墓室平面为长方形，多数墓室长2.5～3.0米，宽2.0～2.8米左右。墓向有2种：东南向和西南向。葬式皆为二次葬，且多被扰乱。随葬品有陶器、铁器、铜器等。陶器主要为罐，还有少量壶、钵等。出土陶器有50余件。夹砂陶占多数，少量泥质陶。铁器、铜器种类单一，多为镞、刀、带铐、卡、扣等。同时发现大量的铁棺钉。

根据墓室的结构特征和埋葬特点及随葬器物的主要文化面貌，简报认为羊草沟墓群的年代为渤海晚期，相当于中原地区唐五代时期。

148.1996 年海林细鳞河遗址发掘的主要收获

作　者：黑龙江省文物考古研究所、吉林大学考古学系　王培新、杨建华、
　　　　张　伟

出　处：《北方文物》1997 年第 4 期

细鳞河遗址位于海林市东北约 67.5 公里处的牡丹江左岸，北邻二道河子镇原细鳞河村，牡丹江支流细鳞河流经遗址南侧。这里为一处河谷盆地，周围群山环绕，两面临水，是古代居民的理想生活地点。该遗址 1983 年配合莲花水库建设文物普查时发现，1995 年秋进行了试掘。简报分为三个部分，有照片、手绘图。

据介绍，发掘清理出房址、灰坑与窖穴、灶、井等遗迹多处，出土了大量的陶器、铁器、铜器、骨角器、骨角料、石器及兽骨和炭化农作物种子等遗物。细鳞河遗址出土的遗物极为丰富，按用途分类包括生活用具、生产工具、武器、装饰品、货币、宗教用品，以及骨角料、动物骨骼和炭化作物种子等。

简报称，细鳞河遗址为 1 处渤海时期（大致相当于唐五代时期）的聚落遗存，出土遗物的文化特征与渤海上京城址的出土遗物接近，年代也应大体相同。遗址中出土的"开元通宝"为遗址的断代提供了佐证。简报指出，细鳞河遗址的发掘，为我们提供了珍贵的反映渤海国普通村落社会生活状况的考古学资料。通过房址等遗迹的发掘，可以帮助我们更多地掌握渤海民居的建筑形式、聚落。遗址出土的农业生产工具及炭化作物种子等证据表明，这里的居民从事农耕，并使用了先进的铁铧。同时，大量动物骨骼、骨角制品、网坠等遗物的存在，又说明渔猎在当时经济活动中的重要地位。

149.黑龙江省海林市羊草沟墓地的发掘

作　　者：黑龙江省文物考古研究所　赵永军、程　松、刘晓东、李陈奇
出　　处：《北方文物》1998 年第 3 期

　　羊草沟屯位于海林市柴河镇头道河子村南，墓地位于头道河子村东南约 3 公里，羊草沟屯东北约 1 公里处。因村民在此取石及江水浸淹，已受到破坏。1996 年 8～9 月，考古人员进行了发掘。共清理墓葬 26 座。出土完整和可复原陶器 51 件，及一批铁、铜等器物。简报分为：一、墓葬分布与地层堆积，二、墓葬形制，三、随葬品，四、结语，共四个部分。有手绘图、拓片。

　　据介绍，发掘的 26 座墓葬皆为封顶石室墓，其构筑程序为：先挖一低面的长方形土坑，然后用石块垒砌四壁，用长条状或方形石板盖顶。其中一侧壁留门，门两端以两长条石为立柱，上横一板石为门楣。门外两端又砌墓道，门及墓道用碎石或条状石块封堵。墓底情况不一，多为河卵石铺垫，或用碎石和河卵石铺砌，有的墓内还发现用较平整的页岩板石拼砌，个别墓底内直接利用黄土或沙土。值得注意的是 M201 墓底一大半用青灰色长方形砖平铺，墓壁四角多抹角叠涩砌成，由于压力作用，墓壁自下而上向内倾斜。此外，M207 四壁用白膏泥涂抹一层。大部分墓葬顶部坍塌，墓顶盖石散落于墓内。简报认为此处墓葬的时代为渤海中期前后，大致相当于唐代中后期。

150.宁安兴隆寺大雄宝殿基址发掘

作　　者：牡丹江市文物管理站　陶　刚、王祥滨
出　　处：《北方文物》1999 年第 2 期

　　兴隆寺（俗称"南大庙"）位于黑龙江省宁安市渤海镇西南隅，唐代渤海国上京龙泉府外城内的中轴线——朱雀大街南端东侧，距外城南垣 600 余米。兴隆寺是黑龙江省目前保存最完整的一组清代早期寺庙建筑群。据旧《宁安县志》载：这处寺庙建于清康熙年间，道光年间部分殿宇被烧毁，咸丰十一年（1861 年）开始维修复建，并增建钟楼、鼓楼和左右配殿，称之为"古刹"。其后清末民国年间又进行过维修，至 20 世纪 40 年代，寺庙院墙多处倒塌，钟楼、鼓楼荡然无存，殿宇窗毁墙歪，院落荒芜，整个寺庙已破烂不堪。20 世纪 60 年代文物部门接管这处寺庙，1981 年被公布为省级重点文物保护单位。多年来，文物部门多次对殿宇建筑进行维护修复；80 年代又将其全部彩绘油饰一新，成为镜泊湖旅游线上的一处重要人文景观。现存的兴隆寺，在一条中轴线上，南北依次排列有马殿、关圣殿、四大天王殿、

大雄宝殿和三圣殿五重殿宇。1997 年有关部门又对大雄宝殿进行大修，简报介绍了相关情况，有照片、手绘图。

据介绍，在大修时，考古人员对大雄宝殿基址进行了发掘，发现有清代建筑基础，未见渤海国时期遗迹。当然，不排除清代修建大雄宝殿时，采取大开挖式将唐代渤海地层全都挖走了。此次发掘证实，现存之兴隆寺的天王殿、大雄宝殿和三圣殿为康熙年间所建，其中三圣殿建在了渤海国时期寺庙址的主殿上面。前两殿为咸丰五年（1855 年）复建时增设。

151.渤海国上京龙泉府遗址 1997 年考古发掘收获

作　者：黑龙江省文物考古研究所、牡丹江市文物管理站　陶　刚、王祥滨、
　　　　　赵虹光、李陈奇

出　处：《北方文物》1999 年第 4 期

渤海国上京龙泉府遗址位于黑龙江省宁安市渤海镇境域内，东北距宁安镇 49 公里，西南距著名风景旅游区镜泊湖 25 公里，东距东京城站 3 公里。渤海国上京龙泉府是国务院公布的第一批全国重点文物保护单位之一。1997 年 4 ～ 10 月，为配合公路建设，考古人员进行了发掘，发现了上京外郭城内 8 号街路（宽 17.5 ～ 18 米，两侧有宽 1.2 ～ 1.6 米路边沟）、外城墙、皇城墙、御花园夹墙、坊墙、外郭城 11 号门址等重要遗迹，为了解渤海国上京龙泉府古城全貌，提供了宝贵的资料。渤海国统治时间，大致相当于中原唐五代时期。

152.黑龙江宁安市渤海上京龙泉府宫城第三宫殿遗址的发掘

作　者：黑龙江省文物考古研究所、吉林大学考古学系、牡丹江市文物管理站
　　　　　赵哲夫、李陈奇、赵虹光

出　处：《考古》2003 年第 2 期

渤海上京龙泉府遗址位于黑龙江宁安市渤海镇，东北距宁安市约 35 公里，东距今东京城镇约 3 公里。上京城是由外城、内城和宫城 3 部分组成。宫城地处上京龙泉府遗址北部居中，由西区、中区和东区 3 部分组成。第三宫殿遗址，是宫城中区南起第三座殿址。1933 年 6 月，日本东亚考古学会对第三宫殿遗址进行了发掘。1964 年中华人民共和国和朝鲜民主主义人民共和国联合考古队对包括第三宫殿遗址在内的上京龙泉府遗址进行了全面的勘探。2000 年 7 ～ 10 月，考古人员对第三宫殿遗址进行了全面的发掘工作。

第三宫殿遗址的发掘系"渤海国上京龙泉府宫城遗址发掘规划"之一部分，遗址的发掘共开探方31个，发掘面积2930平方米，简报分为：一、遗迹，二、出土遗物，三、结语，共三个部分。有手绘图、照片。

据介绍，现存第三宫殿在始建之后可能有过较大的维修、改建和增筑。

简报称，第三宫殿的整体装饰是上京龙泉府目前已知最为繁琐的。

《文物》1994年第6期，有张铁宁先生《渤海上京龙泉府宫殿建筑复原》一文，可参阅。

153.黑龙江东宁县小地营遗址渤海房址

作　者：黑龙江省文物考古研究所　金太顺、王祥滨、王世杰
出　处：《考古》2003年第3期

东宁小地营遗址位于东宁县道河镇小地营村东，遗址坐落在绥芬河左岸的一级台地上，所发现的房址位于遗址北部，其南侧即为绥芬河故道。小地营渤海房址是1988年黑龙江省文物普查时发现的。1990年9～10月，对其进行了抢救性发掘，发掘面积300余平方米。此次发掘情况简报分为：一、房址形制，二、出土遗物，三、结语，共三个部分。有手绘图。

据介绍，房址应是方形半地穴式，这3座房址是渤海稍早些时候的平民住宅，其特点是面积不大（42～53平方米）、中间带灶址的半地穴式房屋。小地营房址出土遗物较丰富，共124件。据房址形制、出土遗物等推断，应是渤海的早中期阶段，所出陶器、骨角器、铁器等非常接近于河口遗址四、五期和振兴遗址五期一、二组文化中的同类器物。

简报称，小地营渤海房址的发掘，充实了绥芬河流域的渤海考古资料，为进一步研究黑龙江省东部地区渤海文化增添了新的内容，是20世纪90年代黑龙江省文物考古工作中的重大成果之一。

154.黑龙江省宁安市东莲花村渤海墓葬

作　者：黑龙江省文物考古研究所　赵哲夫、金太顺
出　处：《北方文物》2003年第2期

东莲花村渤海墓葬位于黑龙江省宁安市渤海镇西约12公里、东莲花村东部玄武岩台地的西坡上，东距渤海国上京龙泉府遗址3公里，西北距渤海虹鳟鱼场墓地4公里。1993年5月，东莲花村村民在此地开荒时，发现一些石板，移动5块石板后，

发现石板下是经人工修整的玄武岩石条，疑为墓葬，考古人员闻讯赶赴现场，采取了保护性回填措施，制止了进一步的破坏，并征集了当时在墓地采集的1件轮制泥质灰陶器盖。1995年10月进行了发掘。简报配以手绘图予以介绍。

据介绍，墓葬位于村东石岗慢坡上，其南侧为自然水沟。墓葬略高于地表，封土已被破坏，墓向为正南向。墓葬平面呈铲形，由墓室和墓道组成。墓室是先在地表挖1个长方形土坑，然后用雕凿精细的玄武岩石块从底往上砌，石块对缝严密。未见遗物，仅发现一些无法复原的金铜饰残片。墓中有4个个体，均为成年男性。葬式不明。简报认为此墓应为渤海晚期墓葬，大致相当于唐末五代时期。简报称，虽然此墓中出土的文物极少，但出土的鎏金铜饰残片以及建筑精致、规模较大的墓室却显示出墓主人可能有着较高贵的身份。

155.海林羊草沟征集的几件渤海时期文物

作　者：陈　璐
出　处：《北方文物》2003年第2期

海林羊草沟墓地是渤海中期即中原地区魏晋南北朝时期的一处墓群，位于牡丹江右岸的台地上，由于河道的不断拓展，现已紧邻河床。1996年8～9月份，考古人员对其进行了发掘。发掘期间，从当地村民手中征集了几件文物，有青铜牌饰、铁刀和两件仅存半片的鎏金铜带铃。据村民介绍，1991年牡丹江洪水泛滥，由于地势的因素，位于江边的墓葬被破坏，墓室中的物品也随着肆虐的江水流出，这几件文物就是大水退后，人们在江岸捡拾而得，可以肯定是墓中之物。简报配以照片予以介绍。

据介绍，计有青铜牌饰1件、鎏金铜带铃（残）2件、铁刀1件。简报怀疑这几件文物是出自羊草沟墓地等级较高的墓葬。

156.宁安市虹鳟鱼场渤海墓地征集的几件陶器

作　者：付　彤
出　处：《北方文物》2004年第4期

虹鳟鱼场墓地位于宁安市西南约45公里的渤海镇虹鳟鱼场，即为中国水产科学院黑龙江水产研究所渤海冷水性鱼试验站，当地居民俗称"虹鳟鱼场"，位于黑龙江省宁安市渤海镇西安村西北约12公里，墓地因处在这个试验站北约6公里处北部熔岩台地的两座沙丘上而得名。20世纪80年代由于当地居民从墓地北坡取沙，墓葬始遭破坏。1992～1995年，考古人员对墓地进行了大规模的发掘。1986年，宁安市渤海镇上京遗址博物馆征集了鱼场墓地出土的4件完整渤海陶器，均为素面手制夹砂陶，烧制火候较低，陶色有黄褐、灰褐，略显斑驳不匀。简报配以手绘图予以介绍。

据介绍，计有筒形罐2件、长颈鼓腹罐1件、短颈鼓腹罐1件。简报称，这4件器物和宁安西石岗渤海墓葬（西石岗墓葬和虹鳟鱼场墓葬是1个墓地，1992～1995年大规模发掘以前习惯上称西石岗墓葬）采集的几件陶器基本相同，其年代应为渤海早期，大致相当于唐前期。

157.黑龙江宁安市渤海国上京龙泉府宫城4号宫殿遗址的发掘

作　者：黑龙江省文物考古研究所、吉林大学考古学系、牡丹江市文物管理站
　　　　刘晓东、赵虹光、李陈奇等

出　处：《考古》2005年第9期

渤海国698年建国，926年灭亡。渤海国上京城遗址位于黑龙江省宁安市渤海镇，东北距宁安市约35公里，东距东京城镇约3公里，渤海镇及其附近的几个村庄坐落其中。上京城的宫城可分为东、西、中3区，4号宫殿是宫城中区南起第四重宫殿，其南部有过廊与3号殿的正殿相连，北部以一墙与5号殿相隔。近千年来，这座古城一直保存得相对完好。但由于20世纪30年代日本东亚考古学会的挖掘，加之近年来人类活动日益频繁，渤海国上京城遗址遭到了较多的损毁。其中，4号宫殿基址是破坏较严重的遗迹之一。其地表础石裸露，主殿的房间中部已成凹坑，并低于础石表近半米，室内结构和地面状况已基本不清。2000～2001年，考古人员对4号宫殿基址进行了全面发掘。简报分为：一、地层堆积，二、宫殿遗迹，三、出土遗物，四、结语，共四个部分。有彩照、手绘图。

据介绍，渤海国上京龙泉府宫城4号宫殿遗址是宫城中区南起第四重宫殿，由建在同一台基上的主殿、主殿附廊、东西配殿和宫殿北部的两条烟囱构成，并通过南部的过廊与3号宫殿相连。4号宫殿可能用于日常起居。

简报称，对于渤海国上京城宫城建筑格局的认识，在考古学上经历了如下过程：20世纪30年代的发掘认为宫城中轴线上有六重宫殿，将之编为第一至第六宫殿。20世纪60年代的发掘和研究把宫城中轴线最南端的城门"五凤楼"从宫殿中区分出来，将中轴线上其余的建筑编为1～5号殿址，这一认识至今仍为学术界所沿用。同时又将宫城中区分为4个部分，即1号殿址及其两侧回廊所形成的范围为第一部分，2号殿址及其两侧回廊所形成的范围为第二部分，3号殿址和4号殿址所在范围为第

三部分，5 号殿址所在范围为第四部分。近年的发掘，证明 5 号宫殿实际上独处于一个封闭的单元之内，不与前面一座宫殿位于同一区域内。此次发掘又进一步确认了 3 号宫殿与 4 号宫殿共处于连成一体的殿基之上，它们可能为一座宫殿的前后部分。基于这样的认识，5 号宫殿以南的单元内实有 3 组宫殿，即 1 号宫殿、2 号宫殿和 3、4 号宫殿。从而可以推断渤海国上京龙泉府的宫城同唐长安城大明宫一样，是实行宫城三殿制的。

简报指出，此次发掘在宫殿的正面出土了三彩釉兽头，而在北面的烟囱部位则出土无釉的青灰陶兽头。这使 4 号宫殿在建筑饰件的使用上带有了明显的等级色彩，也为日后研究建筑等级和建筑饰件的对应关系提供了材料。

158.渤海上京龙泉府出土的几件文物

作　者：黑龙江省文物考古研究所　方　琦
出　处：《北方文物》2005 年第 3 期

渤海上京城遗址，位于黑龙江省宁安市渤海镇，是渤海国中后期的都城。现居住的村民在生产、生活过程中，不断发现有渤海文物出土。简报配以手绘图介绍了其中的 3 件。

据介绍，这 3 件文物，一为铜佛像，出土于渤海上京城遗址西约 2 公里的大朱屯，为菩萨像，立姿。二为铜鱼，出土于皇城东区，原应通体鎏金。三为陶砚（残），出土于皇城东区。简报称，渤海国受唐影响，崇信佛教，仅渤海上京城已发现佛寺遗址 9 处。此次发现的文物，为研究渤海国佛教等，提供了实物资料。

159.渤海故地再次发现舍利函

作　者：徐秀云
出　处：《北方文物》2008 年第 2 期

1997 年 8 月 25 日下午，位于渤海上京宫城以西（应为内城西垣以外）的黑龙江省宁安市渤海镇白庙子村村民在修路挖边沟时，在一农舍院墙脚下发现 1 处由 6 块玄武岩石拼合而成的长方形穴位，内有长方形铜盒和 1 个破裂的玉石小罐，是属于一组完整的舍利函，乃属罕见之珍品。现收藏于黑龙江省博物馆。简报配以照片予以介绍。

据介绍，如同俄罗斯套娃一样，舍利函由石函、漆函、铜函、鎏金铜函、银函、金函、琉璃瓶和舍利子组成。清理过程中发现从铜函到琉璃瓶皆有丝织品包裹。金函底部和盖上尚存有网状丝织物。外层为石函，由 6 块粗加工的玄武岩石拼合而成，长 40 厘米、宽 38 厘米、深 30 厘米。玄武岩内壁平整，外壁未经加工。第 2 层为漆函。漆函为深紫色，有饰金质莲花图案，每组 6 朵莲花。工艺精巧。漆函破坏较严重。第 3 层为铜函。铜函腐蚀严重，工艺粗糙。第四层为鎏金铜函。函外部为鎏金，呈金黄色夹铜锈斑驳，盖上一侧有裂痕。第 5 层为银函。以 4 片银板铆焊加工而成，板之间有 3 枚铆钉，四角内有焊痕。第 6 层为金函。颜色呈金黄色，无锈蚀，略有光泽。金函以折角冷加工制成，只有一个角留下焊痕，内外皆有打磨痕迹。金函内有 166 块若翠色琉璃瓶碎片，经整理可知为长颈瓶。在琉璃碎片中掺有 19 粒舍利子，每粒直径为 1～2 毫米，乳白色。舍利子原应装于琉璃瓶中。在清理石函过程中发现 1 件玉石罐，颜色为浅灰色，口沿上有 1 个直径约 2.7 厘米的石盖，盖上有 1 个小钮。玉石罐中有一些灰白色骨灰状的物质。渤海国（698～926 年），大体相当于中原地区唐五代时期。

160.渤海上京城第四阶段考古发掘主要收获

作　者：黑龙江省文物考古研究所
出　处：《文物》2009 年第 6 期

渤海上京城历来备受学界关注，早在清中晚期一些历史地理学者即对其进行了考察与论证。20 世纪初，日俄学者曾多次对其调查勘探。1933～1934 年，日本"东亚考古学会"对渤海上京城进行了较具规模的发掘，可视为渤海上京城考古发掘的第一阶段。1964 年，中国朝鲜联合考古队对其进行了较大规模的发掘，其后朝方于 20 世纪六七十年代公布了部分发掘资料，中方于 1997 年出版了《六顶山与渤海镇》考古专题详报，这是渤海上京城考古发掘的第二阶段。第三阶段是 20 世纪 80 年代初至 90 年代初，黑龙江省文物考古研究所间断性小规模对宫城南门、第 1 号宫殿、官衙址等进行了发掘。1998～2007 年，黑龙江省文物考古研究所连续 10 年对其进行了大规模发掘和调查，在此基础上，重新绘制了渤海上京城平面图，即为渤海上京城考古发掘的第四阶段。简报分为：一、第 2 号宫殿基址，二、第 3、4 号宫殿建筑群基址，三、第 5 号宫殿基址，四、宫城第 50 号建筑基址，五、郭城正南门基址，六、郭城正北门基址，七、皇城南门基址，八、第 1 号街基址，九、城墙建筑结构，共 9 个部分，介绍了第四阶段的考古成果。有彩照、手绘图。

据介绍，这一阶段主要围绕上京城中轴线，特别是在宫城中心区域开展工作，基本搞清了宫殿和主要门址建筑的形制及特点，同时纠正了以往的一些失误和错误认识，对渤海上京城乃至整个渤海的历史考古研究具有重要意义。简报指出，渤海上京城由郭城、皇城、宫城 3 部分组成，3 道城墙保存尚好。宫城内有 5 座大殿自南向北按顺序编为 1～5 号，排列在中轴线上，其中 2 号宫殿规模最大。

简报指出，渤海上京城郭城、皇城、宫城 3 道城墙采用了不同的建筑方法，这可能与其不同的功能有关。

郭城是在已规划建墙的地方，先筑起 1 道内缓外陡、截面呈梯形的土筑墙基，其上再以石砌城墙。这种土墙基占地面积、用土量均较大，但建筑需要的土，在挖掘郭城外周边的护城壕时，已解决了绝大部分，不足部分应系外运。在郭城南墙的探沟剖面北部所见少量的黄沙土、灰杂土应是外运而至，用来弥补城墙内侧用土的不足。

皇城城墙的修筑方法是将原地面铲平至坚实的地层，然后于其上垒砌石墙。这种构筑方法简单，省工省料，但坚固程度较差。

宫城城墙修筑方法是在挖好的地槽内砌剖面呈两层阶梯形、宽于地面墙体的石基础，然后再垒筑墙体。20 世纪 80 年代初发掘宫城南门址西侧 2 号门时，清理的一段城墙修筑方法与此相同。这种城垣构筑虽然需要大量的石料，但非常坚固。

简报认为，渤海上京城的郭城、皇城和宫城，应用了不同的建筑方法，各自构成了不同的建筑单元，应是分别修建的。其间的空白区域另筑墙封闭或分割，形成了关系较密切的整体。其中宫城东、西附属部分和连接皇城宫城之间短墙的营建时间，应在郭城、宫城和皇城城墙构筑之后。就 3 道主要城墙而言，其相互关系可能有相对的早晚，但无时代上的差异。

简报称，通过考古资料的对比研究，可以明显看出渤海国的城市建制，基本是以唐长安城为蓝本，有着浓郁的汉唐风格。

161.渤海上京城发现的泥佛像

作　者：王世杰
出　处：《北方文物》2009 年第 2 期

渤海上京城内寺庙较多，在上京龙泉府遗址各寺庙址附近发现数量较多的渤海佛像，尤其是石佛、金佛、铜佛、铁佛、泥佛等遗物从一个侧面反映了渤海国时期佛教文化的繁荣景象。不同质地的佛像中泥佛像比其他的少一些，而且比较珍贵。20 世纪 70 年代两件泥佛像发现于上京城内的寺庙遗址附近，现收藏于黑龙江省博物馆。简报配有手绘图。

据介绍，2 尊佛像均为坐式泥佛像：一出土于上京遗址，一出土于上京城内白庙子，均带残。简报称，渤海国时期的泥佛像，塑造工艺水平较高，形态逼真，冠髻衣饰真切，坐像身后带佛光。这些小型泥佛像可能装饰于寺庙内的墙壁上，属于"千佛"。渤海的佛像与山西大同云冈北魏龛佛和洛阳龙门石窟内壁上的"千佛"有相似之处，显然这是精湛的中原佛教艺术影响远及渤海国地区的结果。渤海佛像种类多，造型生动，堪与隋唐时期中原地区同类作品媲美。

162.黑龙江省海林市山咀子渤海墓葬

作　者：黑龙江省文物考古研究所　孙秀仁、金太顺
出　处：《北方文物》2012年第1期

山咀子墓葬是一处重要的唐代渤海国时期墓地，位于黑龙江省海林市新安镇山咀子（大队）居民点。1966年、1967年前后两次调查并发掘了29座墓葬，其中7座为石棺墓，其余均为封土石室墓。山咀子墓群的葬俗有较复杂的形态，有一次葬、二次葬及两种葬式共存的现象。墓葬多数保存尚好，部分人骨亦较完整。发现了陶器4件，陶片数十件，铜器66件，铁器27件。

简报分为：一、墓群的位置分布和地理环境，二、墓葬的分类、形制和结构，三、出土遗物，四、结论与讨论，共四个部分。有手绘图。

据介绍，此墓地是1966年兴修水利时发现的。1966年、1967年两次共发掘29座墓葬，其中封土石室墓有22座，其余7座为石棺墓。墓葬所用石材一律采自附近山上的玄武岩和海浪河中的大块河卵石。比较难以确认的是墓葬原有的封顶结构，因为多数墓葬墓顶坍塌，墓室损毁，封顶结构难觅原状。但种种迹象反映出墓葬原应有封顶结构，未见墓顶结构的墓葬，当时封顶可能使用木材或用其他植物。有的墓葬在清理过程中虽然没有发现封顶结构，但却发现了比较完整的陶器。如果当时无封顶，易破碎的陶器类随葬品则难以保存至今。

简报指出，山咀子墓群的葬俗有较复杂的形态。一次葬葬式为头南足北；盛行二次葬习俗；单人葬、双人葬、多人葬、一次葬、二次葬并存。在石室墓中出有骨架的20座，无人骨的9座。其中单人一次葬与多人二次合葬3座，二人一次葬与多人二次合葬1座，多人二次合葬1座，二人二次合葬2座，二人一次葬与单人二次合葬2座，单人一次葬与单人二次合葬1座，单人一次葬与二人二次合葬2座，二人一次葬与二人二次葬1座，单人一次葬4座，单人二次葬3座。3人以上的多人合葬墓有10座，最多的如66HSM2达15个个体。多人合葬在数量上多于二人合葬和单人葬。单人葬的葬式有仰身直肢葬和二次葬。小型石棺墓全葬以个体儿童，因骨架残缺太甚，无法推测原葬式。

简报认为此墓地时代为渤海晚期，大致相当于唐晚期、五代时期。出土的铜制鎏金带饰等似表明部分墓主人有一定身份。

黑河市

163.黑龙江省逊克县河西古城第三次调查简报

作　者：张　鹏、于　生
出　处：《北方文物》1995 年第 3 期

河西古城 1976 年发现，1990 年复查，1991 年被公布为省级文物保护单位。1992 年 5 月，考古人员对其进行了第三次调查测量工作。简报分为：一、城墙及城内遗址，二、遗物，三、初步认识，共三个部分。有手绘图。

据介绍，河西古城位于逊克县干岔子乡河西村南约 5 公里的山上。古城依山势修建，平面近似倒三角形，东西最长处约 480 米，东北至西南最宽处约 250 米。城东、南、北均为 30° 左右的陡坡，西部马鞍形缓坡处筑有 4 道城墙，东南依天然形成的两级台阶边缘各筑一道城墙。城墙互不连贯，两端与陡崖相接，在城东北有一条狭窄的山脊直通山下。城内有房址遗址 1 处，出土遗物有铁渣及陶器 2 件。

简报认为，河西古城可能是辽剖阿里国政治中心的战时防御场所之一，应建于 11 世纪中叶左右。

绥化市

大兴安岭地区

上海市

164.上海市郊出土唐代遗物

作　者：孙维昌

出　处：《文物》1962年第3期

1957年，松江县在疏濬通波塘水利工程时，发现一批唐代青瓷器，简报配以照片予以介绍。

据介绍，这些文物基本上保存完好，只有某些器物口部、执手等部位，出土时遭受破损。根据当时发现的迹象和遗物的保存情况揣测，简报认为很可能是古墓里的陪葬品，计有执壶、双耳壶、盆、盌、杯等6件。此外，在市郊青浦县出土的一批唐代遗物，是1961年上半年，上海市水产局青浦养殖场在崧泽村附近开挖鱼塘时发现的，计有青瓷执壶1件和铜镜2面。这些遗物是上海地区近年来所出唐代器物中较完整的一批。

165.川扬河古船发掘简报

作　者：上海博物馆　王正书

出　处：《文物》1983年第7期

1979年11月中旬，上海浦东川沙县川扬河开掘过程中，于北蔡公社金星十一队地段出土1艘造型别致的古代木船。考古人员作了清理发掘。简报分为：一、地理环境和地层情况，二、古船出土现状，三、对出土现状与原船结构的分析，四、古船的时代，五、古船的产地和性质，共五个部分。有照片、手绘图。

据介绍，上海浦东郊区现为川沙、南汇、奉贤3县，大部分面积是唐以后成陆的。1975年，川沙严桥唐代遗址的发现证实，今沪南公路的塘桥、北蔡、周浦、下砂一线，是6世纪时的古海岸。古船即位于沪南公路陈家桥车站东向约1000米。这是一艘被废弃的木船，舱内遗留鹅卵石2块，唐代"开元通宝"钱1枚及1残角，烧土1块，没有其他遗物。简报推断为隋代所造，直到唐武德年间仍在使用。

　　简报称，此古船船底木料为楠木和樟木。从文献记载和出土实物看，隋唐造船业已相当发达。川扬河古船的船式和制造工艺不是当时的最高水平，显得很原始，应是从独木舟向木板船发展的一种历史船式的遗留。

江苏省

南京市

166.南京钱家渡丁山发现唐墓

作　者：南京市文物保管委员会
出　处：《考古》1966 年第 4 期

丁山在栖霞区钱家渡东南约 1 公里处，北距甘家巷约 2.5 公里，东距栖霞山约
3 公里。墓位于丁山的东北麓，是钱家渡生产队农民发现的，随葬遗物已被取出。事
后考古人员曾找到当时发现该墓的农民进行了解，并补绘墓葬平面图 1 幅。简报配
以照片、手绘图予以说明。

据介绍，墓作长方形，无甬道和墓门，长 3.66 米，宽 1.3～1.32 米、残高 0.92
米，距地表深约 0.24 米。墓中随葬遗物除墓志外以瓷器居多，也有少数陶器和铜器。
这些遗物除铜盆 1 件外，多分布于墓室的前半部，有的可能置于棺内或死者头部。碗、
罐、壶及墓志则放置于棺前近门处及左右两壁下的铺地砖上。墓志 1 合，楷书 20 行，
满行 20 字，因长期受到浸蚀，部分文字已经剥落，但仍可看出死者下葬的时间。根
据志文来看，死者为颍川人，卒于唐贞元元年（785 年）或三年（787 年）。从墓志
"卒于朱方之官全"的刻文判断，死者曾在今江苏镇江任职，死后祔葬于丁山祖茔。
由于部分文字模糊不清，死者究属何氏，又任何职，是无法查考了。

167.南京九华山古铜矿遗址调查报告

作　者：南京市博物馆、南京博物院、南京九华山铜矿　华国荣、谷建祥等
出　处：《文物》1991 年第 5 期

九华山古铜矿位于南京市江宁县汤山镇东北 3 公里的南山。南山海拔 204 米，
其东、北、西三面被和尚山、仙人桥、九华山、雷打山、黄土山、葛藤山、东山及
石浪山等群山环抱。这些山的海拔都高于南山，东沟、西沟及北沟把它们与南山分

隔开来。南山南面为一片开阔地。南山及周围群山均为伏牛山区的一部分。矿藏储量多，矿石质量好。古铜矿遗址就发现在南山地下。古铜矿最早是在1985年10月由九华山铜矿区在开采过程中发现的。1987年7～8月，考古人员进行了调查。在和尚山、南山地表及地下发现了古陷落区、古爬窿口、弃石堆及冶炼遗迹。简报分为：一、南山遗存，二、和尚山遗存，三、结语，共三个部分。有照片、手绘图。

据介绍，调查的主要收获，在于弄清了南山地表古陷落区、地下古采场及和尚山地表局部的情况。这次发现的地下古采场，仅仅是南山地下古采场的一小部分，从地表古陷落区的范围及其他遗迹现象分析，伏牛山区地下古采场应具有相当的规模。简报推断遗址时代为唐代。

168.南京市西善桥发现五代闽国王氏族人墓志

作　　者：南京市博物馆　周裕兴
出　　处：《考古》1999年第7期

1987年2月，考古人员在雨花台区西善桥乡梅山七一村（西善桥砖瓦一厂内），发现1座五代南唐时期的残墓，出土石质墓志1方。墓志表面损泐较甚，字迹漫漶。志文为楷书，约1300字。经辨认释读，得知墓主人为归附南唐的五代闽国王氏宗族成员，简报录有墓志全文并配以拓片。

据介绍，据墓志记载，墓主人为五代闽国创建人王审知的"族人"；其祖父为闽王王审知的次兄王审邽，曾任泉州刺史，谥号"武肃"；其父为"福建管内三司发运副使、检校司徒"。墓主人"弱龄袭爵"，曾任职闽国，于保大四年（946年）归附南唐。保大十四年（956年），墓主人逝于金陵"崇礼坊私第"，"谥曰'敬礼'"。是年8月葬于"安德乡安德里"。墓主人有子女各二，长子王嗣袭职于"池州"任"中军使"。有关史料记载，闽亡而降附于南唐的王氏家族要人有3位，即末代闽主王延政、漳州刺史王继成、泉州刺史王继勋。从这方墓志的内容简报推断，墓主人很可能就是王继勋。

169.江苏南京市出土的唐代琅琊王氏家族墓志

作　　者：南京市博物馆　王志高、王启斌
出　　处：《考古》2002年第5期

1990年12月，南京炼油厂在施工中发现1块唐代墓志。墓志为青石质，志文楷书阴刻，竖行25行，总计521字，简报全文释录。

据墓志载，墓主姓侯，字罗娘，卒于唐宣宗大中六年（852 年），享年 75 岁。祖父侯崇玄、父侯屺史籍无载。其夫王宝，字纤，志文称为"琅邪王公""东晋始兴公之后，前试宣州溧水县尉清之冑子也"。从志文看王宝一生隐居乡野，没有踏上仕途。经考古发掘证明，南京北郊象山地区是东晋豪门琅琊王氏一支王彬家族的聚葬地，直到唐代此地仍有可能是琅琊王氏家族的聚葬地。

简报称，唐琅琊王公故夫人上谷侯氏墓志的出土，为研究琅琊王氏家族、南京历史地理等提供了新的资料。

无锡市

徐州市

170.江苏铜山县茅村隋墓

作　　者：徐州博物馆　金　澄、武利华
出　　处：《考古》1983 年第 2 期

铜山县茅村位于徐州市北 15 公里。1976 年 5 月因基建发现 2 座隋墓（依发掘先后编为 M1、M2）。简报配以照片、手绘图介绍。

据介绍，两座墓相距 10 米。由于历年来水土流失和平整土地，墓底距地表仅 1.5 米。墓顶封土早已无存。据出土的楔形砖来看，墓顶为拱形，墓室系砖结构，平砖铺地。两座墓早年均被盗，故出土器物多残破。M1 出土陶俑 49 件、陶瓷器 6 件、墓志盖 1 件。墓志盖上刻楷书"大隋故右光禄大夫贝州使君郑公之铭"。M2 早年破坏严重，出土陶仅 6 件，其中骆驼、人面鸟（男）、人首兽身镇墓兽各 1 件。

简报称，墓中所出白砂胎绿釉执壶，当出自宜兴窑。简报指出，隋代的历史很短，但其艺术独成一格。这是由于隋代在政治上的统一，经济上的繁荣，带来了文化艺术的发展，使之熔铸了南北的不同风格，在北朝的浑厚劲健之上，加进了南方的清新柔润，从而形成了独特的风格。隋代的陶俑，作为雕塑艺术，它不仅具有自己的独特风俗，而且在整个美术发展史上还起到承上启下、继往开来的重要作用。同时它不像南北朝时期以反映战争为主，而多反映和平安定的生活，从一个侧面展现了这一历史时期的社会面貌。

171.江苏徐州市茅村隋开皇三年刘鉴墓

作　者：梁　勇

出　处：《考古》1998 年第 9 期

1994 年 2 月，在徐州市铜山县茅村乡花马庄村发现 1 座古墓。有关情况简报配以照片予以介绍。

据介绍，墓葬位于花马庄村南约 400 米，其南为海拔 156 米的凤凰山，此处分布有南北朝至唐代的墓葬群，地表残存许多墓砖。此次发现的墓葬编号为 XHM3，其位置偏南，M2 在 M3 北面 120 米，M1 在 M2 西北 100 米。

该墓平面呈长方形，除墓志外，随葬器物均为瓷器、陶器，瓷器有碗、盘等。出土的墓志，铭文楷书，共 29 行，满行 22 字，部分铭文已看不清楚，简报录有墓志全文。据墓志记载，墓主刘鉴，字子明，徐州彭城郡彭城县丛亭里人，开皇二年（582 年）终于家，年 58。其生于 525 年，卒于 582 年。根据墓志铭文线索，结合有关文献，其家世的大体情况为：刘鉴的祖父刘芳，为北魏国子祭酒、中书令、侍中太常卿，《魏书》有传。刘鉴父刘悦，为北魏平东将军、太中大夫、沛郡太守，《魏书·刘芳传》中也有记载。

简报称，刘鉴墓纪年明确，尽管随葬品存留不多，但对徐州地区墓葬形制变化以及地方史的研究具有重要意义。

172.江苏徐州市花马庄唐墓

作　者：徐州市博物馆　盛储彬、耿建军

出　处：《考古》1997 年第 3 期

花马庄位于徐州市区以北 15 公里，隶属铜山县茅村乡微山村，其南面为海拔 156.3 米的凤凰山，1993 年底当地农民在取土时发现 1 座古墓。1992 年考古人员曾在此清理过 1 座唐墓，编号为 XHM1，故该墓编号为 XHM2，M2 位于 M1 东南 100米，地势较周围略高。1994 年 1 月考古人员对 XHM2 进行了清理，有关情况简报分为：一、墓葬形制与结构，二、出土遗物，三、结语，共三个部分。有手绘图、照片、拓片。

据介绍，该墓早年被盗，从墓室内大量模形砖分析，该墓为券顶砖室墓，整个墓葬由封门墙、甬道、墓室 3 部分组成，随葬器物多被扰动，大多破碎不堪，经修复后，可辨器形的有 70 多件，分陶器、瓷器、其他 3 大类。石墓志，石灰石质，仅残存左下角志文，小楷书成，简报录有残存志文内容但大多空字，该墓虽出土有墓志，可惜缺失严重，通过对墓葬的形制结构、随葬器物的组合及时代特征的分析，

结合同类型的其他墓葬，简报推断该墓的埋葬时代为唐前期（高宗—武则天时期），墓主人是有一定政治地位的中级官吏。

简报称，花马庄唐墓的发掘，对于徐州及附近地区唐墓的研究，对于了解当时的埋葬习俗及所反映的经济、政治、社会有重大的价值。

常州市

173.常州市出土唐三彩瓶

作　者：常　博
出　处：《文物》1973 年第 5 期

1972 年 4 月，常州市南门外某厂基建工地的工人们在掘土时挖得唐三彩瓶 1 只，并随即报告市博物馆。简报配以照片予以介绍。

据介绍，经实地调查，该工地原有一个大土墩，基建施工时把土墩挖平，曾发现过汉墓。出土的三彩瓶在汉墓附近 5 米处，同出土的还有"开元通宝"铜钱 60 余枚，绕瓶半周成串放置，离瓶约 15 厘米。没有葬具和其他遗物发现。三彩瓶撇口、细顶、圆腹、山形底足，是一件精美的古代艺术品。这种唐三彩瓶在常州市还是首次发现。

174.江苏武进县湖塘乡发现隋唐墓

作　者：常州市博物馆、武进县博物馆　黄建秋
出　处：《考古》1990 年第 6 期

1984 年 12 月，武进县博物馆与常州市博物馆在常州市区东南 1 公里的湖塘乡烈帝村共同清理了 6 座砖室墓，其中两座保存完好的隋唐墓。简报分为：一、墓葬形制，二、随葬器物，三、结语，共三个部分。有手绘图。

两座砖室墓并列在同一墓坑内（南侧的一座编号为 WGM1，北侧的一座为 WGM2）。墓坑之上原有一高 2 米的封土堆，后在基建施工中被平掉。

据介绍，这两座墓的随葬品中的盘口壶形制完全相同，它们与浙江江山隋大业三年（607 年）墓中的盘口壶相同，灯碗亦与上述墓及隋开皇十八年（598 年）墓出土的青瓷碗相同。青瓷双唇罐的形制与江苏如皋出土的唐代木船中的瓷坛基本相同。简报将不出青瓷双唇罐的 WGM1 定为隋代墓，将出土双唇青瓷罐的 WGM2 定为隋或初唐墓。

175.江苏常州半月岛五代墓

作　者：常州市博物馆　徐伯元

出　处：《考古》1993 年第 9 期

1985 年 5 月，江南大运河常州东段运河疏浚工程队在开挖半月岛南侧的新河道工程中，先后发掘竖穴土坑木棺宋墓、唐代砖井及五代砖室墓。宋墓及唐井在机械化挖土过程中毁坏严重，砖室墓受损较轻，考古人员进行了清理。

简报分为：一、墓葬结构，二、葬具形制，三、随葬器物，四、结语，共四个部分。有拓片、照片。

据介绍，该墓属砖结构单室墓，平面呈卧置的壶瓶形，墓底距地表 3 ~ 9 米，墓通长 5.84 米。砖墓在构筑前先挖长方形竖穴土坑，坑底经夯打坚实，然后铺地砖，再在地砖上筑砌甬道与墓室。全墓由封门墙、甬道及墓室等组成。所用墓砖仅一种规格，均为素面长方形砖。墓顶已塌，内有楠木棺 1 具，长度超过 3 米。该墓曾被盗，但仍有漆器、木俑、铜镜、陶瓷碗、钱币等出土。

简报称，该墓的年代，应为五代时期，准确地说应为南唐后期。从棺中残痕看，似有官冕，说明墓主人应是具有一定身份的官员。

176.江苏武进发现唐三彩高颈瓶

作　者：胡友成

出　处：《考古》1995 年第 7 期

1987 年夏，江苏省武进县潘家乡建造敬老院时出土 1 件唐三彩高颈壶。简报配以照片予以介绍。

据介绍，该壶高 22.8 厘米，釉彩严重剥落，有 1 条 4 厘米长裂缝。简报指出，我国江南地区少见唐三彩。此壶外形颇具中亚波斯地区器物造型之风格特色而愈显珍贵，可见唐代在经济繁荣兴旺、对外贸易十分活跃的同时，已开始广泛收取外来文化的精华，经由丝绸之路的沟通，与中亚地区诸国的工艺、文化交流已十分融洽。

苏州市

177.苏州七子山五代墓发掘简报

作　　者：苏州市文管会、吴县文管会　廖志豪

作　　处：《文物》1981 年第 2 期

七子山一号墓，位于苏州城西南横山山脉的九龙坞中。此墓于 1979 年 3 月 13 日，为人民解放军某部在施工中发现。在部队积极配合下，次日即开始对墓葬进行了发掘和清理，历时 6 天结束。简报分为：一、地理环境和发现经过，二、墓葬结构，三、出土遗物，四、几点认识，共四个部分。有手绘图、照片。

据介绍，七子山一号墓，分前、中、后 3 室，中室两侧各附 1 个耳室。出土遗物有瓷器类、俑类、武器类、金银玉器饰品类、铜器类、铁器和其他类。从墓室结构、出土遗物来看，简报初步推断七子山一号墓是五代墓。

简报称，墓主人身份问题，因未找到墓志故难确定。棺床上残留的 3 颗牙齿，经上海自然博物馆人类学组鉴定，为一男性青年。又从北耳室出土的铁刀、弩机、马蹬来看，当系一男性单室墓。据墓室结构来看，分 3 室，一般平民是不可能构筑这样规模的墓穴的。因此，简报认为此墓可能是与钱直接有关的五代时期贵族墓葬。

178.苏州市郊出土唐三彩扁壶

作　　者：钱公麟

出　　处：《考古》1985 年第 9 期

1984 年 8 月，苏州市郊娄葑乡砖瓦厂工人在本乡新生三队取土烧砖，在距地表 1 米深的土中发现 1 件三彩扁壶。苏州博物馆考古组闻讯前往调查，据了解：三彩扁壶出于 1 座残存的小型唐墓中，同出的还有零星的铜镜残片，镜片泛银光，拼凑后还能略见花状残部图案。简报配以照片予以介绍。

据介绍，扁壶平口厚唇，口呈橄榄形，颈内收，腹扁鼓，假圈足外撇。

简报称，唐三彩主要出于洛阳、西安，江南不多见，苏州偶尔在小型唐墓中发现小型的鸡首壶、扁壶类的日用器造型的冥器，如此精美别致的三彩扁壶甚为罕见，为研究唐代三彩器造型及烧制工艺提供了珍贵的实物资料。

Zhong Guo Kao Gu Fa Jue Bao Gao Ti Yao

179.苏州市郊出土唐三彩扁壶

作 者：苏州市博物馆 钱公麟

出 处：《考古》1986 年第 9 期

1972 年，苏州利市砖瓦厂的工人在市郊西南的横塘乡越城取土时，发现 1 件唐三彩扁壶。简报配以照片予以介绍。

据介绍，此扁壶系白胎上施蓝、褐、绿、黄、白釉，不及底；釉色明亮，具有玻璃质感。高直口，平唇，短颈、扁圆腹，假圈足外撇。肩部有两鸳鸯形系，眼为穿。正、反两面腹部浮雕兽面，怒目竖眉、神态狰狞。头上有两螺旋式的犄角，顶部内卷。两腮须毛连弧卷曲，正中长髯突出。整个图案线条清晰，立体感强，是唐三彩中的杰作。

今有中国古陶瓷学会、河南省文物考古研究院、郑州大象陶瓷博物馆编《唐三彩窑研究》（科学出版社 2021 年版）一书，可参阅。

180.江苏吴县姚桥头唐墓

作 者：江苏省吴县文管会 叶玉奇等

出 处：《文物》1987 年第 8 期

1977 年 6 月，在苏州城西 5 公里处的吴县枫桥公社姚桥头，发现 1 座纪年唐墓。简报配以照片、拓片予以介绍。

据介绍，姚桥头是枫桥公社西津桥镇北郊的一处约 5000 平方米的高地。这里古冢甚多，枫桥公社在建厂开挖地基时，发现了这座纪年唐墓。墓室是"十"字形，由甬道、主室、耳室 3 部分组成。墓底距地表 1.2 米。墓室系砖结构，顶部已塌毁，估计是券顶。由于此墓早期被盗，后期又遭破坏，棺木、骨架完全朽毁，葬式已难辨。随葬品多属冥器，零乱残碎，大部分散落在甬道两侧和耳室里，在右耳室旁边有 1 方墓志。出土物除少量开元钱和墓志外，其余 13 件为陶俑、陶马。

简报称，墓志为灰陶，楷书，计 45 字。简报录有全文。从墓志看墓主人应属庶人。唐天宝二年（743 年）下葬。出土遗物可以反映出中唐时期苏州一带盛行"厚葬偶人像马"的习俗。

偶人像马的制法或单体塑造，或分段模制和手塑相结合。类似的这种明器，近几年来在苏州城郊的虎丘、鸳鸯墩等地也偶有出土。可见当时苏州可能已有专门制造这类明器的作坊。

南通市

181.如皋发现的唐代木船

作　　者：南京博物院
出　　处：《文物》1974 年第 5 期

1973 年 6 月上旬，如皋蒲西公社十九大队农民在农业生产中，发现 1 艘古代木船。8 月中旬将这只木船全部清理发掘完毕，并运回南京进行整理修复。简报分为"木船出土情况及形制""从同出文物推定木船的年代应属唐代""从木船出土地点看当时的地理环境及江河变迁""从出土木船看我国古代造船业的先进性"，共四个部分，有照片。

据介绍，木船实长 17.32 米，最宽处 2.58 米，分 9 舱，其中 6、7、8 舱应为船民休息的生活舱。有瓷器、兽骨等遗物。简报推断为唐代古船。

连云港

182.连云港市出土唐代石雕人物罐

作　　者：连云港市文管会　骆玉宽
出　　处：《文物》1983 年第 6 期

江苏省连云港市博物馆藏有 1 件唐代石雕人物罐。此罐是 1965 年在当地锦屏山麓出土，由连云港市海州区百姓献交。罐高 9.2 厘米，厚 0.6 厘米。原应有盖，已失。平底，鼓腹，下腹微敛。简报配以照片、拓片予以介绍。

据介绍，罐上刻有仕女 6 人，整个石雕人物罐所表现的，应是在春光明媚、彩蝶纷飞的时节，雍容华贵的妇人带着侍女游春赏花的场面，是一幅优美的仕女游春图。对研究当时人的服饰等很有帮助。简报推断为初唐遗物。

简报称，此石雕人物罐表现手法古拙、淳朴，具有藏巧于拙、寓美于朴的艺术魅力，是初唐石雕艺术中的一件珍品。

淮安市

盐城市

扬州市

183.江苏扬州五台山唐墓

作　者：吴　炜

出　处：《考古》1964 年第 6 期

1963 年 6 月，扬州五台山发现唐墓 4 座，仅 1 座保存较好（编号 M1），余 3 座破坏严重。简报配以照片、拓片予以介绍。

据介绍，M1 系长方形土坑木棺墓。随葬品有陶器、三彩瓷壶残咀、开元通宝。有墓志 1 合，上刻"河东郡卫氏夫人墓志"，计 425 字。简报未录全文。知墓主卫氏下葬年为唐光启二年（886 年）。墓 2、3 均为砖室墓，墓 4 为土坑木棺墓，均受损严重。仅出土少许遗物如铜镜、陶器、青釉器等。

184.江苏宝应县泾河出土南唐木屋

作　者：黎忠义

出　处：《文物》1965 年第 8 期

1960 年 4 月，在江苏宝应县泾河镇出土了两具南唐时期的木棺。两者相距甚近，有 20 多米，其深度距地表有 2 米多。两棺的形式基本上是一样的，棺盖及棺底的前出部分颇长，木屋就安置在这个"前出"部分。棺盖的封闭除了采用子母槽外，还用铁钉钉牢。1 号棺长 3.24 米、宽 0.92 米、高 1.10 米、厚 0.15 米。采用的木材为杉木和纹理细密的松木。简报配以照片予以介绍。

据介绍，木屋体形甚小，是一种象征性的木构建筑。两座木屋的形式和结构基本上相同，其中 1 号木屋经过修复后就更为完整。木屋的形式，可以分为水池和屋宇两个组成部分。简报指出，这两座五代木屋的出土，为研究五代建筑提供了宝贵实物资料。

185.扬州发现两座唐墓

作　　者：扬州市博物馆
出　　处：《考古》1973 年第 5 期

1970 年 2 月，邗江县汊河公社的农民在绿州大队于庄生产队开挖水渠时发现唐墓，出土有墓志石等文物。这座墓是夫妇合葬砖室墓，发现 2 副墓志石。据墓志记载，墓主人是解少卿及其妻蔡氏，死于唐大和九年（835 年）和大中四年（850 年）。先后"葬于扬子县风亭坊"，这为研究唐代扬州扬子县行政区划的西界，提供了比较可靠的资料。这座墓出土了黄釉施彩罐和酱釉双系罐各 1 件，窑口是长沙窑。另一墓是 1972 年 3 月，扬州市双桥公社双桥大队顾庄生产队在平整土地时发现的。墓的本身过去已遭到破坏，现仅存 1 个耳室。出土的三彩三足炉，造型和彩釉具有唐代中叶三彩器的特点。此外，这座墓出土的灰陶女俑，面部丰满，体态浑圆。这座墓的年代简报认为是唐代中叶。

186.扬州市郊出土一件唐白釉彩盖罐

作　　者：扬州博物馆　周长源
出　　处：《文物》1977 年 9 月期

1974 年 10 月扬州市城北公社红星大队第二生产队农民在庄北约 50 米的坟山平整土地时，挖出一批砖，其中一块上有一"崔"字，同时出土了青釉瓷盘、青瓷小碗和白釉蓝形盖罐各一件，以白釉蓝彩罐较为突出。简报配以照片予以介绍。

简报称，近年来虽然在扬州出土了一批三彩、双彩与单彩釉陶器和大量碎片，但其中仅有一片三彩中是带有蓝色釉的。简报认为，像这样完整的白釉蓝彩盖罐在扬州出土还是第一次，就全国范围来讲，也是极其少见的。

简报指出，此盖罐系日常生活实用品，它的出土给研究唐代陶瓷发展提供了可贵的实物资料。

187.扬州唐城遗址 1975 年考古工作简报

作　　者：南京博物院、扬州博物馆、扬州师范学院联合发掘工作组
出　　处：《文物》1977 年第 9 期

唐代是我国封建社会的发展时期，扬州是唐代的经济中心之一。安史之乱（755～763 年）江淮一带未受破坏。中原富商大贾大批迁往江淮，集中于扬州。

政治是经济集中的表现，唐代在扬州设大都督府和淮南节度使，并常设淮南道采访使、盐铁转运使。1949 年以来，经过考古勘查，已大体弄清当时官衙云集的"子城"（又称"牙城"，即"衙城"，它是由内城、外城和附郭东城组合而成），即在今扬州之北蜀岗之上的丘陵地带，现尚有版筑的土垣城墙可寻。"子城"的南面平地，为扩展的长方形商业城"罗城"，又称"大城"，由于历代破坏比较严重，四缘尚不能勘定。现经调查，有范围可寻的"子城"，城周约为6 公里，各门门阙均用砖石。城内常出土莲瓣纹瓦当，并在当时"城内官河"（即运河）两岸的螺丝桥附近，发现有"楠木驳岸"（即护坡）。

历年来扬州市东北郊五台山一带发掘了很多唐墓，说明在禅智寺以南，唐城以东一带是唐代扬州墓葬区所在。1973 ～ 1974 年扬州市内汶河路一带，陆续发现和出土了非常精美的唐三彩器，还有湖南长沙窑瓷器和"罗城务官"城砖以及居住区的木桩、水缸等遗物。这说明唐代扬州"罗城"是当时相当繁荣的商业区和居民区。1975 年，考古人员在扬州西门外的扬州师范学院和江苏农学院基建工程中，发现了唐城遗址。出土完整和较完整的文物达1000 余件，并发现了有关手工业作坊的遗迹和生产工具等。

简报分为：一、地层关系和历史地理，二、炉灶和其他生产工具，三、陶瓷器，四、建筑遗迹、遗物和其他，共四个部分。有彩照、手绘图。

据介绍，发现有制作骨器的作坊遗址、砖路面、寺庙遗物、砖瓦等遗物。均属唐代扬州城遗存。

188.扬州出土一批唐代彩绘俑

作　者：李　万、张　亚
出　处：《文物》1979 年第 4 期

1977 年 5 月，扬州郊区城东公社的基建工地上发现了 1 座唐代砖室墓。该墓南北向，由甬道和前、后墓室组成。简报配以照片予以介绍。

简报介绍，墓已坏损。发现前，券顶倒塌。铺地砖残缺约十分之一。墓中仅出土了青釉碗 1 件、石质箕形砚 1 件、"开元通宝"钱 11 枚。此外还发现 2 件鎏金乳头铜钉，而数量较多、价值较高的是一批彩绘陶俑。这批彩绘陶俑，经修复可以成形的有 60 余件。最值得注意的是，有 1 件女侍俑，双臂残缺，上穿绿衣，下穿紫地金纹长裙，上身后倾而微向另一侧转动，体态富丽，线条优美，是一件不可多得的佳作。

简报认为该墓应是唐代前期的墓葬，这批唐俑是唐代前期的作品。

189.扬州出土的唐代铜镜

作　者：周　欣、周长源
出　处：《文物》1979 年第 7 期

扬州自隋代开凿大运河以后，成为全国水陆交通的枢纽，也是对外贸易的重要商埠，这从扬州出土了许多造型优美、纹饰精致的唐代铜镜这个侧面，就可得到很好的证实。简报将馆藏的唐镜选择几面较精美的配以照片予以介绍。

1975 年 10 月在邗江太安公社金湾坝水利工程工地，出土的 1 面打马球图铜镜。马球运动始于波斯，早在汉代就传入我国，到了唐代更加兴盛。

1969 年在邗江槐泗公社的一座唐墓中出土了 1 面海兽葡萄镜，兽纽。海兽葡萄纹饰，在唐镜中是习见的，但此镜尺寸较大，也较重，纹饰清楚，应是一件珍品。

1975 年 3 月在扬州市城北公社出土了唐代仁寿十二生肖镜，圆纽，龙纹纽座。镜纹内区，饰温顺的鹿和凶猛的虎豹等走兽，并补以莲瓣和流云纹，内区以外是铭带，实属一件极好的艺术品。

1973 年在邗江县西湖公社出土的"真子飞霜"镜，圆纽，荷叶纹纽座，葵花式素缘，也是唐镜中的精品。

1975 年在扬州师范学院和江苏农学院工地发掘了唐代遗址，出土了炉灶和简易铸造设置，有的铸造铜器用的坩埚口沿上有"流"，在内壁附有铜绿，在其附近土层中还发现了许多炼铜渣，这可能与熔铸有关，也可能和铸造铜镜有关，这需要今后进一步发掘，再深入研究。

190.扬州唐城手工业作坊遗址第二、三次发掘简报

作　者：南京博物院　刘惠英
出　处：《文物》1980 年第 3 期

扬州是我国古代的一个重要城市，在中外交通史上占有相当重要的地位。发掘工作 1949 年后才零星做了一些，到 1975 年开始进行范围较大的正式发掘。1975 年，考古人员对扬州唐城遗址手工业作坊的发掘，引起了考古界的重视。1977 年冬、1978 年春，对扬州原江苏农学院农场唐代手工业作坊遗址相继进行发掘。简报分为：一、地层关系，二、遗迹，三、遗物，四、结语，共四个部分。配以照片、手绘图，介绍了 2 次发掘情况。

据介绍，共发现了炉、灶、井、灰坑、房基、砖铺路面等遗迹，骨器、陶器、瓷器等遗物。证实手工业作坊分布范围相当大，而且是各个加工区单独存在。简报

认为，唐代扬州手工业作坊相距甚近，排列整齐，手工业有分工，可能和唐代长安、洛阳一样，在城市布局中手工业已有专门的坊市存在。

191.扬州唐代木桥遗址清理简报

作　者：扬州博物馆　徐良玉
出　处：《文物》1980 年第 3 期

1978 年 2 月下旬，在扬州市迎宾路西工段地下道工程工地，于深 5.5 米处发现 1 座木桥的桥桩残迹，横跨在南北流向的古河道上。出土桥桩，计共 6 排（最多 1 排 4 根，其他不一），露在自地表下掘至 5.5 米的地层上。最高的 1 根桥桩，已露出的部分达 2.05 米。并有大量唐代文化遗物同时出土。自 3 月 14 日起，至 3 月 20 日结束，已初步弄清了河道的流向，木桥的走向和同存伴出文物之间关系。简报分为：一、木桥遗迹与地层堆积，二、同存伴出的文化遗物，三、初步推论，共三个部分。有照片。

据介绍，扬州迎宾路工程西工段横穿半个城，由扬州市西郊扫垢山向东经石塔寺、文昌阁至板桥南沿止，这段工程的地下坑道约长 1.5 公里。古代木桥的遗址，发现于工程的西段石塔寺右前侧。因受路面与工程限制，桥桩排列的总宽度尚未完全清出。伴出的遗物，有瓷器、瓷片、铜钱、陶器等。简报推测此木桥遗址的年代，为唐代中、晚期。

唐代扬州是一个水乡，唐代诗歌中，吟咏扬州桥梁的就有"月明桥上看神仙""二十四桥明月夜"等诗句，不难从中看出唐代扬州城池内外河道纵横有桥梁相连的情景。这座桥的发现，对于文献史料的记述，无疑是提供了实物例证。再从这座桥的跨度及其结构来看，当属当时水陆运输的干线所在。这是我国第一次发现古代木构桥梁遗址。虽然由于工程的限制，只是发现了桥梁的水下结构，即桥桩的排列与组合以及竹篱设施、驳岸等尚不完备的资料，但对研究我国古代桥梁结构力学和桥梁建筑史来说，无疑是提供了一项值得珍视的物质文化资料。

192.扬州唐代寺庙遗址的发现和发掘

作　者：南京博物院　罗宗真
出　处：《文物》1980 年第 3 期

扬州是我国唐代历史上的一个重要都市。这个城市经济的繁荣，通过1975 年的发掘，得到了实物证实。1974 年以来，曾陆续发现了一些佛教遗物和一处寺庙遗址。1977 年，考古人员进行了部分遗址的发掘，大体弄清了它的时代关系和有关范围，进一步证实了唐代以来扬州的佛教是十分兴盛的。1975 年在扬州师范学院进行第一次发掘，1977 年又进行第二次发掘。简报分为：一、1974 年以来陆续发现的遗迹和遗物，二、1977 年的初步发掘，三、初步看法，共三个部分。有照片、手绘图。

据介绍，1974 年、1975 年、1976 年、1977 年，考古人员在扬州师范学院进行了多次发掘，发现有砖砌墙垣、石雕佛像、瓦当、方砖、有"咸通十四年"纪年的八面石刻佛经、瓷器、石造像等遗迹、遗物。可以肯定此处应为 1 处规模甚大的寺庙遗址，此寺庙建于盛唐或中唐，晚唐重修，唐末被毁，到宋代又进行了重建。宋以后即全部被毁。应是唐代扬州一处较重要的寺庙，可能是龙兴寺。

193.江苏邗江蔡庄五代墓清理简报

作　者：扬州博物馆　张亚生、徐良玉、古　建等
出　处：《文物》1980 年第 8 期

1975 年 4 月，邗江县杨庙公社殷湖大队蔡庄生产队，发现了 1 座五代墓的前室砖顶和墓门与甬道的券顶残迹。蔡庄五代墓位于邗江县西的蜀冈上，北距杨家庙 2 公里，东距七里甸 2.5 公里，南距蒋王庙 1.5 公里，西距仪征县界 3.5 公里。考古人员根据当地农民提供的线索，在墓室附近找到光绪十四年（1888 年）扬州府甘泉县告示碑文 1 通。碑文记载农民抗旱挖塘，发现此墓的经过。发掘工作，自 4 月 3 日开始，历时 56 天结束。简报分为：一、墓址情况及发现经过，二、墓室结构，三、随葬遗物，四、几点认识，共四个部分。有照片。

据介绍，墓道为土坑墓道，为石、木混合结构。墓室由墓门、前后 2 主室和 4 个侧室结构。这座墓严重被盗，原随葬品种类、数量和位置不明，现存器物计有木俑、木器、瓷器、陶器、金属器皿等。随葬品中琵琶、人首龙身俑、人首蛇身俑、人首鱼身俑等值得重视。简报推断为五代初期墓葬，接近于唐代。墓主人经检测为 1 名中年以上女性。据文献及考古证实，应为杨行密之女寻阳公主。她的生年应在唐昭宗龙纪元年（889 年），卒于乾贞元年（927 年），葬于乾贞三年（929 年）。

194.江苏宝应出土唐代"真子飞霜"铜镜

作　者：宝应县图书馆　陆书香
出　处：《文物》1981 年第 2 期

1980 年 2 月 1 日，宝应县红卫公社西荡大队傅庄生产队农民在宝应大运河西的

大王庄后挖鱼塘时，在 1 米以下的土层里，发现了 1 面铜镜。简报配以照片予以介绍。

据介绍，铜镜表面锈蚀很少，四周光洁如新，可以自照，水银包浆呈浅黑色，断面呈银白色，较厚重，边缘为葵花形素缘。

简报称，这面铜镜和清代中叶在扬州发现的唐代"真子飞霜"镜的形制和纹饰是相同的，只是这面铜镜没有铭文。像这样的无铭文的"真子飞霜"镜，1949 年后在扬州也有出土，据鉴定为唐物。因此，简报推断这件也应为唐物。唐代"真子飞霜"镜在南京也有发现，在日本也有收藏。

195.扬州市东凤瓦厂唐墓出土的文物

作　者：张　南、周长源
出　处：《考古》1982 年第 3 期

东凤砖瓦厂位于扬州市东北城郊，厂址建在蜀冈以南山脚下。考古人员发现 1 座唐代砖室残墓，该厂张南先生将征集的 16 件文物准备送交市博物馆珍藏。简报配以拓片、手绘图予以介绍。

据介绍，计有滑石水盂 1 件、青釉绿彩瓷小水盂 1 件、暗绿釉瓷小盂 1 件、青釉刻花瓷小盒 1 件、青釉瓷小盒 1 件、青灰釉瓷盒 1 件、青釉瓷盏 1 件、酱色釉瓷小注 1 件、铜削 1 件、铜钱 4 种 18 枚。简报推断这座墓葬的时代应是在唐代肃宗或代宗时期，这批文物是唐代后期遗物。

简报称，随葬品中史思明铸"得壹元宝"钱十分稀少。唐代越窑青瓷及邢窑白瓷均十分精美。

196.扬州邗江县杨庙唐墓

作　者：扬州市博物馆　王勤金、吴　炜
出　处：《考古》1983 年第 9 期

自 20 世纪 70 年代起，考古人员先后在扬州西门外七里甸以西约 3 公里的杨庙（公社所在地），发现一些重要的汉唐墓葬。这座唐墓位于杨庙以南约 1 公里的杨庙大队荷花生产队。1980 年 3 月，当地劳动时挖出一批大砖和 20 余件陶俑。考古人员赴现场调查、清理。简报配以手绘图等予以介绍。

据介绍，这座唐代砖室残墓，墓底西部距地表仅 30 厘米，平面呈"凸"字形，由墓门、墓室组成。随葬品以 67 件陶俑为主，另有青瓷小碗、三彩豆等。简报推断为中晚唐时墓葬。墓主人应为五品以上中级官员。

197.扬州出土的唐代水盂和水注

作　者：周长源

出　处：《考古》1984 年第 8 期

扬州出土的大量水盂和水注，除了 1964 年在扬州五台山唐、五代墓和 1975 年在扬州西郊唐代文化遗址中出土的三彩水盂、青釉褐彩瓷盂、青釉褐蓝彩瓷盂和鸟形褐蓝彩水注以及扬州东风砖瓦厂唐墓出土的滑石水盂已经发表外，其余均未发表。简报将馆藏的扬州出土的具有代表性的唐代水盂和水注分为：一、水盂，二、水注，两个部分。有照片。

据介绍，依照其釉的色彩，水盂分三彩、单色釉、白瓷和青釉及青釉带彩瓷等几种类型。水注按其色彩、造型，可分以下几类：

第一，褐蓝彩辟邪瓷水注：1 件。

第二，褐彩辟邪瓷水注：2 件。

第三，酱色釉胞虎瓷水注：1 件。

以上 4 件水注与唐代长沙铜官窑址所出水注的造型、纹饰相同，应是湖南长沙窑烧制后销售到唐代扬州的产品。

第四，青釉蓝褐彩瓷水注：1 件。敞口，短流，流口向上，饼足底。通体施青釉，近底部露灰色胎，器内底部有褐绿彩组成的纹饰。

今有徐忠文、徐仁雨、周长源先生《扬州出土唐代长沙窑瓷器研究》（文物出版社 2015 年版）一书，可参阅。

198.扬州新出土两件唐代青花瓷碗残片

作　者：顾　风、徐良玉

出　处：《文物》1985 年第 10 期

1983 年 11 月上旬，考古人员在扬州市文昌阁以东、三元路北某基建工地（简称甲工地）上，采集到 1 片早期青花瓷碗残片。半月后，又在甲工地以西 100 余米的另一基建工地（简称乙工地）上采集到另外 1 片。

简报推断，这两件早期青花残碗，极有可能是唐代河南巩县窑的产品。以往出土的这种青花因带有异国风味，曾被认为不是中国所产。此次出土的 2 件青花残碗，器形确定，图案又比较完整，且为典型的中国风格，加之窑口也比较清楚，这就非常难得了。

同刊同期有《扬州新发现的唐代青花瓷片概述》一文，可参阅。

199.扬州发现的一件唐青花瓷片

作　者：马富坤
出　处：《文物》1985 年第 10 期

1983 年初，扬州博物馆在扬州市文昌阁东侧约 60 米处，邮电大楼工地的一条南北向、深度约 2.8 ~ 3 米的壕沟南端西壁，发现 1 件青花瓷片。简报配以照片予以介绍。

简报介绍，这件青花瓷片系一碗的底部。碗心饰一朵直径 0.8 厘米的五瓣青花纹饰，构图简单，色泽浅蓝，较深处略呈灰黑。简报推断，这件青花瓷片根据出土层位和器形看，当为唐代遗物。

200.扬州出土古代波斯釉陶器

作　者：周长源
出　处：《考古》1985 年第 2 期

唐代时扬州是我国南北交通运输的枢纽，江淮漕米、盐茶、轻货都先汇集于此，然后再转运到关中和其他各地，它也是当时对外贸易的重要港口。1965 年 2 月在扬州城南汽车修配厂所在地出土的 1 件翠绿釉大陶壶，目前在江苏省出土的伊朗文物中是稀有珍品，也是我国发现的古代伊朗陶器文物中保存较好，器形较大，釉色鲜艳的 1 件。简报配以照片予以介绍。

据介绍，1982 年考古人员在今扬州市区文昌阁东侧的三元路菜场工地获得两块波斯的古陶片。此后，在三元路建设银行工地和纺织公司工地的唐代文化层内陆续捡到许多块波斯的古代翠绿釉陶片，1984 年 11 月在三元路人民银行工地多次捡到大、小 30 余块波斯的古代翠绿釉、蓝釉和灰蓝釉陶片。陶片出土层位基本上在距离地表深 2 米左右，与唐代青瓷和白瓷器及残片同存伴出。从此简报推断，波斯的古陶片的时代相当于我国唐代中、晚期。从这些古陶片的胎和釉比较看，都是基本相同的，又与唐代陶瓷器的胎釉不同，波斯陶片的胎釉成分的化学分析，也足以说明陶片是外来品。

201.扬州司徒庙镇清理一座唐代墓葬

作　者：扬州博物馆　李久海、王建平
出　处：《考古》1985 年第 9 期

1984 年冬，扬州市农科所下属跃进生产队，在果园挖沟理墒时，发现了 2 件唐代三彩鸡、猴生肖俑及部分三彩俑残片，考古人员调查了解发现该处是一座唐代砖室墓。跃进果园地属郭家山，位于扬州市西湖乡司徒庙镇西南侧的蜀岗南缘坡上，东距唐代扬州子城 1 公里左右。曾陆续发现过一批汉代以后的古墓葬，并于 1980 年间，在此清理出土了 9 座汉代木椁墓和土坑墓（《扬州地区农科所汉代墓群清理简报》，《文博通讯》1983 年第 5 期）。在这次调查中，除清理了一座唐代砖室墓外，还征集了一批南朝和明代时期的成组青瓷器等，这次清理的唐代砖室墓简报配以手绘图、拓片予以介绍。

据介绍，该墓为 1 座小型砖室墓，东西向。该墓由于早期被盗，墓顶和四壁基本破坏，仅剩墓底和东半部墓壁一部分。随葬品置于墓室四周。该墓出土随葬品 12 件，9 件为三彩生肖俑，保存较好的有龙、蛇、马、猴、狗、鸡 6 件，其余均残缺无头，破碎较严重。另外，还有青瓷盘口壶、青瓷钵口沿各 1 件及 6 枚铜钱。

该墓虽然破坏较严重，随葬品出土种类较少，但墓中出土的三彩生肖俑，为扬州地区所罕见。此墓的年代简报推断为唐代中期。

202.扬州新出土的几面唐镜

作　　者：徐良玉
出　　处：《文物》1986 年第 4 期

1980 年以来，在扬州东风砖瓦厂和邗江县杨庙、泰安等地，先后出土了 9 件唐代铜镜。简报配图择要予以介绍。

据介绍，9 件铜镜分别为：盘龙镜、八卦十二生肖方镜、折枝花镜、鸟兽葡萄镜、四蝶花鸟镜、八卦十二辰镜、"水银阴精"各 1 件，此外，还有常见的雀绕花枝镜和双鸾神兽镜各 1 件。这批镜子的年代简报推断多属唐代中晚期。有的弓形纽镜铸造粗糙，时代可能晚至唐末。

简报称，这 9 件镜子除鸟兽葡萄镜较厚重外，其他镜身均较薄，厚度一般在 0.4 厘米左右。其中八卦十二辰镜和"水银阴精"八卦镜颇为少见。

203.扬州发现一批唐代金首饰

作　　者：徐良玉、李久海、张容生
出　　处：《文物》1986 年第 5 期

1983 年 8 月，扬州市三元路西首的建设银行工地出土了一批精美的唐代金首饰。在有关部门的配合下，扬州博物馆及时征集了这批金器，使之较为完整地保护下来。

据现场调查，这批金首饰出土于该工地东侧距地表3米左右的地层内，集中埋藏在一处，当属窖藏性质。首饰中有极为罕见的金柿和精巧玲珑的耳坠、戒指、挂饰和串饰等品种。简报配以照片予以介绍。

据介绍，金首饰有金柿、花形嵌饰金戒指、嵌饰金戒指、马蹄形金挂饰、金耳坠各1件；球形嵌饰金耳坠2件、球形金耳坠2件、金串饰10件，此外还有珍珠31颗。这批金器工艺十分精细，尤其是金柿，制作更精，其纹饰虽在一层金箔上錾刻，却给人以多层次之感。简报推断年代为中唐时期。

简报称，根据文献记载唐代扬州的地位和手工业发展状况，结合以往扬州出土的唐代艺术品所反映的工艺水平来分析，这批金首饰很可能为扬州本地制造。

204.扬州出土唐代瑞兽铭文铜镜

作　者：张　南

出　处：《考古》1988年第1期

1984年2月，扬州市砖瓦厂于萧山工地挖土，发现1枚瑞兽铭文铜镜。简报配以照片予以介绍。

据介绍，镜，圆形。镜面黑而有光泽，圆钮，花瓣形钮座。镜背以斜立二重齿纹圈将花纹分为两区：内区是神态各异的6只瑞兽，其间衬以花草；外区是铭文带，楷书34字，"练形神冶，莹质良工，例珠出匣，似月停空，当眉写翠，对脸传红，绮空绣幌，俱含影中。大吉"。镜缘饰三角锯齿纹、几何点线纹。镜径19.5厘米、最厚处1厘米，最薄处0.2厘米。同类镜在西安地区的隋、初唐的墓葬中曾有出土（《中国古代铜镜》，文物出版社1984年版），在扬州则尚属少见。

205.扬州城考古工作简报

作　者：中国社会科学院考古研究所、南京博物院、扬州市文化局、扬州城考古队　蒋忠义

出　处：《考古》1990年第1期

1986年，考古人员对扬州城进行考古勘察与发掘。简报分为：一、考古勘探，二、考古发掘，三、小结，共三个部分。有手绘图等。

据介绍，扬州是有2400多年的悠久历史城市。唐代的扬州城，有"富庶甲天下，时人称扬一益二"的声誉。从文献记载和勘察的结果看，唐代扬州城规模很大，仅次于当时的长安与洛阳东西二京城。唐代扬州城城址分2个部分：一部分

在现今城北郊 2 公里的蜀岗上，一部分在低于 20～30 米蜀岗下的平地上。蜀岗上为一小城，即子城，亦称牙城，也是"衙城"的意思。小城为一不规整的多边形。蜀岗下为一大城，即罗城，呈南北向的长方形。小城位于大城的西北角上。整座城址南北（指大城南城墙至小城北城墙）长 6030 米，东西（指大城）宽 3120 米。蜀岗上的子城保存比较完好，除极少部分城墙被破坏外，夯土城垣均高出地面。

考古人员通过 2 年对扬州城的勘察与发掘，基本搞清楚了唐代扬州城的规模与形制。唐代扬州城受长安、洛阳城的影响，在形制上与洛阳城颇为相似。城内街道布局似棋盘形，把宫城放在大城的西北角上。扬州地处南方，与北方城不同的是，它利用水多桥美点缀城市，又显示出南方水乡城市的特色。唐代扬州罗城的筑城年代，文献没有明确记载。通过发掘初步了解到，蜀岗上的子城自汉代起至宋代，始终在此筑城，基础为汉代广陵城，隋唐时把子城修建得更完美。蜀岗以下的罗城，从初步发掘资料看，未见隋唐以前遗迹。初步判断，唐代罗城可能始建于中唐或偏晚，废于五代末。

206.扬州近年发现的唐墓

作　者：扬州博物馆　吴　炜
出　处：《考古》1990 年第 9 期

近年来，在扬州市的南郊和西郊分别发现 1 座唐墓。简报分为：一、邗江八里唐墓，二、扬州郭家山唐墓，三、几点认识，共三个部分。有手绘图、照片。

据介绍，这次在扬州南郊和西郊分别发现的 1 座唐墓，其墓葬形制大体相同，为船形或腰鼓形式。它的发现，简报认为为研究扬州唐墓的形制、结构增添了新的内容。

扬州八里唐墓有明确纪年，出土的墓志，楷书，计 345 字，简报录有志文全文。从志文中首先得知此为迁葬墓，墓主杨氏夫人在唐文宗开成四年（839 年）迁葬于扬子县南园之西。另 1 座墓虽未有纪年，但与扬州司徒庙镇发现的 1 座唐墓形制相同，其时代简报推断相隔亦不会过远，同属中唐时期。

207.江苏仪征胥浦发现唐墓

作　者：扬州博物馆　吴　炜
出　处：《考古》1991 年第 2 期

1982 年 2 月，仪征化纤工业联合公司在开辟中心街道时，发现 2 座唐墓：1 座砖室墓（编号 M9），1 座土坑墓（编号 M28），两墓均位于汉、六朝墓群的东北方，原属胥浦乡陈冲村，东距烟墩河 200 米左右。发现时，土坑墓已被铲土机铲掉，木棺朽蚀，仅出 1 件小瓷罐和数枚"开元通宝"铜钱。砖室墓亦被铲土机将墓室前部破坏了一部分，露出东西两壁。墓顶距地表深 2 米左右。简报配以手绘图予以介绍。

据介绍，M9 墓内木棺和人骨均已朽而不存。墓中出有墓志、发簪、钱币、瓷器、陶器、漆盘等随葬品 10 余件。惜墓志朽蚀过甚，纪年部分已无法辨认，但从志文中有"安史肇乱"的记载看，此墓的年代当在安史乱后。另外，从志文中还可得知墓主人为女性，姓赵；其夫姓刘，先她而逝；生有 3 子；享年 76 岁。

208.唐青釉蓝彩执壶

作　者：罗宗真

出　处：《文物》1993 年第 7 期

1975 ~ 1978 年，江苏省扬州地区陆续出土了一批瓷器，其中 1 件青釉蓝彩执壶较为精美。简报配以照片予以介绍。

据介绍，此壶平口，口沿外撇，粗长颈，筒形腹，平底。八胎角形短流，把手上接颈下连腹。胎为灰色。通体内外施淡青色釉，釉色莹润，有细冰裂纹。腹部釉下绘绿、浅蓝色条纹。通高 22.4 厘米，口径 10.6 厘米，腹径、底径均为 14.5 厘米。简报推断执壶应属唐代晚期长沙窑的产品。

简报称，这件执壶完整、精美，釉下施蓝彩尤不多见。

209.江苏扬州市文化宫唐代建筑基址发掘简报

作　者：中国社会科学院考古研究所、南京博物院、扬州市文化局、扬州城考
　　　　古队　王勤金等

出　处：《考古》1994 年第 5 期

1990 年 6 月 ~ 1991 年 4 月，考古队配合扬州市总工会基建工程，在扬州市工人文化宫发现并发掘了 1 座唐代建筑基址。简报分为：一、遗迹现象和建筑平面形制，二、出土遗物，三、结语，共三个部分。有拓片、照片。

据介绍，唐代建筑基址是这次发掘的重点，根据遗迹现象和地层叠压关系，大体可分为三期建筑。三期建筑遗存一脉相承，地层叠压关系明确。第一期遗存直接建在长江冲积形成的沙土堆积上，表明时代较早。从第一期建筑遗存伴出的遗物看，简报推断当为唐代早期；第三期建筑遗存简报推断为唐末五代时期；介于第一、三

两期建筑遗存之间的第二期遗存，不仅建筑规模非第一期可比，而且出土瓷器一改单一的南方青瓷的格局，形成当时国内各著名窑口的产品共存的局面。从文献资料看，扬州的兴盛始于中唐，晚唐尤盛，建筑遗存和出土遗物的变化状况与之吻合，该期遗存的时代简报推断当为唐代中晚期。

简报称，根据建筑遗存的现象和出土遗物加以分析和推测，第一期建筑不用台基，甚为简易，显为一座较为简陋的居民三开间建筑，并兼家庭手工业作坊的性质。第二期建筑遗存加筑了台基，规格有所提高，房前发现有天井和其他建筑遗存迹象，说明规模也有所扩大，但就房址本身而言，仍保持了面阔三开间的格局，仍然是民居建筑，第三期亦然。不过这座民舍房址旁临罗城南北大街，又临近城内官河，地处交通要道，而且基址内不仅出有黄金和大量的国内诸多窑口的产品，还伴出有波斯孔雀蓝釉陶器、玻璃器皿，到第三期又新增辟西门。根据这类迹象，当非普通的住宅民居，简报怀疑这处建筑当年还应兼有商业用房——邸店、旅舍的性质。

简报称，虽然扬州文化宫唐代居民建筑基址仅是一座单体建筑，但对研究唐代建筑史来说，则是不可多得的实例。

210.扬州近年发现的两方五代墓志

作　者：吴　炜

出　处：《文物》1995 年第 7 期

两方五代墓志为：

一、徐常侍墓铭，发现于邗江县八里乡茶花村扬子桥附近河中。1984 年由扬州博物馆征得。青石质，无盖。计 433 字，楷书。简报未录全文。由志文知"徐常侍"指徐延佳，南唐保大十二年（954 年）卒，次年（955 年）下葬。

二、唐故张府君墓志，1985 年在扬州古运河东侧、跃进桥北隅扬州合成化工总厂基建工地上出土。墓志青石，无盖，志石方形，志文计 327 字，楷书。简报未录全文。

据志文，张府君讳康，字德尧，清河郡人。曾祖为昆山县令，祖父为盐铁苏州院官，父张愿，淮南监军院十将。张康官职为淮南节度医院散兵马使、银青光禄大夫、检校国子祭酒兼御史中丞、上柱国。南唐天祐十二年（915 年）卒，年 50 岁。

简报称，以上 2 方墓志为研究五代史提供了一些有益的资料。

211.扬州新近出土的一批唐代文物

作　者：李则斌

出　处：《考古》1995 年第 2 期

　　唐代时扬州是一座著名的对外贸易商业城市，南北漕运的中心枢纽，是全国贸易货物的主要集散地，因而地下埋藏的文物十分丰富。近年来征集到的唐代出土文物数量较多，主要有墓志、铜镜、陶瓷器等类。简报分为：一、墓志，二、铜镜，三、陶瓷器，四、结语，共四个部分。有手绘图、照片、拓片。

　　据介绍，这些文物均有具体出土地点。其中墓志有贾瑜墓志，楷书，计 230 字。墓主贾瑜，为"前试左武卫兵曹参军"，于"贞元七年（791 年）六月十九日终于扬州江都县赞贤坊"，葬于"县城西驯翟坊之原"，墓志 1986 年 11 月出土于念泗桥新庄。丁夫人墓志，楷书 235 字。墓主丁夫人"咸通三年（862 年）八月五日终于扬州江都县通闰坊"，墓志 1986 年出土于城东大庆路北沙口村。同一地点还出土过朱叔和、夫人范氏合志，楷书，188 字，文多漫漶。墓主朱叔和"以长庆四年（824 年）二月十日殁于扬州江都县市北"，夫人范氏"长庆三年（823 年）十月九日殁"，合葬于"五乍之先茔"。孙𥦽墓志，楷书 447 字，1988 年出土于城东乡顾庄。轴承厂也出土过墓志。以上墓志，简报均未录志文全文。铜镜出土于郭集、锦西、杨寿、小星塘等处。陶瓷器也均有具体出土地点。

　　简报指出，安史之乱后的中晚唐时期，由于北方的长期战乱，蕃镇割据，百姓流离失所，大批人口迁往相对安定的南方地区。这使得扬州成为中晚唐时期经济繁荣的商业城市。中原人口南迁的史实，在扬州唐人墓志中反映得特别明显，许多都记载了北方人因战乱而迁居扬州。"自元东来，播流淮左"（《丁夫人墓志》）。"初随祖过江止润州丹阳县，后避兵徙居广陵焉"（《孙𥦽墓志》）。因中原人口放弃土地大量南迁，大部分人都改为经商谋生。"虽贸易往来，而与物无赍"。（《孙𥦽墓志》）另外，这些墓志记载所涉及的内容，对研究扬州唐代城池布局，江都、江阳、扬子 3 县的治设分界，坊里制度与市的设置等多方面的课题都有一定的参考作用。

　　简报称，唐代扬州的铜镜制造十分发达，是全国制镜业的中心，也是扬州众多手工业中较为突出的一个门类。扬州地下出土的铜镜，特点是品类齐全，制工精良。从镜的型式上可分圆形、菱花形、葵花形、方形、八角形、亚字形等类。铜镜的纹饰几乎包括唐镜纹饰的各个门类，其中最常见的当数瑞花、团花、宝相花、雀绕花枝、鸾鸟、海兽葡萄、真子飞霜、八卦十二生肖、打马球、月宫、盘龙、万字、千秋万岁铭文等数十种。

简报还指出，唐代扬州不仅"当南北大冲，百货所集"，也是对外贸易和对外文化交流的中心城市。扬州地下出土的唐代陶瓷器特别丰富，且全为外地产品，主要的窑口有邢窑、越窑、巩县窑、宜兴窑、寿州窑、铜官窑及耀州窑、定窑等。这些外地产品大量地出土于扬州的唐代遗址和墓葬中，从侧面印证了唐代扬州作为一座繁荣的商业城市在全国的地位。

212.扬州城东路出土五代金佛像

作　者：扬州博物馆　李则斌
出　处：《文物》1999 年第 2 期

1997 年 3 月，扬州市城东路邮电职工宿舍基建工地发现一座五代墓葬。墓葬被民工私掘，墓中出土金佛像等文物散失。扬州博物馆随即对墓葬进行了调查，并在公安部门的配合下及时将文物追回。简报配以手绘图予以介绍。

据介绍，墓葬所处的位置在扬州古运河之东 500 米，即唐扬州罗城、五代周小城护城河之东，属扬州城东唐、五代墓群分布区域。人骨已朽，从出土随葬品分析，墓主似为女性。墓中出土随葬品有金佛像 1 件，金耳坠 2 件，银簪 1 件，铜钱数十枚。金耳坠、银簪已被私掘者熔化。铜钱散失，仅余 2 枚，为"周元通宝"。

简报称，该墓土坑木棺的形制在扬州地区流行于晚唐五代至北宋初。五代时期扬州先属杨吴，后属南唐，扬州附近多有南唐时代小墓发现。墓中出土"周元通宝"，系后周货币，故此墓的时代上限不早于公元 951 年，应为五代末期。出土的金佛像应为墓主人生前供奉之物，可以连缀在织物上。五代时期以金制作的佛像较为少见，此尊佛像制作相当细致，工艺精湛，具有较高的欣赏价值。

213.扬州出土唐青瓷褐彩牛车

作　者：扬州博物馆　李则斌
出　处：《文物》1999 年第 5 期

1992 年 7 月，江苏省扬州市城西念泗桥薛庄发现 1 座唐墓，墓葬为土坑墓，棺木已不存。扬州博物馆征集到墓中出土的文物 4 件。简报配以手绘图予以介绍。

据介绍，出土的 4 件文物分别为：青瓷褐彩牛车、青瓷小执壶、青瓷双耳罐、青釉葫芦瓶各 1 件。

简报指出，出土的 4 件瓷器中，双耳罐为唐末宜兴窑产品；小执壶虽为冥器，但与同时代长沙窑青瓷执壶的形制相同。牛车较少见，20 世纪 50 年代在河南三门峡黄河水库曾出土过1件唐代同类器。此件青瓷牛车塑造人物众多，装束富有特色，其胎质洁白细致，釉色润泽，褐釉点彩工艺起到了渲染气氛的作用。此器反映出唐末北方青瓷的特点，应是北方青瓷系产品。

简报称，唐代扬州作为当时全国最大的商业城市、南北交通的枢纽和外销港口，全国各地瓷窑的瓷器产品都在这里汇集，故全国各种窑口瓷器近年来在扬州多有发现，是与唐代扬州南北要冲的地位相适应的。

214.江苏扬州市曹庄隋炀帝墓

作　　者：南京博物院、扬州市文物考古研究所、苏州市考古研究所　束家平、杭　涛、刘　刚、薛炳宏

出　　处：《考古》2014年第7期

隋炀帝墓位于扬州市邗江区西湖镇司徒村曹庄组的蜀冈西峰顶部，地势高于四周。2013年2月，建设单位清出建筑垃圾后，考古人员对暴露青砖的地方进行铲探，确认是2座砖室墓（编号2013YCM1、2013YCM2）。2013年3月，开展抢救性考古发掘，4月中旬，在一号墓中发现1合墓志，有"隋故炀帝墓志"等文字。3～11月，考古人员对该墓葬及周边进行考古勘探和发掘。简报分为：一、发掘经过，二、墓葬地层及陵园勘探，三、墓葬，四、结语，共四个部分。有彩照。

据介绍，M1墓主为隋炀帝杨广，为最后一次埋葬，时代不早于贞观元年(627年)；M2时代为唐代初期，墓主人应为隋炀帝萧后。

简报称，隋炀帝墓的发掘，丰富了扬州城遗址的内涵，扩展了扬州城遗址的范围，对于进一步深化扬州城遗址的研究也具有特殊的意义。

镇江市

215.江苏镇江甘露寺铁塔塔基发掘记

作　　者：江苏省文物工作队镇江分队、镇江市博物馆　郑金星、刘受农、杨荣春、梁白泉

出　　处：《考古》1961年第6期

镇江甘露寺塔，位于北固山后峰东部甘露寺长廊入口的地方。塔的平面作八角形，原来是七级，现在连座只存三级。1956年，江苏省人民委员会把甘露寺铁塔定

为省一级的文物保护单位。镇江市文物管理委员会为了保护这座铁塔，决定进行修复。修复工作自 1960 年 4 月开始，并对塔基作了一次发掘。发掘从 4 月 24 日开始，5 月 8 日结束，出土文物 2000 多件。简报分为：一、发掘情况，二、出土文物，三、结语，共三个部分。有照片、手绘图。

据介绍，发掘出土的遗物，包括石、玉、骨、金、银、铜、铁、陶、瓷、琉璃、木、漆、纸、丝 14 类，共编 76 号，2576 件。这次出土的实物，澄清了铁塔本身的历史，首先，知道了李德裕建的是"石塔"，长庆四年（824 年）十一月十九日由长干寺分过一部分舍利来，于长庆五年（825 年）正月初四日建石塔瘗下，太和三年（829 年）正月二十四日禅众寺又出土舍利，在二月十五日也葬到塔下来。认为铁塔为唐李德裕建，是不对的。李德裕建石塔，在当时是地方上一件大事，从石刻文字中看，有一大批官吏参与了这件事情，简报附有"李德裕重瘗禅众寺舍利题记录文""润州甘露寺重瘗舍利塔记录文"。

216.武周延载伍松超地券

作　　者：镇江市博物馆　刘　兴
出　　处：《文物》1965 年第 8 期

1964 年 2 月，镇江市区西南阳彭山上发现地券砖 1 合 2 块，简报配以照片予以介绍。

据介绍，此地券砖为楷书，计 147 字，简报录有全文。知墓主为伍松超，年代为武则天延载元年（694 年），中有武氏所创新字 10 个。

217.江苏丹徒丁卯桥出土唐代银器窖藏

作　　者：丹徒县文教局、镇江博物馆　刘建国等
出　　处：《文物》1982 年第 11 期

窖藏地点在镇江市中心东南约 3.5 公里的丹徒境内，地处老运河一汉道西岸的坡地上，北距丁卯桥 300 米，西南距沪宁铁路线 400 米，西北距戴家巷村、东南距韦家湾各 600 米。1980 年 12 月，民工施工时，于土下 1.7 米处发现银铤 20 笏，叠放于生土坑内，没有容器。1982 年元旦，民工又在其东北 20 米处，深约 1.3 米土内发现银质酒瓮 1 口，瓮内叠满各式银器，另有大银盒 2 只以及盆、钗等银器堆置于瓮的西侧。瓮及大盒内都有淤土。银器埋藏的土坑口径 1 米、深约 0.8 米，坑壁是生黄土，坑内系黄色填土。坑上土层内含有唐代陶瓷遗物。简报分为：一、出土情况，

二、窖藏遗物，三、结语，共三个部分。

据介绍，在江苏丹徒县丁卯桥附近工地上，发现1处大型的唐代银器窖藏，出土器物有瓮、龟负"玉烛"、酒令筹、盒、盆、托子、碟、盘、碗、杯、注子、瓶、熏炉、锅、筋、匕、勺、镯、钗等，共计950余件，重约55公斤。另外，1980年12月在同一地点相隔仅20米处，曾发现1处唐代银铤窖藏，出土20笏，重40余公斤。简报推断这批银器应属唐代无疑，银器埋葬地点，似是唐代官宦或富商的住宅遗址。

简报称，所出涂金龟负"论语玉烛"、酒令筹及令旗，是一组宴集行令的专用器，这在唐代文物中属首次发现，龟负"论语玉烛"的造型奇巧，工艺精美，也是极为罕见的艺术瑰宝。

218.江苏镇江唐墓

作　者：镇江博物馆　刘建国

出　处：《考古》1985年第2期

镇江，唐代称润州，是当时南方的重要城市之一。历年来，考古人员清理调查过23座唐代墓葬，出有砖石墓志16方（合），相当数量的越窑、铜官窑、北方白瓷等精美器物，以及造型、纹饰颇为精致的银梳脊、钗簪、铜带饰等，这给研究唐代南方的历史文化，提供了较为宝贵的实物资料。简报试将这批唐墓进行综合整理。为了叙述的方便，将墓葬重新编号；各墓的情况，列简表附后。M1，过去曾作过简单的报告，现因需要，也一并加以介绍。有照片、拓片、手绘图。

据介绍，镇江唐墓计砖室墓8座、土坑墓15座。从时代讲分属唐代中期、晚期，尤以晚期墓占大多数（21座）。共出土遗物83件，主要有陶瓷、金器、铜器、铜钱等。有"伍松超地券"和"严氏二子墓志"2方（合），其他均属唐代晚期。

简报称，镇江唐墓出土的16方（合）砖石墓志是镇江考古的可喜收获。其中，史料价值较高的有严氏二子墓志、殷府君墓志等，涉及当时的社会、政治、官制等若干方面，有的还可印证、补充史籍的记载。如严氏二子墓志，从一个侧面反映了安史之乱给北方带来长期的灾难和凋蔽。严氏二子，陕西冯翊人，其父严迪，曾官至郑州长史，二子年幼，随侍父亲于江左，分别于天宝十二年（853年）、十三年（854年），"相次夭于睦州官舍"。其时，安史之乱已经发生，二子无法归葬陕西祖茔，后将棺木寄于"延陵租坊"，一直等了5年之久，眼见中原末年，乡路隔阻，返葬无期，才不得不"从宜，权瘗于丹徒蒜山之南面，以俟他日归殡先茔"。可是这一愿望后来并未能实现，二子一直长眠于润州。这表明安史之乱的影响深重，在相当长的时间之内，北方的社会生活竟难以恢复。又如殷府君墓志，志文虽多达 1000 余字，但绝少浮文虚语，着力记述了殷府君的宦海生涯及主要事迹，记实性强，极为难得。殷府君，历经肃、代、德、顺、宪、穆各朝，仕宦之途，迭有沉浮。M6 所出墓志涉及盐务。16 方墓志中，交待其祖先原籍北方，晋室南迁后来到江南的有 9 方，对研究镇江侨民等均有价值。

简报附有部分墓志志文全文。

219.江苏句容行香发现唐代铜棺、银椁

作　者：刘建国、杨再年
出　处：《考古》1985 年第 2 期

1975 年，句容县东 15 公里的行香公社朱隍村农民，在村北土坡上取土时，距地表 0.4 米深处，发现一座由四块侧立的青砖圈成的正方形"地宫"，内置 1 只铁盒，盒内套装大铜椁、银椁和小铜棺，据当事人反映，小铜棺内原置放舍利数粒，已散失。铁盒已腐蚀残损，形制不明，而铜棺、银椁保存尚完整。简报配以照片予以介绍。

据乾隆《句容县志》载："东霞寺，在县治东三十里句容乡"，"创造于唐，历五代宋元，千余年不废"。而朱隍村古时即属句容乡，其地望与志载东霞寺相合，简报推断所出土的"地宫"有可能是唐代东霞寺设置的舍利塔基。

220.江苏镇江市花山湾古城遗址 1991 年发掘简报

作　者：镇江六朝唐宋古城考古队　龚　良、吴建民
出　处：《考古》1999 年第 3 期

花山湾古城遗址位于镇江市区东北花山湾的丘陵土山上，北距今长江岸约 700 米，西北距北固山北峰上的甘露寺 500 米。城垣大部分依土山夯筑而成，墙与山浑然一体。花山，亦名东山，为京岘山的余脉，海拔高约 30 米。1984 年 5 月，考古人员在花山附近的住宅建筑工地山顶部被平整挖掘的断面上，发现夯土及砖砌护墙遗迹，据此推测这是一座古代城址，并进行了钻探和试掘工作。通过 1991 年春和 1991 年 9 月两次全面勘探和发掘，基本搞清了古城东垣、北垣、南垣的范围，夯土城墙的残存厚度以及东垣和南垣外的护城河。在此基础上，1991 年发掘了花山湾东城垣（编号 91ZCT3、91ZCT4，以下简称 T3、T4）和市政养护遗存（编号 91ZCT5，以下简称 T5）。简报按地点分为：一、花山湾东城垣遗存，二、市政养护处遗存，三、结语，共三个部分。有手绘图、拓片。

据介绍，花山湾古城的夯筑技术颇具特色，城垣是利用自然的土山稍加修筑，山势低矮处以土夯筑，然后在两侧再护以砖垣，山势较高处，则再加以整形，然后在自然土山外侧（或两侧）再包以砖垣。简报推断夯土城垣系建于唐代，具体应属唐代晚期；而与 T3 相连的整个东城垣、南城垣、北城垣东段及 T5 所在的西段，其筑城的时期亦应相同。简报认为，花山湾古城之北、东、南城垣，应与唐代润州的罗城有关。

泰州市

宿迁市

浙江省

221.浙江古建筑调查记略

作　者：陈从周

出　处：《文物》1963 年第 7 期

1960 年 2 月，陈从周先生应邀赴浙江海宁、海盐、杭州、金华、东阳、义乌、临安等地进行第二次古建调查。简报分为经幢、塔、庙、园林、柱础等几个部分，有照片、手绘图。

简报以表格形式列举了浙江现存经幢，并讨论了浙江经幢的特点。介绍了后梁贞明元年（915 年）建临安功臣塔、清雍正八年（1730 年）建海宁海神庙、清同治十年（1871 年）建海盐绮园、唐开元元年（713 年）建海宁盐官安国寺柱础等古建。

杭州市

222.浙江临安板桥的五代墓

作　者：浙江省文物管理委员会　姚仲沅

出　处：《文物》1975 年第 8 期

临安县板桥五代墓，位于临安县东南约 10 公里，在板桥公社如龙大队金家畈村西北后半山南坡。1970 年 4 月，该大队开山造田时发现此墓，考古人员前往调查，编号为临安 M21。简报分为：一、墓葬结构，二、随葬品，三、探讨，共三个部分。有手绘图等。

据介绍，此墓为多耳室竖穴券顶砖室墓。出土随葬品 30 件，其中瓷器 11 件，包括越窑秘色瓷。另有银器、铜器等。有墓志，但仅能辨认 10 余字。

简报推断，该墓主人为五代早期吴越国王吴姓王妃的皇亲国戚。

223.杭州、临安五代墓中的天文图和秘色瓷

作　　者：浙江省文物管理委员会
出　　处：《考古》1975 年第 3 期

考古人员在杭州和临安清理过 4 座五代墓葬（编号杭 M26、M27，临 M20、M22），简报配以手绘图予以介绍。

据介绍，在杭州清理的两座墓葬，杭 M26 系 1958 年清理，杭 M27 清理于1965 年；临安清理的两座墓葬，临 M20 清理于 1962 年，临 M22 系"文化大革命"中清理。这四座墓均在早期被盗掘过，因此残存的随葬器物很少。但其中出土的越窑产品十分珍贵。从这几座吴越墓葬中出土的瓷器看，大多数仍素面无纹，有的也只饰以简单之划花，未见有花纹繁缛、图案复杂者，而且这种情形还可以在南唐二陵出土的瓷器装饰中得到同样的证明，说明此时的越瓷装饰风格仍与唐代后期的一致。

简报认为，那种图案花纹复杂的越瓷不是五代时越窑产品，而是北宋以后的越窑产品。

224.杭州三台山五代墓

作　　者：浙江省文物考古所　林华东
出　　处：《考古》1984 年第 11 期

1979 年 10 月，省总工会疗养院在基建中发现 1 座古墓（编号为杭 M32），考古人员前往清理。简报分为三个部分，有手绘图。

据介绍，墓葬位于三台山东麓，东南距钱元瓘、吴汉月墓 10 里许（《杭州、临安五代墓中的天文图和秘色瓷》，《考古》1975 年第 3 期）。清理前，穹隆顶部分已被破坏，后室有盗洞，余尚保存完整。墓室可分为甬道、前室、后室 3 部分。随葬品有青瓷器、石器、墓志 1 方（简报未发志文全文）和铜钱等。

根据杭 M32 的墓室结构、规律及随葬品情况，简报推断杭 M32 应是吴越国某一官僚或钱氏家族一般成员的墓葬。

简报称，随葬品中的青瓷器，器壁较薄，制作精美，青绿色釉晶莹滋润。对照以前所发掘的几座吴越国最高统治者钱氏墓葬中的随葬品和五代时期的慈溪县上林湖窑址采集标本分析，这些青瓷器应是五代秘色瓷。

今有闻长庆、闻果立父子所著《越窑·秘色瓷研究》（西泠印社出版社 2017 年版）上下两册，可参阅。

225.浙江淳安县朱塔发现唐代窖藏银器

作　者：浙江博物馆　张　翔

出　处：《考古》1984 年第 11 期

1979 年 4 月，浙江省淳安县夏中公社朱塔大队农民在屋后 10 余米处发现一批窖藏银器，同年 11 月，考古人员去当地进行了调查。简报配以照片予以介绍。

据介绍，朱塔位于淳安县东北边界，由白鹤岭脚和夏半下 2 个自然村落组成。银器出于夏半下西南俗称下坞口的坡地，共 12 件，已交浙江博物馆收藏。以上器物中的 1 壶 8 杯，简报认为可能是一席酒器，项链显示物主当是一女性。简报推断朱塔出土的银器制作年代也在晚唐。

简报称，这批银器的形制朴实无华，笆斗形盏取形于民间器用，这在唐代银器中是很少见的，是一份难得的实物资料。

226.五代钱氏捍海塘发掘简报

作　者：浙江省文物考古研究所　王海明等

出　处：《文物》1985 年第 4 期

1983 年年初，杭州市南星桥凤山道口附近的江城路立交桥施工现场发现五代钱氏捍海塘遗迹。同年 7 月 24 日至 8 月 20 日，考古人员对这一重要遗迹进行了抢救性发掘。发掘区位于江城路立体交叉桥北引道的南端。这次发掘，基本上弄清了钱氏捍海塘的结构、规模及以后维修利用等情况，获得了大量的实物资料。简报分为：一、地层堆积和出土遗物，二、结构与规模，三、宋代的维修利用，四、结语，共四个部分。有手绘图等。

据介绍，捍海塘工程始建于五代吴越钱氏政权时期，系用"运巨石盛以竹笼"的方法建成，宋代一直沿用，元代始废，历时 300 多年，为杭州的繁荣发展立下了功勋。

227.杭州慈云岭资贤寺摩崖龛像

作　者：中国社会科学院考古研究所浙江工作队

出　处：《文物》1995 年第 10 期

杭州，不仅以秀丽的西湖风光闻名于世，而且保存着大量文物古迹，特别是五代吴越国与南宋临安的文物，更为突出。在为数众多的五代佛教雕刻中，资贤寺摩崖造像堪称代表作之一。慈云岭位于今杭州城西南玉皇山的东面，在它的南坡五代吴越国之资贤寺遗址崖面，现存 2 大 2 小共 4 龛造像，依自北向南顺序编为第 1 龛至第 4 龛。简报配以照片予以介绍。

据介绍，慈云岭资贤寺摩崖龛像主要为五代时吴越国遗存，为我们研究吴越国佛教提供了宝贵的实物资料。

228.杭州雷峰塔五代地宫发掘简报

作　者：浙江省文物考古研究所　黎毓馨
作　处：《文物》2002 年第 5 期

2000 年 2 ~ 6 月，2000 年 12 月~ 2001 年 7 月，为配合雷峰塔重建工程，考古人员分 2 个阶段对雷峰塔遗址及地宫进行了考古发掘，发掘面积近 4000 平方米。简报分为：一、雷峰塔遗迹概况，二、地宫的形制与构造，三、地宫内出土文物，共三个部分。有彩照。

发掘情况表明，雷峰塔的塔基、地宫等保存完好，均为五代吴越国末期的遗存。遗址中出土了大量石刻佛经、建筑构件及造像等；地宫中出土了内藏金棺纯银阿育王塔、鎏金铜佛像等器物 51 件（组）。

宁波市

229.浙江宁波市出土一批唐代瓷器

作　者：林士民
出　处：《文物》1976 年第 7 期

考古人员为配合城市基本建设，从 1973 年冬以来，对宁波市遵义路（原名和义路）古文化遗址进行了几次清理。清理面积近 400 平方米，发现了 1 座唐宋时代的渔浦门城门遗址。在唐代城墙墙基下，距地表 4 米左右，出土了 700 多件唐代瓷器。同时出土的还有陶器、漆器、木器、骨器、钱币和木船等。简报配以照片予以介绍。

据介绍，出土的瓷器，品种丰富，不仅有盘、碗、罐、壶、罂、盆、盂、洗、碟、盒、钵、杯、灯盏等生活用瓷，而且有脉枕、瓷塑等医疗用具和陈设瓷。其中越州窑的产品最多，长沙窑的产品次之，婺州窑的产品最少。简报认为这是准备外销的瓷器。

230.浙江象山唐代青瓷窑址调查

作　者：知　宴
出　处：《考古》1979 年第 5 期

1974 年 10 月 5 日，考古人员在象山港距出海口不远的地方，发现一处唐代初期的青瓷窑址，对该窑址情况进行了现场勘察。这个窑场遗址出土的器物，在造型、装饰、制作工艺、生产时代以及在东海之滨的地理位置等特点，为研究我国古代沿海地区瓷器生产情况和我国瓷器发展的历史，都提供了有价值的资料。简报配以照片、手绘图予以介绍。

据介绍，象山青瓷窑址位于象山县县城东北面的黄避岙社鲁家岙大队，它的西边距象山港海面约 200 米，发现龙窑两座。工匠们用本地瓷土和烧之不尽的木柴，从人们生活实际需要出发，烧出结实耐用的瓷器。然而，窑场附近人烟稀少，有大山相隔，与城镇交通十分不便。可是窑场范围不小，估计生产规模不会很小。生产的成品，当地居民只能使用一部分，大部分产品就利用便利的海路交通运往外地销售。这个瓷场生产的瓷器主要是为了外销，可以用船运往我国沿海城镇销售，也可以输出到海外，供应外国需要。在瓷窑附近的海滩上，可以看到不少的瓷器碎片，有的就泡在海水里，这可能就是装船时损坏而遗留下来的。

231.浙江宁海发现一件"真子飞霜"铜镜

作　者：滕延振、石世镇
出　处：《文物》1993 年第 2 期

1983 年夏，宁海县文物普查组在岔路兆岸村征集到 1 件铜镜，据了解是农民在该村附近溪流中发现的。简报配以拓片予以介绍。

据介绍，这件铜镜锈蚀很少，镜面上部及缘口有明显的撞击斑痕，断面呈银白色，水银包浆呈浅黑色，色泽光亮，照面可见影像。镜圆形，素缘。上方云山托月，瑞云紫烟之中隐约露出重峦叠嶂，云下田格中有正楷铭文"真子飞霜"4 字。

简报指出，"真子飞霜"镜为唐代遗物，曾见于不少著录。宁海县发现的这件圆形且有"真子飞霜"4 字铭镜，是目前国内同类镜中未曾见有著录的一种。简报认为，关于"真子飞霜"镜的纹饰和镜铭的含义，我国和日本学者长期以来多所探讨，着重于推测图中的鼓琴者是否即"真子"，"真子"为何许人，"飞霜"是否为一种古琴曲调。简报认为这类镜作为女子陪嫁奁的一种，纹饰中的弹琴者和凤凰左右并列，有"琴瑟调和""鸾凤和鸣"之意；梅竹相对，寓意为"红梅结子""绿竹生孙（笋）"；

月亮、荷叶及龟（有的镜上有仙鹤），正合"月圆花好人寿"。至于铭文4字，"真子"似可解释为仙子，借喻新娘；"飞霜"即明月，为镜子之称。

232.余姚出土一件唐代墓志罐

作　者：浙江余姚市文管会　鲁怒放
出　处：《文物》1997年第10期

1980年7月，浙江省余姚市余姚镇胜归山（亦称圣龟山）发现1座唐墓。墓葬被盗，仅得墓志罐1件，现为余姚市文物管理委员会征收。简报配以照片予以介绍。

据介绍，墓志罐，瓷质，罐体呈圆柱状，带双层荷叶形翻沿式盖，宝塔形纽，平底，底有五小孔。罐胎骨致密，呈青灰色，内外通体施青灰釉，外底无釉。罐体外壁题写墓主人的墓志铭，简报录有志铭全文。此墓志罐简报推断为越窑青磁产品，志罐的年代为842年。

简报称，该墓志罐出自普通工匠之手，所刻铭文，字迹丰满圆润、深厚朴实、笔力遒劲。刻划收放自如，章法疏密有致，颇具颜筋柳骨。该墓志罐的发现，对当时户籍、丧葬婚嫁制度的研究及了解越窑青瓷在唐代的发展状况有一定的参考价值。

233.浙江宁波市唐宋子城遗址

作　者：宁波市文物考古研究所　林士民
出　处：《考古》2002年第3期

浙江宁波在唐宋时称明州，是我国东南沿海著名通商大埠，同唐代交州、广州和扬州一样，是当时的四大名港之一。唐长庆元年（821年）在现市中心构筑明州城，后因筑罗城，故称为子城，历来为浙江东部的政治、经济、文化中心，元初城毁。1997年1月起配合基建，考古人员进行了为期4个月的考古发掘。发掘资料整理简报分为：一、位置及概况，二、地层与堆积，三、遗迹，四、出土遗物，五、小结，共五个部分。有手绘图。

据介绍，这次发掘、勘探到的唐代子城南起鼓楼，北至现公园路（府后山）一带，西到现呼童街西侧，东到蔡家弄、府侧街。宋大道正对子城南城门，为子城的中轴线。出土遗物中，主要是唐代瓷器，尤其是唐长庆年以后晚唐时期的瓷器。

简报称，重新确立了唐子城、护城河的位置、范围，是这次考古发掘勘探的主要收获。

今有（日）桑原骘藏《唐宋贸易港研究》（中译本山西人民出版社2015年版）一书，可参阅。

温州市

234.浙江温州市西山出土的唐代独木舟

作　　者：金柏东
出　　处：《考古》1990年第12期

1960年10月，温州市自来水厂扩建时，在工地中发现独木舟4艘。考古人员随即前往清理。有关情况简报配以手绘图予以介绍。

据介绍，独木舟发现地点在市郊西山猫儿岭东北山脚，下层及舟体底部均为灰色淤泥。舟内和周围地层未见其他遗物。其中1号舟腐朽，4号舟被压在楼房底下，未能取出。该舟体木材经中国社会科学院考古研究所于1983年5月进行放射性碳素测定，其制作年代距今1215±70年，即唐开元前后。

简报根据形制和出土现场分析，温州市西山4艘独木舟应为两艘双体独木舟，它为研究我国双体舟发展历史提供了新的实物资料。

235.浙江乐清县发现五代土坑墓

作　　者：温州市文物处　王同军
出　　处：《考古》1992年第8期

1986年6月，在乐清县盘石乡重石村四房山，农民挖土时发现3座土坑墓，考古人员进行了抢救清理。

简报分为：一、墓葬形制，二、随葬品，三、结语，共三个部分。有手绘图。

据介绍，3座墓皆为长方形竖穴土坑墓，编号为M1、M2、M3。墓室平面均呈长方形，四周墓壁为较硬的风化石层，墓内填五花土；墓底有一层较薄的木炭，未见人骨架、棺木。出土随葬品有瓷器、陶器、铜铁器，以瓷器为主，计23件。

简报称，此次清理的3座土坑墓，虽无纪年器物或墓志出土，但从出土器物特征推断它们的相对年代是五代时期。

236.浙江永嘉龙下唐代青瓷窑址发掘简报

作　者：浙江省文物考古研究所、温州市文物保护考古所、永嘉县文化馆　郑建明等

出　处：《文物》2012 年第 11 期

为配合温州市绕城高速公路的建设，2005 年12 月～2006 年1 月，考古人员对永嘉县龙下窑址进行了抢救性发掘。窑址位于温州市永嘉县瓯北镇龙下村北的山坡上，西距楠溪江约2 公里，西北、西南分别距上塘镇与温州市区约10 公里，此次发掘面积近100 平方米，清理窑炉1 处，出土大量的青瓷器残片。发掘情况简报分为：一、地层堆积，二、遗迹，三、遗物，四、结语，共四个部分。有照片、手绘图。

据介绍，发掘面积近 100 平方米，清理窑炉 1 处，出土大量的青瓷器残片，主要器形有壶、碗、盏、罐、盘、盆、粉盒、碟、碾轮、水盂、钵、灯盏等。根据器形特征和刻划花装饰风格，简报推测，龙下窑址的时代，约为唐代晚期。

嘉兴市

湖州市

237.浙江长兴县发现一批唐代银器

作　者：长兴县博物馆　夏星南

出　处：《文物》1982 年第 11 期

1975 年 12 月，长兴县开挖长兴港工程（原箬溪港），便民桥公社许家村大队第六生产队民工，在下箬公社下莘桥桥南东侧河堤边离地表 1.5 米深处发现一批银器。考古人员闻讯后，马上赶到现场，采取保护措施，与民工一起把这批银器一件件取出，上交给国家。简报配以照片予以介绍。

据介绍，银器埋藏在软质黏性的乌泥中，共 100 余件，摆成椭圆形。上层是银钗、银簪，中间是银碗、银杯、羽觞、银筷、银簪，两边是银勺、银匙，底层是银铤。在清理时，发现 1 只银杯底部粘有 1 小块精细的竹蔑编织物，推测银器可能是放在 1 只椭圆形竹筒或竹盒内的。

简报称，这批银器的器物造型、纹饰图案和制作技法，与各地出土的唐代金银

器相比较，具有唐代的风格和特色。长兴出土的银器，充分反映了唐代晚期金银器制作工艺技术的高度发展水平。

238.浙江德清发现唐代黑釉粮罂

作　　者：德清县博物馆　章海初
出　　处：《文物》1989 年第 2 期

1980 年冬，德清县秋山乡新农村寺后自然村农民挖出 1 件刻有纪年铭文的黑釉粮罂。1981 年，德清县博物馆赴该村调查时征集了这件文物。简报配以照片予以介绍。

据介绍，粮罂侈口，圆唇，束颈，鼓腹，平底。器形规整，素面，下腹部可见成型时留下的横纹。胎体厚重，呈灰紫色，胎质较粗，含有砂粒。施黑釉，釉面光泽柔润，偶露褐黄色斑点，胎釉结合紧密。器外通体施釉，内壁仅口部有釉，底部露胎处呈砖红色。在粮罂的下腹部，阴刻"元和三年十月十四日润州句容县甘唐乡延德里赵金妻任氏粮罂"27 字。字迹清晰，笔笔露胎，釉层没有损伤，证明文字是在坯体施釉后未烧制前，用利器刻划的。简报推断年代为唐元和三年（808 年）所制。

简报称，这件粮罂的胎质、釉色具有德清窑产品的特色，它作为润州句容赵金之妻任氏的随葬器物在德清出土，可能因墓主生前已定居德清。这件粮罂的发现，对于探讨德清窑的烧造时代有重要价值，并为同类器物的断代提供了可靠的依据。

粮罂，也写作"粮罂"，是古代盛粮食用器。

239.湖州飞英塔发现一批壁藏五代文物

作　　者：湖州市飞英塔文物保管所　胡良学等
出　　处：《文物》1994 年第 2 期

飞英塔位于浙江省湖州市塔下街，塔体分内外两重。内塔石质，仿木构楼阁式，八面五层，残高15 米；始建于晚唐，重建于南宋。外塔为砖木混合结构楼阁式，八面七层，通高55 米，始建于宋初，南宋重修。飞英塔这种独特的"塔中塔"的情况在我国其他地区古塔中也见过报道，但为数不多。1982 ～1986 年国家曾拨款大修。1988 年飞英塔被列为全国重点文物保护单位。1986 年初，飞英塔维修工程进入外塔木构件安装阶段。4 月29 日，木工在安装第2 层内平座正南补间斗拱时，意外发现进壁拱尾触到壁中空穴，并带出少许漆器碎片。考古人员5月2日对现场作抢救性清理。

经清理，发现并取出藏于外塔壁中的黑漆木胎嵌螺钿经函1件（已散架），函内原装《妙法莲华经》1部，以及"周元通宝"铜钱等一批五代文物。简报分为：一、经函，二、经卷，三、钱币及其他，四、小结，共四个部分。有照片、手绘图。

据介绍，经函为1件嵌螺钿木胎漆器，取出时已全部散架，残损严重。底板外部有朱书楷书题记，知经函主人为五代吴越国王钱俶之母吴汉月，放置时间不是广顺元年（951年），而是在此20年之后。

简报指出，经函及经卷这2件文物的发现，为进一步研究我国古代嵌螺钿漆器工艺和雕版印刷术提供了重要的实物例证。

绍兴市

240.记五代吴越国的另一官窑——浙江上虞县窑寺前窑址

作　者：汪济英

出　处：《文物》1963年第1期

1956年5月，考古人员在浙江省上虞县窑寺前村发现了五代吴越国的官窑。简报分为三个部分予以介绍，有照片。

窑址在窑寺前村附近，位于今上虞县治百官镇南约20公里处。1955年，当地农民沿山脚兴修灌溉渠，所经之处，大量的瓷片和窑具暴露出来，后又经山洪数次冲击，散布面积愈益扩大。主要出土地点有寺山、坳前山、立柱山等。简报认为此处原为民窑，吴越国钱弘俶在位时改为官窑。大约在南宋前数十年或100多年就已恹恹无生气了。产品与越窑之一的余姚窑有许多相同之处。

241.浙江诸暨发现唐代铭文铜钟

作　者：方志良、张光助

出　处：《文物》1984年第12期

1977年12月，诸暨县青山公社蕾山大队农民，在水口庵附近平整土地时，出土唐代铭文铜钟1口。简报配以照片、拓片予以介绍。

据介绍，此钟为青铜合金，唐广德元年（763年）铸造，重13.25公斤，呈圆筒形，对称龙头鼻纽。印饰纹粗糙不清，似梵文。铭文为铸钟年代、僧人或信仰人姓名、经语等。简报录有全文。由铭文知此钟为唐代广德元年（763年）所铸。

242.浙江嵊县发现隋代纪年墓

作　者：嵊县文物管理委员会　张　恒等
出　处：《文物》1987年第11期

1982年，嵊县城郊乡雅致村农民在城西2公里的岭角岭东麓处开沟种柑橘时，发现3座相邻的古墓。考古人员作了抢救性发掘。3墓编号分别为嵊M9、M10、M11。简报配以照片、手绘图予以介绍。

据介绍，M9为并列长方形砖砌双室墓，M10、M11均为长方形砖室墓。3墓墓砖形制相同，长33厘米、宽16厘米、厚5厘米，一端模印"大业二年八月□"，另一端模印"□大冢"字样，无其他纹饰。3墓墓室均狭小，仅能容1人。随葬品都是青瓷器，制作粗糙，放置在墓室南端。3墓共出土器物9件，其中M9出土盘口壶2件、碗2件，M10出土盘口壶1件，M11出土盘口壶1件、碗3件。墓主应为一般平民。3墓相邻，墓砖铭文均为"大业二年"（606年），很可能是同一家族的墓葬。

简报指出，这3座小型隋代纪年墓及盘口壶、碗等青瓷器的发现，为研究隋平民墓葬形制、生活状况及当时青瓷器的特点，提供了实物资料。

243.浙江诸暨县唐代土坑墓

作　者：诸暨县文物管理委员会　方志良
作　者：《考古》1988年第6期

1983年10月和1984年8月，诸暨县城东南20公里的浬浦乡梅西村砖瓦厂，在制砖取土时，先后发现唐墓2座。1986年6月，距县城北侧1公里处的诸暨电除尘器厂工地施工时，又发现了唐墓1座。考古人员闻讯后立即赶到现场。墓内随葬遗物已被取出，但木棺仍置于墓坑中未曾移位。调查时除将出土器物作了征集以外，还进行了文物出土情况的了解，并对遗存的木棺内外作了清理，清出了铜钱一批。

上述3处墓葬，形制和葬具基本一致。为了叙述方便，把1983年10月出土的墓编为诸M1，1984年8月出土的墓编为诸M2，1986年6月出土的墓编为诸M3。简报分为：一、墓葬形制及其葬具，二、出土器物，三、结语，共三个部分。有手绘图、拓片。

据介绍，从近年来诸暨出土的唐代墓葬看，大致可分为砖室墓和土坑墓2类。土坑墓多于砖室墓，皆单室，均不见葬具。土坑墓中随葬器物不多，除铜镜和几件青瓷器以外，少数墓葬内还出有一种扁圆形的铜釜。这类铜釜，口侈，唇圆，器壁薄，表面磨制光亮。这次3座土坑墓中，俱不见铜镜和铜釜，是否与墓主人身份有关，尚待以后工作中的继续发现和探讨。但墓中同出"开元通宝"与"乾元重宝"

铜钱。唐武德四年（公元621年）始铸"开元通宝"钱。而诸M2号所出的"开元通宝"钱中，版面规格一致，也没有发现会昌年间以后铸造的货币，并结合墓内出土的瓷器特征，该墓应为初唐时期的墓葬。诸M1号所出的"乾元重宝"钱，属于唐代中期以后，墓中出土的瓷器，亦符合同时期的特点。诸M3号所出的钱币，因锈蚀过甚，已无法辨识字面。但从出土的瓷器造型、釉色和胎质看，简报推断该墓应是唐代晚期的墓葬。

简报称，这3座墓葬出土的青瓷器，虽然是诸暨唐墓中的常见之物，然有所出钱币的年代可考，对研究诸暨唐代越窑青瓷及其器物的断代，具有一定的参考价值。此外，土坑墓中的独木棺，所见无几。它对于研究当地、当时的葬具和葬俗习惯，也是一个重要的实物依据。

金华市

244.浙江东阳南市塔出土青瓷

作　者：贡　昌

出　处：《考古》1985年第1期

浙江省东阳县城南1.5公里的南市塔，又名中兴寺塔、南塔、新砖塔。旧有法华寺，梁武帝天监六年（507年）建，唐武德中废，至德二年（757年）寺僧请废"法华"额重建，迄乾符四年（877年），释贯休写"雪山道场"四字；宋建隆二年（961年）才建塔于寺后，寺亦改称中兴寺。该塔于1963年4月24日夜在风雨中倒塌，考古人员进行了清理，塔身夹墙中出土一批破碎的青瓷器。简报配以手绘图予以介绍。

据介绍，这批青瓷器，一般为灰白色胎，比越窑、瓯窑瓷胎灰，淘洗比较精细。各种器物造型规整，制作精致，胎较薄均匀。碗类均斜腹稍弧，口径是底径的一倍，成型比例合适。罐类多瓜棱形腹，小巧玲珑。装饰方法有刻花、划花。简报推断，应为当地产品，属婺州窑系，这批青瓷时代应是五代末期产品。

245.浙江义乌发现唐代窖藏铜镜

作　者：许文巨

出　处：《文物》1990年第2期

1982年8月，浙江省义乌县桥东乡青岩刘村农民在青岩刘小学操场发现窖藏1

处，出土铜镜4件，考古人员赴现场进行了调查。据农民叙述，当时发现1个陶罐，内藏铜镜4件，罐内有积水，铜镜不同程度地泡在水中。陶罐为素面，陶质粗糙，埋深约1.5～2米，挖掘时被打破。铜镜现由义乌市博物馆收藏。简报配以照片予以介绍。

据介绍，4件铜镜分别为双鸾长绶镜、花鸟镜、折花枝镜和凸缘素面镜。简报推断窖藏当为唐代遗物。

衢州市

246.浙江衢州市隋唐墓清理简报

作　者：衢州市文物馆　崔成实

出　处：《考古》1985年第5期

考古人员配合工农业生产建设，先后在横路、安仁、寺后三公社及机电厂、棉纺织厂等处发掘清理了8座隋、唐时期的墓葬。简报分为：一、隋墓，二、唐墓，三、几点认识，共三个部分。有手绘图、照片、拓片。

据介绍，衢州隋唐时期中小型墓以凸字形砖室券顶为多。墓壁砌法为单砖平砌或三顺一丁，墓底铺砖一层或二层，错缝横平铺或错缝斜平铺。在墓壁后端及两边常砌有一砖或半砖宽的砖柱以加固墓壁，少数墓设有壁龛安置油灯。唐中、后期衢州地区流行土坑墓，墓坑一般比较狭窄。砖室墓绝大多数被盗，完整的极少。土坑墓多数未受扰乱。随葬品都比较简单，普遍有1～2只四系盘口壶及碗、碟之类的实用器物，作为殉葬用的冥器除个别中型墓外基本不见。

简报称，这批墓葬中纪年墓出土的瓷器，为我们研究婺州窑的断代提供了实物依据；土坑墓的清理发掘，增加了对唐代贫民百姓的墓葬形制、葬俗的了解；造型优美、器形高大的三彩驼、马俑出土，在浙江省还是首次，它为研究我国灿烂的唐三彩艺术增添了实物资料。

247.浙江龙游、衢县两处唐代古窑址调查

作　者：贡　昌

出　处：《考古》1989年第7期

1984年4、5月间，考古人员在龙游县、衢州市古窑址调查工作中，发现了2处

唐代乳浊釉瓷古窑址，有6座窑，采集了一部分标本。简报分为：一、窑址，二、采集标本，三、工艺特点，四、结语，共四个部分。有手绘图。

据介绍，方坦窑址位于龙游县上圩头乡方坦村，北离龙游县城8公里，南与魏家村相距2公里。上叶窑址位于衢县沟灌乡上叶村，离衢州市西南15公里。方坦、上叶两处产品造型、釉色、工艺等方面，基本相同，但方坦窑工艺水平要比上叶窑为高，其时代是相同的。简报推断两处窑址应属唐早期。方坦窑中1片盘口壶颈部残片，颈部饰二圈贴粘泥环，施褐釉，厚釉处呈天蓝色"窑变"釉，故其上限可能到隋代。

简报称，过去认为我国最早的乳浊瓷，即称钧瓷，是在唐花瓷工艺上发展而来。钧瓷创烧于北宋。这次发现的方坦窑、上叶窑均为唐早期的窑炉，证实我国烧制乳浊釉瓷是始于唐早期，为研究中国古陶瓷史提供了丰富的实物资料。

248.浙江常山县发现隋代舞乐纹墓砖

作　者：罗友虎
出　处：《考古》1994年第8期

最近，浙江省常山县狮子口乡孔家垱村发现一座隋墓，出土墓砖有宝相花、鱼纹、龙纹、钱纹、兵俑等图案，部分墓砖有"隋太岁辛未年郑□□□"纪年文字，其中3块饰瑞龙歌舞升平图案，很有特色。现由该县文管会收藏。简报配以图片予以介绍。

据介绍，该砖长31.2厘米、宽15.3厘米、厚9.6厘米，重达8.1公斤，青质。墓砖的一侧饰瑞龙，砖的另一侧饰舞伎、乐伎和飞天各二，头挽高髻。右侧舞乐伎身着方格纹服装，飞天着长裙。左一为舞伎，膝微屈，胯向左扭，左手曲肘上举，高与眼齐，右手叉腰。左二为乐伎，直身，双眼正视前方，两手横握一竹笛，作吹奏状。左三为两手横抱一曲颈四弦琵琶的乐伎，作弹奏状。左四为舞伎，胯略向左摆，束腰，两手同时向右伸出与肩相平。左侧饰两飞天，一上一下，仰头侧目，前肢向上伸展，作飞翔状。

简报称，上述墓砖图案神态各异，表现力强，给人以一种古代艺术美的享受。这对了解和研究隋代民间歌舞、乐器及艺术特点是不可多得的实物史料。

249.浙江龙游方坦唐乳浊釉瓷窑址调查

作　者：朱土生
出　处：《考古》1995年第5期

龙游县方坦唐代乳浊釉瓷窑址是在1984年发现的，已故贡昌先生曾在《婺州古瓷》（紫禁城出版社，1988年版）一书中作了介绍。近2年来，考古人员多次对方坦窑址进行了调查，采集了许多珍贵的瓷片标本，加之境内墓葬中也出土了不少该窑生产的完整器物，使得我们对本窑的产品面貌逐渐有了一个较为全面的认识。简报分为：一、概况，二、瓷窑遗物，三、结语，共三个部分。有照片、手绘图。

据介绍，方坦窑址位于龙游镇方坦村东南 100° 高约 500 米的山坡上。山上植被发育，林木茂盛。该窑主要生产颇具特色的乳浊釉瓷，亦兼烧少量的青瓷和褐瓷。在窑址散落的残次器物堆积层中，90% 以上是乳浊釉瓷器。遗存的器物碎片中，以碗、盏、盆为最，其次是罐和壶类。简报认为是龙游窑首先创造了新的瓷釉品种：乳浊釉制瓷工艺。该窑的烧造年代，简报推断为唐代早期。

舟山市

250.浙江舟山发现唐代窖藏钱币

作　者：王一平

出　处：《考古》1985 年第 10 期

1983 年 5 月 20 日，考古人员在舟山本岛中部的定海县皋泄公社富强大队第十七生产队车站附近，发现了 1 罐唐代窖藏钱币。这是该队农民在水稻田土地平整中，离地表 1.5 米左右处发现的，约 2500 枚。大部分已经腐烂。现存比较完整的有 600 枚。它是装在 1 个高约 45 厘米的淡黄陶罐里，罐底还有约 4 ～ 5 厘米的一层沙子铺底，钱币已结成块状，一部分钱币完好，币款清晰可辨。简报配以拓片予以介绍。

据介绍，钱币有以下几种：

一、背面无纹饰的"开元通宝"，约 250 枚。

二、背部有月纹的"开元通宝"，约 350 枚。

三、背部有指甲纹的"开元通宝"。

四、背部有月纹，钱孔不为方形的"开元通宝" 5 枚。钱孔呈八边形或称梅花状，这种"开元通宝"造型别致，确属罕见。

五、背部有一字形的"乾元重宝"，3 枚。

简报称，舟山群岛是我国最大群岛，早在唐开元二十六年（738 年）就设置县治，当时渔业经济比较繁荣，也称为"海中洲"。这批窖藏钱币的出土地点离当时县城较近。除发现"开元通宝"和"乾元重宝"几种钱币外，唐之前和唐以后的钱币均未发现，从盛装钱币的陶罐的表面釉色来看，与唐代器物釉色相似。因此，简报推断该窖藏的年代应为晚唐时期。

251.舟山群岛发现一件唐代双鸾纹铜镜

作　者：车鸿云
出　处：《文物》1986年第11期

1981年2月，浙江省定海县洞岙公社陈岙大队第六生产队社员取土时，在距地表1.2米深处挖出唐代双鸾纹铜镜1件。简报配以照片予以说明。

据介绍，铜镜为八出葵花形。直径28厘米，厚0.5厘米，圆纽。饰双鸾相对，上下为流云和花枝纹。镜面光滑发亮，造型美观，在舟山群岛出土的唐代铜镜中是最大的1件。

252.浙江嵊泗出土唐代窖藏铜质鹿纹带饰

作　者：青山地区文化局　王和平
出　处：《文物》1990年第3期

1978年4月，浙江省嵊泗县五龙乡发现1处窖藏，出土陶罐1个，内装铜质鹿纹带饰近100件。简报配以照片予以介绍。

据介绍，陶罐侈口，肩部有四桥形系，鼓腹，平底，胎较硬。高23.5厘米，口径8.5厘米，腹径17厘米，底径9厘米。铜质鹿纹带饰出土后多有散失，仅存13件。1件略呈长方形，下缘作外凸弧线，长7.1厘米、宽4～4.5厘米、厚0.2厘米、边厚0.4厘米。正面中间铸一只回首伫立的梅花鹿，周围饰规则的圆点纹，四边为凸沿。背面铸有5颗长0.7厘米铜钉。12件略呈正方形，长4.1厘米，宽3.9厘米。正面中间铸一只卧式梅花鹿，周围纹饰、边沿与上述立式鹿纹饰件同。下部有1个2.8厘米×0.2厘米的长方形镂孔。背面四角各铸有1颗长0.7厘米的铜钉。

盛装带饰的四系陶罐有唐代特征，简报推断这一窖藏的时间约在唐代晚期。

台州市

253.浙江临海发现一件五代青瓷盘口壶

作　者：丁　伋、徐三见
出　处：《考古》1991年第11期

1986年8月29日，临海市东郊鲤鱼山南麓毛纺厂基建工地出土了1件划线人物青瓷盘口壶，略残，现已征藏临海市博物馆。简报配以照片等予以介绍。

据介绍，划线人物二人，似为1主1侍者，仅存半身。主者头戴云巾，巾带高扬脑后，身穿衫状衣，右臂前屈，手举一马鞭状物；左手屈举过肩，横握一刀；面部略向左侧，整个形象作向左方行进状。侍者在主者之左，头戴莲花冠，冠后双飘带，亦向右方高扬，身穿圆领袍，面部正对，两手笼袖，状似低眉屏息，大小仅及主者之半，位置在主者的侧后方，有一定的距离感。整个图像最值得注意的是，主者的云巾上画有一副人面的五官，这是超乎常理的。现实的人生不会在自身的衣冠间画上五官作装饰，所画的人应当不是常人，当是表示神仙道化一类的人物。人物图像画在壶腹的下半部，线条草率随便，人物的结构也不太严谨，其目的显然不是出于装饰，而是窑工（装饰工人）随意刻划而成。与盘口壶伴出的还有开元通宝钱5枚，陶蛙1只。简报推断其时代当在晚唐至五代。

丽水市

254.浙江丽水唐代土坑墓

作　　者：丽水县文物管理委员会　金志超
出　　处：《考古》1964年第5期

考古人员于1962年10月6日，根据城关坝溪口砖瓦厂工人报告的线索，在砖瓦厂取土场内清理出1座土坑墓。取土场距县城约1公里，该墓即位于丽（水）龙（泉）汽车路旁。简报配以照片、手绘图予以介绍。

据介绍，墓坑为长方形，墓底距地表1.8米。从出土的铁棺钉和红色漆皮的散布情况来看，葬具应是朱红色的木棺。随葬品除钱币可能放在木棺内，其他全部放在墓坑的南端。出土器物计有盘口壶、瓷碗、灯盏、砚台、铁鼎等10件，"开元通宝"钱数百枚。盘口壶应出自丽水县吕步坑窑，葵瓣碗似出自越窑。简报推断年代为唐代晚期。

今有赵青云先生《中国唐青花瓷研究》（黄山书社2011年版）上下两册，可参阅。

安徽省

合肥市

255.合肥西郊隋墓

作　者：安徽省展览博物馆

出　处：《考古》1976 年第 2 期

1973 年 7 月，合肥市郊区杏花村公社五里岗大队平整土地，在距市区约 2 公里的焦岗头（巫大岗）发现古砖墓 1 座。该墓为隋代砖室墓，早期被盗掘，拱顶大部分被破坏。考古人员于 7 月 18 日开始，至 27 日进行清理。简报分为四个部分予以介绍，有照片、手绘图、拓片。

据介绍，墓顶上的封土，现已无存，结构不明。墓室为砖结构，建于地平面以下，是先挖土圹，后砌砖室。有土墓道、甬道、墓门、主室、耳室和后室等部分。因被盗，仅存劫余的陶马、镇墓兽、人面鸟、瓷器、隋五铢钱等数件。石墓志 1 件，字迹多漫漶不清，简报未录志文全文。仅从可辨认的字迹看，墓主人为隋伏波将军，葬于隋文帝开皇六年（586 年）。

256.合肥出土寿州窑早期产品

作　者：王业友

出　处：《文物》1984 年第 9 期

1982 年 11 月，安徽省合肥市市政管理处第二工程队在合肥市西门干部休养所修地下水道时，发现 1 座砖室墓葬。墓室平面为长方形，出土 4 件青瓷器，1 枚铜钱。简报配以照片予以介绍。

简报介绍，4 件青瓷器为青瓷瓶、青瓷碗、青瓷盏、青瓷罐各 1 件。铜钱残 1 角，可看出是隋代五铢钱。隋文帝开皇元年（581 年）铸造五铢钱，这应是该墓时间的上限；瓶、碗、盏等青瓷器与 1973 年合肥市郊区杏花村公社五里岗大队隋墓出土的青瓷瓶、碗、盏相同，简报推断此墓属隋代是无疑的。

简报称，这次出土的 4 件青瓷器都很完整，其中四系突腹罐为过去所未见，为研究寿州窑的有关问题，提供了重要资料。

257.合肥隋开皇三年张静墓

作　者：安徽省博物馆　袁南征、周京京等
出　处：《文物》1988 年第 1 期

1984 年 3 月，合肥乳品厂、啤酒厂联合工地在取土时发现 1 座砖室墓。考古人员进行了清理发掘。从出土的墓志得知，此墓为隋开皇三年（583 年）张静墓。简报分为：一、墓室结构，二、随葬器物，三、结语，共三个部分。有照片、拓片、手绘图。

据介绍，此墓坐落在合肥西郊乳品厂一块饲料地阴坡的中段，已无封土。为砖结构单室墓，早期被扰乱，墓顶已坍塌，部分墓壁被破坏。葬具、骨架已腐朽，仅存腿骨 1 根、牙齿数颗、铁棺钉数枚。出土遗物有瓷器、陶俑、铜镜、铜带扣、银钗、金环等，另有铜钱 80 余枚。墓志 1 合。简报录有志文。出土青瓷当为寿山窑产品。

简报称，据墓志记载，墓主出身官宦之家。至少从张静之父张景睐开始，张氏一门三代，6 个男子先后在南朝为官。当时门阀制度盛行，士族地主将武职归为"浊流"而不屑担当，墓主三代都任武职，可能是南迁的北方庶族地主。志文记载"卜推其吉，建此五坟，而安一所"，说明墓主后人选择了此地，将先后死去的亲人迁葬到一处。除此墓以外，附近至少还有 4 座张氏墓，埋葬的应该是张静之父张景睐，张静的长子张元通、四子张乞叔，而第四人是谁，则有待于今后的发掘。开皇三年(583 年)应是张静墓迁葬到这里的时间。在隋初尚未灭陈之时，此墓已使用隋朝纪年，证实隋当时已据有合肥一带。张氏三代都是南朝官员，张静的二子、三子都任陈招远将军，当时还在世，但在墓葬中却用隋的纪年，表明张氏后人可能处于降臣的地位。

此外，简报认为从墓志中可证实"合镇"是合肥久已失传的一个历史名称。

芜湖市

258.安徽南陵清理一座唐墓

作　者：汪景辉、杨立新、刘平生
出　处：《考古》1994年第4期

1991年11月，考古人员发掘南陵县何湾乡西边冲古代铜矿冶炼遗址时，发现1座唐代墓葬。简报配以手绘图、照片予以介绍。

据介绍，该墓位于南陵县何湾乡涧滩行政村西北约2公里处的神冲柴山背南坡，这一地带是1处古代铜矿冶炼遗址。墓葬发现于NXST1的西南角（编号M4）。M4为长方形竖穴土坑墓，葬具和尸骨已腐朽，葬具和葬式不明。随葬品置于墓葬底部南端。该墓出土的随葬品为瓷器和金属器2大类。这座墓葬出土的遗物数量虽少，但是瓷器制作精致，反映了当时的瓷器制作的工艺水平，这批瓷器大部分属长沙铜官窑产品，另有1件小碗可能系越窑遗物。根据该墓出土的遗物风格及墓葬形制的特点，简报推测此墓时代约为唐代中、晚期。

简报指出：2处窑口的产品在1座墓葬内出土，反映了当时商品流通状况和社会经济的繁荣，为研究唐代的社会经济的发展和文化交流提供了一批实物资料。

259.安徽繁昌县闸口村发现一座唐墓

作　者：繁昌县文物管理所　汪发志
出　处：《考古》2003年第2期

闸口村位于繁昌县城西北郊2公里处。1996年6月，有关人员在繁昌县看守所平整场院时发现了一批文物。考古人员前往现场进行调查。据有关迹象推断，这批文物应出自1座唐代墓葬，但墓已被破坏，形制不清，随葬器物也被全部取出，并有部分被打碎。有关情况简报配以手绘图、照片、拓片予以介绍。

据介绍，此次出土的文物包括陶器、瓷器、铁器共16件，另有62枚铜钱。简报推断，该墓的年代属唐代早期。简报称，该墓出土一组瓷器较为珍贵。

蚌埠市

淮南市

马鞍山市

淮北市

铜陵市

安庆市

260.安徽怀宁县发现唐人马球图铜镜

作　者：怀宁县文物管理所　许　文、金晓春
出　处：《文物》1985 年第 3 期

安徽省怀宁县皖河区文化站在雷埠乡收集到一面唐人马球图铜镜，是当地农民 1983 年做农活时挖出的。简报配以照片予以介绍。

简报介绍，铜镜为八瓣菱花形，半球形纽，镜面微鼓。镜背饰凸连弧纹一周，镜边与连弧纹之间饰等距花蝶纹。连弧纹内为浮雕式马球图，有四人驾驭奔马抢击二球，间饰花草、山峰。整个图面表现了马球比赛的激烈场面。

261.安徽望江发现一件四神镜

作　者：望江县文物管理所　宋康年
出　处：《文物》1985 年第 5 期

1984 年 3 月，安徽省望江县文物管理所收藏铜镜 1 面。简报配以照片予以介绍。

简报介绍，在环带以外的四周铸有"仙山并照，智水齐名，花朝艳采，月夜流明，龙盘五瑞，鸾舞双情，传闻仁寿，始验销兵"32个字。铭文外圈又有一层环带，饰锯齿、卷曲纹等纹饰。

简报称，这一铜镜是当地农民于1983年8月挖地时所得。从纹饰特征看，简报推断这一铜镜是隋唐时代的遗物。

262.潜山县发现唐代月宫镜

作　者：余本爱

出　处：《文物》1986年第10期

安徽省潜山县文物管理所收购到1件唐代铜镜。据了解，此镜是在距县城北1.5公里的彰法山出土的，简报配以照片予以说明。

据介绍，此镜为八出菱花镜，直径14.8厘米、厚0.7厘米。镜面凹进约1厘米，呈圆月状。背缘有八朵流云。月轮中是一株高大的桂树，枝叶茂盛。树中部微微隆起，横穿一孔为镜纽。桂树两侧分别刻嫦娥振袖起舞、玉兔捣药和蟾蜍跳跃。

263.安徽望江县出土隋代鸡首壶

作　者：望江县文物管理所　程霁红

出　处：《考古》1991年第4期

1985年8月，考古人员下乡普查时，在望江县翠岭乡城兆村窑厂发现并征集1件隋代鸡首壶，据工人反映，鸡首壶是在距地面约90厘米深处出土的。简报配以照片予以介绍。

据介绍，鸡首壶造型别致，盘口，高颈，颈部有两周等距的带形圈，腹部上端装饰有一鸡首，鸡首向上昂，曲颈作打鸣状，柄上端亦有鸡首的装饰，作伏首啄食状，形象生动逼真，堪称精品。

264.安徽望江发现隋代铜镜

作　者：程霁红

出　处：《考古》1993年第4期

1985年12月，安徽望江县翠岭乡城北村窑厂工人在取窑土时，在距地面深1米处挖出1面有铭文的隋代铜镜，当即送交县文物管理所收藏。简报配以拓片予以介绍。

据介绍，此镜保存完好，质地精良，呈青黑色，光洁照人，堪称精品。半球形圆钮，座外饰有两对似骏马的野兽，相互斗戏，形象逼真。另饰有云纹，内区一周饰有两圈锯齿纹环带，缘边一圈文饰有锯齿纹环带，环带与环带之侧，饰有一圈楷书铭文："灵山孕宝，神使观炉，形圆晓月，光清夜珠，玉台希世，红庄应图，千娇集影，百福来扶" 32 字。与铜镜同时出土的还有青釉瓷注子、青釉瓷碗等器物。简报推断为隋唐遗物。

265.安徽望江县城北村出土一件唐代铜镜

作　者：望江县博物馆　程霁红
出　处：《考古》1996 年第 7 期

1985 年 6 月，安微省望江县翠岭乡城北村窑厂工人在取土时发现 1 件唐代铜镜。简报配图予以介绍。

该镜为一双犀花枝镜。圆形，窄缘，半球形钮，钮左右两侧各饰一瑞兽。瑞兽躯体肥壮，头似犀，身似鹿而有花斑，当为犀。双犀上下饰有花叶纹。简报断定该镜为唐代铜镜。

黄山市

滁州市

阜阳市

宿州市

巢湖市

266.安徽巢湖市唐代砖室墓

作　　者：巢湖地区文物管理所　张宏明
出　　处：《考古》1988年第6期

1983年11月下旬，安徽省巢湖市城郊区环城公社（今为环城乡）伍贾大队庵门村农民在挖排水沟时发现了1座古墓。他们把墓门和墓的前室挖开以后，从中取出了几件瓷器与1合已经压碎的墓志。考古人员于同年12月4日至8日对此墓进行了抢救性清理发掘。从墓中发现了一批瓷器、陶器以及石砚、墓志、铜钱等文物。简报分为：一、墓葬的概况，二、随葬器物，三、结语，共三个部分。有手绘图、照片。

据介绍，古墓位于巢湖市西北6公里的伍贾大队庵门村西200米的小山坡上。北靠龟山，南面是巢湖圩区，距湖不足0.5公里。据当地群众介绍，古墓附近的山坡地原是1处坟茔地，1960年开荒成田，当时开荒也发现过1座砖室墓。根据这一线索，考古人员找到当时挖出的砖头，其大小尺寸与此墓相近。编号为60CHM1，今年的这座编号为83CHM2。M2墓室由南至北依次由甬道、前室、过道、后室4部分组成。M2由于曾经被盗，墓室中扰乱严重，大多数器物都已破碎不堪。经过修补复原，统计得知有10件瓷器，3件陶器，1方石砚，63枚铜钱，1件铁灯盏等，还有1合石质墓志和白胎绿彩软陶片若干等。

墓志楷书阴刻，共700余字，简报录有志文全文。志文还记载了墓主伍钧从晋朝到唐代的历代祖先，世系基本清楚。东晋伍诱世居润州丹徒县，其后人伍珪因战乱迁至历阳（今安徽省和县），此后不久，伍珪的儿子伍皓便把家迁到了巢湖，并定居下来。伍皓有两个儿子，次子便是墓主。这些资料就是伍氏家族的一份家谱，是研究伍氏家族的最新材料。至于墓志书法，可参阅张同印先生《隋唐墓志书迹研究》（文物出版社2003年版）一书。

简报称，唐墓出土了一批精美的瓷器，品种较多，造型精致，釉色温润，质地坚硬，既有南方的长沙窑青黄釉，又有北方窑的精白瓷。

墓主葬于会昌二年（842年），因此这批瓷器具有了考古断代的标准器的作用，有助于长沙窑瓷器的分期研究。

267.安徽巢湖市半汤乡发现唐墓

作　者：张宏明

出　处：《考古》1988 年第 12 期

1978 年秋，安徽省巢县（今巢湖市）东北 10 里的半汤乡西山大队新庄村农民在村西不远的农田里挖粪池时，从距地表 1 米深的土层里挖出一些砖头和 1 方石质墓志。考古人员进行了调查，经现场勘察和了解，得知是 1 座唐代砖室墓。由于墓室已毁，仅从农民家中收回几件文物。简报配以照片、拓片、手绘图予以介绍。

据介绍，计有青黄釉瓷碗 1 件、青黄釉果盒 1 件、铜簪 1 根、铜勺 1 只、墓志 1 合。墓志文字大多斑驳不清，楷书。从残存志文看，墓主是个乡居平民。据志文年代为唐大中四年（850 年）墓。简报认为瓷器出自长沙窑。

268.安徽和县发现唐代墓志

作　者：叶永桐

出　处：《考古》1989 年第 8 期

1976 年 5 月 10 日，安徽和县城南公社巢湖大队农民在挖宅基取土时，发现 1 座唐代砖室墓。考古人员闻讯赶至现场，但墓砖已全部挖出，墓室已填平，墓葬形制无法搞清。出土的陶瓷器已被敲碎丢弃一旁，仅存《唐故博陵崔府君墓志并序》1 方。简报配以拓片予以介绍。

据介绍，墓志，长方形，灰色细泥砖质。自右至左分序文和铭文两部分，共 17 行，228 字，楷书，阴刻。墓志中提到"草贼黄巢，广明岁七月但经此"之语。《资治通鉴》卷二五三记载：唐僖宗广明元年"秋七月，黄巢自采石（今安徽马鞍山市采石镇）渡江，围天长（今安徽天长县）、六合（今江苏六合县），兵势甚盛"。又《直隶和州志》卷十云："秋七月，黄巢陷滁（今安徽滁州市）、和（今安徽和县）二州，巢据滁、和，去广陵（今江苏扬州市）才数百里。高骈乃求陈许，兵终不出。"史书与墓志所记完全相符。

269.安徽无为县发现一座唐墓

作　者：无为县文物管理所　何福安、邹喜庆

出　处：《考古》2001 年第 6 期

1992 年 10 月，安徽省无为县蜀山镇白湖窑厂工人在取土时发现 1 座墓葬

（WBSM1）。考古人员进行了抢救性发掘。调查和清理情况简报配以手绘图予以介绍。

据介绍，墓葬西距白湖约400米，东临蜀山镇乌龙山的坡地。据现场勘察，该墓为长方形双穴砖室墓，清理出瓷器、陶器、铜器、石器等随葬品24件，铜钱30枚。从墓葬出土的瓷器来看，青釉瓷碟器心用单一褐彩绘以简单草率的花草纹，应属唐代长沙窑初期产品。另外，该墓出土了"开元通宝"和"乾元通宝"钱，简报推断该墓年代可初步定为唐代后期。

六安市

270.安徽六安东三十铺隋画像砖墓

作　者：安徽省文物工作队

出　处：《考古》1977年第5期

1975年春，六安县东三十铺省军区一农场在生产建设中发现1座砖室墓，考古人员前往清理。该墓券顶已全部塌毁，墓室呈长方形。东西两壁原相对嵌砌画像砖6块，现仅存4块，且排列位置不明。此墓早年曾遭破坏，仅在墓门处出土青瓷器7件。简报配以照片、拓片予以介绍。

据介绍，出土的画像砖，有战斗图像砖、武士纹砖、车马出行砖、莲花砖等。出土青瓷器中有1件似出自淮南营家嘴隋窑。简报推断该墓年代为隋初。

亳州市

271.安徽亳县隋墓

作　者：亳县博物馆

出　处：《考古》1977年第1期

1973年3月，考古人员在亳县机制砖瓦窑场发掘了隋大业三年（607年）迁葬的□爽墓。同年8～9月，又在距前墓东约100米处发现并发掘了隋开皇二十年（600年）迁葬的王幹墓，两墓的情况简报分为三个部分，有拓片、手绘图、照片。

据介绍，隋大业三年（607年）□爽墓为一单室砖墓，出土有陶俑、墓志等20余件。

据志文，墓主人为修武人，北魏熙平二年（517年）卒，大业三年（607年）迁葬于此。王幹墓出土有瓷器、铜器、货币、陶俑、陶制模型等，也有墓志。

据志文，墓内所葬为王幹，太原人，曾当过隋亳州总管府参军，死于开皇十七年（597年），于开皇二十年（600年）由太原迁葬于"亳州城北小黄县纯宜乡涡水之阳二里"。二墓志简报均未录志文全文。

简报称，这两座墓中葬的死者都是南北朝的地主官僚，都不死在亳州，但是还千里迢迢迁葬在亳州。两座墓中都随葬有大批陶俑，有些陶俑的服装是少数民族的。隋代陶骆驼模型也是首次发现，说明当时西北少数民族已深入到江淮流域经商或居住。出土的白瓷和青瓷则是研究瓷器发展史的珍贵资料。

池州市

272.安徽省贵池市发现三方唐代官印

作　者：赵建明

出　处：《文物》1995年第10期

1985年6月，贵池市灌口乡苍埠村一村民在秋浦河滩先后两次发现3方铜质官印。今藏贵池市文物管理所。

据介绍，官印有：（一）宜春县印，印重267克。印体扁方。印面朱文篆书"宜春县印"4字。印背左上角镌一"上"字，楷书。

（二）萍乡县印，印重238克。印体扁方。印文朱文篆书"萍乡县印"4字。印背左上角镌有楷书"上"字。

（三）豫州留守印，印重237克。印体扁方。印面为朱文篆书"豫州留守印"5字。无背款。

这3方印的成印年代，简报推断应在唐武德元年（618年）至唐至德七年（761年）之间。

273.安徽青阳县发现一座南唐砖室墓

作　者：青阳县文物管理所　黄忠学

出　处：《考古》1999年第6期

1993年12月，青阳县文物管理所为配合工程建设，在县博物馆门前220米处的高地上，清理了1座砖室墓（编号为M1）。清理情况简报配以手绘图予以介绍。

据介绍，此墓为砖筑券顶单室墓，墓内葬具已朽，仅见锈蚀严重的棺钉，骨架仅残存2根大腿骨，葬式不明。随葬器物位置已被扰乱，器类有箕形陶砚、瓷罐、碗、灯和钱币等。从墓葬四壁均设有壁龛来看，具有晚唐五代时期墓葬形制的特点。从出土器物来看，具有五代时期的风格。所出铜钱最晚的是南唐保大年间（943～957年）铸行的唐国通宝和大唐通宝，未见宋代钱币出现。据此简报推断此墓的时代为南唐时期。

宣城市

福建省

274.闽南新发现的历史建筑物

作　者：曾　凡

出　处：《文物》1959 年第 2 期

1958 年 5 月至 8 月，考古人员在闽南地区进行文物普查，简报配以照片先行介绍古代建筑方面的新发现。

简报介绍，石桥亭位于同安县东关外太师桥（又名东桥）西端。太师桥相传为五代时建，历代均有重修，原来面目已不可见，现在的桥面和桥墩可能是光绪时最后一次重修的遗迹。石亭全为砂岩构成，面阔一间，进深二间，是一座规模不大的建筑。当心间横梁刻"建隆四年岁次癸亥九月一日建竖，勾当造桥杨光袭，竖临元从周仁袭"等 28 个字，可知这座石亭和桥是同时建成的。按建隆四年（963 年）十一月改年号为乾德，这石亭是在九月建成的，因此仍用建隆年号。石亭可能还保存着原来的建筑形式，无大重修，是福建省古代建筑之一。

三会寺位于仙游县城西 10 余里的三会乡，是一座规模宏大的寺院。它始建于唐景云年间（710 ~ 711 年）。从目前所存的殿宇来看，只有大雄宝殿最为古老。大雄宝殿为重檐歇山式，面阔五间，进深四间，平面正方形。简报就此殿结构特征、塑像风格，并参考文献综合观察，大雄宝殿可能为明代以前的遗构。

简报称，除上述两处古建外，还发现有仙游城内城隍庙仪门、剑山乡高田院大雄宝殿、永春城关五里街魁星岩大殿、同安县谣头村大元殿等，也都是比较有价值的古建筑。

福州市

275.福州发现五代十国时期闽铅币和元代秤权、钞版

作　者：王铁藩

出　处：《文物》1975 年第 7 期

福州市革命委员会宣传组近年来征集了许多珍贵的历史文物。其中有元至元十六年（1279 年）造的秤权 1 只，权高 8.7 厘米、宽 4 厘米；元代印钞票的残铜版 1 件，从文字和钱串形状可以看出是 500 文的至元通行宝钞的印版。简报配以照片予以介绍。

据介绍，自新中国成立以来，福建省发现元代文物较少。以元代秤权来说，《元史》上有关度量衡制度很少记载。对"衡"的问题，更是只字不提。至元宝钞铜印版，在福建省也是第一次发现。

元朝在全国各省都设有宝钞库、印造库，这件铜钞版残件发现于福州，可能就是从当时印造库遗址出土的。

276.福州东郊清理一座唐代墓葬

作　者：福州市文物管理委员会　郑国珍

出　处：《考古》1987 年第 5 期

1980 年 4 月，福州东郊距市区 5 公里的福建省生物药品厂在基建中，发现 1 座砖构古墓。考古人员前往清理时，墓前封门砖已被拆掉。简报配以手绘图予以介绍。

据介绍，该墓距地表深 235 厘米，系单室砖构券顶墓，甬道位于中轴线上，平面呈"凸"字形，在高 116 厘米处起券，顶部重券。棺木、人骨已朽。随葬品有青瓷 22 件、陶器 2 件。简报推断其为唐代墓葬。

简报称，此次清理的墓葬，墓室结构完整，墓砖图案多样，随葬品未受扰乱，器形制作小巧玲珑且趋于冥器化，施釉均匀，这在福建唐墓中较为少见。它既体现了福建唐代墓葬制度的一斑，亦反映了福建青瓷在造型、釉色、种类等方面由六朝向唐代转变的风格，为研究福建瓷器发展史提供了宝贵的实物材料。

277.唐末五代闽王王审知夫妇墓清理简报

作　者：福建省博物馆、福州市文物管理委员会　郑国珍等
出　处：《文物》1991 年第 5 期

王审知，字信通，又字详卿，河南光州固始人。唐乾宁四年（897 年）任威武军节度使，寻封琅琊王、闽王。后唐同光三年（925 年）十二月十二日卒于福州，追封忠懿王。翌年三月四日安葬在福州西郊的凤池山，与妻任氏墓毗邻。后唐长兴三年（932年），王审知次子、闽国第三代主王延钧，以父母坟墓所在山岗风水不利国运为由，将王审知夫妇灵柩迁葬福州北郊莲花峰南麓，凿山为陵。陵山覆斗状，俗称斗顶山。1981 年，当地政府着手对闽王陵墓进行修缮，同时考古人员对墓室进行了清理。

简报分为：一、陵墓外观和墓室结构，二、出土文物，三、几点认识，共三个部分。有照片、拓片。

据介绍，王审知夫妇陵墓位于斗顶山南坡，背山面野，依山势辟为 5 个台地，在最高一层台地的中部，东西并列两冢。冢近长方形，上为封土，下垫条石，环砌青砖，内填碎石杂土，尾部逐渐收敛成圆弧形。两冢间距 2 ～ 7 米。在冢后 16 米的土坡中央，竖有明万历三十年（1602 年）重修闽王墓碑。墓前神道两侧依次排列文武石翁仲各 2 对，石虎、石羊、石狮各 1 对。陵墓坐北朝南，由墓室和斜坡墓道组成。该墓不止一次被盗，随葬品几乎被洗掠一空。仅出土有几件青瓷、白瓷、玻璃等器，但都较珍贵。

王审知墓志长 3265 字，又有 2 行后唐长兴三年(932 年)补刻的迁葬纪事，计 52 字。其妻任氏墓志长 1868 字，文末亦补刻迁葬纪事 69 字。简报附有二志全文。

厦门市

278.福建厦门市下忠唐墓的清理

作　者：福建省厦门文物鉴定组　郑　东
出　处：《考古》2002 年第 9 期

1997 年底，因基本建设工程的需要，厦门市文物保护单位"薛令之墓"急需迁移并重新修建。厦门市文物部门随即组织业务人员在边抽水边工作的情况下，对淹没于积水潭中的古墓进行了抢救性清理。

清理结果简报分为：一、墓葬概况，二、随葬器物，三、结语，共三个部分。

有手绘图、拓片。

据介绍，通过对墓葬的形制结构、随葬器物的类型及时代特征的分析，结合考古资料，简报推断，下忠墓年代为晚唐时期，墓主人姓名为"薛瑜"。简报称，下忠唐墓作为厦门岛上已知年代最早的墓葬之一，对研究厦门早期开发历史具有重要文物价值和学术意义。该墓形制独特、出土器物较多、花纹墓砖罕见，均为了解和认识唐代的丧葬习俗及探讨当时的经济文化、社会生活提供了珍贵的实物材料。

莆田市

279.福建莆田唐墓

作　者：福建省博物馆　林公务
出　处：《考古》1984 年第 4 期

1978 年秋季，莆田县城郊公社下郑大队农民，因建房取土，发现砖室古墓 1 座，考古人员前往清理。简报配以手绘图、拓片予以介绍。

据介绍，下郑村位于莆田县城北郊，距县城约 5 公里。古墓发现于该村后山的山头坪上，为单室券顶花纹砖墓，分甬道和墓室两部分。墓砖一侧印有古钱、蕉叶、米字、半圆、连珠宝相花、缠枝花等花纹，尚有"上元三年十月□"的阳文反书纪年砖。墓内葬具尸骨均腐朽无存，清理出随葬器物主要是青釉瓷器，还有个别陶器、铜器等，共 37 件。

简报称，这座古墓的形制结构以及墓内随葬的陶瓷器，除个别如盘口壶、四系罐外，余皆为冥器，同全省各地发现的唐墓类同。据纪年砖，"上元三年"应为唐高宗李治的年号，即 676 年。莆田地区的唐墓，过去发现不多，有纪年的唐墓，在全省也属少见，因此，此墓的发现，为福建省盛唐时期物质文化的断代，以及唐代福建地方史的研究，提供了新的资料。

三明市

泉州市

280.泉州市防洪堤工地上发现隋代砖墓

作　者：吴文良

出　处：《文物》1960 年第 2 期

1959 年 12 月 11 日，在泉州市第二期防洪堤建筑工地上发现 1 座残破的隋代砖墓。简报配以拓片、照片、手绘图予以介绍。

简报介绍，墓在泉州城东关外东岳山的斜坡上。这里本来是明清两代泉州人丛葬的冢地。就在距地面约 4 米深处，发现这座砖墓，墓东北向，被紧压在具有五层次的丛冢底下。从上第一层往下算，到第三层都是明清两代的土坑木棺葬，第四及第五层是宋及五代的两个瓦棺骨灰葬，瓦器作瓮式，形极大，口广而底尖，可能是合数人的骨灰（经火化后的骨灰）于一瓮，瓮口加盖，像这样大型的瓮又装着那么多的骨灰，在泉州地区还是第一次发现。说明唐宋时代，我国火葬风气是很盛行的。

在大骨灰瓮的四周并建有砖砌的竖穴。把这两个上下叠置的瓦瓮移去后，就出现了隋墓。墓极残破，仅存墓壁及一层铺人字形砖的棺床和两个后壁的转角，墓砖侧面都印有几何形花纹。附带出土的明器只有一个较小的形如水注式的瓷罐及一个被掘破了的双耳瓷瓶，墓的其他部分因破坏，情况无法了解。

简报指出，由于这座墓的发现，给古代所谓"中原士族"避乱南来福建，先抵达北部的闽江流域，渐次到达南部的晋江流域的路线提供了一个更有力的证据。

281.福建泉州市西南郊唐墓清理简报

作　者：泉州海外交通史博物馆、泉州市文物管理委员会　许清泉、吴文良、
　　　　王洪涛

出　处：《考古》1961 年第 9 期

1960 年 10 月，泉州市西南郊江南公社奇树村发现砖室墓数座，考古人员前往清理。清理工作自 1960 年 10 月 12 日至 25 日，共清理了唐墓 4 座（编号 M1～M4）。简报分为：一、第 1 号墓，二、第 2 号墓，三、第 3 号墓，共三个部分。有拓片、照片。

据介绍，这4座墓在奇树村前面的红土山上。此地位于晋江南岸，距江滨约0.5公里，紧靠泉溪公路。第1、2、4号墓成品字形排列，第3号墓则偏于前2墓的东侧，墓向均为正南，结构均为"凸"字形。晋江流域的泉州、晋江、南安和安溪等县所发现的唐墓的形制及结构，总的来说是一致的。常见的有三种形式：一种为多室墓；一种为刀形墓；一种为"凸"字形墓，以后一种形式较为普遍。墓砖两侧常印有动植物图案、吉祥语或纪年。随葬品以青瓷器为主，多属生活用具，数量多者40余件，少者10余件，铜铁器发现较少。随葬品位置多在前室。晋江流域的唐墓除砖室墓外，还有一种长方形竖穴土坑墓，这种墓随葬品只有几件，和砖室墓的随葬品相差悬殊。

282.福建永春发现五代墓葬

作　　者：晋江地区文管会、永春县文化馆　刘汉瑶、许伟龙等
出　　处：《文物》1980年第8期

1979年2月，永春县皮塑厂在石鼓公社东关山基建工程中，发现五代墓葬1座。考古人员前往，进行了清理和发掘。简报分为：一、墓葬情况，二、出土器物，三、结语，共三个部分。有照片。

据介绍，该墓位于永春县城西约5公里的东关山，为1座长方形单室起券砖室墓，棺木已朽，仅存残片和棺钉，尸骨也已腐朽。此墓出土随葬品共155件。主要是陶俑和陶瓷生活用品，其次是铜钱、棺钉等。简报推断这座古墓的年代应属唐末五代时期，墓主人很可能在北方做官。此墓出土的黄绿釉唾盂，并非本地窑口产品，很可能是墓主人从北方还乡带回或接受馈赠的传世品，在福建省墓葬中也属稀见的珍品。

283.泉州河市公社发现唐墓

作　　者：黄炳元
出　　处：《考古》1984年第12期

河市公社位于泉州东郊29公里处。1978年春，该社农民在杉宫山南坡平整土地时，于距地表1米左右深的地方发现2座花砖单室唐墓。考古人员进行了清理。简报配以拓片、照片予以介绍。

据介绍，2墓方向一致，相距4.4米，自东至西编为M1、M2。墓室平面作凸字形，全部用长条砖砌筑，单室起券。M1保存较好。特别可贵的是墓顶的模形砖有

反体凸字"咸享贰年"的纪年印文,遗骸和葬具已腐烂。M2结构与M1相同。在棺床的前端现印有"咸享"纪年的残砖。

2墓出土瓷器39件,M1出18件,M2出21件。其中有4件实用器物,其余35件均为冥器。

简报称,泉州的古代窑址曾发现数十处,特别是南门外的瓷灶乡,发现有隋唐至五代的窑址,出土的器物同唐墓出土的形制相类似。简报可以肯定这批随葬器物为本地区所制作。2墓的年代,就出土的纪年砖看,咸享贰年(671年)为唐高宗时期,距今1307年。2墓的结构和器物的形制,同以往泉州地区所发现的唐墓相似,因此,简报推断这2座墓应是盛唐时期的墓葬。

简报认为,这2座墓的发掘,为研究泉州唐代地方历史提供了可贵的资料。

284.福建惠安县曾厝村发现两座隋墓

作　者:泉州市文管会、惠安县博物馆　郑焕章、王少凡
出　处:《考古》1998年第11期

福建省惠安县涂寨镇曾厝村位于县城东南6公里处,惠(安)崇(武)公路从村中通过。1992年12月5日,惠安磊艺石板材厂在该村东北侧的东后埔山坡地基建时,发现了2座隋代纪年砖室墓。一座被村民盗挖,随葬品尽遭洗劫;另一座被惠安县博物馆闻讯后立即组织人员加以保护。9日,考古人员对这座两墓进行发掘清理。简报分为:一、墓葬形制,二、随葬遗物,三、结语,共三个部分。有手绘图、拓片。

据介绍,此前福建省仅在南安丰州和泉州东岳山各发掘清理1座隋开皇十六年(596年)纪年墓,在福州横山发掘清理1座隋大业五年纪年墓,但都不完整。南安丰州隋墓的墓砖铭文为"开皇十六年八月八日葬",所指之日为入葬之时。而惠安县曾厝村这2座隋墓的墓砖铭文为"开皇十七年十一月十二日",若所指之日亦为入葬之时,则这两座墓的墓主人系同时入葬。其墓葬形制基本相同,方向亦一致,相距仅12米。简报推测,他们必定有着特殊的关系。再根据墓葬形制和随葬品的数量来判断,这2位墓主人并非一般平民百姓,而应属于士大夫阶层。

简报称,惠安县曾厝村这2座隋开皇十七年(597年)纪年墓的发掘清理,无疑为研究福建的隋墓和地方历史提供了相当宝贵的资料。此外,泉州地区现已发现南朝和唐代的古窑址,而隋代的古窑址尚未发现。故这2座隋墓出土的数量可观的陶瓷器,为探索这一地区隋代的古窑址也提供了线索。

285.福建惠安县上村唐墓的清理

作　　者：泉州市文物管理委员会、惠安县博物馆　许黎玲、郑焕章等
出　　处：《考古》2004 年第 4 期

1996 年 3 月 9 日，当地百姓在福建惠安县螺阳镇东风村上村发现 1 座古墓（编号为 M1）。翌日，有几位村民从墓内盗取了几件随葬品。惠安县博物馆闻讯后，于 15 日会同泉州市文物管理委员会派人对该墓进行了清理。简报分为：一、墓葬形制，二、出土器物，三、结语，共三个部分。有手绘图等。

据介绍，上村唐墓为单室券顶砖室墓，平面呈"凸"字形，由甬道、墓室组成。墓内棺木和尸骨均腐朽无存。随葬品放置于墓室前部，种类有青瓷器、陶器、铜器等，以青瓷器为主。瓷器中的二盅盘、七盅盘以及明器化的陶制生产工具较有特点。惠安上村唐墓出土的二盅盘、七盅盘，尚未见于泉州或福建的其他唐墓；尤其是明器化的陶制生产工具，如刀、凿、斧、杵、臼、磨盘钩等，迄今也不见于其他唐墓中。这些器物的出土，为研究唐代泉州地区的葬俗、制陶工专职和社会生活提供了新的实物资料。

根据墓葬形制、墓砖铭文和出土遗物，简报推断该墓的年代为初唐至盛唐时期。

286.福建泉州市河市镇贞观廿二年唐墓

作　　者：泉州市博物馆　吴艺娟
出　　处：《四川文物》2007 年第 1 期

泉州历史文化悠久，2003 年发现唐代贞观年间唐墓，为了解泉州地区的青瓷制造以及当时的墓葬习俗提供了丰富的实物资料。简报分为：一、墓葬形制，二、随葬品，三、结语，共三个部分。有手绘图。

2003 年 12 月，在泉州市河市镇梧宅村发现 1 座唐墓葬，考古人员立即前往调查，进行抢救性发掘。该墓坐北朝南，长 4.85 米，宽 1.74 米，高 2.33 米，具有甬道、2 个耳室，是一座保存完整的非常典型的唐代砖砌墓葬，出土随葬品 15 件。

简报称，从"贞观廿二年"的铭文纪年砖来看，可以确定该墓是贞观廿二年（648年）的唐墓。礁斗、虎子、钵、带座烛插、花插、陶灶等生活用品在人死后也当作随葬品入葬，并且保存下来，反映出青瓷在人们日常生活中已占有重要地位。

简报认为，墓主人应为贵族。

漳州市

287.福建漳浦县刘坂乡唐墓清理简报

作　　者：福建省文物管理委员会　林宗鸿
出　　处：《考古》1959 年第 11 期

1958 年 3 月，考古人员在漳浦县刘坂乡清理了 1 座砖室墓。简报分为：一、墓室结构，二、出土遗物，三、结语，共三个部分。有手绘图。

据介绍，该墓为砖室墓，平面作长方形，墓顶距地表 1.5 米，分门道、前室与后室 3 部分。未曾被盗，出土遗物 113 件，包括陶俑 45 件、瓷器 8 件及木器、铜器等。

简报推断该墓年代为不早于中唐，下限不晚于五代。

南平市

288.福建将乐县发现唐代窑址

作　　者：邵良荣、刘莪义
出　　处：《文物》1959 年第 9 期

1958 年 11 月，福建同平专区普查队在将乐县进行文物普查时，在将乐县水南乡发现古窑址 1 处，窑址西北隔将顺公路，临金溪河，南、东面为园地。1957 年农民挖塘时，曾遭到破坏。

简报介绍，调查时从两旁窑层中发现了窑具、碗、瓶、罐等残片。瓷片带深绿色和赤褐色釉，大部分露胎，胎骨灰色。采集到的胎色红黑的碗托 1 件。瓷器中有碗 2 件，值得注意：一件碗为撇口、平底、青绿釉、底部露灰色胎、轮制；另一件碗为圈足，青绿色釉，外底部无釉。瓷瓶以赤褐色釉为主，器壁较薄。瓷罐有平底、广腹、轮制的，盘口、长颈、胎骨灰黑、内外均上深绿色釉的。烧制的火候都很高。

从发现的遗物看，与福建各地唐墓出土物相同，特别是平底碗和盘口罐是唐墓中常见到的，因此，简报推断它是唐代的窑址，这在福建还是首次发现。

289.五代闽国铜钟

作　　者：曾　凡

出　　处：《文物》1959 年第 12 期

1958 年秋季，南平专区文物普查队在政和发现铜钟 1 口，上有铭文 4 则，可以确知是五代闽国的遗物。五代闽国遗物在福建发现很少，铜器而有铭文的则更属罕见。钟上的铭文简报录有全文。

简报称，从这些铭文中得知此钟的铸造时间及保存情况，考永隆乃五代闽国王延羲之年号，延羲立国后不到 4 年即被其弟延政取而代之。此钟铭文都是追刻上去的，非铸时所刻。建隆三年（962 年）距永隆元年（939 年）仅相隔 23 年，为时不远，简报认为铜钟铸于永隆元年是可信的。简报认为，此钟造型美观，其铸造技术也很好，对研究五代时期之冶铸工业很有参考价值，是一件很难得的实物资料。

290.浦城出土唐代铜鐎斗

作　　者：赵洪章

出　　处：《考古》1986 年第 4 期

1983 年 3 月，福建浦城县林化厂工人在县城南郊 1.5 公里的三里亭北侧山坡施工挖土时发现 9 件古代器物。考古人员前往实地调查。据当事人回忆，器物出土时距地表深 1.5 米，其中铜镜 1 件置于一侧，其余器物均堆积在一起，距铜镜约 2 米处。由于现场已被破坏，又未发现墓砖、棺木，器物是否出于墓葬已不清楚。简报配以照片等予以介绍。

简报称，这批铜器、瓷器应属唐代遗存。其中铜鐎斗、铜提梁罐、铜镜工艺技术精湛，是福建省唐代文物中的珍品。

291.福建建瓯东游下塘唐窑调查

作　　者：张　家、徐　冰

出　　处：《考古》1994 年第 6 期

1990 年 12 月，建瓯阻县东游镇下塘村农民在挖土建房时发现 1 处古代窑址，考古人员前往调查处理，挖土建房已被制止，窑址现场得到保护。简报分为：一、地理环境及堆积情况，二、采集标本，三、初步认识，共三个部分。有照片。

据介绍，东游镇位于建瓯阻县东北部，距城关 45 公里。这一带丘陵连绵，植被茂密，水源充足，水路交通方便，十分有利于烧窑制瓷生产。窑址位于镇西南约1公里的下塘村东西走向的牛山上，大量器物散布于窑址南面山腰处和河流边。窑址被挖断面文化堆积厚约3.5～4米。根据器物散布情况分析，整个窑址分布范围为东西宽40米、南北长60米，约为2400平方米。由于窑址未经发掘，因而对其文化内涵的了解是有限的。从目前掌握的标本资料来看，其产品在胎质、釉料、釉色等方面有着唐代越窑的痕迹，在器型方面则明显带有强烈的地方特点。简报初步推断，东游下塘窑址的兴盛年代应在晚唐、五代时期，其下限可能延续至北宋初。

简报称，东游下塘唐窑是目前福建省发现不多的唐、五代窑址之一。该窑的发现，不仅解决了本地区同时期墓葬出土器物的归属问题，同时表明福建地区唐代制瓷业发展与浙江越窑的密切联系，从而可进一步与本省将口、怀安、南安、将乐、松溪等先后发现的唐、五代窑址排出时期的先后序列，并逐步形成体系来充实本省唐窑材料的不足，进而为福建省制瓷业发展史的研究奠定资料基础。

292.福建武夷山市发现唐墓

作　　者：武夷山市博物馆　赵爱玉
出　　处：《文物》2008 年第 6 期

1993 年 4 月，武夷山市博物馆对该市南部旅游开发区进行文物调查时，在擎日山东北侧路旁发现 1 座唐墓。简报配以照片、手绘图予以介绍。

据介绍，该墓上部已遭破坏，下部遗迹尚存。经清理，墓为竖穴土坑式，墓底距地表深约 2 米，编号为 93WSM1。墓坑填土稍加夯打，土色灰红略呈五花色，近底部土质略硬，土色偏红较纯。墓内随葬品保存较好，共 5 件。有瓷器、铜器、铁器等，其中瓷器 11 件。器形有碗、碟、灯盏、罐、盘口壶等。这座墓的年代简报推断约为中晚唐。

简报指出，武夷山市唐代墓葬以前虽有发现，但此墓的随葬品种类较多，特别是釉下彩的双系罐，在福建地区很少见。此墓的发现为研究唐时期的物质文化以及地区间的交往，提供了珍贵的实物资料。

龙岩市

宁德市

293.福建福安、福州郊区的唐墓

作　者：福建省博物馆　卢茂村

出　处：《考古》1983年第7期

1972年12月，福安县溪潭公社溪北村村民在村后后门山挖墓穴时，发现古墓1座，取出了墓内的器物。考古人员前往进行了调查。简报配以照片予以介绍。

据介绍，此墓为券顶砖室墓，平面似刀把形。墓室长4.95米、宽1.65米、高2.08米。随葬品排列于墓室前端。未发现人骨架。出土有青黄釉、青釉瓷等，其中三层灯座、羽觞、Ⅲ式托杯等造型别致，前所未见。

简报推断该墓的时代为唐代。

江西省

294.江西南昌、赣州、黎川的唐墓

作　者：薛　尧
出　处：《考古》1964 年第 5 期

江西省发现的唐代墓葬，经过正式发掘或清理的只有 10 余座，其中较完整的 10 座，简报配图予以介绍。

据介绍，土坑墓 2 座，均在南昌市郊发现，编号为 M1、M2。平面呈长方形的 3 座，编号为 M1 ~ M3，均发现于赣州市。黎川发现有 5 座呈"凸"字形砖室墓。年代据简报推断，土坑墓为晚唐时期，黎川的 5 座墓属初唐时期，赣州的 3 座墓属盛唐时期。

江西发现（包括采集品）的唐墓中，陶俑极为罕见，随葬品绝大部分系实用器皿。青瓷器虽承袭了江西省六朝以来的风格，但其器形和釉色已与前代有明显的差别，而带双环耳三足的洗则是江西唐墓中特殊的器物。

南昌市

295.江西南昌碑迹山唐代木椁墓清理

作　者：郭远谓
出　处：《考古》1966 年第 5 期

1965 年 3 月 9 日，考古人员在南昌市北郊青山路东侧的碑迹山，清理了 1 座合葬土坑木椁墓。简报配以照片、拓片、手绘图予以介绍。

据介绍，土坑为长方形竖穴，受损严重，葬具、人骨已朽，随葬品 41 件，有瓷器、铜镜、铜钱等。简报推断年代为晚唐。

296.江西南昌唐墓

作　者：江西省博物馆　陈文华、许智范
出　处：《考古》1977 年第 6 期

1973 年 11 月中旬，考古人员在南昌市清理了 1 座唐墓。该墓位于南昌市北郊，距市区约 0.5 公里。这里原为小山丘，在现地表下 3.7 米处发现墓葬。该墓结构特殊，系在生土层中挖一长方形土坑，在坑中用一种厚约 10 厘米的青灰色的胶结物构筑墓椁，质地坚硬，犹如石椁。椁内置棺，在棺椁之间填塞 16 厘米厚的石灰浆。石灰用白色棉纸包裹，棉纸表面有许多稻秆残段，出土时仍保存很好。简报配以照片、手绘图予以介绍。

据介绍，棺系用 6 块完整楠木板构成。由于石灰的密闭作用，棺木保存完好。棺全长 3.1 米（盖头向外伸出 0.33 米）、宽 0.7 米、高 1.6 米。棺板最厚处达 17 厘米。在棺盖伸出的前檐下放 1 木质地券、1 双麻鞋、1 件木俑和 4 件竹俑。棺内靠前面用木板隔成长 36 厘米、宽 44 厘米的"关箱"，内放置木俑、铜镜、瓷碗、罐、铁镶斗、粉盒、梳和匕等器物。开棺时，棺内已贮满积水，尸体全腐，仅剩骸骨。尸体上置一梯形木架，棺底散置铜钱。死者腰部左侧放两根木棍，左脚附近放置木俑、木匕和粉盒等。棺后用青砖砌成两个壁龛，高与棺盖齐，宽 16 厘米，龛内除积满淤泥外，未见器物。此墓共出铜、铁、瓷、陶、木等器物 10 余件。木俑背后有一段很长的墨书，木质地券上有墨书，简报均录有全文。据墨书，简报认为该墓下葬时间为大顺元年（890 年），墓主人应为一"地主婆子"。

297.南昌地区唐墓器物简介

作　者：唐昌朴
出　处：《考古与文物》1982 年第 6 期

在南昌地区的羊子巷、老福山、医学院、中兽医研究所、永和大队麻田山、豹子山、莲圹镇等地的基建过程中，先后发现一批唐墓。这批墓葬，除老福山墓呈"凸"字形外，其他皆呈长方竖穴土圹，长 3 米左右，宽不过 1 米。所出殉葬器物较少，老福山"凸"字形墓出有 10 余件器物，其余都只有几件粗劣的陶瓷品，只有个别墓葬有 1 ～ 2 件铜器和少量铜钱。这批墓葬出土的部分器物，对于研究晚唐民用手工业技术和社会状况，还是有价值的。简报配以照片、手绘图予以介绍。

据介绍，在不多的随葬品中，八菱鸳鹊镜与带紫彩瓷器，是江西唐墓的珍品。从器物的釉色、胎质、造型和烧制技法诸特点来看，系晚唐时期的器物，但其中的的釉瓷碗略具五代风格，它对于研究唐代民用工艺和唐末出土器物断代上是有价值的实物资料。

景德镇市

298.江西乐平龙南两县发现古窑址

作　者：江西省文物管理委员会　彭适凡

出　处：《考古》1966年第5期

简报分为：一、南窑遗址，二、象莲窑址，共两个部分。介绍了江西乐平、龙南两县发现的古窑址，有照片、手绘图。

据介绍，1964年初，考古人员于乐平县钟家山公社南窑大队的东南约0.5公里处，发现1座古窑址。从采集的标本看，以青釉器为主。器形有碗、盘、钵、壶、罐和窑具等，以碗、盘、罐为最多。此窑靠近景德镇，乐平南窑烧造的青釉瓷，比之唐石虎湾、胜梅亭的产品，在烧造方法上来看，技术水平较低，胎质也粗糙，色呈青灰，釉多不及底且不均匀。简报认为烧制年代是唐代。龙南县位于江西南部边境，象莲古窑以烧造酱褐色瓷为其特色，器形以罐、钵最多。简报认为象莲窑烧造年代应是唐代。

简报称，乐平南窑窑址和龙南象莲窑址，有关地方志中都不曾记载。遗物如碗、钵、罐和盘等，都是民间的日常用器，而且瓷质粗糙，简报认为此两处窑址应该都是民用瓷窑。

299.江西景德镇丽阳蛇山五代窑址清理简报

作　者：故宫博物院、江西省文物考古研究所、景德镇市陶瓷考古研究所　任秀侠、邬书荣、邓景辉等

出　处：《文物》2007年第3期

蛇山五代窑址位于江西省景德镇市西南21公里处丽阳乡洪家村和港南村之间的蛇山西坡上，面积约1000平方米。昌江在此处蜿蜒流过，距该窑址东、北、西3侧1～2公里。2005年7～11月，考古人员在对丽阳乡元、明窑址进行主动发掘时调查发现了该处窑址，修建乡村机耕道横穿该窑址，使窑址遭到了局部破坏，堆积断面暴露清楚，地表也散布有大量的窑业遗存。由于正式发掘的条件不成熟，考古人

员对其进行了标本采集和布方(编号05JLHST1)清理,出土了大量五代时期的青瓷器。简报分为:一、地层堆积,二、出土器物,三、生产工具及装烧工艺,四、结语,共四个部分。有照片、手绘图。

据介绍,此次发掘不仅出土了大量青瓷器,还出土有碾轮、轴顶帽等生产工具,另外发现了1座元代窑炉的遗迹,是由龙窑向葫芦形窑过渡的雏形,对于研究陶瓷窑炉发展史具有一定的学术价值。通过对该窑炉内原状匣钵柱排列方式以及装烧细节的考证,可作为研究和复原元代晚期窑炉每窑的装烧量、窑内匣钵平面排列和空间组合等瓷业生产的原始依据。

萍乡市

九江市

300.江西瑞昌隋墓

作　者: 瑞昌县博物馆　刘礼纯
出　处: 《江汉考古》1986年第2期

1980年11月至1983年8月,因农民打屋基和修建水沟,发现古墓4座,编号为M1、M2、M3、M4。简报配以照片予以介绍。

据介绍,该4座墓分别位于4座黄土坡地上,离地面约1.5米深,为长方形竖穴土坑墓。M1长3.2米、宽1.6米、高1.4米,M2长4.3米、宽2.4米、高1.6米,M3长3.4米、宽2.4米、高1.5米,M4长4.米、宽2.1米、高1.2米,以上4座墓的棺木均已朽。这4座墓共出土器物20件,器物均为青瓷,有青瓷钵、青瓷杯、青瓷盘等,分别置于墓门和墓壁的两侧。4座墓的时代,简报推断为隋代。

301.江西彭泽出土唐代瑞兽葡萄纹铜镜

作　者: 郭　华
出　处: 《考古》1994年第4期

江西省彭泽县黄岭乡芳湖村农民1990年6月在村小学路旁挖出1件唐代瑞兽葡萄镜。该镜现存县文物管理所。简报配以照片予以介绍。

据介绍，铜镜圆形，窄缘，重2.8公斤。半球形大纽，圆纽座。镜面光泽如新，仍可照影。

这面铜镜体大量重，完好无损。考其铸工形制、纹饰风格以及合金成份，简报推断当属唐高宗至武则天时期遗物。

302.都昌周溪唐窑遗址

作　　者：周振华
出　　处：《考古》1994年第5期

周溪唐窑遗址位于江西都昌县南伸入鄱阳湖的半岛上，窑址坐落于半岛南的沿湖高地。由于采取原料和产品运输极为方便，当时这里窑业十分发达。在1982年文物普查中，考古人员在不到4平方公里的范围内发现窑址堆积7处。该窑均系以木柴为燃料进行烧制，因未进行发掘，窑址结构不明。除1个窑全部烧造瓷碗外，其他窑多烧制生活用器，器物有碗、双耳壶、执壶、四耳罐、坛、钵等。简报配以手绘图、照片予以介绍。

据介绍，周溪唐代窑址的出土器物，其造型、釉色与吉州窑晚唐器物极为相似，从各窑址堆积情况及堆积中器物来看，简报推断烧造时间应始于唐代中期，盛于晚期，终于五代。

新余市

303.江西新余市发现一面唐代宝相花铜镜

作　　者：新余市博物馆　章国任
出　　处：《考古》1996年第6期

1988年9月，江西省新余市博物馆征集到唐代铜镜1面。新余市基建施工中发现，出土时未发现其他器物。铜镜当时被打碎，后经修复。简报配图予以介绍。

据介绍，该镜作八瓣葵花形，扁平圆纽，花瓣形纽座。宝相花镜为唐代常见铜镜之一，但花朵多为6朵。这次发现的铜镜为8朵宝相花，为研究唐代铜镜又提供了新资料。

鹰潭市

赣州市

304.江西于都东坑、窑塘古窑址调查

作　者：于都县博物馆　万幼楠
出　处：《考古》1987年第6期

1982年，于都县进行全县文物普查时，分别在岭背乡的东坑和西郊乡的窑塘发现古窑址，以后又多次派人进行调查，并采集了一批标本。简报分为：一、东坑古窑址，二、窑塘古窑址，三、结语，共三个部分。有手绘图。

据介绍，东坑古窑址，南距于都城15公里，位于岭背乡南部约1公里的梅江彼岸。梅江，《汉书·地理志》上称"汉水"。它发源于石城县，经宁都、于都至赣州注入赣江。因此，水运极为便利。该窑址共发现7个窑墩堆积。窑塘古窑址位于于都城北，梅江西岸。

从这2座窑址的产品看，主要是烧制民用大件器皿，不见碗、盘、碟等小件器具。产品中引人注意的：在东坑窑址中的是平底出边的薄胎陶钵；在窑塘窑址中是用泥条粘贴的双环耳罐；后者与广东省博物馆两次在西沙群岛的甘泉岛上发掘出的唐代青瓷双耳罐十分相似，因此它为这类器物的产地提供了一条线索。年代简报推断为唐代，东坑窑的年代似乎还可早些。

吉安市

305.江西吉水房后山隋代墓葬发掘简报

作　者：江西省文物考古研究所、吉水县博物馆　崔　涛、叶　翔等
出　处：《文物》2014年第2期

此次发掘涉及隋墓及明清时墓，但重点在隋墓。简报介绍说，房后山墓地位于江西省吉水县文峰镇井头村房后山西北端的坡地上，东南靠山，北面为开阔的恩

江冲积平原。2011 年 8～10 月，考古人员对房后山古代墓地进行了抢救性考古发掘，共清理墓葬 21 座，其中隋代墓葬 6 座（3 座为隋代纪年墓），明清墓葬 15 座。6 座隋墓位于墓地西北，编号分别为 M1、M2、M4、M5、M11 和 M21，呈东北—西南向排列，相互间距约 5 米。除 M11 直接被明清墓葬打破外，其他 5 座墓葬皆因 20 世纪 70 年代当地村民取砖而遭到不同程度的破坏。

简报具体介绍说，6 座隋墓均为长方形券顶砖室，形制基本相同。营造方法为：先在山坡上挖一长方形土圹，在其底部铺上一层青砖，然后砌筑墓室。土圹墓室部分略大，前端挖取一长方形沟，沟底部大多与墓室水平，以方便出土和运输建筑材料。墓室用砖柱分为前、后两室，前室比后室略低，前室后部有一或两级台阶。前室前、后端两侧以及后室后端两侧、后壁正中各有一组砖柱，并从两侧砖柱上起内券，用以支撑和加固券顶。M11 后室两侧壁有壁龛，其余墓葬墓壁破坏严重，但从后室出土盏来看，余下 5 座墓可能也有壁龛。券顶均为双层，券顶上再纵向平铺一层青砖。墓壁和封门墙均采用一顺一丁叠砌而成；墓底用一层青砖呈"人"字形铺地，后室前端纵向平铺一层青砖锁口。墓砖纹饰丰富，长短侧面均模印花纹。墓葬的棺椁和尸骨均已腐朽无存，仅在 M5 后室中部出土两枚棺钉。部分墓葬前室底部保存较好，出土大量青瓷器；后室均扰乱严重，仅发现青瓷碎片，部分器物可以复原。简报分为七个部分：一、2 号墓，二、11 号墓，三、21 号墓，四、5 号墓，五、4 号墓，六、1 号墓，七、结语，共七部分。有彩色照片和手绘图多幅。前六个部分，分别介绍了 6 座隋墓的发掘情况。如"2 号墓"下，分为"墓葬形制"和"随葬器物"两个部分，加以介绍。

简报介绍说，该墓墓室全长 7.56 米、宽 2.2 米，前室内长 2.34 米、内宽 1.6 米，后室内长 4.45 米、内宽 1.6 米，前室比后室低 0.21 米。封门墙正中有一组长方形砖柱，为该墓所独有。前室后部有两级台阶，第一级台阶长 1.3 米、宽 0.16 米、高 0.07 米；第二级台阶长 1 米、宽 0.16 米、高 0.07 米。后室前端纵向平铺一层青砖锁口。在距离后室铺地砖 1.36 米处向上起券，券高（券顶内壁距离墓底）2.2 米，为双层券顶。两侧砖柱呈三级阶梯状，并从砖柱上起三层内券。

墓砖均呈青灰色，纹饰丰富。壁砖为长方形，长 31 厘米、宽 15.5 厘米、厚 6.8 厘米，砖的长、短侧面模印卷草、网格、莲花和涡纹；券顶楔形砖长 31 厘米、宽 15 厘米、厚 3.5～6.2 厘米，券顶内层和顶部用砖较薄，外层和底部用砖较厚。长、短侧面模印卷草、网格、莲瓣、变体莲瓣、树纹和"开皇廿年"铭文等；封门砖为长方形，长 31.8～33.2 厘米、宽 15.6 厘米、厚 6.5 厘米，长、短侧面模印卷草、几何、细网格和莲瓣纹，其中卷草纹较壁砖复杂，莲瓣纹较壁砖瘦长。

至于随葬器物，前室出土 16 件，整齐排列在墓室两侧；后室有一些青瓷碎片散布于墓底。计有盘口壶1件、唾壶1件、小罐1件、四系罐1件、碗1件、盏1件、灯盏1件、五盅盘1件、耳杯盘1件、分格盘1件、瓢尊1件、盘托三足炉1件、三足炉1件、灶1件、水泡1件、砚台1件、插器1件等。

其他5座，也依墓葬形制和出土器物详加介绍，文长不引。

在第七部分"结语"中，简报推断这6座墓葬的时代均为隋代。出土的部分青瓷器釉色青黄亮泽，釉面普遍开细冰裂纹、较易脱落，当为地方窑厂生产。简报认为，房后山隋代墓地的发掘对江西地区隋代墓葬的深入研究有重要意义，为研究江西地区隋代墓葬的建造、埋葬习俗提供了新的资料。

简报称，此次出土的青瓷器数量多，种类丰富，有明确纪年，其中瓶、插器、灶、水注和瓢尊等在以往发掘的隋墓中较少见，为进一步研究江西地区隋代窑业生产、江西地区青瓷发展史以及青瓷生产地与消费地的关系提供了重要的实物资料。

宜春市

306.江西清江隋墓发掘简报

作　者：江西省文物管理委员会　郭远谓、陈柏泉
出　处：《考古》1960年第1期

1959年8月31日，江西省文管会派出一个工作组，至清江县进行文物调查。在距樟树镇东面约8公里的黄金坑村后山丘上，发现一批古墓葬。根据这一情况，从9月5日至23日，考古人员重点清理了古墓葬36座，其中有隋墓8座，被编为1、8、9、11、12、13、19、31号墓。简报分为：一、墓室结构和墓内情况，二、出土物，三、几点认识，共三个部分。有手绘图、照片。

简报称，这8座墓全是砖室拱顶结构（已发现而未经清理有年号砖的几座，情况也是如此）。联系到墓葬形制的演化，得知隋墓一般较深，并且贴圹而砌的凸形砖柱很多，似乎是表现出一种多院落的墓葬形制。随葬器物多质地较粗的青釉瓷器，纯粹的陶器未经发现，也不见有铜器。器釉青绿、黄绿、酱色，施釉均匀，但腹中部以下多露素胎。均开冰裂纹，间或也有莲花、弦纹、朵花等纹饰。

简报称，隋墓的花纹砖在两侧常见鱼纹和钱纹，这些纹饰在江西省六朝墓砖上亦常见。

307.江西清江上阳水库发现隋代墓

作　者：黄颐寿

出　处：《考古》1976 年第 1 期

1971 年 11 月，考古人员在水库库容内清理隋代墓 1 座。简报配以拓片予以介绍。

据介绍，此墓坐落在水库中台山东南面红土缓坡上，墓顶及壁均已倒塌，砖多风化，仅残存中间一部分底砖。从残存的墓室观察，结构为长方形，分前、后室。出有纪年砖铭"开皇十六年丙辰□□□"10 字。出土器物有陶罐 1 件。据纪年砖，知此墓为开皇十六年（596 年）隋墓。

308.江西清江隋墓

作　者：清江博物馆　黄颐寿

出　处：《考古》1977 年第 2 期

1976 年 2 月，清江县树槐公社淦上大队岭西山坡上，发现古墓 1 座，知识青年吴长生向清江博物馆反映情况，考古人员于 12 日前往进行清理。简报配以拓片、照片、手绘图介绍了清江的 3 座隋墓。

据介绍此墓系长方形砖室，由主室和前室 2 部分构成。全长 5.6 米，券顶已塌，砖上刻有"大业七年"（611 年）和墓主人姓名（李法珍）。随葬品均为青瓷器。葬具、人骨已不存。

1974 年 3 月，清江洋湖中学农场，在平整土地时发现隋墓 2 座。墓 1 被盗，扰乱，出土砖有铭文为"大业七年"。墓 2 中出土文物该校妥善保护。该墓系砖室，形制与前述岭西隋墓相似。砖端有的印有纪年铭文"大业七年"及墓主人姓名"熊谏"。出土青瓷器 9 件。

309.江西铜鼓发现唐代窑址

作　者：黄颐寿

出　处：《考古》1989 年第 1 期

1982 年，铜鼓县文物普查工作队，在县城永宁镇东北古桥乡古桥村旁，发现古窑址 1 处。该窑建筑在程子源山坡上，遗物散存颇广。宜春地区博物馆于 1984 年进行复查，两次调查采集了一些标本，主要有执壶、四系壶、罐、碗、钵和窑具等残片。简报配以图片予以介绍。

据介绍，从采集标本观察，这些器物的共同特点，大多数胎骨粗糙、厚重。施釉以蟹壳青为主，次为酱褐色釉，素胎无釉者占多数，胎釉结合不牢固，属青绿色釉者一般结合较好。产品以壶、碗、罐最多，形制具有唐代晚期作风，支柱式窑具又具唐后期至五代时期的特征。上述器物在江西省赣中赣西地区，亦常有出土。铜鼓是赣省边陲地方，与湖南接壤，有的器物形制，如执壶的风格，就接近湘地同类产品。其时代，从所见遗物分析，简报推断上及唐代，下至南唐或宋初。

310.江西樟树发现隋唐窑址

作　者： 樟树市博物馆　李　昆
出　处： 《考古》1991 年第 10 期

樟树市地跨赣江中游两岸。考古人员在昌付乡大平观岭上山，发现了几座隋唐窑址。简报分为：一、窑址分布，二、窑址遗物，三、几点认识，共三个部分。有手绘图。

据介绍，岭上山窑址地处蒙河下游、悽梧山之北。几座窑分布在岭上山西侧坡地，自南到北紧依蒙河的东岸一字形排开。从暴露在地表上的窑炉残壁、窑具、残青瓷器片看，南北长约 100 米，东西宽约 30 米。另外，还见有大量红烧土块、匣钵、青瓷片等堆积，是一处规模不小的民窑区。采集的窑具有匣钵、垫圈、托座等，瓷片有青黄、青绿、米黄、蟹壳青、酱褐釉的碗、盏、盘、高足盘、圆砚、罐等，以碗为主，盏、盘、砚、罐次之。胎质以灰、红为主。青瓷胎一般略粗松、厚重，器表常在腹下部或近底部露胎，形成内外半截釉，也有极少量通体施釉，釉层多开冰裂细片。简报认为，该窑应是隋唐窑址，但具有更多的隋代作风。

311.江西丰城市窑里、罗坊五代青瓷窑址

作　者： 丰城市博物馆　万良田、万德强
出　处： 《考古》1997 年第 3 期

继 1977 年丰城市在曲江镇罗湖一带地区发现唐洪州窑旧址之后，根据当地百姓提供的线索，1979 年 5 月考古人员又在赣江东岸发现了 2 处唐晚期以后的古窑址。窑址所在地属市境南郊的河洲乡窑里、罗坊 2 村，距市镇 3 公里。以其地名，考古人员称窑里、罗坊窑址。这 2 处窑场，当调查发现时，已因历年洪水内泛及抗洪筑围、改良水道等原因，遭到严重破坏。经紧急抢救、保护，在现场和 2 地百姓中征集和采集到一批出土青瓷遗物，其中计有较为完整的壶、罐、碗、碟等 50 余件，对于研

究该 2 处窑址面貌及内涵具有重大的资料价值（简报见《江西历史文物》，1980 年第 1 期）。此后，又进行了多次调查。有关资料进一步具体整理，简报配以手绘图予以介绍。

据介绍，窑里窑址在窑里村头小土坡，窑场面积为 1200 平方米。现场考察时，尚见窑场规模及残室底壁。当地人在抗涝筑围中从窑口挖掘出部分完整器物，经现场动员征募，共收集出土较完整器物 40 余件，其中壶类占 30 余件。

罗坊窑址位于罗坊村后坡地港湾旁，距窑里村 1 公里。窑场呈长椭圆形（现分隔成两半），占地面积 650 平方米。调查时，在东面断沟有部分叠压堆积层，器类与窑里瓷器一致。发掘和从当地人中征集共 10 余件完整器。

2 窑出土器物类型分壶、钵、碗、杯和碟等，为日用器皿为主。IV 式青瓷执壶，可称是生活写真的一件佳品，反映了唐末至五代社会中人们的崇尚风韵。采集的 30 余件壶类，均为圆筒形短嘴。

简报认为罗坊、窑里窑址和洪州窑青瓷系是一脉相承、不可分割的，简报把洪州窑定为"终烧于五代"是有事实依据的。

抚州市

上饶市

312.江西铅山县古埠唐代瓷窑

作　者：陈定荣
出　处：《考古》1991 年第 3 期

江西素为瓷器大省，赣东北为江西瓷器发祥地之一。铅山县古埠窑位于县东北傍罗乡之上、下古埠村中，地处信江北岸，附近丘冈起伏，自然环境优美，运输便利。古窑遗址有下古埠村隽鸡蓬、高滩窑门，上古埠村窑头山等处，周围随地罗列青瓷堆积和支烧窑具，窑门古窑残壁历经沧桑至今屹立江岸。1984 年，因当地农民建房动土，挖开隽鸡蓬堆积，出土大批青瓷残器及窑具。1987 年春，考古人员进行了实地考察。古埠窑沿江原有古窑遗迹，由于洪水冲刷，年久残损，现尚见窑门遗有残窑 3 处，露天壁立，甚为罕见。窑门、窑墙清晰可辨。除下古埠隽鸡蓬堆积外，又于上古埠村西窑头山查实堆积 1 处，由于农民积年开垦，所存仅有数十平方米，考古人员采集了部分青瓷标本和窑具。简报分为：一、窑址遗迹，二、出土遗物，三、制烧技法，四、窑场年代，共四个部分。有手绘图等。

　　古埠窑制瓷年代未见地方史志载录，亦无纪年墓葬可以印证，但有时代特色。釉面青绿，局部有流痕，系钮圜曲，器态丰满，底足平实，多为唐代常见器形。采集到的1件瓷器钵底内彩书有"天宝十胡"的铭款，"天宝"为唐玄宗的年号之一，它为该窑的断代提供了实物证据。可知古埠窑为唐代瓷窑。

山东省

济南市

313.济南市大佛寺调查记

作　者：济南市文化局　王建浩
出　处：《文物》1964 年第 10 期

1963 年冬，济南市农村文化工作队，在此演出期间发现了这处石窟造像。济南市文化局随即进行了调查。简报配以照片予以介绍。

据介绍，大佛寺位于济南市东南约 50 里，青铜山南麓。从造型结构来看，是一处明代的建筑。由寺再向北走约 2 华里就是青铜山，在济南市东南，距济南市约 25 公里，石窟就凿在青铜山高约 50 米的巨岩下，距地面约 250 米。窟平面作方形，据窟前碑记：明嘉靖十五年（1536 年）、清光绪时均重修拱门。

简报称，大佛寺石窟造像，保存相当完好，它是山东省目前发现的石窟造像最大的一躯。它的发现对研究山东石窟艺术是一个重要的材料。就济南地区石窟造像的风格来看，从大石佛的衣纹、形态推断，简报认为是初唐时的作品。

314.济南市洪家楼出土的一批隋代瓷器

作　者：宋百川
出　处：《文物》1981 年第 4 期

洪家楼位于济南市东郊，南为济南市第二砖瓦厂，该厂在厂东约 100 米处取土制砖时，陆续出土了一批隋代瓷器。简报配以照片予以介绍。

据介绍，1964 年，山东大学历史系曾去该厂了解。当时，出土瓷器的墓葬已经毁坏，一部分瓷器已被厂内职工收存起来。经与该厂联系，先后共征集到完整的器物 17 件，计有：四系壶、罐各 1 件，瓶 7 件，盂 2 件，碗 4 件，杯 2 件，现皆保存于山东大学历史系考古标本室。

简报称，河北、陕西、安徽等地隋代墓葬或窑址在隋统一全国后，由于经济、文化交流范围的扩大，瓷器手工业的制造也都互有影响，所以瓷器的造型在中原地区皆大同小异。简报推断，这批瓷器应是山东瓷窑的产品，它为研究山东的隋代瓷器和瓷器手工业的发展提供了实物资料。

315.山东平阴发现大隋皇帝舍利宝塔石函

作　　者：邱玉鼎、杨书杰
出　　处：《考古》1986 年第 4 期

山东省平阴县洪范池，位于平阴县城西南约 32.5 公里的洪范公社管委会院内，北距原东阿县老城约 7.5 公里。在洪范池以南 80 米是一高出地表约 3 米的台地，其断崖上东西 80 余米范围内，暴露出大量隋唐时期的莲花瓦当、筒瓦、板瓦、兽饰等建筑构件。在其以东约 500 米，有天池山隋代摩崖造像。此处当是一处隋唐时期的寺院遗址。1982 年 11 月，公社修建的社际公路正好沿台地北边缘穿过，取土平整道路时，在离台地表面 1.6 米深处发现 1 个石函。简报配以照片、拓片等予以介绍。

据介绍，石函出土于台地的东北部，周围是一片夯土，以石函为中心，但未发现地宫痕迹。石函分内外两重，石材均为当地所产青石。出土时，外函盖已破碎为三，内函盖也被撬起，函内积满淤泥，未有任何遗物，显然是早年被盗。内函盖顶上刻“大隋皇帝舍利宝塔”8 字，外函底板之上等处有 360 余枚隋五铢钱，四角各放 1 枚北周“永通万国”钱。石函总重约 5200 公斤，内函重约 1600 公斤。

316.山东章丘隋代周皆墓

作　　者：宁荫棠
出　　处：《考古与文物》1996 年第 1 期

隋代周皆墓位于章丘市聂家村南约 300 米处，系聂家村村民平整土地时发现。经清理后简报配以手绘图予以介绍。

据介绍，墓葬坐北朝南，为方形穹隆顶砖室墓，由墓道、墓门、前庭、墓室门、墓室组成。墓室内西侧有尸骨两具，骨架无存，只有两颅骨可辨。据残留痕迹和棺钉可知原有棺木已朽。头向北，此墓当为双人合葬墓。墓中出土随葬器物石俑 1 件、瓷碗 1 件、墓志 1 方，志文楷书，共 150 字，简报录有志文全文。据墓志可知，周皆（562～607 年）字子偕，卒于隋大业三年（607 年）十月二十二日，葬于湖山之阴。湖山为章丘名山，在周皆墓南 8 公里。其曾祖父曾任平原郡守，祖父曾任义县（今陕西白河县）令，父曾任郡主簿。周皆作为小官宦之后代，本人虽才高情秀，并无官职，只活了45岁。至于周公之苗胄，周瑜之末孙待考，可能只是为高攀而已。

简报称，从墓葬形制看，因山东地区发现这一时期墓葬较少，尚难比较，但与这一带的唐代穹隆顶砖、石室墓的形制基本相似。周皆墓的发现为研究山东地区的隋代墓葬提供了实物资料。

317.济南玉函山隋代摩崖龛窟造像

作　者：北京大学考古文博院　唐仲明
出　处：《中原文物》2003年第1期

玉函山摩崖造像以其众多的纪年造像题记，早在20世纪20年代就为学术界所知，但迄今仍无调查报告面世。考古人员以多次现场调查为基础，详细叙述各龛造像的现存情况，包括龛像尺寸、造像内容、题材、形制、题记等。简报配以照片予以介绍。

据介绍，玉函山位于济南市南外环路以南，相传汉武帝游此山时得一玉函，故名。20世纪20年代，日本人常盘大定和关野贞、瑞典学者喜龙仁曾先后对这一造像群进行过调查。50年代，荆三林先生和张鹤云先生也曾作过调查，并发表过几篇文章。但几位先生的介绍比较简单，也缺乏详细的龛窟立面分布图。20世纪90年代以来，又有学者在文章中涉及玉函山的材料，其中李清泉文中详细叙述了玉函山每一龛像的情况并附龛窟分布图1张，但文中仍疏漏。此次调查，将各龛统一编号。计存龛窟31个，造像88躯，题记15则。简报逐龛介绍，题记大多录有全文。

318.济南隋代吕道贵兄弟墓

作　者：济南市考古研究所　李　铭、郭俊峰
出　处：《文物》2005年第1期

2001年12月，济南市考古研究所根据群众举报，在位于济南市经八路纬四路的汇苑小区建筑工地，发现并清理了1座隋墓。整个墓室在施工中基本已被破坏，仅残留部分方形墓石和部分铺地石板，并发现墓志1方。另据调查，在该墓葬南20米处此前还发现了1座隋代墓，编为一号墓，所以此次发现的隋墓编为二号墓。简报分为：一、墓葬形制，二、出土遗物，三、几点认识，共三个部分。有照片、拓片等。

据介绍，一号墓已经遭到彻底毁坏，形制不明。经努力追回灰陶罐2件、墓志1合。墓志计240字，简报录有全文。二号墓的筑墓石块散乱地堆在建筑垃圾中，仅墓底存数块铺地石板。根据对现场的清理得知，该墓应为石筑双室墓，由墓道和墓

室组成。四壁用长 40 厘米的石条砌筑，地面用大小不规则的石板铺筑，顶部用弧形石筑成穹隆顶。二号墓出土武士俑 2 件，墓志 1 合，石刻门楣 1 块。墓志计 625 字，简报录有全文。

据墓志，此为隋代吕道贵兄弟墓。一号墓为吕道贵墓，二号墓为其兄吕仓之墓。据《隋书·外戚传·高祖外家吕氏》记载："高祖外家吕氏，其族盖微，平齐之后，求访不知所在。至开皇初，济南郡上言，有男子吕永吉，自称有姑字苦桃，为杨忠妻。勘验知是舅子，于是，文帝追赠外祖双周为上国柱、太尉、青州刺史等，封齐郡公，外祖母姚氏为敬公夫人。诏并改葬，于齐州立庙，置守冢十家。以永吉袭爵，留在京师。"后因永吉性情庸劣，不理政务，被罢官，不知所终。永吉的从父即为一号墓主人吕道贵，志文中称其为皇帝的从舅，推断应为皇后吕苦桃的堂兄。根据史书记载："道贵性尤顽骏，言辞鄙陋。"初自乡里入长安，竟连呼高祖名，之后又屡犯忌讳，"高祖甚耻之"，于是"厚加供给，拜上仪同三司，出为济南太守……断其入朝"。道贵回到济南后，"高自崇重，每与人言，自称皇舅。数将仪卫出入闾里，从故人游宴，官民咸苦"，"七十有九薨于第"。

从墓志内容看，吕道贵和吕仓都应是皇太后吕苦桃的堂兄。吕仓是吕道贵之兄，可能在吕道贵封官之前就已经去世，故未封官职，史书中也不曾提到。只是在后来安葬吕道贵时，又把吕仓夫妇进行了二次葬。吕氏兄弟均葬于开皇十二年二月八日，即 592 年。《隋书》记载吕道贵"后郡废，终于家，子孙无闻焉"。据记载，隋开皇三年（583 年）取消郡制，改济南郡为齐州。大业三年（607 年），复改为郡，齐郡下辖历城、章丘等 10 县。这样看来，吕道贵做济南郡守到废除郡，只有不到 4 年的时间。

简报指出，吕道贵墓是济南市发现的第一座隋代皇亲墓。墓志的出土，对于研究隋代的历史等具有重要意义，对史书中没有记载的吕氏家族部分做了补充。武士石俑的发现，对于研究隋代的葬制等也有一定的研究价值。

青岛市

319.山东平度隋船清理简报

作　者：山东省博物馆、平度县文化馆　毕宝启
出　处：《考古》1979 年第 2 期

1975 年秋，山东省平度县新河公社大苗家大队，在该村西南 0.5 公里泽河东岸

将几年前被水冲出的 1 只古代沉船的部分木料挖了出来。考古人员于 1976 年 5 月进行了清理工作。简报配以手绘图予以介绍。

据介绍，新河公社大苗家大队，位于平度县城西北隅，是莱州湾南部的海水冲积平原。从东至西 50 余公里内，有潍河、胶莱河、滋阳河、沙河等几条大河从这一带经过，向北注入渤海的莱州湾。古船发现于大苗家村西南 0.5 公里泽河东岸的海滩空地上，北距莱州湾约 15 公里。在 1975 年秋季以前，由于泽河水的逐年冲刷，船体西部已露出，且年年扩大；当地传称这里为"木头窝子"。船已遭破坏，残长 20.24 米，宽 2～2.82 米，系将两只独木舟并列在一起的"双体船"。出土有隋五铢、瓷片等。

简报认定古船为隋代木船。木材经鉴定系产自南方，不知是造于南方，还是当时北方有此树种。简报称，此次发现，对研究隋代造船史和树种分布史均有价值。

淄博市

枣庄市

东营市

烟台市

320.烟台市芝罘区发现一座石椁墓

作　者：王锡平

出　处：《文物》1986 年第 8 期

1984 年 2 月 16 日，山东烟台市芝罘区珠玑大队农民在村北拉沙时，发现石椁墓 1 座。考古人员闻讯立即前往抢救清理。简报配以照片予以介绍。

据介绍，该墓位于珠玑北约 30 米，压在高约 7 米的沙丘下面，墓为土坑竖穴石椁墓。随葬品有瓷碟、瓷碗、陶罐、铜饰件、铁钉。简报推断年代为五代以后。

潍坊市

321.山东安丘发现隋代墓铭

作　者：安丘县博物馆
出　处：《文物》1992 年第 4 期

1979 年，山东安丘县红沙沟镇沈家庄农民在整地时，于地表下深约 1 米处发现 1 块隋代墓铭，现藏县博物馆。简报配以拓片予以介绍。

墓铭为青石质，竖长方形，长 48.5 厘米、宽 25 厘米、厚 12 厘米。碑面阴刻楷书 6 行，共 61 字。简报录有全文，知墓主人叫成恶仁，卒于隋大业三年（607 年），文中提及地名，对研究历史地理颇有价值。

322.山东寿光县西文家出土唐代石刻造像

作　者：贾效孔
出　处：《考古》1992 年第 12 期

1978 年 2 月 29 日，寿光县马店乡西文家村民在其村前取土，发现 1 件唐代石像，交县博物馆收藏。简报配以照片予以介绍。

据介绍，石造像出土于村南约 100 米处的一块高地上，由于经年从此地用土，现已与周围田地大略相平。石造像发现于地表下 1.5 米，除挖掘时稍有碰损外，基本完好。因在地下埋藏多年，水渍水锈比较严重，有的铭文字口水锈布漫，漫漶不清。铭文镌于背光左侧："维大唐元年，岁次壬寅，建巳月一日庚戌朔……"按"大唐"非年号，据《新唐书·肃宗本纪》载，肃宗李亨为祈福避祸，于"上元"二年（761 年），命去尊、年号，"九月壬寅大赦，去乾元大圣光天文武孝感号，去上元号，称元年"。762 年（壬寅）四月，代宗李豫即位，始称宝应元年。上元二年九月，至次年四月无年号，这段时间即称大唐元年。

简报称，这是 1 件唐代有确切纪年的石造像。整个造像画面丰满，布局得当，主从有序，阴雕、浮雕、圆雕互相配合，层次分明，衣纹线条流畅，雕饰精巧清晰，显示了中唐雕刻艺术风格。

323.山东青州市郑母镇发现一座唐墓

作　　者：青州市文物管理所　李光林

出　　处：《考古》1998 年第 5 期

1994 年 3 月，山东青州市郑母镇农民在第三中学北侧挖树坑时，于深 60 厘米处发现 1 座墓葬（编号 ZM1）。该墓背倚丘陵及洗耳河，东临香山，西、南濒康浪河。墓呈西北—东南向，形制为长方形竖穴单室砖墓，葬具与尸骨均已腐朽。墓底南端出土三彩炉 1 件和铜镜 1 件。简报配以照片、拓片予以介绍。

据介绍，三彩炉（ZM1：1），夹砂红陶，大口，卷沿，短颈，鼓腹，圜底，腹下侧有 3 个兽蹄形足，均残。鸾鸟镜（ZM1：2），八瓣葵花形，呈铅灰色，光亮可鉴。据考古发现可知，该墓出土的鸾鸟镜大多流行于唐代中、前期，因此，简报推断该墓的时代在唐代中、前期。

威海市

济宁市

324.山东嘉祥英山一号隋墓清理简报——隋代墓室壁画的首次发现

作　　者：山东省博物馆

出　　处：《文物》1981 年第 4 期

1976 年 2 月，山东省嘉祥县满硐公社杨楼大队社员于英山脚下发现了 1 座隋开皇四年（584 年）的壁画墓。据出土墓志推知，附近还有另 1 座隋墓，故将此墓暂定名为"英山一号隋墓"。墓系圆形单室砖券，顶呈穹形，白灰抹面，墓壁及穹顶绘有彩画。因墓室破坏严重，除清理出石墓志及少量陶俑外，主要是临摹和揭取了部分残存壁画。简报分为：一、墓室位置与结构，二、隋代壁画，三、出土器物，共三个部分。有照片、拓片。

据介绍，英山坐落在嘉祥县杨楼村西南。墓由墓道与墓室组成，壁画均彩绘在墓中白灰墙面及穹顶上，英山一号隋墓是 1 座夫妇合葬墓。墓主徐敏行出身仕官，又是隋朝的现任官，随葬品理应丰厚。但由于该墓被严重破坏，墓室中棺木和骸骨无存，随葬品所剩无几。清理出的物品仅有陶俑等、墓志附盖 2 方，志盖题额阳文篆书，志铭为阴文楷书，铭文清晰，简报未录全文。此墓志尚有几点值得注意：一是不写死者籍贯，二是不写他父亲的名讳，三是不写妻室姓氏，这都与一般墓志不同。其家世可见《北齐书·徐之才传》。徐之才为其伯父。徐敏行死于隋文帝开皇四年（584年）。英山应为其家族墓地。

325.山东曲阜、泗水隋唐瓷窑址调查

作　者：宋百川、刘凤君

出　处：《考古》1985年第1期

山东大学考古专业为了配合教学，自1979～1982年先后对曲阜、泗水一带作了调查，发现了十几处古代瓷窑址。这些古瓷窑址都集中在泗河中上游的两岸及其支流附近，包括曲阜县的粉店、息陬、大官庄、宋家村、旧县、徐家村，泗水县的拓沟、楚下寺、尹家城、大泉等。古窑址大都选择在靠河较近的二级台地上，多是较小的圆形窑。考古人员调查了曲阜县的宋家村、徐家村、息陬和泗水县的大泉、尹家城等5处窑址，发现其文化内涵丰富，采集的标本也比较齐全，大致能代表曲阜、泗水一带古瓷窑址的基本风格和特点。简报分为：一、窑址；二、遗物；三、年代；四、结语，共四个部分，有手绘图、照片。

据介绍，时代较早的青瓷窑址主要分布在曲阜县境内，其中以宋家村窑址的面积最大，距瓷土产地最近。宋家村窑的青瓷器，其胎质和釉色的大致情况是：青灰胎的器物釉色青绿，釉层较厚；灰白胎的器物釉色淡青。这两类瓷器均胎质坚硬，胎釉结合紧密，釉的光泽度好。瓷器种类较多，造型规整，体态稳重。窑烧造瓷器的方法主要还是叠式裸烧法，但也发现了少量的匣钵残片，有可能一些质量较好的器物是使用匣钵烧成的。简报推断：宋家村和徐家村窑址只有第一组器物，其烧造年代应在隋代；息陬窑址有第一、二、三组器物，烧造年代可能在隋至唐代中期；大泉窑址只有第二组器物，约在隋末初唐时期烧造过瓷器；尹家城窑址采集到第二、三、四组器物，说明尹家城窑址在整个唐代都没有间断瓷器生产，有可能始烧于隋末。

326.山东嘉祥英山二号隋墓清理简报

作　者：嘉祥县文物管理所　李卫星等

出　处：《文物》1987年第11期

1976年5月，山东省嘉祥县满硐山公社杨楼大队百姓取土时，发现1座隋开皇四年（584年）墓。考古人员进行了清理。由于同年2月山东省博物馆在此墓附近发

掘了 1 座编号为"英山一号"的隋墓，故将此墓编为"英山二号"。简报配以照片、拓片、手绘图予以介绍。

据介绍，英山二号隋墓位于英山一号隋墓西南约 12 米处。墓系圆形单室砖券，穹形顶，白灰抹面，墓壁个别处隐约有壁画痕迹。墓室破坏严重，除发现少量陶片外，出土遗物仅有石门吏两件和石墓志 1 合。英山二号隋墓由墓道与墓室组成，墓道未经清理。墓室建筑材料用长方青灰砖，砖长 32 厘米、宽 16 厘米、厚 7 厘米，质地较坚实。墓室中棺木和骸骨无存，随葬品所剩无几。英山二号隋墓的墓志保存完整，铭文清晰。长达 1247 字。

从志文中得知：墓主徐之范，字孝规，是英山一号墓墓主徐敏行的父亲。他生于梁武帝天监五年（506 年），卒于隋文帝开皇四年（584 年），历经梁、北齐、北周和隋四朝。他出身官宦之家，祖父、父亲均曾为官，其兄徐之才以医术著称，同时又是北齐朝廷的显赫人物。徐之范本人也以医术见长，《北齐书·徐之才传》中曾提到徐之范为太后治病事。徐之范在北齐、北周、隋均有官职，最后官职为隋恒山太守。

简报指出，此墓还有两点值得注意：一是《北齐书》载徐之范之父徐雄曾任兰陵太守，而墓志中未提及；二是墓中出土的二石门吏，面部及双手雕刻细致入微，而其他部位刻法大起大落，这在隋代石刻中是很少见的。

327.山东嘉祥唐墓出土瓷器

作　者：曹建国、聂　萍
出　处：《文物》1988 年第 6 期

1984 年春，山东省嘉祥县义学礼村社员于村前运沙时，发现几件瓷器和 1 件铜镜，随即送交有关部门。考古人员经现场调查，确认出土地点为 1 座土坑竖穴墓，从中还清理出 3 件银替和瓷碗等。简报配以照片予以介绍。

据介绍，瓷器有四系罐 3 件、碗 2 件，简报推断这是 1 座唐代墓葬。

328.山东嘉祥发现唐徐师謩墓

作　者：李卫星
出　处：《考古》1989 年第 2 期

1978 年的春天，有关人员在山东省嘉祥县马集公社孟良山坡上发现 1 座石室墓。简报配以拓片予以介绍。

据介绍，墓室全部用优质青石垒砌。东、西 2 室早年被盗，遗物荡然无存。在门道处发现1块墓志和1道石碣。石碣阴刻隶书32字。据石碣及墓志得知，墓主人徐师暮，兖州高平人，生于北齐河清三年（564年），卒于唐贞观十年（636年）。于隋大业三年（607年）曾做过渔阳郡书佐小吏，后隐居多年，唐贞观三年（629年）任晋州都督府司马，这一时期死者和鲁王交往甚密，没过多久，徐又任汉王府司马。按鲁王即高祖李渊第七子李元昌。《旧唐书·汉王元昌传》记载，在武德三年（620年）李元昌被封为鲁王，贞观十年（636年）改封汉王。又按《旧唐书·太宗本纪》记鲁王元昌改封汉王在贞观十年（636年）正月，而徐师暮死在四月，正是元昌封汉王后之第3个月。

329.山东微山县出土唐代碑刻

作　者：杨建东、赵明程
出　处：《文物》1996年第3期

1988年5月27日，夏镇大官口村农民来文化馆报告，村后薛河埋有1块唐代碑刻。考古人员前往调查。薛河干涸多年，农民在河底挖沙时，五六年前常有石质器物出土。曾挖出石碑两块，其中1块碑头雕刻几尊佛像，两块碑上均有"开元×年"字样，后村民挖沙时将石碑埋入河底。经探访在薛河河底发现1块碑刻。简报配以拓片予以介绍。

简报介绍，碑文后部有"其一""其二""其二"内容为小字。推测撰文时，内容多，石面小，才将"其二"内容缩为小字。据碑文内容记载，谭同庆为报父恩，在当地建造"八棱九级弥陀像一铺"，碑文中提到的"薛水"，即薛国（今薛城一带）流过来的一条河。"汉堂"，即汉堂邑，今山东鱼台县。"泡泗"，即泡水、泗水两条大河。"腾邦"，即滕国，今山东滕县。碑文文字书写不规范，简繁两体合用，并有增笔、减笔出现。

330.山东嘉祥县出土唐三彩

作　者：济宁市文物局　顾承银
出　处：《考古》1996年第9期

1981年，嘉祥县核桃园村村民在取土时挖出1件三彩盘，随即交给了文物部门，据说是出自1座墓葬中，但未见其他随葬品。简报配以照片予以介绍。

据介绍，此盘色彩艳丽，纹饰古拙大方，制作细腻，是唐三彩中的精品。山东地区出土的三彩器较少，这件盘的出土，为研究这一地区的三彩器提供了实物资料。

331.山东微山县出土隋代造像碑

作　者：微山县文管所　杨建东、赵明程
出　处：《考古》2001年第6期

1989年2月，山东微山县夏镇小官口村农民在村后薛河挖沙时发现1块石碑，考古人员前去调查，将碑收回。简报配以照片、拓片予以介绍。

据介绍，石碑呈长方形，下半部断裂，青石质，下有榫头，碑阳、碑左右侧及龛右侧均刻有楷书文字，碑文共177字。简报指出，碑文中的"留县"为古县名，秦置，治所在今微山县境内，碑侧有词一篇，叙述了当时的地理环境、造桥情况。

这块隋代造像碑对研究佛教、雕刻、书法等都具有一定价值。

泰安市

332.山东东平理明窝摩崖造像

作　者：中国社会科学院世界宗教研究所、山东省博物馆陈列部　张　总、郑　岩
出　处：《文物》1998年第7期

理明窝摩崖造像位于东平县西北斑鸠店镇的六工山西峰南麓，是唐代古弥陀院所在，山脚至今还有建福寺遗址。值得注意的是此地附近有相当丰富的佛教艺术和古代文化遗迹。简报分为四个部分，配以照片、手绘图予以介绍。

据介绍，理明窝摩崖造像共编为8龛及两个小附龛。共有47躯造像。有18则题记，其中唐长安三年（703年）至咸通十四年（873年）的纪年题记8则。造像刻工精湛，保存基本完好，是一处珍贵的盛唐时期佛教遗存。其造像风格既受长安、洛阳影响，又有浓郁的山东地方特色。

333.山东东平县出土唐寿州窑黄釉席纹瓷注壶

作　者：东平县文物管理所　李建平
出　处：《文物》1998年第7期

寿州瓷是我国唐代著名瓷器品类。唐人陆羽在《茶经》中，将寿州窑列为当时名窑第5，并指出"寿州瓷黄"。寿州窑常见器物有碗、盏、杯、枕等，注壶较少见。

简报介绍的黄釉席纹瓷注壶是1976年在东平县老湖镇烟墩村征集到的。当时农

民在距村前 200 米的高台上整地时发现 1 座古墓，当考古人员得知讯息赶到时，墓已被破坏，只出土 1 件唐代黄釉席纹瓷注壶，由村委干部交到县文物管理所收藏。简报配以照片予以介绍。

简报介绍，注壶造型凝重，大喇叭口，圆唇，粗长颈，溜肩，长圆筒形腹，最大径在腹的上部，下渐内收。白胎，胎体厚重，质坚。器内满施黄釉，器表施黄釉不到底，釉薄，不甚均匀，施釉处装饰有席纹，并有细碎的小开片。器物整体线条柔和，各部位比例协调适度，是较典型的唐代寿州窑瓷器。

今有宋时磊先生《唐代茶史研究》（中国社会科学出版社 2017 年版）一书，可参阅。

334.山东泰安近年出土的瓷器

作　者：吉爱琴

出　处：《考古》1988 年第 1 期

近年来，山东省泰安市时有古代瓷器出土。简报配以照片予以介绍。

青瓷容器，1972 年出土于泰安县粥店公社。通高 31 厘米、底径 22 厘米、腹径 29 厘米。整个造型与北京北海公园的白塔主体部分相似。器身通体施浅褐色青釉，平底无釉，胎质粗松，白中闪黄，有窑红。简报推断可能是隋代北方的产品。简报认为这种器物有可能为早期的佛塔，用以藏舍利或放置佛像等。

青釉龙柄蹲猴盘口壶，出土于泰安市邱店旧县村，于 1983 年 11 月征集。简报推断，此壶为隋代山东民窑的产品，是研究山东隋代青瓷发展及南、北方瓷器相互影响的极好资料。

瓷枕，1982 年 8 月出土于泰安夏张公社孙况村，为白釉褐彩山水纹瓷枕。形为长方形，枕面出边略倾斜，下部微敛。经考证，该枕的烧制年代应为北宋中期以后。烧造地点可能为河北省观台窑。该瓷枕可谓磁州窑的一件富有特色的精湛艺术品，也是研究宋代绘画艺术的宝贵实物资料。

唐三彩三足炉，1979 年夏出土于泰安地区莱芜杨庄。带盖通高 22 厘米、口径 13.5 厘米、腹径 22 厘米。此炉器型浑圆丰满，装饰美观，色彩鲜艳，具有唐中期器物的特点，实为唐三彩炉中少见的优秀作品。

日照市

莱芜市

临沂市

335.山东临沂市发现唐代石碑

作　者：临沂市博物馆　冯　沂
出　处：《考古》1986 年第 1 期

1982 年 2 月，山东临沂市人民防空办公室在市委大院施工时，发现唐代石碑 1 块。简报配以照片予以介绍。

据介绍，石碑已残，呈椭圆形，现存 15 行，209 字。简报录有全文。此碑文已不全，但《全唐文·卷二八〇·张九龄传》中的"敕处分县令"可补其所缺。此碑内容是唐开元二十四年（736 年）二月五日，唐玄宗李隆基为了改善吏治，注重人才，精选了一批有才干的人担任县令，在送行的宴会上以此训诫，勉励大家"理化有成，声实相副，必有超擢"。出土地点为历代官衙之地，据称曾在此搭棚实行科举，名曰"考棚"，市委大院前街也由此得名为考棚街，沿用至今。石碑当时立于此处，既能使做官者经常目睹，牢记旨令，又能使前来科考应试者拜读，以此诏为座右铭。简报称，石碑的字体端正秀丽，柔中有刚，楷中有行，当出自名家之手。可惜石碑已残，不知书写人姓名。

336.山东临沂市药材站发现两座唐墓

作　者：临沂市博物馆　邱　播、苏建军
出　处：《考古》2003 年第 9 期

1997 年 6 月中旬，临沂市文化局接到兰山公安分局五里堡派出所的电话，临西一路中段西侧的药材站仓库工地在施工过程中发现古墓葬。考古人员立即赶赴现场，及时抢救清理了这两座墓葬，简报配以手绘图予以介绍。

据介绍，这两座墓葬形制虽有所差异，但从墓砖的大小以及墓门的封砌方法相同看，两座墓的年代相差不会太远，简报推断大致年代为唐代晚期。简报称，这两种墓葬形制在临沂市发现较少，为研究这一地区唐代葬俗提供了宝贵的实物资料。

德州市

337.山东临邑发现唐墓志

作　者：蔡凤书、蔡凤麟
出　处：《文物》1991 年第 4 期

1987 年 11 月，山东省临邑县双丰乡司光现窑厂的工人在修水道时发现了 1 座古墓，考古人员前往作了清理，此墓志现存临邑县文化馆。简报配以拓片予以介绍。

据介绍，此墓的墓门向南，高 1.9 米，发现时拱形门顶已经被破坏。墓门以北为墓室，墓室在清理之前也已被破坏。在墓的附近发现青石墓志 1 合，周围没有其他墓葬，墓志应属此墓无疑。铭文自左至右共 11 行，满行 15 字，共计 159 字。由墓志知，墓主为唐代苏崇侠之妻张氏。据铭文载，苏崇征、苏崇侠兄弟是汉代名臣苏武之后，唐人苏辽之孙。"崇侠高蹈不仕，广读经史，遁居荫田。"荫田是在其兄苏崇征名下的。据墓志，"崇侠妻晋司空张华之孙"，但张氏卒于唐天宝十四载（755年），上距张华去世（300 年）有 400 多年，张氏是否真是张华之后，难以考证，估计多半是出于附会攀高。

简报称，字自左向右排的墓志极为罕见，自古以来，人们书写用木、竹简，写好以后自右而左排列，这一古老的习俗一直延续后世。此墓志竖行从左向右排列，应该说为书写历史提供了一个新资料。

338.山东宁津发现纪年唐墓

作　者：吕来升、王玉芝
出　处：《考古》1993 年第 10 期

1987 年 5 月 22 日，山东省宁津县刘营伍乡龙潭村村民在取土时发现古墓 1 座。考古人员到达现场后墓葬已被破坏，只作了现场记录，并将出土文物收集回馆。简报配以照片、拓片予以介绍。

据介绍，该墓为 1 座砖室墓，墓底有铺地砖，由前后两室组成，墓门向南。前室为主室，形制较大，约 3 米、宽 2.5 米。东壁略外弧，北壁有一券门与后室相连。后室较小，长约 2 米、宽 1.5 米。据在现场的当时村民讲，墓室为穹隆顶，墓内有棺木，人骨已朽。现场征集到的文物中，有陶砚 1 件、"开元通宝"钱 5 枚、铜棺钉

23枚及墓志1合。墓志上有怀抱十二地支的人物坐像等石刻图案，志文楷书，计416字，简报未录志文全文。

据志文载，墓主名王斌，今山东省宁津县人。因学业优而为官，玄宗天宝四年（745年）任棣州滴河县尉。唐代滴河县，宋代改为商河县，即今宁津县。宪宗元和九年（814年）二月六日卒于家中，享年89岁。同年三月二十五日迁枢至城西北祖庙与夫人李氏合葬。志载，王斌之曾祖父"讳大礼，皇驸马都尉"。据《新唐书·诸帝公主传》载："遂安公主，下嫁窦逵。逵死，又嫁王大礼。"遂安公主，唐太宗李世民之第四女。墓志所载王大礼为驸马都尉，与史书所载相合。此墓，光绪二十六年（1900年）《宁津县志》有记载。发掘地点也与方志所载相符。

聊城市

339.山东阳谷县关庄唐代石塔

作　者：聊城地区博物馆　刘善沂、孙怀生
出　处：《考古》1987年第1期

石塔位于阳谷县东12.5公里的阎楼乡关庄。1955年秋季，该村农民在村北挖窖时发现此塔。1957年，山东省文管会曾进行调查，王思礼先生在《也谈龙虎塔的年代》一文中曾简单地介绍该塔。"文化大革命"中又受到人为的破坏，以后失散到该村各户农民家里。1982年至1983年，考古人员在该村多次搜集，除直接担负塔身的1块石座未寻到外，其余全部运到阳谷县图书馆收藏。简报配以拓本予以介绍。

据介绍，塔平面为方形七层密檐式石塔，现存高度2.60米，由13块石构件组成。塔之左、右两壁均有铭文，左壁铭文计328字，简报录有铭文全文。右壁铭语计241字，简报录有铭文全文。简报指出，阳谷县关庄石塔建于唐天宝十三年（754年），是聊城地区为数不多、有确切纪年的石刻艺术珍品。

简报称，根据塔铭所作发愿文，知系此地杞姓家族为超度死去的亲人和现世眷属祈求现世安稳，寿命延长，无诸患苦，而献佛制作的七级浮图。塔铭之杞姓，该村另一北魏晚期造像残碑铭文中也曾见之。北魏晚期至天宝十三年（754年），至少有200余年的间隔，应是盘踞此地之门阀大姓之一，石塔与造像碑可能都是此家族前后之物。

340.山东高唐县出土唐代货币

作　者：争　鸣、淮　声

出　处：《考古》1988 年第 1 期

1984 年 2 月下旬，山东省高唐县旧城镇小屯村一农民在其宅内修房屋时，于距地表 1.2 米深的地下，发现了两个大小相等的瓷罐。两罐内共装 135 公斤多唐代铜钱。随后上交聊城地区博物馆收藏。简报配以拓片予以介绍。

据介绍，瓷罐 2 件，形制相同。盘状口，细颈，颈肩处有四竖耳，斜肩，圆腹，小平底，白胎，外施青釉至腹下，腹下留有滴釉现象。货币 32228 枚，为唐开元通宝和乾元重宝两种，皆隶书。"开元通宝" 32220 枚，"乾元重宝" 8 枚，分大小 2 种，大者 3 枚，小者 5 枚。

简报指出，开元通宝始铸于唐高祖武德四年（621 年），乾元重宝始铸于唐肃宗乾元元年（758 年），分别是唐代早期和中期的货币，它的埋藏时间当是肃宗以后。这些货币制作精巧，字迹清晰，只有少量的稍有磨损，其余皆边缘齐整。说明这批货币在世流通时间不长或还不曾流通，即被埋入地下。

从出土的情况看，这些货币显然是有意识埋藏的。肃宗时正值安史之乱，可能是为避难而埋藏的。

今有杨心珉先生《钱货可议：唐代货币史钩沉》（商务印书馆 2018 年版）一书，可参阅。

滨州市

341.山东博兴的一处铜佛像窖藏

作　者：博兴县图书馆　李少南

出　处：《文物》1984 年第 5 期

1981 年秋，山东博兴河东村村民在村西北 500 米处整地时，于距地表 50 厘米深处发现 5 件铜造佛像。这批佛像现在保存于博兴县文物陈列室。简报配以照片予以介绍。

据介绍，计有：1. 鎏金铜佛像 1 尊；2. 一佛二菩萨鎏金铜造像 1 尊；3. 一佛二菩萨铜造像 1 尊；4. 单身铜佛像 1 尊；5. 单身铜菩萨像 1 尊。

简报推断：第 1 件为北魏作品，第 2、3 件为隋代作品，第 4、5 件为北齐作品，属窖藏，埋藏时间应在隋末。

342.山东博兴县近年出土的青瓷器

作　　者：常叙政、李少南
出　　处：《文物》1985 年第 8 期

　　山东省博兴县张官大队周围，近年来不断出土青瓷器。经调查，出土地点是一处规模较大的寺院遗址，《博兴县志》上称"龙华寺"。这些瓷器出土时多是整齐地放在陶缸内，或叠放在坑内。器种有罐、瓶、豆、碗、杯等，计 60 余件。其中有代表性的器物简报配以照片予以介绍。

　　简报介绍的器物有八系罐、四系罐、两系壶、长颈瓶、细颈瓶、豆、大碗、碗、敛口杯、杯各 1 件。这些青瓷器从造型、纹饰、釉色、胎质等方面看，简报推断这批青瓷器的烧造年代，不会晚于唐代。

　　简报称，这些青瓷器属于窖藏，博兴出土的这些青瓷器应是在山东烧造的。

343.山东博兴龙华寺遗址调查简报

作　　者：山东省博兴县文物管理所　李少男
出　　处：《考古》1986 年第 9 期

　　山东省博兴县龙华寺遗址位于县城东北 10 公里，其西南、东北、东南三面为崇德、高家、赵楼 3 村。遗址内北为冯吴村，南为张官村。总面积约 56 万平方米。历年来由于农田建设和取土，遗址内不断出土文物。1976 年出土了一批石造像，1983 年出土了一批铜造像，同时还出土了大批青瓷器和北齐、北周、隋代货币等。1981 年、1984 年，考古人员两次对该寺院遗址进行了调查。简报分为：一、发现的文化遗迹，二、文化遗物，三、结语，共三个部分。有照片、拓片、手绘图。

　　据介绍，目前出土文物和调查证实，隋代以前，从北魏中期，最迟在孝文帝时当地就已建了寺院。从 1923 年出土有隋"仁寿三年（603 年）龙华碑"和 1976 年出土的"武定五年（547 年）建刹碑"看，隋代之前不仅建寺，而且在东西相距不到500 米的范围内，就有两处寺院。西边的是"龙华寺"；东边的是"乡义寺"。隋代所建寺院是因袭"龙华寺"之名，在以前寺院基础上重建的，因此龙华寺的始建应在隋代之前，大约在隋末已毁。

344.山东省惠民县出土定光佛舍利棺

作　者：常叙政、朱学山
出　处：《文物》1987年第3期

1972年3月，山东省惠民县归化镇小学学生在植树时发现1件佛教舍利棺。舍利棺双重，外层为石棺，内层为铁棺，石棺内底部以数层丝织物衬底，上置铁棺；铁棺内底部亦以数层丝绸衬垫（现已朽），并放数枚铜钱。简报配以照片予以介绍。

据介绍，石棺青石质。长66厘米，宽42厘米，高46厘米，分棺盖与棺身两部分。盖面正中刻8行铭文，开端为"沧州乐陵县归化镇罗汉院葬定光佛舍利石棺记"，后刻"院主僧""尚座僧""道声僧""讲百法论僧""僧""铁棺施主""药师院主尼""尼""维那""横海军押衙""乡贡生""女弟子"及"刊石匠人"等78人姓名。盖面两侧等均有精美雕刻。

铁棺用生铁浇铸而成，分棺盖与棺身两部分，造型与石棺基本相同。通高25厘米，宽15～23厘米，长39厘米，出土时锈蚀严重，部分破碎。另有唐"开元通宝"钱、锭光佛等。简报推断此佛教舍利棺时代下限在唐末五代。

此棺颇为奢华，台湾黄敏枝先生有《唐代寺院经济的研究》（台湾大学1971年版）一书，可参阅。

菏泽市

河南省

345.河洛地区出土唐代瓷器概述

作　　者：洛阳博物馆　张玉芳
出　　处：《中原文物》2000 年第 6 期

河洛地区位于中原腹地，土质优良，古为瓷器之乡。20 世纪 50 年代以来，在洛阳、偃师、郑州、陕县、三门峡、临汝等地发掘了数百座（处）唐代墓葬、遗址，出土了大量瓷器。简报分为：一、出土情况，二、器物类型，三、装饰工艺和窑口归属，四、小结，共四个部分。有照片。

简报配有表格，介绍了河洛地区唐代瓷器的出土时间、地点、出土器物等共计 31 处。指出河洛地区唐代瓷器是中国唐代北方瓷器发展的一个缩影。具体表现有三：一是窑场较多，且大都分布在河流沿岸。除巩县窑外，还有密县窑、登封窑等 20 余处窑场。不同窑址在同一时期相互竞争、相互影响，产品大同小异。巩县窑在唐开元年间还专为宫廷烧制白瓷贡品。西安唐城遗址曾出土了巩县窑产品，这与文献《国史补》《元和郡县志》的记载相互印证。二是器形种类齐全，有碗、壶、罐、灯、枕、熏炉、净瓶、砚、水盂等，总体风格饱满圆浑，局部多变，使用范围广泛，遍及唐代社会生活的方方面面。三是内涵丰富，工艺先进，富于装饰，勇于创新。釉有单色釉（白、青、黑、酱、褐、棕、蓝等）和多色釉（花釉、釉下彩绘等），集中反映了唐代制瓷工匠已能熟练掌握并运用釉料的成色、火焰的控制等技术。

郑州市

346.河南巩县古窑址调查记要

作　　者：冯先铭
出　　处：《文物》1959 年第 3 期

河南巩县吉窑址，位于县城南，在铁桥白冶河南岸。沿岸可看到许多碎片，窑址位于河岸两侧。简报配以照片、手绘图予以说明。

此次重点调查了 3 处：小黄冶、铁匠炉村、白河乡。发现的碎片有白釉瓷器、彩釉器、黑釉、褐绿釉。另有匣钵、支烧工具、三彩支烧工具。简报推断年代为隋唐，下限最晚在北宋初。

简报指出，宋以后的窑址发现很多，但宋以前的窑址发现较少。可知巩县为隋唐时一重要生产基地，产品可通过水路运抵洛阳、长安。

347.郑州上街区唐墓发掘简报

作　者：河南省文化局文物工作队　王与刚等

出　处：《考古》1960 年第 1 期

河南省文化局文物工作队于 1958 年春在郑州上街区进行了考古调查和发掘，在 1958 年 8 月至 12 月，又在这里进行了发掘工作，共开探方 6 个，清理各代墓葬 55 座，其中有唐墓 14 座，出土遗物共 257 件，并有墓志出土。14 座唐墓的材料报告简报分为：一、前言，二、盛唐墓葬，三、晚唐墓葬，共三个部分。有手绘图、照片。

简报介绍的 5 座晚唐墓，皆为土洞单室，结构简单，且出土遗物极简单，最多者不过 6 ~ 7 件，或出有一些铜钱和铁钉，均不出陶俑及模型器。而以瓷罐、瓷碗、铜钱等为主。由墓 45 中所出墓志记载郑逢葬于禧宗乾符四年（877 年），简报推断这批墓确为晚唐墓无疑。

348.河南省巩县出土的唐代书名陶俑

作　者：傅永魁、周　到

出　处：《文物》1965 年第 5 期

1957 年，在巩县附近发现 1 座古代墓葬。墓室塌陷，随葬品绝大部分已损坏，比较完整的现保存于巩县文化馆。巩县文化馆对这批文物作了初步整理，简报配以拓片予以介绍。

据介绍，能够看出形状的有陶马、陶骆驼、陶镇墓兽、陶鸡、鸭、陶俑和 1 合石刻墓志铭等 30 余件。其中有 9 件陶俑身上墨书有名字，字迹清晰，极为少见，即："力士""执砚""从命""奉言""春花""芳树""益智""善来"和"颜（？）容"。现在除"力士""执砚""奉言"和"春花"4 件陶俑由河南省博物馆入藏外，其余 5 件仍藏于巩县文化馆。另外，和这批书名陶俑同时出土的还有 1 合石刻墓志铭。志盖有篆书 3 行 9 字："大唐故吴府君墓志铭"，志铭 20 行，满行 17 字左右，楷书近魏碑体。从铭文可知，墓主人原是"濮阳"人，后来"家居河南府巩县孝义乡子来里，创家安业"。他在唐代"会昌五年补充加职洛菀使巡官，兼都押衙"，死于"大中三年九月二十一日夜"，又于"大中三年岁次己巳闰十一月四日，归窆于侯山之西"。按"大中"为唐宣宗的年号，大中三年即 849 年，书名陶俑或是晚唐时期的一种随葬习俗。

349.巩县黄冶"唐三彩"窑址试掘

作　者：郭建邦、刘建洲
出　处：《河南文博通讯》1977 年第 1 期

简报配以手绘图等，介绍了黄冶"唐三彩"窑址的试掘情况。

据介绍，黄冶窑址第 1 层属北宋堆积；第 2 层为盛唐时期堆积，出土有三彩生活用具和明器；第 3 层为隋末唐初堆积，出土有类似邢窑的器物。可知该窑从隋末唐初，一直烧制至北宋。

350.河南荥阳大海寺出土的石刻造像

作　者：河南省郑州市博物馆
出　处：《文物》1980 年第 3 期

1976 年 3 月，河南省工业局在荥阳县人民广场举办农业机械展览，在场南平整场地时，发现了一批石刻造像。简报分为：一、调查与试掘，二、出土的石刻造像，三、结语，共三个部分。有照片、手绘图。

据介绍，石刻造像出土处，地势高起，位于索水之滨，隔河相望的今荥阳县城即为战国时期的大索城遗址。1949 年后，荥阳县在此处建设了砖瓦窑场，后又辟为人民广场。这一带原为"大海寺"旧址。大海寺遗址中出上了石刻造像 40 余件，计有：造像碑 1 件、坐佛 8 件、菩萨 18 件、菩萨头 10 件、释迦牟尼佛 1 件、象形座基 1 件等。这些造像出土时均已残破，经过接对整理，大部分已经修整复原。在这 41 件造像中，11 件封有造像题记，其中有明确纪年的九件。造像碑为北魏孝昌元年（525 年），坐佛中 1 件阿弥陀佛为显圣二年（762 年，为唐史朝义的年号）。菩萨立像中 6 件题铭均为唐长庆年间（821～824 年），释迦立佛为大宋元丰四年（1081 年）。

简报认为：大海寺应创建于北魏孝昌元年前，这批石造像以唐代密宗造像为主，在唐武宗会昌年间（841～846 年）灭法后，似在宋元丰四年（1081 年）后又被毁过一次。

351.巩县唐三彩窑址调查

作　者：刘建洲

出　处：《中原文物》1981年第3期

　　1972年至1973年，考古人员先后3次调查了巩县大、小黄冶村烧制唐三彩的几处窑址，采集到窑具和瓷片数百件。在小黄冶生产大队社员的帮助下，收集制作唐三彩小型艺术品和大型器物上的贴花装饰范模20多件。类似上述的范在大黄冶窑址上也有发现。这两处遗址相距约1公里。小黄冶村窑址位于巩县老城南3公里的黄冶河两岸。由河左岸烟房胡同西侧的猪场溯河而上到瓦窑沟口，和右岸的电灌站一带均系窑址分布区。大黄冶村窑址分布于黄冶河右岸的兰场，左岸的坟沟口和龙王庙一带。简报分为：一、窑具，二、产品标本，三、结语，共三个部分。有照片、手绘图。

　　据介绍，计有马、象、人骑骆驼、狮子狗等艺术品范，大件器物上的附属装饰和母范，砖等建范。其中有些范以往少见。从采集到的标本来看，三彩釉最多，黄釉次之，绿、白、蓝、黑、淡青和红釉依次递减。器形计有炉、盆、碗、盘、罐、钵、碟、灯台、瓶、壶、杯、枕、瓦当、薄瓷砖和人俑、骑马俑、骑驼俑、抱狮女俑、麻雀、鸳鸯、猴头埙、人头埙以及小罐、小水池、小碗、小型艺术品等。

　　简报推断该窑的烧造时代，其上限可能在隋末，下限可能到宋初。结合三彩器的大量出现来看，其烧制时期主要是盛唐。结合当地地名，简报推测，唐代统治者为了保证皇宫对陶瓷的需要，很可能在大、小黄冶设立"皇窑"，专为皇室烧造，并有官员负责管理和验收产品。黄冶村可能因皇家在此设窑而得名。

352.河南巩县大、小黄冶村唐三彩窑址的调查简报

作　者：傅永魁

出　处：《考古与文物》1984年第1期

　　巩县大、小黄冶村，距县城东约10公里，位于站街公社西南2.5公里的黄冶河两岸的台地上。前临一条长约10公里的河流，此河在当地分段命名。从发源地青龙山狭谷至水底河村的这一段叫寺河（因有唐代慈云寺遗址），上游从水底河至白河村这一段叫白冶河（因唐代烧过白瓷），中游从白河村至大、小黄冶村的这一段叫黄冶河（唐代烧三彩以黄为主色），下游叫泗河；为区别诗人杜甫故里（距此1公里）的东泗河，又称西泗河。泗河与伊洛河汇合后注入黄河。这里水陆交通非常方便。而大、小黄冶附近又蕴藏着丰富的瓷土和煤炭，从而为瓷业的发展，创造了极其有利的条件。

该遗址南北长约3公里，东西宽约1公里，主要分布在大、小黄冶村附近的黄冶河两岸台地上。1976年以来，考古人员多次进行了钻探、调查。简报分为：一、概说，二、三彩窑遗址分布，三、遗物，四、结语，共四个部分。有照片、手绘图。

据介绍，在黄冶河西岸猪场、后湾等地均发现有窑址遗址，出土、采集有三彩片、窑具、模具等。从考古现场情况看，此处在隋代已建窑烧瓷，唐代为极盛期，北宋时仍在烧三彩器。应是唐代烧制三彩器的主要窑场之一。简报指出，唐三彩窑址首次大面积地在巩县大、小黄冶村发现，初步解决了中原唐三彩的产地问题，这对研究唐三彩的采料、加工、配料、釉料配比、烧制、销路、制作种类和整个生产流程，提供了有价值的实物资料。

353.荥阳发现一大批隋五铢

作　者：宋秀兰
出　处：《中原文物》1984年第4期

1982年荥阳县城关镇在修建办公大楼时，在距地表2米深处，挖出一大批隋五铢，共计1.3万多枚。简报配以照片、拓片予以介绍。

据介绍，荥阳出土的这批窖藏五铢钱，直径2.2厘米，背面内、外郭较宽，为0.2厘米；正面5字交叉两笔较直，5字近穿处有1竖画，其他3面无内郭，正面外郭宽0.25厘米。这批五铢应系隋文帝时所铸。

简报称，隋朝是最后铸五铢的朝代，它统治时间很短，所铸货币保留下来的不多，这次大批隋五铢的发现，在全国范围内尚属罕见。荥阳隋五铢出土于大海寺故址内，估计与隋末的大海寺之役有关系。

354.赵冬曦墓志铭

作　者：陈立信
出　处：《中原文物》1986年第4期

1980年，荥阳刘河乡任湾村农民在村西头建砖瓦窑时，发现赵冬曦墓志1合。顶面镌刻阴文"唐故国子祭酒赵君圹"9个篆字，墓志面镌刻阴文唐代隶书志文，凡28行，满行30字。记载了死者的生平家世及为官政绩。该墓志无撰文、篆盖、书丹和刻石人的姓名。由于石质粗劣，部分字迹已较模糊。简报录有墓志全文。简报配以照片予以介绍。

根据志文可知：赵冬曦，擢进士出身，历任校书郎、右拾遗、监察御史、殿中侍御史、集贤院学士、考功员外郎、中书舍人、太仆少卿，以及合、濮、亳、许、宋等州刺史，弘农、荥阳、华阴等郡太守，最后升迁国子祭酒。于天宝九年（750年）二月死于西京善和里第，终年74岁，次年将原葬于襄阳东郊的夫人牛氏和原葬于西京南原的继夫人崔氏与其合葬于浮戏山南麓。赵冬曦《新唐书》有传，志文可补史书之失。

355.郑州市郭庄唐代李暅墓清理简报

作　　者：郑州市文物工作队　陈立信
出　　处：《中原文物》1988 年第 1 期

郭庄村位于郑州市西南部，1935 年 8 月 31 日至 9 月 5 日，考古人员配合基建工程，在村东发现一批古墓葬，其中有唐代李暅夫妇 3 人合葬墓 1 座，随即进行了清理。简报分为：一、墓室结构，二、出土器物，三、结语，共三个部分。有拓片、手绘图。

该墓坐北向南，可分为墓道、甬道和墓室 3 部分，不见棺木和骨骼。墓室内共出土器物 20 余件。计有瓷罐、瓷碗、陶盆、陶瓷和和铜泡等，多为唐代常见器物。有墓志 1 合，简报录有志文全文。由墓志可知，该墓是唐开元年间的正议大夫、丰王府长史兼光禄卿李暅夫妇 3 人合葬墓。李暅，陇西成纪人，出身于仕宦之家，先后拜左骁卫执戟，六迁汉阳郡别驾，除始宁郡和南充郡太守，兖州司马，终迁丰王府长史兼光禄少卿，卒于乾元六年（759 年）六月二十一日，享年 75 岁。夫人司马氏，河内（今河南省沁阳县）人。唐开元十四年（726 年）六月二十九日，卒于洛阳私第，享年 25 岁。后夫人荥阳郑氏，后燕显圣元年（761 年）七月二十七日，卒于荥阳郡私第，享年 62 岁，葬于旧城西安山岗。同年七月十日辛酉，3 人合迁于荥阳郡城西南七里、齐村西 1 公里的瘗茔西百步之平原。他居官清显，颇有威望，《新唐书·宰相世系表》中有记载。

356.河南新郑县荆王庄发现两座唐代石塔

作　　者：中原石刻艺术馆　王景荃
出　　处：《中原文物》1990 年第 2 期

荆王庄位于河南省新郑县城北小乔乡西南 5 公里。村东曾有一座古寺，早年被毁，夷为耕地，仅留方形石塔两座，坐北向南，东西排列。西塔保存完好，立于原处。东塔惜在前几年被拆除，部件有的被弃至壕沟，有的被砌于井台。1988 年 8 月，考古人员征集收藏了被抛弃的部件。简报配以照片予以介绍。

据介绍，两塔均为七级叠涩式方形建筑，通体用青石造成，塔身自下而上逐层收分。西塔现存约 3.3 米，上有楷书铭文，简报录有全文。已毁的东塔与西塔应相似，上也有铭文，存 194 字。该双石塔上 6 幅线刻画共画 10 人，4 身罗汉 2 老 2 少，6 身供养人 4 男 2 女，均为单身画像，无景无饰。2 老罗汉足着云头履，2 褒衣博带供养人也足着云头履，实不多见。云头履为盛唐以前贵族男女所饰，以后就不太多了。两塔的年代，简报推断为唐开元、天宝之际。

357.河南荥阳茹菌发现唐代瓷窑址

作　者：郑州市文物工作队　陈立信
出　处：《考古》1991 年第 7 期

1988 年春，在荥阳县东北 12 公里的广武乡茹菌村北发现唐代瓷窑遗存 1 处。该遗址北至沟边，西临唐岗水库（原名旃然河，今名枯河），南部有广（武）高（村）公路通过。东西长约 100 米，南北宽约 50 米，面积 5000 平方米左右。这里原为平地，1987 年辟为砖窑场，在施工中出土许多瓷片。从这里出土的大量瓷片和灰土坑的窑集情况看，可能是一处瓷窑作坊遗址。简报配以照片、拓片、手绘图予以介绍。

据介绍，出土遗物有瓷器、隋五铢钱 1 枚、开元通宝 1 枚。

茹菌窑址是新发现的一处唐代遗址，瓷窑址的规模显然不大。通过全县文物普查情况可知，这一带的小型瓷窑址还是比较多的。规模较大的有：向北距此约 5 公里的广武山榆树沟窑址，也属于该时期的遗址。向南 25 公里的翟沟遗址，更是一个大规模的瓷窑作坊。在翟沟一带的许多村庄都有瓷窑作坊遗址发现。这些窑炉都建在沟崖两侧，这种在平原地区建瓷窑的情况还是不多见的。从出土的遗物看，可知这是一处建于隋代，盛于唐代，衰落于五代、北宋前后的小规模瓷窑作坊遗址。

358.登封嵩岳寺塔天宫清理简报

作　者：河南省古代建筑保护研究所　郭建邦等
出　处：《文物》1992 年第 1 期

1989 年，整修嵩岳寺塔的塔体时，在塔刹内发现了 2 座天宫，同年 7 月进行了清理。简报分为：一、塔刹的建筑形式，二、天宫的位置与砌筑方法，三、发现遗物，四、结语，共四个部分。并配以照片予以介绍。

据介绍，嵩岳寺塔塔刹砌筑在第 15 层顶部之上，砖筑结构，通高 4.75 米。自下而上由基座、覆莲、须弥座、仰莲、相轮、宝珠组成。一号天宫位于宝珠的中部，二号天宫位于相轮的中部。一号天宫发现遗物 11 件，二号天宫发现遗物 7 件。此次发掘再次证实嵩岳寺塔创建于北魏，后世多次整修。天宫的时代应为唐末宋初，约距今 1000 年。令人感兴趣的是，此次修缮完毕后，工作人员也仿照古人，在二号天宫内放入彩釉花瓶 1 个，瓶内有竹简 4 片，留待后人。

359.巩义市孝南春秋与唐代墓葬清理简报

作　者：郑州市文物队、巩义市文管所　吴茂林、王宝仁
出　处：《中原文物》1992 年第 4 期

巩义市孝南村，位于市区西约 1 华里处。东部与市区相接，西北部距陇海铁路约 100 米。古代墓葬处于孝南与孝北两村之间的台地上。市印刷厂在此筹建新厂，1988 年初考古人员为配合此项工程进行文物钻探，在约 6000 平方米范围内发现古墓葬 10 座，同年 3 月进行清理。清理工作从 2 月 29 开始，3 月 21 日结束，历时 23 天，共清理古墓葬 8 座，其中春秋与唐代墓葬各 4 座，出土随葬品 36 件。简报分为：一、春秋墓葬，二、唐代墓葬，三、结语，共三个部分。有手绘图。

据介绍，4 座春秋墓葬，都是竖穴坑墓，规模较小。葬具皆腐朽无存，但从朽痕仍可以看出，两墓有棺有椁，两墓有棺无椁，死者头向基本一致；随葬品主要是陶器，都放在壁龛内。两座有随葬品的墓葬，陶器的组合形式一为鬲、豆、罐、盆，另一为鬲、豆、蚌器。墓葬形制、陶器形制与随葬品的组合基本相同。可以认为，各墓应属同一时代，墓主的身份大概是一般平民。4 座唐墓，均为洞室墓。除 M1 规模较大外，其他墓都比较小。葬具均有棺无椁。随葬品有瓷器、陶器、铜器、铁器等，三彩器甚少，随葬品一般在死者头部北侧，基本保持埋葬时的摆放位置，未经扰乱盗掘。部分随葬品，如方形铜镜、塔刹形白瓷罐、陶砚等，都比较精致，属于文物珍品。

360.巩义市大小黄冶唐代三彩器窑址调查

作　者：巩义市文管所　陈立信、廖永民
出　处：《中原文物》1992 年第 4 期

唐代三彩器窑址，位于巩义市东约 6 公里的大、小黄冶村的南部。附近属于较平缓的丘陵地带。北距黄河约 4 公里，西北距洛河约 2.5 公里。黄冶河（又名"西泗河"）从窑址中间穿过，注入洛河。在黄冶河两岸长达 1 里的土岗与断崖上，可看到断断续续唐三彩器遗存的堆积层。1984 年 3 月 3 日至 7 日，考古人员对大、小黄冶村唐代三彩器窑址作了调查，沿黄冶河两岸调查了唐三彩器遗存的分布与堆积情况，访

问了当地人，着重察看了多处新挖窑洞内暴露的遗存情况，采集了遗物标本。从采集的三彩器和素烧器残片以及数量众多的范、模、支烧等窑具看，显然是窑址作坊遗址。简报分为：一、出土遗物，二、结语，共两个部分。重点介绍此次调查的情况，有拓片、照片、手绘图。

据介绍，此次调查采集的标本，主要器物有盘、盆、罐、壶、碗、豆、碟、盏、炉、盅、杯、水池，水盂、器盖、玩具和窑具等。从釉色看，有蓝、白、黑、黄、绿、青、褐等单色釉和各釉彩搭配的三彩釉。以三彩釉为大宗，约占百分之七十。该遗址以烧制唐三彩器为主，但从出土大量的瓷壶残次品和瓷片看，也应烧制民用的粗瓷制品。

361.唐中和五年石经幢

作　者：赵灵芝、张　霆、张松林
出　处：《文物》1995 年第 1 期

郑州市博物馆藏有一座唐中和五年（885 年）造"佛顶尊胜陀罗尼经"石幢。该幢原立于郑州开元寺旧址（现郑州市第一人民医院内），1963 年被公布为河南省级重点文物保护单位，1974 年移至博物馆保存。简报配以照片予以介绍。

据介绍，经幢用多块青石雕砌组成，通体呈八棱形柱状，由幢座、幢身、盘盖、造像柱、幢盖等 5 部分组成，残高 3.5 米。幢身上有铭文，简报录有全文。知该尊胜幢建造于唐僖宗中和五年（885 年）六月十一日。此后中原战事频繁，尊胜幢可能多次倒毁于兵燹，以后又被重新树建。幢铭中就记载了重建过 2 次，一次是后唐天成三年（928 年）五月，修建的主持人是上柱国张□□；一次是后晋天福五年（940 年）七月，重建主持人宋晖。此幢为我国传世较早、保存较好的石幢之一。

362.郑州地区发现的几座唐墓

作　者：郑州市文物工作队　周　军、郝红星、于宏伟等
出　处：《文物》1995 年第 5 期

1990 年以来，郑州市文物工作队在配合基本建设过程中，陆续发掘了一批唐墓。简报分为：一、大岗刘唐墓，二、郑州化工厂唐墓，三、中原制药厂唐墓，四、西陈庄唐墓，五、省计划生育研究所唐墓，六、上街区房管局工地唐墓，七、上街橡胶厂唐墓，八、荥阳氾水乡清净沟唐墓，九、结语，共九个部分。配以照片、拓片、手绘图，介绍了在郑州市区及上街、荥阳等地发现的唐墓。

据介绍，这 9 座墓的年代从初唐至中唐不等。其中出土墓砖有确切纪年的，有

贞元十三年（797年）郑州化工厂墓、开元十八年（730年）省计划生育研究所迁葬墓、显庆四年（659年）上街橡胶厂墓等3座。

363.河南郑州市上街唐墓的清理

作　　者：郑州市文物工作队　陈立信
出　　处：《考古》1996年第8期

1988年，郑州上街区扩建区体育场时，发现1座唐墓（编号SHTM1），考古人员进行了清理。简报分为：一、墓葬形制，二、出土遗物，三、结语，共三个部分。有照片、手绘图。

据介绍，该墓位于上街区夏侯村西约100米的区体育场中部。墓葬为坐北向南的砖室墓，分墓道、墓室和耳室3部分。该墓曾被盗，劫余遗物有陶俑、陶器、铜镜、货币、铁剪刀等。从遗存的牙齿看，墓主年龄在25岁左右。简报推断该墓的年代为盛唐或稍早。

364.巩义市出土唐代九品宫人墓志

作　　者：刘洪淼、孙角云
出　　处：《文物》1997年第2期

1990年8月，巩义市（原巩县）文管所在市区西南20余公里的鲁庄乡安头村破获文物盗掘案件中，收缴当地出土的1合唐代九品宫人墓志，今藏巩义市文管所。简报配以拓片予以介绍。

据介绍，志石为正方形，左下角残，志文楷书，10行，行13字，正中阴刻篆书"亡宫唐志"四字。墓主卒于"通天二年"。按："通天"为武则天年号，"通天二年"为697年。志载墓主才貌双全，德仪兼备，温雅贤淑，为唐代九品宫人，生前"奉于紫墀"，其名已佚。

365.郑州市几座隋墓的发掘

作　　者：郑州市文物考古研究所、荥阳市文物保管所　刘彦铎、于宏伟、马黔斌
出　　处：《中原文物》1997年第3期

考古人员在配合基本建设过程中，先后发掘清理了几处隋代小型墓葬，出土了一批隋代文物，具有一定的时代特征与地方特点。简报配以照片、拓片、手绘图予以介绍。

据介绍，郑州万福花园隋墓（ZWM）位于郑州市区西南航海路国营 4057 厂北侧。1996 年 1 月 16 日至 29 日，配合商住楼建设，发掘清理墓葬 1 座，出土瓷碗、唾壶、陶碗、陶壶等物。该墓为南北向土洞墓，分墓道、甬道与墓室 3 部分。郑州第二印染厂隋墓（ZYM）位于郑州市区西部、郑上路北、工农路西的郑州第二印染厂外。1995 年 11 月 1 日开始发掘，11 月 8 日结束。清理墓葬 1 座，出土瓷罐、坛、壶、碗等物。此墓为南北向土洞墓，分墓道与墓室 2 部分。墓早期被扰，墓室及墓道只残存底部。荥阳市计委隋墓（XJM）位于荥阳市区东北，河阴路北段路东，经钻探发现墓葬 11 座，由于位置限制，1996 年 6 月 22 日至 7 月 10 日发掘了其中 9 座。这批墓葬全部为土洞墓，墓葬形制较小，但又各有特点，出土有陶器、瓷器、铁器、铜器及刻字砖 4 块。

366.郑州市上街铝厂唐墓发掘简报

作　者：郑州市文物考古研究所、上街区文化馆　王文华、汪　旭
出　处：《中原文物》1997 年第 3 期

1989 年 11 月，上街铝厂在上街区十六街坊兴建家属楼时发现几座唐墓，考古人员配合基建进行了清理。简报分为：一、墓葬形制，二、随葬器物，三、结语，共三个部分。有手绘图。

据介绍，该墓被 20 世纪 50 年代所建旧房基础所压，为一南北方向砖室墓，分为墓道、墓室两部分。墓道在墓室南，土坑竖穴平底，南出基础外，长度不详，实挖仅 0.8 米。墓室为长方形，东西宽 3.4 米、南北长 2.8 米。东、西两壁均略外弧。东壁有一耳室，长 0.60 米、宽 1.00 米、高 0.90 米。顶部已在 50 年代建房时被毁，四壁砌砖均已被拆毁，墓室内已被严重扰乱，随葬品已无法记录其原位。随葬器物有陶俑、瓷器、三彩器。其中陶俑多数破碎，无法复原，瓷器完好的有 9 件。该墓的时代，简报推断为盛唐前期。

367.河南省巩义市孝西村唐墓发掘简报

作　者：郑州市文物考古研究所、巩义市文物保护管理所　张松林、刘彦辉、
　　　　　郝红星、刘洪淼等
出　处：《文物》1998 年第 11 期

1992 年 12 月初，河南省巩义市食品公司新建职工住宅楼，从开挖的基槽内发现古代墓葬 1 座，考古人员进行了抢救性发掘。简报分为：一、墓葬概况，二、随葬器物，

三、结语，共三个部分。有照片。

据介绍，此墓位于孝义镇西部的孝西村。编号 GS92M01。该墓是由墓道、过洞、天井、甬道、墓室和耳室组成。该墓至少 2 次被盗，但仍从墓室中清理出土 68 件器物，加上对盗洞内残片进行拼对修复，共获随葬品 99 件。其中包括彩绘陶俑 56 件、三彩器 23 件、陶模型冥器及家畜等 10 件、瓷器 7 件、铜饰件等 3 件。

简报推断该墓的年代为唐咸亨三年（672 年）至神龙二年（706 年）之间，墓主应为县丞或与之相当身份的人。为夫妻合葬。该墓陪葬品中大批的粉彩俑、三彩器、瓷器是唐代考古研究的重要资料。而伏羲女娲俑是第 1 次在巩义市发现，对了解唐代社会观念、宗教信仰与葬俗具有一定参考价值。

368.河南省巩义市芝田两座唐墓发掘简报

作　者：郑州市文物考古研究所、巩义市文物保护管理所
出　处：《文物》1998 年第 11 期

1992 年 10 月，巩义市耐火材料总厂在芝田镇东北角新建厂房时，于总厂中部办公楼地基范围内发现东西平行排列的唐代墓葬 2 座（东侧墓葬编号 92HGXM35、西侧编号 92HGZM36），考古人员进行了发掘。简报分为：一、M35，二、M36，三、结语，共三个部分。有照片、拓片、手绘图。

据介绍，芝田镇位于洛河东岸的伊洛平原上，唐代为东都的畿内之地，地下有较多的唐代墓葬。此次发掘的两座唐墓均为该地比较常见的斜坡墓道带天井的土洞墓，2 座墓内均未见墓志和有关文字材料。出土有镇墓兽、陶俑、瓷器、铜钱等。简报推测 2 墓年代在咸亨三年（672 年）至大周长寿三年（694 年）之间，M35 比 M36 略早。

369.巩义市铝厂唐墓发掘简报

作　者：郑州市文物考古研究所、巩义市文物保护管理所　刘彦锋、郝红星、赵海星
出　处：《中原文物》1998 年第 4 期

巩义市铝厂位于河南省巩义市站街镇西南 3 公里处。考古人员在配合巩义市铝厂第二电解车间建设中，于 1991 年 7 月 5 日至 7 月 18 日清理了 3 座唐墓。3 座墓葬随葬器物保存较好，其中 M1 随葬品较少，M2 与 M3 随葬品数量、组合与排列基本相同，陶俑造型与风格如出一炉。简报分为：一、一号墓，二、三号墓，三、结语，

共三个部分。配以照片、手绘图，介绍了 M1 与 M3 的发掘资料。

据介绍，2 墓均为南北向土洞墓。一号墓出土随葬品有深腹罐 1 件，瓷碗 1 件，"开元通宝"钱 2 枚，铜帽圈 1 件。简报推断 M1 为晚唐墓。三号墓出土陶俑、瓷器、铜钱、银戒指等 30 余件。简报推断 M3 为隋末或唐初之墓。

370.郑州西郊唐墓发掘简报

作　　者：郑州市文物考古研究所　郝红星、于宏伟、张文霞等
出　　处：《文物》1999 年第 12 期

1994 年底，考古人员先后在郑州市伏牛南路西侧的冶金部金属制品研究院和百花里路西第十九中学院内清理 2 座唐墓，编号为 94ZFJM1、94ZBXM1。简报分为：一、伏牛南路唐墓，二、十九中唐墓，三、结语，共三个部分。有彩照、拓片、手绘图。

据介绍，伏牛南路唐墓为单室砖券墓，由墓道、甬道、墓室三部分组成。有墓志 1 合，简报未录志文。据志文，伏牛南路唐墓有确切的下葬年代（708 年），是郑州西郊 3 座纪年唐墓中年代最早的 1 座，墓主李文寂虽然不仕，但其曾祖、祖、父、子世代为官，本人又擅文墨，其埋葬规格自然不低。此墓被盗，所出器物不多，但从其墓葬形制、墓志、木棺、木箱及 1 套与生活息息相关的铅器来看，此为郑州唐墓中规格较高的 1 座。十九中唐墓的墓葬形制近似于伏牛路唐墓的形制。不同之处在于，伏牛路唐墓的墓室平面呈倒梯形；而十九中唐墓的墓室中部向外凸出，且东、西、北 3 壁均有立柱式小龛，为郑州地区唐墓所少见。该墓所出三彩盏颇具特色，陶罐则同于伏牛路唐墓 II 式陶罐。墓中仅出铜钱 2 枚（"开元通宝"和"乾元重宝"），由于未见会昌"开元通宝"，故此墓的年代应在 758 ~ 840 年，为中唐时期墓葬。

371.郑州市区两座唐墓发掘简报

作　　者：郑州市文物考古研究所　顾万发、丁兰坡、张　倩
出　　处：《华夏考古》2000 年第 4 期

1999 年，为配合基本建设工程，考古人员分别对郑州市伏牛南路河南地质医院、嵩山南路河南省煤炭地质局内的 2 座唐墓（编号分别为 HNDY9907M1、HNMT9902M1）进行了发掘。发掘情况简报分为：一、地质医院唐墓，二、煤炭地质局唐墓，三、结语，共三个部分。有手绘图、照片。

据介绍，2 座墓葬，其形制在唐代早晚均有，所以无法据此断代，只有从器物方面予以分析。地质医院唐墓出土的铁鼎、灰陶罐、瓷注子等分别与郑州市大岗

刘、化工厂、中原制药厂唐墓中的同类器物相似或相同，其年代也应相当，当在760～800年。煤炭地质局唐墓出土器物较少，从其出土的瓷碗来看，只能知其大致为唐代器物，出土的铜镜应为唐代晚期。简报推断，煤炭地质局唐墓的年代大致可定在唐代晚期。

372.郑州唐丁彻墓发掘简报

作　　者：郑州市文物考古研究所　刘彦锋、陈　萍、赵　兰
出　　处：《华夏考古》2000年第4期

2000年3月，郑州高新技术开发区管理委员会在重阳街西段拓宽工程中，发现1座砖室墓，考古人员进行了清理。简报分为：一、墓葬形制，二、随葬器物，三、结语，共三个部分。有手绘图、拓片。

据介绍，该墓为单室砖券墓，出土随葬品50件，墓志1合，志文楷书，存697字，墓主姓丁名彻，字伯通，山阳瑕丘人，曾祖为魏骠骑将军；祖，绛州司马；其父，系伊阙县令。墓主本人未做官，于乾封元年诏授士一级，上元三年（676年）与夫人韩氏合葬于荥泽县广武山之阳（今石佛乡洼刘村北）。简报未录志文全文。

简报称，丁彻墓是郑州地区唯一有确切纪年（676年）的早唐墓葬，俑类组合完整，其镇墓兽、武士俑、文官俑与672年偃师杨堂墓同类俑有紧密的演变关系，两墓随葬品可将郑洛地区大量无纪年的早唐墓葬年代予以界定，这对唐墓的研究具有重要意义。

373.郑州古荥师家河唐墓清理简报

作　　者：河南省文物考古研究所　曾晓敏、李素婷、毛杰英
出　　处：《华夏考古》2001年第3期

1999年12月1日，郑州市西北郊古荥镇师家河村村民在该村西取土时发现一些陶俑、镇墓兽、铜镜等物，遂上交正在附近小双桥遗址进行考古发掘工作的河南省文物考古研究所工作人员。经初步判断，这些都为唐代文物，应出自1座唐代墓葬。考古人员随即前往文物出土地点进行了调查，并对该墓进行了清理。简报配以照片、手绘图予以介绍。

据介绍，该墓编号为郑州师家河99:M1，为一洞室墓。共发现三彩文官俑和彩绘文官俑各1件，彩绘武士俑2件，彩绘镇墓兽2件，瓷罐1件，铜镜1件。简报称，镇墓兽的制作方法和俑的制作方法大同小异。先将镇墓兽的身部做成左、右2块模

具，用于将泥压入模具内，成型后合成一体，在身上安装头部和两翼，头上再装角，最后进行烧制，烧好后进行彩绘。该墓的年代大致在唐高宗时期，最晚不会晚于武则天时期。简报指出，这座墓的发现，为研究郑州地区唐墓分期、陶俑制作方法和工艺等提供了有价值的资料。

374.河南新郑清理一座唐墓

作　者：新郑市博物馆　李宏昌
出　处：《中原文物》2002 年第 6 期

2002 年 10 月 15 日，河南省新郑市薛店镇修公路时发现 1 座唐墓。考古人员对此墓进行了清理。简报配以照片予以介绍。

据介绍，墓室结构简单，仅由墓道、墓室和头龛组成，墓顶为穹隆形。墓内有尸骨 1 具，完好无损。所出随葬品有"真子飞霜"镜和梳妆盒（仅存 6 枚铜质合页），还有 2 根长 21.5 厘米的银簪。4 件瓷器：1 件褐绿彩炉，1 件酱釉瓷罐，1 件酱釉瓷盂，1 件白瓷碗。铜镜及瓷器均较珍贵。墓主人应为女性。在头龛东南角出土 1 枚"开元通宝"钱币。根据出土钱币和铜镜的造型、质地、纹饰以及瓷器的诸多特征，该墓的年代上限不会早于唐代中期。

375.巩义市食品厂唐墓发掘简报

作　者：郑州市文物考古研究所、巩义市文物保护管理所　王保仁、孙角云、郝红星
出　处：《中原文物》2003 年第 4 期

1993 年 11 月，巩义食品厂在施工中遇到 2 座古墓，由于不慎将两墓摧毁，考古人员清理了所有的文物，两墓分别编号为 93HGSM1、93HGSM2。简报分为：一、93HGSM1，二、93HGSM2，三、结语，共三个部分。有照片、手绘图。

据介绍，M1 位于 M2 东 4 米，为斜坡墓道单室土同墓，深约 2 米，由墓道、甬道、墓室组成。墓葬共出土随葬品 38 件器物（铜钱按枚计），有镇墓兽、武士俑、牵马俑、侏儒俑、女侍俑、马、驼、羊、狗、灶、磨、井、罐、双龙柄壶、盏、灯及铜钱，大多为白黏土胎。M2 为斜坡墓道的单室土洞墓，由墓道、甬道、墓室组成，深约 1.5 米。共出土随葬器物 17 件，有镇墓兽、武士俑、牵马俑、幞头俑、女侍俑、马、狗、灶、磨等，大多为土黄色黏土胎。

简报称，这 2 座唐墓器物组合大致相同，均有神器类器物，如镇墓兽、武士俑，

但都没有文武官俑，是个异常的现象（这时期的唐墓一般都有文官俑，有的墓武官俑已从文官俑中分化出来）。在畜俑类中都有马俑，其中 M1 中的两个马是巩义极少见的没有袱的马，小型畜俑类中 2 墓种类都不全，简报推测可能是盗墓的缘由（2 墓均有一些较小的碎片无法修复）。在侍俑类中 2 墓都没有常见的胡帽俑、低髻俑、半翻俑，却都有一种编发俑，或着袍或着裙，这也颇耐人寻味。还出土了 2 件堆塑罐、2 个莲花灯，器大而精美，在全国唐墓中也十分罕见。另有两件双龙柄壶，龙首上有枝角，大须耳，下唇反卷，也较为特殊。根据 2 墓有较多的共性，简报推测这 2 个墓是家族墓葬，但不能确认是同辈的关系。具体年代应在 675 ~ 690 年之间。

376.河南登封市法王寺二号塔地宫发掘简报

作　者：河南省文物考古研究所　赵志文、郭木森、宫富涛、朱汝生
出　处：《华夏考古》2003 年第 2 期

法王寺塔群位于登封市北 7 公里嵩山太室山南麓玉柱峰下的法王寺后，现存唐塔 4 座、元塔 1 座、清塔 1 座，是 1963 年河南省人民政府公布的第一批省级文物保护单位，2001 年被国务院公布为第五批全国重点文物保护单位。由于犯罪分子多次试图盗掘古塔地宫文物，留下的数处盗洞已严重威胁塔身的安全。考古人员于 2000 年 3 月至 5 月对法王寺二号塔地宫进行了抢救性考古发掘（编号为 2000DFD2，简为 D2），出土了一批唐代珍贵文物。简报分为：一、地宫的建筑结构，二、出土遗物，三、结语，共三个部分。有照片、拓片、手绘图。

据介绍，该地宫由踏道、宫门、甬道和宫室 4 部分组成，室内北部的砖砌长方形台基上有一泥质跌坐高僧真身像，十分珍贵。出土有白釉盒、白釉细颈瓶、黑陶钵、鎏金镂空铜炉、铜净瓶及迦陵频伽盒等 20 余件珍贵文物。该地宫的封闭年代，简报推断为唐代晚期。该地宫的发掘，为唐代佛教考古的研究提供了新的实物资料。

377.巩义铝厂唐墓发掘简报

作　者：郑州市文物考古研究所、巩义市文物保护管理所　王文华、王保仁、
　　　　陈　新、郝红星
出　处：《中原文物》2004 年第 4 期

1995 年 4 月，巩义市铝厂在第三系列基建工地中发现一批墓葬，考古人员进行了清理，其中 95HGLM2 出土了一批精美文物。简报分为：一、墓葬形制，二、遗物，三、年代，共三个部分。有照片、手绘图。

据介绍，95HGLM2为斜坡墓道的单室土洞墓，由墓道、甬道、墓室组成，方向170°，深4.8米。葬具已被盗扰，尸骨无存。共出土器物19件，有镇墓兽、武士俑、马俑、罐、盒、注子、盘、熏炉、铜钱等。简报推断为675～680年的墓。从随葬品看，墓主人应是殷实之家。

378.巩义常庄变电站大周时期墓葬发掘简报

作　　者：郑州市文物考古研究所、巩义市文物保护管理所　汪　旭、赵海星、
　　　　　王振杰、高中辉

出　　处：《中原文物》2005年第1期

巩义常庄变电站1号墓葬经过发掘，出土随葬品较为丰富，有陶制的镇墓兽、天王俑、侍俑、马、骆驼等。其体态较大，比例合理，俑态逼真庄重，彩绘华丽，显现了盛唐陶俑之风格，值得注意的是，出土武则天大周时期墓志1合，弥足珍贵，在郑州地区已发掘同类墓葬中属首次发现。这座有明确纪年的墓葬，为郑州地区唐代墓葬分期研究提供了新的实物资料。简报分为：一、墓葬形制，二、随葬器物，三、关于墓主人，四、结语，共四个部分。有照片、拓片、手绘图。

据介绍，此墓是2003年11月为配合电站建设而发掘的。墓早年已坍塌，破坏严重，木棺、人骨已朽。随葬品共24件陶俑、陶器及石墓志1合。墓志楷书，524字，中多武周时新造字。简报未录志文全文。由志文知墓主人叫阎方，字仲玄，河南新安人，无官职，享年50岁，长安二年（702年）与夫人合葬，此为二次合葬墓。

379.河南新郑市摩托城唐墓发掘简报

作　　者：河南省文物考古研究所　衡云花、李晓莉

出　　处：《华夏考古》2005年第4期

新郑市摩托城发掘工地位于郑韩故城西城西南部，为配合基建，考古人员于2001年4月至7月对此地进行了发掘。发掘面积500平方米，清理出战国大型粮仓3座、墓葬26座，其中唐墓10座，编号分别为M10、M11、M14、M17、M18、M19、M20、M23、M24、M25。这10座唐墓位于发掘工地的西南部，出土了一批较为精美的唐代瓷器，在郑韩故城较为少见。简报分为：一、墓葬概况，二、随葬品，三、结语，共三个部分。有拓片、手绘图。

据介绍，这10座唐墓均为中小型墓，其中8座为土洞墓，2座为砖室墓。方向大致为南北向，全部被盗扰过。由于被盗扰严重，这批唐墓多数出土器物不多，按

其质地可分为陶、瓷、铁、铜器等，时代为中唐、盛唐时期不等。M11出土有墓志1合，楷书366字，简报录有全文。知墓主姓张，天宝八年（749年）下葬，享年83岁。

简报称，这批唐墓，虽被严重盗扰，但所出土的随葬品中不乏有精巧之物，这些随葬品不仅有时代特征，而且反映了唐代的某些习俗和传统，尤其是瓷器，造型雅致，质地坚实，装饰瑰丽，应为唐代瓷器中的精品。这批墓葬发掘地点应为家族墓地。

380.河南巩义市夹津口隋墓清理简报

作　者：巩义市博物馆　王保仁、张新月
出　处：《华夏考古》2005年第4期

1981年秋天，巩义市（原巩县）南30公里的夹津口镇一砖厂在起土中挖出古墓1座。考古人员赶赴现场，发现该墓上部已被基本挖完，从残留的轮廓可以看出，这座墓为竖穴土洞墓，墓室呈长方形，长约2米，宽约1.50米，斜坡墓道，文物放置位置已被扰乱，部分文物被施工人员挖出，墓葬的平、剖面图已无法绘制。简报分为：一、墓葬概况，二、随葬器物，三、结语，共三个部分。

据介绍，共出土文物31件，大部分为白瓷，有少量黑釉器，其中镇墓兽2件，俑12件，马1件，骆驼1件，牛车1件，家畜家禽8件，模型明器6件。瓷器当出自巩县窑。简报推断该墓的时代为隋墓。

381.郑韩故城新郑市二中唐墓

作　者：河南省文物考古研究所新郑工作站　樊温泉
出　处：《江汉考古》2005年第3期

2004年，考古人员配合新郑市二中的基建工程，抢救性发掘了两座保存较为完好的唐代砖室墓，出土了一批较为珍贵的文物，其中一号墓除出土了铜、瓷、陶等不同质料的文物外，还出土了1合石质墓志。墓志清楚地记录了墓主人的身份，并有明确的纪年——至德二载，从而为墓葬的断代提供了有力的证据。简报分为：一、一号墓，二、二号墓，三、结语，共三个部分。有拓片、手绘图。

据介绍，新郑市二中位于郑韩故城东北部，中华北路的西侧，北距郑韩故城北城垣200余米。2004年8～11月，为配合新郑市二中门面房的建设工程，考古人员进行了勘探、清理。M1为带斜坡墓道的长方形土坑竖穴砖室墓，出土有墓志，其中有唐肃宗至德二年（757年）纪年。M2与M1大致为同一时期。这2座墓葬的结构保存基本完好，一号墓墓主的身份明确，并出土了一批陶、瓷、铜器，尤其珍贵的是纪年墓志的出土，对研究郑韩故城唐代的墓葬结构、随葬品结合、埋葬制度等都有较高的学术价值。

382.新郑市郑韩故城内近年发现的几座唐墓

作　者：河南省文物考古研究所新郑工作站　樊温泉
出　处：《中原文物》2006 年第 1 期

2003 ～ 2004 年，考古人员为配合基本建设在郑韩故城内抢救性发掘了一批古文化遗迹，其中清理的 3 座唐代墓葬出土有瓷器、三彩器、铁器、铜器等，器物造型精美，特别是出土的青瓷背壶和铁质镰斗及支架在河南省内非常少见，为研究唐代文物提供了珍贵的资料。简报分为：一、03ZHHRM1 墓，二、03ZHHRM2 墓，三、04ZHXHLM2 墓，四、结语，共四个部分。有照片、拓片、手绘图。

据介绍，03M1 为 1 座带竖井墓道的洞室墓。棺木、人骨已朽。出土有瓷器、铜勺、铁镰斗及支架、铜钱等。简报推断年代不早于中唐。03M2 为 1 座带竖穴阶梯墓道的洞室墓，木棺已朽。人骨 1 具，头向北，仰身直肢，面稍侧向西。除手指及足趾骨外，其余保存较好，而在头骨的左侧发现有人的脚趾骨。这种现象可能说明这位 20 ～ 39 岁青壮年男性墓主在生前遭到过砍去手足的刑罚，为非正常死亡。随葬器有陶罐 1 件、铜钱 20 枚，为中唐墓。04M2 为砖室墓，未见葬具，存少量人骨。随葬品有青瓷器、陶器、铁器、铜器、铜钱、银器、蚌器共计 16 件，为中唐墓。

383.河南巩义市老城砖厂唐墓发掘简报

作　者：郑州市文物考古研究所、巩义市文物保护管理所
出　处：《华夏考古》2006 年第 1 期

2001 年 1 月，考古人员在巩义市站街镇老城砖厂联合发掘 2 座唐墓。编号01ZGLCM1、01ZGLCM2（简称 M1、M2）。2 墓均被盗，前者出土器物零乱破碎，多数不能修复；M2 器物种类较为齐全，且有一定数量的三彩俑与陶俑。简报分为：一、墓葬形制，二、出土文物，三、结语，共三个部分，介绍了 M2 的情况。有手绘图。

据介绍，M2 由墓道、甬道、墓室组成，深 2 米。共出土陶器、陶俑等 33 件。其中三彩器（包括单彩器）多达 24 件。简报推断年代为公元 675 ～ 680 年，墓主人应具有一定的经济实力。

384.荥阳后王庄唐墓发掘简报

作　者：郑州市文物考古研究院、荥阳市文物保护管理所　刘彦锋、丁兰坡、
　　　　楚东亮、乔艳丽
出　处：《中原文物》2007 年第 6 期

2003 年 3 ～ 6 月，考古人员在河南省荥阳市广武镇后王庄发掘了几座唐宋时期墓葬，其中 2 座唐代墓葬出土有墓志、陶罐、铜钵、铁剪刀、瓷罐、铜钱等。墓志形制特别，其志文不仅为同类型墓葬的断代提供了帮助，也为地方的文献记载提供了佐证。简报分为：一、荥阳市广武镇后王庄 XGHM7，二、荥阳市广武镇后王庄 XGHM8，三、结语，共三个部分。有照片、拓片、手绘图。

据介绍，2003 年 3 ～ 6 月，为配合郑州西南绕城高速公路建设，考古人员于荥阳市广武镇后王庄发掘 1 处仰韶文化遗址和几座唐宋时期的墓葬。XGHM7 出土遗物中有墓志 1 合，志文共 17 行，每行字数不同，最多 21 字，简报录有志文全文；XHGM8 出土有墓志，志文楷书，共 388 字，简报录有志文全文。两座唐墓，形制虽小，但均出土有墓志。依墓志所述，XGHM7 为王夫人公孙氏之墓，于"咸通十年九月廿二日"死于"河南府阳翟县"。咸通十二年即公元 871 年，阳翟县即现在的禹州市。葬于"平阴归德乡西史村"。XGHM8 为李廉之墓，李廉于"开元廿三年岁次己亥正月三日寝疾殒于私舍，以其月十九日合葬于广武山南十里平原"。开元廿三年即公元 735 年。其志铭"东接荥阳，西际虢邑"是对文献记载虢国地望的佐证。

385.河南省储备局四三一处国库唐墓发掘简报

作　者：郑州市文物考古研究院、巩义市文物保护管理所
出　处：《中原文物》2008 年第 3 期

郑州市文物考古研究院在四三一处国库工地发掘了 5 座唐墓，年代早晚相递，器物组合不同，各有特色。墓中出土的瓷器、三彩器尤为精美，从器物胎、色、釉观察，应为巩义黄冶窑的产品，为北方白瓷及唐三彩的研究提供了新的资料。简报分为：一、M3，二、M4，三、结语，共三个部分，予以介绍。有照片、手绘图。

据介绍，发掘地点位于巩义市供销社新村南侧，西临环城路。简报重点介绍了出土器物丰富的 M3、M4 两墓。M3 为竖井墓道的土洞墓，由墓道、甬道、墓室 3 部分组成。未见尸骨，出土有陶俑、陶器、铜钗、铜镜、瓷器、铜钱等。M4 为半斜坡墓道的土洞墓，由墓道、甬道、墓室 3 部分组成。出土有陶俑、陶器、铜带等。

M3 的年代，简报推断为公元 680 ～ 685 年；M4 的年代，推断为公元 675 ～ 680 年。

386.郑州上街峡窝唐墓发掘简报

作　者：郑州市文物考古研究院、郑州市上街区文化新闻出版局　汪　旭、
　　　　　黄　俊、王运成等

出　处：《文物》2009 年第 1 期

2006 年 10 月，为了配合中国铝业河南分公司基本建设工程，考古人员对该公司
所征地进行考古钻探，发现古墓葬 25 座，其中 1 座唐墓较重要（编号简称 M7）。
简报分为：一、墓葬位置与形制，二、出土瓷器，三、结语，共三个部分。先行介
绍了 M7 的发掘情况，有照片、手绘图。

据介绍，M7 位于郑州市上街区峡窝镇西约 4 公里，东距郑州市约 30 公里，西
距巩义市黄冶唐三彩窑址约 19 公里，北依黄河。墓葬平面呈"甲"字形，由墓道、
甬道、墓室组成，葬具、人骨已朽，葬式不详，出土器物瓷器 5 件，散置于墓室底
部东西两侧。其中有较珍贵的青花塔式罐、白瓷罐，暗示墓主似非一般平民。该墓
的年代，简报推断为唐代中期。

387.河南荥阳唐代邛州刺史赵德明墓

作　者：郑州市文物考古研究院　刘良超、李根枝、于宏伟等

出　处：《文物》2010 年第 12 期

2009 年 3 月，荥阳市广武镇白寨村西的一古墓被盗，考古人员对该墓进行了抢
救性考古发掘，墓葬编号简称 M1。简报分为：一、墓葬形制，二、随葬器物，三、
结语，共三个部分。有照片、拓片、手绘图。

据介绍，墓葬地表原先有高大的土冢，后经 20 世纪 70 年代的土地平整运动被
削平。墓葬为长方形斜坡墓道砖室墓，由墓道、天井、甬道、墓室组成。因条件所限，
仅对甬道和墓室进行了发掘清理。该墓历史上多次被盗，墓室内出土遗物多为残片，
可辨器形的有 46 件，种类有武士俑、女侍俑、男侍俑、陶狗、陶羊、陶马、陶牛、陶磨、
陶纺轮、白瓷罐、铜钱等。另外，在甬道发现石质墓志 1 合。简报录有志文，文长不引。
据墓志，墓主人为初唐时邛州刺史赵德明。

据墓志，墓主人赵德明的先祖叫赵喜，见载于《后汉书》，《后汉纪》亦有大
致相同的记载。从志文记载来看，赵德明出身官宦世家，隋时已享有从四品之勋级，
唐建立后授从七品勋级，官阶屡次升迁，最后官居从四品。赵德明一生宦海浮沉，
辗转泾州（今甘肃镇原东南）、并州交城（今山西交城县）、兰州（今甘肃兰州市）、
豫州（今河南汝南县）、丰州（今内蒙古西部一带）、灵州（今宁夏灵武一带）、

岷州（今甘肃岷县）、邛州（今四川邛崃市）。赵德明墓志所载之事于史书多有记载，但志文也有的地方更为具体。因此，该墓志的发现填补了历史文献的空白。

388.郑州新天地唐墓（M6）发掘简报

作　者：郑州市文物考古研究院　索全星、江　旭
出　处：《中原文物》2011 年第 1 期

2008 年 11 月～2009 年 2 月，考古人员为配合郑州新天地（三期）工程项目进行考古发掘，清理了一批商代灰坑、汉唐墓葬。其中 M6（即 2008ZXTDM6，简称 M6）虽遭早期盗扰，但时代特点明确，有较高的资料价值。简报分为：一、墓葬形制；二、随葬器物，三、结语，共三个部分。有照片、手绘图。

据介绍，M6 系 1 座带墓道的砖室墓，平面呈"甲"字形，由墓道、甬道、墓室 3 部分组成。墓道呈台阶式，残存六级。劫余随葬品有白陶俑 2 件、陶圆仓 2 件、墓志 1 合等。志文楷书，简报录有志文全文。从墓志得知，墓主为史三藏，系荆州史司马之第 3 孙，"未冠而夭"。

简报推断，此处应为盛唐早段 680 年前后史家墓地。

389.巩义涉村唐墓发掘简报

作　者：郑州市文物考古研究院、巩义市文物管理局　汪　旭、张　倩、乔艳丽
出　处：《中原文物》2011 年第 2 期

2006 年 4 月，巩义市涉村镇镇政府在扶贫楼施工过程发现 1 座古墓，考古人员进行了清理，编号简称 M1，没有再发现其他墓葬。墓葬位于涉村镇北路东侧，南距 S237 线 200 米，北望平顶山，南眺乌罗河，再南是连绵西去的嵩山，地理位置十分优越，是难得的瘗人吉地。简报分为：一、墓葬形制，二、出土器物，三、结语，共三个部分。有照片、手绘图。

据介绍，M1 为半斜坡墓道的土洞墓，由墓道、甬道、墓室 3 部分组成，现存深度 4 米。有棺，但未见尸骨。出土铜钱、陶器、瓷器、镇墓兽、陶俑等共计 23 件。有墓志，但字迹几乎全无。只知此墓墓主人可能是一个叫常景的人的妻子。

简报推断，此墓时代为唐代。考虑到尸骨未见，不排除墓主人已被迁走。常景应有一定财力。

390.郑州市区西北部两座唐墓发掘简报

作　　者：郑州市文物考古研究院　魏青利、任广岭、丁兰坡
出　　处：《中原文物》2011 年第 4 期

2006 年以来，考古人员在郑州市区西北部的河南六合置业有限公司和河南电力工业学校发掘唐墓 2 座，其墓葬形制保存较为完整，出土有陶器、瓷器、铜器、铁器、木器等珍贵文物，年代分属初唐和中唐 2 个时期。其中河南电力工业学校所出墓志为研究唐代社会提供了可信的资料。简报分为：一、河南电力工业学院唐墓（2008ZDFM1），二、河南六合置业有限公司六合苑小区唐墓（2006ZLHM1），三、结语，共三个部分。有拓片、照片、手绘图。

据介绍，电力工业学校唐墓为单室土洞墓，平面呈铲形，由墓道、甬道、墓室 3 部分组成。出土有铜器、铁器、木梳、墓志等。墓志楷书计 306 字，简报录有全文。从志文可知，墓主的曾祖、祖、父均为布衣。墓主孙和，文采出众，书法俊逸，自太子通事舍人表进许昌县尉，任职得到好评。贞元十一年卒，享年 41 岁。贞元十二年（796 年）下葬，为中唐墓。六合置业公司墓为单室砖室墓，平面呈"甲"字形，由墓道、甬道、墓室 3 部分组成，出土有陶器、铜勺、铁镰斗、铜钱等。简报推断为初唐墓。

391.河南巩义唐墓发掘简报

作　　者：郑州市文物考古研究院、巩义市文物管理局　汪　旭、季惠萍、
　　　　　张　培
出　　处：《文物》2014 年第 8 期

2004 年 4 月，考古人员对巩义市城东新区的巩义市行政中心大楼地基内的 8 座墓葬进行了发掘。其中 04HGXM1 ～ 94HGXM7 为宋墓和清墓，仅出铜钱。04HGXM8 为唐墓（以下简称 M8），规模较大，虽被盗扰，但出土器物较多。M8 的发掘情况简报分为：一、墓葬形制，二、出土器物，三、结语，共三个部分。有彩照、手绘图。

据介绍，该墓为斜坡墓道土洞墓，由墓道、过洞、天井、甬道及墓室组成，规模较大。出土器物有陶器和瓷器，其中镇墓兽、武士俑、文官俑、武官俑等较精美。

通过与巩义地区已发掘的唐墓比较，简报推断此墓的年代在公元 720 年前后。

392.新郑唐代张昭训墓发掘简报

作　者：新郑市旅游和文物局　李宏昌
出　处：《中原文物》2014 年第 4 期

2013 年 4 月 25 日，在新郑市车马坑博物馆改扩建过程中，在郑韩故城后端湾墓区，东距春秋郑伯大墓展览馆 2.8 米处发现 1 座古代砖室墓。当时墓室砖顶、墓门和部分墓底在早期已经塌陷，考古人员立即对这座古墓进行了抢救性发掘。简报分为：一、墓葬形制，二、随葬品，三、结语，共三个部分。有照片、手绘图。

据介绍，该墓为砖室墓，由墓门、单墓室、封门砖 3 部分组成，随葬物品有瓷器、陶器、铁器等，墓志砖保存有楷体墓志文一篇，500 余字，简报录有墓志全文。墓志记载了张昭训祖父 3 代的基本生平，重点记录顺天二年（759 年）八月二十九日墓主人张昭训死在长葛县，同年十月十六日葬在新郑县。墓志记载了墓主人是死后特意埋葬在黄帝故里风水宝地上。墓志中还出现了关于郑国都城标志性的地名。简报称，此墓的发现对研究古代新郑历史有着重要的史料价值。此墓随葬品虽经严重破坏，仍保存了特点分明的一组较完整的陶瓷器，为研究“安史之乱”这一唐代重要时期的墓葬文化提供了一批新的标准器，具有重要的学术价值。铁剪刀、熨斗、铁鼎一套裁缝工具的出土，加上北、西棺床的存在，简报推测此墓当为夫妇合葬之墓。泥质骆驼和人俑十分罕见，它的出土填补了新郑周围地区此类葬俗的空白。

开封市

393.河南尉氏出土窖藏史思明钱币

作　者：尉氏县文物保护管理所　许敬华
出　处：《华夏考古》2014 年第 3 期

2013 年 6 月，河南省尉氏县公安局破获一起倒卖古钱币案，收缴一批古代铜钱。据悉，这批钱币于 2010 年在尉氏县洧川镇英外村北出土，是在用挖掘机取土时发现的。这批铜钱装在 1 个灰陶罐中，陶罐已被打碎，钱币遭到村民哄抢，总数大约有 1500 枚，但大部分被倒卖。目前仅追回 462 枚，分别是“得壹元宝”和“顺天元宝”2 种，其中“得壹元宝”6 枚，“顺天元宝”456 枚。这批钱币现藏于尉氏县文物保护管理所。简报配以拓片、彩照、手绘图予以介绍。

据介绍，这批窖藏钱币品相完好，范本丰富，制作较为规整，仅有 1 枚“得壹元宝"流通使用过，其他均属新铸钱尚未流通就埋入地下。简报认为如此众多的铜钱，在以往的出土报道中并不多见，尉氏这批钱币埋藏的时间应在唐宝应元年（762年）10月。

洛阳市

394.洛阳发现唐城厚载门

作　　者：洛阳博物馆通讯组

出　　处：《考古》1960年第5期

淹没在古洛渠下的唐东都厚载门基石，在今天全民办电的工程中出土了。这是研究隋唐城坊建制的又一个重要发现。

简报介绍，石基共有2排，恰被水道横切，现仅暴露1个断面。从断面来看，2排石基像砌成的墙，间距为5.45米，中间用土填塞，填土中有很多唐代瓦片。

据1954年的调查报导（见《洛阳汉魏隋唐城址勘查记》，《考古学报》第九册），厚载门的遗址大概由西南角起869米以东的杨庄北边，古洛渠的闸门附近。这次调查所指的西南角，大概是指古城寨，实际上古城寨并非城角，而距城角还有440米。

简报称，根据目前的发现，厚载门的位置已可肯定，整个城门的规模、形状，还有待于继续发掘。

395.隋唐东都城址的勘查和发掘

作　　者：中国科学院考古研究所洛阳发掘队　陈久恒

出　　处：《考古》1961年第3期

隋唐洛阳城是我国封建时代的著名都城。它创建于605年（隋大业元年），为别于西都长安，故称洛阳城为东都。隋唐洛阳城的全面勘查，在1954年即已进行，关于外郭城址的范围、形制以及城门位置大体已摸索清楚。1959年春，中国科学院考古研究所洛阳发掘队进行了1次复查，并发掘了皇城南面的右掖门。1960年秋，着重探索了宫城、皇城及其附属诸小城的平面布局，确定了各城一些门址的具体位置，由于工作重点在于探测城址，发掘工作做得较少。城址的勘查情况和右掖门的发掘情况简报分为：一、城址的勘测，二、右掖门的发掘，共两部分。有手绘图、照片。

据介绍，城址勘测了外郭城门址、皇城、宫城，此外对附属诸小城也做了钻探工作。城门中出土物以砖、瓦、瓦当、铁钉和门泡等建筑材料为大宗，属于生活用具间或有之，且多破碎，很少能复原。

简报称，从发掘看，右掖门毁于兵火，时间为南宋建炎二年（1128 年）。

396.龙门敬善寺的新发现

作　者：傅新民、洪宝聚

出　处：《文物》1963 年第 6 期

洛阳龙门全区计有大小窟龛 100 余个。其中有 1 个规模较大、内容丰富、具有代表性的洞窟，因为外面北壁有李孝伦所撰敬善寺石象铭，故名敬善寺。1960 年，考古人员在敬善寺进行了去"锈"试验，效果尚好，洞内被淹没在石钟乳中的杰作得以重见天日。新发现了带彩飞天、供养比丘僧、墨书字迹以及窟容的彩色装饰等。简报配图予以介绍。

据介绍，新发现的带彩飞天色彩仍很鲜艳，供养比丘僧保存完好。墨书笔记为五代梁时贞明三年（917 年）所书。

397.洛阳清理一座唐墓

作　者：洛阳市博物馆

出　处：《文物》1965 年第 7 期

1959 年，洛阳市博物馆在洛阳城南 15 里关林镇清理了 1 座唐墓，编号为 M2。墓的位置在关帝庙东北约 500 米，北距隋唐故城约 5 里，这里是唐墓集中之地。这个唐墓的墓室被水冲刷，器物全部陷在淤泥之中，因而不能画出准确的平面图。简报配以照片予以介绍。

据介绍，该墓是长方形单室土穴墓，墓顶陷落不知高度，葬具、骨架均已腐朽无存。从随葬物看，可能是男女合葬。随葬器物共 41 件，其中铁剪、蚌壳各 1 件，其余均为陶器。

简报称，这座唐墓出土器物较为丰富，特别是陶俑更为多样，是研究洛阳城南区初唐墓的一个较好的典型材料。

398.洛阳隋唐含嘉仓遗址

作　者：不详

出　处：《文物》1972 年第 1 期

1969 年底，考古人员在隋唐东都宫城东北发现并试掘了我国历史上有名的大粮仓之一"含嘉仓"。仓城创建于隋大业年间（605 ～ 616 年），面积达 42 万平方米。四周的仓城部分保存尚完整。经过较细致的钻探，探出排列整齐，而大小和深浅都不相等的圆形窖穴 200 余座。它的口径 6 ～ 18 米，深度 5 ～ 10 米。从试掘的几座窖穴的情况看，原来的仓窖似乎是地下的或半地下的窖穴，窖顶结构不清楚。窖穴口大底小，圆壁斜下内收，窖底很坚硬，有的迹象说明是经过火烧的处理。其上纵横交错铺厚木板两层，窖周壁都有朽木痕迹，表明原来围砌木板。底板和周壁木板痕的面上，还涂上一层油或漆类物。看来，当时窖穴的防湿防腐措施是很周密细致的。第 19 窖穴的填土中和窖底发现刻字残砖 4 块，记载窖穴在仓内的位置、储粮的来源、粮的品种、数量、入窖年月和 10 多个管理人的姓名和官职。

两块铭砖上存有长寿二年（692 年）和圣历二年（699 年）的纪年。四块铭砖上记录了窖粮来源，有苏州、徐州和邢州、冀州等地；入窖粮食数字最多的在 1 万石以上。另外的窖穴中发现的铭砖记载粮食来源地，还有德州、濮州、魏州、沧州和楚州、滁州、随州等。

399.洛阳隋唐含嘉仓的发掘

作　者：河南省博物馆、洛阳市博物馆

出　处：《文物》1972 年第 3 期

洛阳含嘉仓的钻探调查和发掘，是从 1971 年 1 月开始的，通过初步钻探调查，对含嘉仓的仓城范围，城内部分粮窖排列和道路的分布，已有些了解。在此基础上，开始有计划地发掘粮窖，已发掘了 6 个粮窖。简报分为"前言""含嘉仓的初步调查""结束语"等几个部分，有拓片、手绘图。

据介绍，含嘉仓城紧靠今洛阳老城区的北侧，仓城北墙与洛阳隋唐故城的北墙正相吻合，残存城墙的宽度为 17 米左右。

发现有 3 块有纪年的铭文砖，还有记载储藏的粮种类的铭文砖。提到"调露""天授""长寿""圣历"等唐代年号，说明这 6 个窖都是唐代一直使用的粮窖。

400.洛阳关林 59 号墓

作　者：洛阳博物馆

出　处：《考古》1972 年第 3 期

自 1965 年迄今，在洛阳南郊关林附近陆续清理了 300 余座唐墓。其中 59 号唐墓，保存比较完整，随葬品较为丰富，制作精细。简报配以手绘图、照片予以介绍。

据介绍，这是 1 座刀形土洞墓，分墓室和墓道两部分。人骨架和葬具由于早期被盗，多已扰动。人骨残渣见于墓道，残留的棺灰见于墓室的西侧。随葬器物共 38 件，多为干子土所制，其中三彩器多加蓝彩，蓝彩马比较少见。在随葬器物中，未见胡俑，驼背上放置的货物和食品皆为中原内地所产，反映了唐人西出经商的情景。在墓中用这样的制品随葬，无疑说明当时中西贸易已成为人们所崇尚的事业。

根据随葬器物及其组合的分析，该墓上限应晚于初唐，下限也不会超出盛唐。随葬品以三彩器为主，且加蓝彩，天王俑眼式繁琐，三彩马披饰华丽，均为盛唐的特点。

简报称，该墓所出玉石罐和三彩器是一批珍贵文物，为我们研究古代石雕工艺提供了新的材料。

401.洛阳隋唐宫城内的烧瓦窑

作　者：洛阳博物馆　王　恺

出　处：《考古》1974 年第 4 期

1966 年春，考古人员发现了隋唐王朝宫城内的 1 处烧瓦窑群。这一窑群位于中州路与定鼎路交叉处之西南隅，北距中州路约 20 米，东距定鼎路约 50 米。根据中国科学院考古研究所洛阳工作站所测（《隋唐洛阳城实测图》《考古》1961 年第 3 期），此位置恰在隋唐宫城应天门右侧，南距应天门约 150 米。简报分为：一、瓦窑的建筑建筑，二、遗物，三、结语，共三个部分。有拓片、手绘图。

据介绍，窑群分东西两排，南北成行，窑门斜叉相对。这次清理的 7 座，系东排的五座和西排的两座。窑的结构可分窑门、窑道、窑室、火膛和烟室等部分，窑群的使用时间相当长。出土遗物绝大部分为大型板瓦，间或伴有少量筒瓦和瓦当。因此，简报认为，这座窑群主要是烧制板瓦的，也烧制少量筒瓦和瓦当。

简报称，在洛阳市发现的 4 处隋唐窑址，唯有此窑群位于城内。因此简报认为其时代，上限应不超过隋大业元年（605 年），下限不会晚于唐开元十九年（731 年）。

402.河南新安县十里村唐墓发现三彩鸳鸯壶

作　　者：新安县文化馆　王典章
出　　处：《文物》1976 年第 10 期

1974 年春，河南省新安县城东南 6 公里的李村公社十里村大队农民在深翻土地过程中，发现 1 座小砖券墓。简报配以照片予以介绍。

据介绍，墓前有墓道和墓门。墓室呈长方形，顶部已塌毁。在墓室的后方发现有人骨灰痕，头东足西，仰身直肢。死者左手握有铁剑 1 把。墓门口随葬有红色陶质镇墓兽，镇墓兽的左右两侧分别随葬有马和骆驼俑各 1 件。在死者下肢附近还随葬有陶罐 1 件和三彩灯 1 件。值得特别注意的是，在死者脚下出土了 1 件三彩鸳鸯壶。此壶体态丰满，装饰华丽，三彩釉色之调染非常别致，实为少见。简报推断该墓的年代大体是盛唐时期。

403.龙门石窟新发现王玄策造像题记

作　　者：李玉昆
出　　处：《文物》1976 年第 11 期

考古人员最近在宾阳南洞西壁左下角发现 1 块王玄策造像题记。石龛已残。造像题记高 25 厘米、宽 17 厘米，凡 5 行，行 7 字，共 32 字，有的字已漫漶不可辨认。简报录有全文。

由题记知为王玄策于麟德二年（665 年）所造。王玄策是唐代中外交通史上的重要人物，但两《唐书》并没有为他立传。他的事迹散见于两《唐书》《法苑珠林》《释迦方志》《诸经要集》《历代名画记》《唐会要》《册府元龟》等书中，张彦远《历代名画记》卷三"敬爱寺"条提到麟德二年王玄策在洛阳老家，指挥塑造敬爱寺的弥勒菩萨像。现在发现了这条题记，证实了《历代名画记》记载的可靠，而且知道王玄策除了敬爱寺的弥勒像以外，在龙门石窟又造了另 1 座弥勒像。

404.洛阳发现郑开明二年墓

作　　者：曾亿丹
出　　处：《考古》1978 年第 3 期

1975 年 10 月 28 日，洛阳市凯旋路东段南边约 30 米安装公司基建工地，发现了唐代建筑墙基和古墓，考古人员前往清理。发现这座古墓系隋末唐初王世充割据政权郑开明二年（620 年）墓。该墓在隋唐洛阳城的皇城内，在隋唐宫城长乐门和应天门之间的南面 100 米左右，约当唐四方馆和右卫率府的北部区域。隋唐时代的墓一般都葬在城外，而此墓却葬在皇城内、宫城的南墙外，是值得注意的。说明隋时皇城内的许多官署房舍还未建起。这为隋唐城建置的研究提供了重要线索。简报配以手绘图、照片、拓片予以介绍。

据介绍，这是座有竖穴墓道的长方形土洞墓。出土随葬品瓷器 2 件、金饼等，墓志 1 合，志盖素面。志文墨书，字迹已漫漶不清。4 至 14 行简报有录，但多空字，其余全不可辨认。可知死者为裴氏，志文所记年月，是隋末王世充割据洛阳时所建年号，开明二年即 620 年。

过去在洛阳还发现过 1 方郑开明年间的墓志，该墓已毁，志文 22 行，行 22 字，死者为郑的"上柱国游击大将军"，葬于开明二年（620 年）五月二十二日，简报附墓志。

405."隋唐东都城址的勘查和发掘"续记

作　者：中国社会科学院考古研究所洛阳工作队　陈久恒
出　处：《考古》1978 年第 6 期

隋唐洛阳城的勘查工作，中国科学院（现中国社会科学院）考古研究所洛阳工作队继 1960 年之后，断断续续地都在进行。1960 年以前的工作收获，曾在《隋唐东都城址的勘查和发掘》一文中（《考古》1961 年 3 期）作了报告，1960 年以后的工作，重点转移在对街道、里坊以及市场的勘查方面，至 1963 年上半年已对洛河南北两岸的街道分布、市场位置进行了 1 次全面探索，并对个别里坊也作了重点了解。1965 年下半年又对以上工作进行了 1 次复查，同时配合基本建设工程作了些发掘。简报分为：一、宫城内的建筑遗址，二、附属诸小城的勘查工作，三、洛阳城的街道、坊里和市场，四、洛阳东城的复原工作，五、结语，共五个部分。有手绘图、拓片。

据介绍，隋唐东都城创建于隋大业元年（605 年），据史籍记载，营建这座城市被征调来的劳动力，每月即达 200 万人。以后唐代耗费资材，劳役民力大修洛阳宫室，但从勘查所掌握的情况来看，就整个城市的建制而言，还没有多大改变，基本上还是隋代的体制。

隋唐东都城的平面布局，现在已经基本搞清。宫城、皇城在郭城的西北角，宫城在皇城之北。宫城北面是两座小城前后重叠，又有东西隔城分列左右，皇城两侧形势也非常对称。

简报称，洛阳东都城的勘查和发掘，一方面揭示了隋唐封建统治阶级的劳役暴政，另一方面也显示了我国古代劳动人民的伟大成就。

406.洛阳关林唐墓

作　者：洛阳博物馆　徐治亚
出　处：《考古》1980 年第 4 期

1970 年，为配合基建工程，考古人员在关林清理唐墓多座，其中 1 座（编号 70ⅢM109）出土金银平脱镜 1 面，这是继高士饮宴螺钿镜（见《文物参考资料》1956 年第 5 期）之后，洛阳出土的又 1 面珍贵铜镜。出土该镜的墓葬保存很好，是这里不多见的完整唐墓之一。简报配以手绘图予以介绍。

据介绍，墓室为南向的土洞，拱形顶，四壁打磨光滑。墓室平面作长方形。墓道位于墓室南端偏东侧，室道之间有甬道相接。木棺已朽，骨架无存。出土有瓷器、陶器、玉器、铁器等计 180 件，其中最精美的还是金银平脱鸾凤花鸟镜，圆形，直径 30.5 厘米，重 2740 克。该墓有墓志，行楷，志文 21 行，行 21 字。简报未录全文。由志文知墓主人为女性，姓卢，系唐中散大夫、景城郡别驾卢廷芳的少女，葬于天宝九年（750 年）。

407.洛阳隋唐东都皇城内的仓窖遗址

作　者：洛阳博物馆　叶万松、余扶危
出　处：《考古》1981 年第 4 期

1974 年 1 月，在洛阳市委家属宿舍的改建工程中钻探发现了东西成排的古代地下仓窖遗存 4 座，自西向东编为 1 ~ 4 号窖。仓窖大小相似，深度相近，仓窖间距也十分接近。考古人员于 1974 年 1 月和 1975 年 5 月对基本的一号窖和二号窖进行了发掘。简报分为：一、地层关系，二、仓窖结构，三、遗物，四、结束语，共四个部分。有手绘图。

据介绍，从发掘的两处窖看，建造过程应是先向下挖 1 个口径 10 米左右、底部直径 7 米左右、深 4.5 米的土坑，然后用火烧烤表面以达到防潮目的。二号窖有立柱遗迹，应是用来支撑窖顶。结合文献记载，此窖应属隋东都洛阳宫城内的子罗仓，子罗仓分盐仓、粮仓两种。已发掘两窖应属 60 座粮仓中，据记载，每仓可藏粮 8000 石。从发掘情况看，子罗仓似在隋之前已废弃。唐初武则天时，这里已改为制瓦作坊。

408.隋唐洛阳含嘉仓城德猷门遗址的发掘

作　者：洛阳博物馆　贺官保、朱　亮
出　处：《中原文物》1981 年第 2 期

1980 年 5 ~ 7 月，考古人员对隋唐东都洛阳含嘉仓城的德猷门（北门）遗址，进行了钻探和发掘。简报配以照片、手绘图予以介绍。

据介绍，德猷门遗址位于洛阳市老城北郊，即今驾鸡沟村西、岳村北的邙山脚下。隋唐时期含嘉仓城北墙与东都外郭城北墙同属一墙，门址即在仓城北墙的偏西部。城门为单门洞土木结构。目前地面保存的城墙宽度为17 米，门洞的长度应与城墙的宽度相等。除城门南部被公路所压未发掘外，实际发掘南北长12.46 米，东西宽4.9 米。出土有钱币、铁器、瓦、砖等。该城的时代，简报推断为隋、唐时期。从门址内两侧残存的6 根立柱和城门废弃时门上饰物的脱落情况，以及路面上发现的长铁刀、铁匕首等现象联系起来看，该城门应是在紧急情况下仓卒封填的。同时还在门饰附近出土了史思明所铸的"顺天元宝"等铜钱。因此，很可能与安史之乱有关。

据文献记载，隋炀帝营建东都洛阳时，同时营建了含嘉仓城。城有 3 个城门，南有含嘉门，北有德猷门，西有圆璧门。这次发掘的即为隋德猷门故址。另外，隋炀帝时东都外郭城的城墙较低（短垣），武则天长寿元年（692 年）命凤阁侍郎李昭德增筑加高，所以形成了上下两层。文献记载与实地发掘一致，因此简报认为该城门是隋唐两代修筑和使用的。

409.洛阳新近出土两件三彩莲花盘

作　者：张长森、李德方
出　处：《中原文物》1981 年第 2 期

1980 年 5 月，因建筑施工，在洛阳老城青年宫的 1 眼古井内清理出三彩盘两件。简报配以照片予以介绍。

据介绍，这两件盘的大小形制相同，口微敞，曲壁圜底，口径25 厘米、高6.5 厘米。盘外壁施一层黄釉，近口处有蓝釉一道，内壁由蓝色斑点组成条形图案。盘底中部由黄、白、蓝 3 色组成莲花图案，中为圆形莲蕊，周围有 8 个莲瓣，整个图案显得清雅、端重。从器物形制与花纹分析，该盘应为唐代产品。洛阳一带虽常有三彩俑类出土，但作为生活用品的三彩器皿，则极少见。这种底部绘作莲花的无足三彩盘，尚属首次发现。

410.洛阳龙门唐安菩夫妇墓

作　者：洛阳市文物工作队　赵振华、朱　亮
出　处：《中原文物》1982 年第 3 期

1981 年 4 月下旬，考古人员在配合基建施工中，清理了唐定远将军安菩与其妻何氏的合葬墓（编号 C7M27）。该墓位于今洛阳市南郊 13 公里处的龙门东山北麓，西距伊水约 1 公里，北距隋唐洛阳东都城的南城墙约 8 公里。出土一批珍贵文物。简报分为：一、墓葬形制与结构，二、随葬器物，三、石刻，四、结语，共四个部分。有照片、手绘图。

据介绍，墓葬自北向南由墓道、墓门、甬道和墓室四部分组成。墓道在清理前已遭破坏，据了解，可能为斜坡窄道，长度不明。葬具、人骨已朽。共出土随葬器 129 件，其中唐三彩 50 件，还有陶器、瓷器、金器、铜器、玛瑙器及墓志 1 合。墓志楷书，志文简略，简报未发全文。安菩墓志，不但写明了墓葬的确切年代（唐中宗景龙三年，公元 709 年），而且为我们提供了墓主安菩的国属、家世及其身世等情况。虽然记述简略，却为我们进一步的研究提供了重要的线索。该志文及出土的东罗马金币 1 枚，是中西交通史上重要的资料。

411.洛阳出土唐管元惠神道碑

作　者：黄明兰、宫大中
出　处：《文物》1983 年第 3 期

1980 年 7 月，洛阳市老城东花坛之南新开辟 1 条马路，在花坛南约 50 米处，距地表约 1 米，发现大型石碑 1 通，侧卧于地。碑首与碑身相连，为 1 块青石雕成。高 177 厘米，宽 99 厘米。碑下有榫而无座。碑首雕六龙戏珠。龙体蟠曲，左右两侧各并列 3 个龙首，雕琢精湛。碑额篆书 3 行、行 4 字："大唐故福州刺史管府君之碑"。简报配以拓片和照片予以介绍。

据介绍，管府君名"元惠，平昌人也"，"（开元）十七年除使持节福州诸军事、福州刺史兼泉建等六州经略军使……二十六年来朝京师，夏六月丁未至洛阳，遇疾薨毓德里第，春秋七十四"。碑文由"左拾遗内供奉东周苏预纂，河南府伊阙县尉集贤院直学士杜陵史惟则书并篆"；"天宝元年岁在壬午二月□□朔十五日辛卯建；直监张乾护、张仙乔镌"。

简报指出：唐管元惠神道碑至少在中原地区尚属首次发现。值得注意的是，碑的出土地点不在墓地，似是由于某种原因没有运往昭觉原墓地树立，而就地埋没了。

碑有榫无座，不配套，碑身完整，字迹清晰，也可证未曾搬移过。

简报称，为之撰文的左拾遗内供奉苏预，《唐书》无传。书、篆者河南府伊阙县尉集贤院直学士史惟则，工八分、飞白二体，与韩择木、蔡有邻、李潮并称"唐八分四大名家"。管元惠碑字体庄重、自然，落落大方，显示出书法家很高的艺术造诣。

412.河南洛阳涧西谷水唐墓清理简报

作　者：洛阳市文物工作队　余扶危、张　剑
出　处：《考古》1983 年第 5 期

1972 年 3 月，在配合洛阳涧西矿山厂的基建过程中，考古人员清理唐墓 1 座，编号为 M6。墓虽然被盗过，但墓内仍残留有数十件珍贵的唐三彩器和部分银器、铜器及瓷器，仍不失为 1 座重要的唐代墓葬。简报分为：一、墓葬形制，二、随葬器物，三、结语，共三个部分组成。有手绘图。

据介绍，洛阳涧西谷水唐墓（M6）为一座南北向的单室土洞墓，由墓道、过洞和墓室 3 部分组成。这座唐墓出土的三彩器，有文官俑、天王俑、镇墓兽、马、骆驼等，其组合已成定制。此外还出了少见的蓝彩，加之制作精致，可见这时唐三彩的制作技术已达到了非常成熟的阶段，正当唐三彩盛行的武则天时期。此外值得提出的是这座墓中出土的动物俑，种类齐全，有鸡、鸭、狗、羊、猪等，这是唐代洛阳家畜饲养业兴旺的反映。其中，尖嘴大耳的狗，颈背上凸的猪，和当时普通的狗、猪有所不同，这对研究唐代猪狗品种的发展具有一定的参考价值。

413.洛阳发现唐代窖穴建筑遗址

作　者：余扶危、叶万松
出　处：《考古》1983 年第 6 期

1978 年 11 月，某基建工程中发现 1 处古代建筑遗址，考古人员前往现场清理。

据介绍，遗址位于洛河北岸，隋唐东都右掖门西南，其东北约 500 米处即为隋唐外郭城墙的西南转角。遗址东西长，南北窄，共分上、下 2 层建筑。一条古河道自北往南贯穿遗址东部。简报分为：一、遗址下层建筑，二、遗址上层建筑，三、结语，共三个部分。有照片、手绘图。

据介绍，遗址的下层建筑建于深约 6.65 米（距现地表 7.8 米）的口大底小的长方形竖穴之中。竖穴底面东西长 12.1 米、南北宽 5 米，低于河床 2.5～3 米。生土穴壁光滑平整。穴底面四周放置 16 方柱础石，上层建筑已荡然无存。简报称，这种建筑结

构特殊，下层建筑四壁封闭，虽然是窖穴式的建筑遗存，但与洛阳发现的唐代粮窖的结构全然不同，同时，容积小，底面又筑沟槽，极可能就是文献上所说的储存冰的冰窖。

414.洛阳发现隋唐城夹城城墙

作　者：洛阳博物馆　曾意丹
出　处：《考古》1983 年第 11 期

1975 年秋，在洛阳市玻璃厂路与中州路交会处的西北场地上，准备建设 1 座大楼。而此处恰是隋唐宫城西墙与南墙的交接处，考古人员在此处进行了发掘和钻探。发掘工作从 1975 年 9 月 8 日起至 1975 年 10 月 6 日结束。简报分为四个部分予以介绍，有手绘图等。

据介绍，发现遗物中有 1 件晚唐白釉绿彩八棱带执短嘴壶很精致，又叫"唐二彩"。发掘再次证实，隋唐城在唐末时毁于兵火。而所谓"夹城"城墙，是在宫城建成后补筑的，位于宫城西侧。现存墙基 151 米。

简报称，夹城城墙质量远逊于宫城城墙，可见夹城城墙修筑得较草率，很可能是天宝"安史之乱"后，唐皇朝为了应付艰难局面、卫护宫城安全临时补筑的。夹城城墙质量差也反映了当时国力、财务不足，唐朝已在走下坡路。

415.1981 年河南洛阳隋唐东都夹城发掘简报

作　者：洛阳市文物工作队　余扶危、叶万松、李德方、宋云涛
出　处：《中原文物》1983 年第 2 期

1981 年，洛阳玻璃厂在隋唐东都洛阳城的夹城和宫城范围内进行基本建设。为了进一步搞清夹城和宫城内的建筑布局，考古人员于 3 月至 5 月底进行了有计划的发掘工作，发掘重点在夹城区域内。夹城的发掘情况简报分为：一、发掘经过，二、地层关系，三、遗迹，四、遗物，五、结语，共五个部分。有手绘图、拓片。

据介绍，在夹城的发掘中，发掘了东部和西部的一些地方。东部发掘面积约 1200 平方米，获得了夹城东墙（亦称宫城西墙）和西墙（外郭城西墙）的结构、修筑方法、时代关系等资料，以及夹城内的排水设施及郭城外的护城壕沟等遗存。由于这次对夹城的发掘仍是局部的，因此对于夹城内的总体布局尚不清楚。简报认为，从历次发掘和这次发掘情况表明，夹城内似乎不存在大型建筑，而夹城的修筑，主要是与宫城的安全有关。

简报称，这次在夹城内的发掘，获得了不少可贵的资料。

416.隋唐东都城遗址出土一件龟形澄泥残砚

作　者：洛阳市文物工作队　李德方

出　处：《文物》1984 年第 8 期

1983 年 9 月，考古人员在洛阳老城东关外（隋唐东都城遗址东北隅）的考古发掘中，出土 1 件古砚残片。简报配以照片予以介绍。

据介绍，砚如龟状，残存前面局部。砚表里呈青灰色，质地细腻坚硬，是为澄泥砚。

此砚出土于 1 个唐代灰坑（T1H9）中，同出的有唐代早期的假圈足浅腹碗、卷沿敛口盂等白釉瓷器，还有较多的板瓦和筒瓦碎片。简报认为，此砚为唐早期遗物。此种形制的唐代泥砚，在洛阳地区是首次发现。

417.河南新安铁门镇发现的石雕像

作　者：赵根喜

出　处：《考古》1984 年第 4 期

河南省新安县千唐志斋藏有 1 件唐代石雕佛像。中间有释迦牟尼，屏上佛光圈内有七尊小佛，圈外有四尊小佛（左侧脱落 1 尊），屏上方正中有 2 个飞天。释迦牟尼端坐莲台之上。莲台由仰莲、俯莲 2 层组成，两莲之间有 7 组石雕造像，正中前方 1 组为两尊对坐小佛，余皆为动物形象。简报配以照片予以绍。

据介绍，释迦牟尼像脸颊丰满圆润，盘腿，双于抚膝，衣服线条细腻。石雕无文字记载，上部斜向断裂。系铁门镇农民 1955 年和 1968 年 2 次在镇中凤凰山瓦砾堆中拣得拼为一体，于 1980 年捐献的。简报指出，该石雕像时代为唐代。

418.河南伊川发现一座唐墓

作　者：伊川县文化馆　杨海钦

出　处：《考古》1985 年第 5 期

1984 年 4 月，伊川县城南 6 公里的白元乡白元村农民在杜河东岸取土时发现一座墓葬，考古人员赶到现场进行调查。该墓是大型土洞墓，形制已不清楚。简报配以照片予以介绍。

据介绍，遗物有三彩双柄盘口壶、三彩碗、三彩骆驼、三彩马各 2 件，三彩胡俑 1 件，铜镜 1 枚。伊川唐墓出土的三彩马的形态、装饰与西安西郊开元十一年（723 年）鲜于庭诲墓（《唐长安城郊隋唐墓》，文物出版社 1980 年版）所出的三彩马相似，菱花形瑞兽鸾鸟镜的镜形及中心纹饰与西安东郊郭家滩第 395 号唐神龙三年（707年）墓出土的铜镜（《陕西省出土铜镜》，文物出版社 1959 年版）相近。简报推断该墓年代应在盛唐。

419.河南偃师杏园村的两座唐墓

作　者：中国社会科学院考古研究所河南第二工作队　徐殿魁、刘忠伏
出　处：《考古》1984 年第 10 期

1984 年春，为配合首阳山电厂基建工程，考古人员在其厂区范围内清理了 2 座唐墓。这 2 座唐墓未遭后世盗扰，形制保存完好。简报分为：一、李延祯墓（84YDT19M5），二、庐州参军李存墓（84YDT29M54），三、结语，共三个部分。有手绘图、拓片、照片。

据介绍，杏园村位于偃师县城之西 2.5 公里，距旧县城 5 公里余，陇海铁路北侧。这次清理的 2 座唐墓，在杏园村南 100 余米处。

据介绍，该墓出土有墓志，依志文记述，墓主李延祯生于 658 年，山西成纪人，本人无官职，终于武则天垂拱元年（685 年），迁葬于中宗景龙三年（709 年），正值盛唐。此墓形制不大，但出土物尚考究。武士俑、镇墓兽身贴金箔，造型威武。胡人骑马俑、牵驼俑形象生动，表情逼真。此墓出土墓志，志文 27 行，每行 27 字。简报未发志文全文。

李存墓出土墓志 1 合，志文 21 行，每行字数不等。根据墓志记载：李存生于 814 年，曾祖父揖，曾任户部侍郎、同州刺史、山南西道采访使，赠户部尚书；祖父严，曾任饶州乐平县尉。本人 10 岁通礼乐，读九经三史，曾选补庐州参军事，于会昌五年（845年）病死于亳州，时年 29 岁。李存墓于唐武宗会昌五年（845 年）埋藏，比李延祯墓晚百余年，2 墓虽同为一般土洞墓，但随葬品却存在着极大差别。李存墓内除了银勺、银筷之外，没有随葬车马仪仗及各类陶俑，却埋进了雕镂比较精细的玉石器，还有紫石砚、石熏炉、铁猪、铜刀、铁牛和尚属珍贵的白瓷罐及唾盂等。这些铜器、玉石器、瓷器无论从刻工上，还是从造型上均堪称佳品。尤其是几件漆器和 1 枚铜图书章的出土，为研究漆器历史及书法篆刻史又增添了一份新材料。

简报称，李延祯墓志记述了"西亳"及其相关的地理方位："访旧瘗于北邙，祔新茔于西亳"，"葬于偃师县西十三里武陵原大茔"。这说明唐代仍沿袭汉人旧称，将这一带地方视为西亳故地。这两座有绝对纪年的唐墓资料，对于唐代东都地区的物质文化研究，将是有益的。

420.洛阳徐村发现一批唐代石刻造像

作　者：洛阳市文物工作队　梁晓景
出　处：《中原文物》1984 年第 3 期

1983 年 5 月，考古人员在洛阳市郊区邙山乡徐村进行文物调查时，发现了一批唐代石刻造像，是近年来该村在平整土地时出土的。其中的 3 件唐代造像和七级佛塔颇为重要，现已收藏在洛阳市文物管理委员会。简报分为：一、观世音菩萨造像龛，二、神龙二年方塔，三、密檐式造像方塔，共三个部分。有拓片、照片。

据介绍，这个造像龛是 1974 年春该村社员在村北约 200 米的梯田里平整土地时，在距地表深约 0.6 米处发现的。龛通高 114 厘米，宽 66.5 厘米，厚 31 厘米。下部有榫。正面凿 1 龛，完高 78 厘米、宽 49 厘米、进深 9 厘米，龛内有观世音菩萨立像 1 躯。像龛左侧下部有楷书题记，计 93 字。简报录有全文。立于唐永徽六年（655 年）。神龙二年（706 年）方塔是 1976 年冬在徐村西北约 250 米处出土的。出土时塔的上部已残，叠梁密檐式，带榫残高 91 厘米，底座边长 31 厘米。塔身第一层的正面刻楷书题记，凡 10 行，每行 1～11 字不等，共 93 字，简报录有全文。密檐式造像方塔于 1973 年在村东北约 400 米处出土，后被运至村内，在第五、六层正中凿一长方形穿孔，放在井台上作辘轳架使用。此塔为密檐式七级方塔，塔刹呈宝珠形。带榫通高 148 厘米，基座边长 34 厘米。简报推断应为唐初时塔。

简报称，这几件石刻对研究唐代佛教、埋葬制度及洛阳一带乡里制度，都颇有价值。

421.洛阳东马沟出土隋代石雕老君像

作　者：谢新建
出　处：《中原文物》1984 年第 3 期

1980 年 7 月，在洛阳老城西约 15 公里东马沟大队部院内的崖头上，因大雨冲刷塌落出土石雕像 1 尊。简报配以照片予以介绍。

据介绍，雕像系青灰色石灰岩雕凿。正面雕老君像，结跏趺坐于长方形台座上，面部清秀，五官端正，头挽髻，戴高冠，双手交错于腹前，平置腿上。内穿紧身夹衫，外披广袖长袍，衣襟下垂于座前。身后有桃形背光，无纹饰。整个雕像比例合度，刀法简练，衣纹流畅。雕像的背面有铭文 6 行，计 83 字，简报录有全文。知其为隋大业元年（605 年）道教造像，实属罕见，为我们研究道教及隋代石刻提供了实物。

422.洛阳唐安菩墓的一批与农牧业有关的文物

作　　者：洛阳市文物工作队　赵振华、朱　亮
出　　处：《农业考古》1984 年第 1 期

1981 年 4 月下旬，考古人员在洛阳市南郊的龙门东山北麓清理了唐定远将军安菩夫妇的合葬墓，出土唐三彩器、单彩器、瓷器、金、铜、玛瑙器及石刻等文物 147件（简报见《中原文物》1982 年 8 期），其中与农业、畜牧业有关的文物计 40 余件。简报配以照片，重点介绍了这些文物。

据介绍，与农业、畜牧业有关的文物有大马、小马、大骆驼、井栏、磨等。这批文物的时代，据安菩墓志记载为唐中宗景龙三年（709 年）。墓主安菩，为西域安国人。从墓中主要随葬品的种类和数量来看，与同时期、同身份的汉人墓葬无异。其生活习沿和埋葬风俗显然已完全汉化。简报认为，这些在一定程度上反映了当时内地的农牧业生产状况和社会经济水平。

423.偃师唐李元瑊夫妇墓发掘简报

作　　者：洛阳行署文物处、偃师县文管会　张怀银、任留政
出　　处：《中原文物》1985 年第 1 期

唐代李元瑊夫妇墓，位于偃师县城关公社新新大队村西 200 米处的偃师变电所院内。1983 年 2 月，该所扩建施工时被发现，考古人员立即进行了清理。简报分为：一、墓葬形制，二、随葬器物，三、结语，共三个部分。有照片。

据介绍，该墓是一座自南向北，由墓道、甬道、墓室 3 部分组成的土洞墓。全长 9.20米，距地表深 10 米。墓道为长方形竖井式，长 3.32 米，宽 1 米。墓室内有棺木 2 具，已朽。该墓曾被盗，但仍出土各类陶俑、家畜、陶器、玉器等，完整者尚有 250 余件。另有墓志 2 合，墓志皆石质。1 合为唐朝仪大夫守济州刺史李元瑊墓志，1 合是其夫人郑氏墓志。简报均未录志文全文。

424.洛阳龙门香山寺遗址的调查与试掘

作　　者：洛阳市龙门文物保管所　温玉成
出　　处：《考古》1986 年第 1 期

著名的龙门香山寺是"龙门十寺"之一。"龙门十寺"的名称首见于白居易的《修香山寺记》。香山寺始建于北魏熙平元年（516 年），唐代最为兴盛，约毁于元末。

清康熙四十六年（1707年）三四月间，学政汤右曾、河南知府张玿、洛阳知县吴徽蠋，将龙门东山北侧山腰间的旧寺（唐代乾元寺）加以修葺，命名"香山寺"。世人遂以此为古香山寺，实大误。简报配以照片、手绘图予以说明。

据介绍，温玉成先生曾就"龙门十寺"的名称、沿革和地理位置作过考辨（《龙门十寺考辨》，《中州古今》1983年第2、3期）指出"古香山寺在龙门轴承厂疗养院附近"。具体说，香山寺遗址在龙门东山南端、今洛阳轴承厂疗养院及其北侧的山坡间。简报介绍了香山寺遗址现存的房基、台阶等遗迹，结合文献探讨了香山寺原貌，并指出白居易墓就应在香山寺以西的某处。

425.河南偃师杏园村的六座纪年唐墓

作　　者：中国社会科学院考古研究所河南第二工作队　　徐殿魁

出　　处：《考古》1986年第5期

1984年夏季至1985年秋季，考古人员配合洛阳首阳山电厂建厂过程中，在杏园村南又清理了6座有墓志纪年的唐墓，这一带曾多次发现古墓。这次发现的6座纪年唐墓均保存完整。除1座为单室砖券墓外，其余5座均为形制相近的土洞墓。墓道在墓室之南，墓底最深处距现地表在11米左右，距唐代地面8米左右。随葬品一般比较丰富，但保存状况不同。铜器、铁器、陶器、瓷器及石刻墓志基本保持埋葬时的摆放位置，器身仅有部分锈蚀或损坏。由于地下水的关系，许多木棺有漂浮移动的现象，贴金的彩绘陶俑大部金箔脱落、颜色尽失，一些漆器、木器和纺织品损坏最为严重。简报分为：一、李守一墓，二、宋祯墓，三、李嗣本墓，四、李景由墓，五、郑绍方墓，六、李棁墓，七、结语，共七个部分。有手绘图。

据介绍，6座纪年墓的埋葬年月，最早的是李守一墓，葬于大周长寿三年（694年），最晚的是李棁墓，葬于懿宗咸通十年（869年），前后差距175年。其余4座分别葬于中宗、玄宗、宪宗各朝。6座纪年唐墓中分别出土了鎏金银器、铜器、石器、玉器及贴金彩绘陶俑和三彩器物，遗物尚属精致，种类也比较丰富，能反映一部分唐东都物质文化的历史风貌，也为研究唐朝的礼仪制度和制造工艺提供了一批珍贵资料。墓地距唐东都洛阳城尚有25公里，并非一处皇家宗室或世族豪门的墓地，据目前所知，这里墓主人生前最高官阶不超过四品，以八品、九品的小官为主，说明这里仅仅是一处唐代中、小官吏死后埋葬比较集中的一个墓区。尽管如此，由于墓穴保存完整，未经扰乱盗掘，分布比较集中，随葬品又较为丰富，加上多方有明确纪年的志石出土，因此，这6座纪年墓葬的发掘，为研究唐东都物质文化特征、丧葬礼仪以及唐墓的断代分期，均提供了一批较为重要的科研资料。

值得注意的是，有的墓志志文可证史书记载。如李枕墓志中，记有庞勋兵变，劫桂林甲库后乃擅回戈，墓主人李枕与徐州节度使崔彦曾一起被害等情节，均见于正史。桂林兵变，对于唐王朝的覆灭来说起了催化作用，所谓"唐亡于黄巢，而祸基于桂林"。简报并未一一照录墓志志文全文。

426.唐恭陵实测纪要

作　者：中国社会科学院考古研究所河南第二工作队、河南省偃师县文物管理
　　　　委员会
出　处：《考古》1986 年第 5 期

恭陵位于河南省偃师县缑氏镇东北2.5公里处，是唐高宗李治第五子、武则天元子李弘的陵墓。永徽六年（655 年），武则天从宸妃进升为皇后，次年，李弘被立为太子，曾一度监国，原太子李忠被改封为梁王。上元二年（675 年）四月，太子弘从幸合璧宫，遇鸩薨，时年24 岁。高宗视撰《孝敬皇帝睿德纪》，丹书碑文，立石陵侧。上元二年八月，"葬缑氏，墓号恭陵，制度尽用天子礼。"据已发表的资料可知，唐10 余陵均在长安左近的关辅之地。恭陵是关辅之外鲜见的1 处唐陵。1963 年被列为河南省第一批重点文物保护单位。有关部门曾多次实地考察，建立保护标志，并发表过《唐恭陵调查纪要》。1985 年，国家文物局拨专款对恭陵石碑、石刻进行扶正、整修、加固。借此机会，考古人员对恭陵又进行了一系列的复查，并对陵园主要遗迹进行了实测和必要的钻探。对以往未太提及之处予以补充，有手绘图。简报分为：一、恭陵平面布局实测的情况，二、恭陵的石碑、石象生，三、恭陵的墓仪规制，四、恭陵的营建及其他，共四个部分。

据介绍，陵园坐北朝南，呈正方形，长、宽均为 440 米，四周原有围墙已不存，仅见墙基。神道在陵园南，宽 50 米，两侧南有石象生 9 对、石人 3 对、天马 1 对、望柱 1 对及"睿德纪碑"1 通。封土残高 22 米，东北 50 米处有一俗称"娘娘塚"，应为李弘之妃哀皇后陵寝。简报称，在唐代诸陵中，恭陵保存的建筑遗迹及陵园石刻较完整，至今千余年未遭大的破坏，实属难能可贵。

427.河南偃师县隋唐墓发掘简报

作　者：偃师县文物管理委员会　王竹林
出　处：《考古》1986 年第 11 期

1985 年秋，在配合偃师县基本建设过程中，考古人员发掘清理了隋、唐时期墓

葬各 1 座。简报分为：一、隋墓，二、唐墓，三、结语，共三个部分。有手绘图。

据介绍，隋墓发现于县城西南部的博物馆建筑工地，保存完整，未遭盗掘扰动，编号85YBMI。为土洞墓，分墓道、墓室 2 部分。葬具已腐朽无存，仅在墓室四隅发现 4 枚棺钉。骨架 1 具，保存基本完整，头向南，仰身直肢葬。左手握隋五铢 3 枚，右手握隋五铢 2 枚。墓室东南角随葬瓷高足盘、瓷碗、陶罐等 6 件陶、瓷器，几件白瓷制作精美。

唐墓位于陇海铁路北瑶头村，虽遭人为破坏，但由于抢救及时，随葬品大部分被索回和修复。出土的三彩镇墓兽、天王俑、文官俑、马俑、驼俑等，均是盛唐时期的典型三彩作品。河南过去虽然发现唐三彩很多，但从有墓志纪年的唐墓中，经考古发掘出来的三彩器物并不多，因此，这一发现将为洛阳唐三彩器物的分期断代增加一套衡量的标尺。

唐墓出土有墓志，知墓主人姓张，字思忠，南阳西鄂人。长安二年（702 年）卒，次年下葬。简报附有志文全文，中多缺字。

428.龙门奉先寺遗址调查记

作　者：温玉成

出　处：《考古与文物》1986 年第 2 期

龙门奉先寺创建于唐高宗调露元年（679 年），开元十年（722 年）被伊河洪水冲毁。同年十二月，与龙花寺合，仍称大奉先寺。宋元两朝，奉先寺仍很兴盛，约毁于元末。龙门大卢舍那像龛（完工于公元767 年）是附属于大奉先寺供养的，所以碑刻中也常把大卢舍那像龛称作奉先寺，但大卢舍那像龛并不等于奉先寺。简报分为：一、遗迹，二、遗物，共两个部分。配以照片、拓片、手绘图，介绍了对奉先寺遗址的调查情况。

据介绍，奉先寺遗址位于洛阳市龙门乡魏湾村北，龙门石窟南。寺院分南北两部分。北半部地势较高，东西长约400 米，南北宽250 米，似为佛殿；南半部地势较低，遗址被现代建筑破坏，似为僧舍。北半部最西山顶上有华严阁遗迹。遗物除了雕砖、板瓦、瓦当等外，当地驻军施工时还出土石墓门 1 扇，简报认为是寺中埋葬高僧义福（658 ～ 736 年）的义福塔的地宫墓门。

又，《考古》1986 年第 1 期有温玉成先生《洛阳龙门香山寺遗址的调查与试掘》一文，指出此寺始建于北魏，唐代最为兴盛，约元时被毁。清康熙年间将龙门北侧山腰间的唐代乾元寺加以修葺，命名为"香山寺"，实际上此"香山寺"与唐代香山寺毫无关联。唐代香山寺旧址，在今龙门轴承厂疗养院附近。

429.唐东都上阳宫内出土石蟾蜍

作　者：陈长安

出　处：《中原文物》1986 年第 2 期

1980 年夏，洛阳西工区在开辟新马路时，发现 1 件完整的石蟾蜍，长 100 厘米、宽 76 厘米、高 45 厘米。现陈列在洛阳古代艺术馆。简报配以照片予以介绍。

简报称，此类石刻所见不多，其时代众说不一，简报认为可能是唐东都上阳宫里的泻水石蟾蜍，用在宫内溪流处以注水。上阳宫为唐高宗时所建，武则天时又扩大其规模。考古发掘证明，上阳宫大体在今天的洛阳中州路以南，东起玻璃厂路，西至涧河，南临洛河的区域内。石蟾蜍的出土地点正好在这一区域的中心带，从地望来看是相吻合的。如果这一看法不错的话，它即是唐上阳宫中出土的第一件文物。

430.河南新安县磁涧出土的唐三彩

作　者：新安县文管所　董书林

出　处：《考古》1987 年第 9 期

1980 年秋，河南省新安县磁涧乡柴湾村出土了一批唐代器物。简报配以照片予以介绍。

据介绍，出土的文物以三彩器为主，间有单彩、粉彩和灰陶20 余件。三彩器有天王俑、文官俑、镇墓兽、男立俑、胡俑、马、骆驼。据当事人讲，出土处为长、宽各约3 米、高2 米的土洞，洞内见骨片。同时出土有"开元通宝"铜钱及铜镜。从出土情况及器物造型特点看，这批器物应为盛唐时期墓葬的随葬品。

431.唐乾封二年王婆造像碑

作　者：李献奇

出　处：《考古与文物》1987 年第 5 期

1984 年12 月，河南偃师县李村乡上庄村发现 1 件保存完整的唐乾封二年（667 年）佛教造像碑。简报配以照片、拓片予以介绍。

造像碑为青灰岩石质，高 55 厘米、宽 30 厘米、厚 12 厘米，弧顶。内容分作三层：上层为一佛二菩萨。中层为一长方形界格。正中雕一博山炉，炉下有一四肢撑地的夜叉承托。两侧各有一只侧视的护法雄狮相对而蹲。狮后又各有一赤膊袒胸、肌肉突起的护法金刚力士。下层为造像题记。楷书，12 行，每行 5 字。记曰："乾封二年十二月八日，请信女王婆为男寇士念（聪）征辽愿得归还；又为男士通；女大娘、二娘、三娘；孙（休）贞合家等敬造像一铺；又愿七代先亡俱令离苦。"

由造像记可知，此碑立于唐乾封二年（667年），是家人祈求佛祖保佑征战的儿子早日归来。又由此知，唐代不仅称夫之母为"婆"，子女称其母亦为"婆"。又妻为"娘子"，女儿亦称"娘"。

432.唐东都武则天明堂遗址发掘简报

作　　者：中国社会科学院考古研究所洛阳唐城队　王　岩、杨焕新、冯承泽
出　　处：《考古》1988年第3期

考古人员于1986年10～12月在配合洛阳市公交公司基建工程中，于中州路与定鼎路相交的东北角，发现武则天时的明堂遗址。简报配以手绘图予以介绍。

据介绍，遗址为深浅厚度不同的夯土殿基，中心有一圆形大柱坑。殿基上面堆积分为三层。发掘的这一殿址的方位、形制、建筑特点，与有关文献记载的明堂（开元二十八年改称含元殿）颇相符合。首先从它的位置来说，文献记载明堂建于乾元殿旧址，在应天门内，即宫城的中轴线上。距应天门为200步（《大业杂记》），或205步（《元河南志》），折合294米或301米。由应天门至夯土遗址实测距离为405米，且恰在中轴线上，同时考虑到由应天门至乾元殿，中间尚隔有永泰门和乾元门，二门也应占一定的距离，因此，实际距离与文献记载也比较接近。再从基址中心的大型柱坑来看，底部铺有巨大的柱石，应是明堂立中心柱的位置。而后在开元二十七年（739年）毁明堂上层，撤去中心柱，改修下层为新殿。从发掘出的夯土基址呈八边形，推测新殿形制可能为八角楼。

简报称，明堂遗址的发现是迄今洛阳隋唐东都城考古最重要的发现，为研究隋唐东都宫殿的形制、规模及建筑结构，提供了可靠的资料。同时，为进一步弄清宫城内宫殿的布局，并逐步复原宫城、皇城内的建筑，有了确切的标志。

433.洛阳龙门双窑

作　　者：龙门文物保管所　温玉成等
出　　处：《考古学报》1988年第1期

龙门石窟的"双窑"，或称"双洞"，以二洞南北并列且有共同的前室而得名。有时单独称北洞为"八仙洞"，称南洞为"千佛洞"。1962年龙门文物保管所统一编号，北洞编3～003号，南洞编3～004号。

双窟最早见于孙星衍的《寰宇访碑录》。近数十年来,中外学者陆续作过不少工作,1963 年考古人员对双窟进行实测。简报分为:一、双窟的构筑,二、开创时期的造像,三、晚期龛像,四、年代分期与题材问题探讨,共四个部分。介绍了相关情况,并结合考古与文献,就窟室结构、开创时期的造像、晚期的龛像、年代与题材的分析等问题作一些探讨,有照片、手绘图。

简报的主要成果,可用下表来表示:

龙门双窟大事年表

年　　号		事　　件
唐龙朔	661 ~ 663	双窟开凿
唐乾封	666 ~ 668	双窟完工
唐乾封、总章间	666 ~ 669	第一期小龛开凿
唐咸亨四年	673	□行俨造前 79 龛,双窟最早的纪年龛
唐上元二年	675	S7 龛完成
唐咸亨、上元间	670 ~ 675	第二期小龛开凿
唐仪凤、弘道、	676 ~ 683	第三期小龛开凿
唐垂拱、久视	685 ~ 700	第四期小龛开凿
唐证圣元年	695	前 121 龛完成
唐开元五年	717	前 46 龛天尊像完成,造像活动停止
元代	13、14 世纪	双窟可能有所破坏
明万历三十一年前	1603 以前	南窟北力士被凿毁
明万历三十一年	1603	信士蔡计厚等 40 余人捐资装銮双窟
	1909 ~ 1917±	北门北力士面部毁
	1933 以前	北窟北天王毁
	约 1935	南窟南壁菩萨被盗
	1959 ~ 1960	修葺洞内裂隙,修前廊水泥台阶
	1963	全面测绘、记录

简报认为,双窟在龙门唐窟发展的链条中,是重要的一环。它把自贞观至龙朔以来的初唐风格作了总结,它是龙门初唐第 1 个十三身像布局形式的大窟。双窟的造像形式无疑给更加宏大、更加辉煌的大卢舍那像龛(奉先寺)和万佛洞以艺术借鉴。双窟为武则天时代雕刻艺术的新风格奠定了基础。

434.隋唐东都应天门遗址发掘简报

作　者：洛阳市文物工作队　朱　亮

出　处：《中原文物》1988 年第 3 期

应天门（隋曰则天门）是隋唐东都宫城的正南门。遗址位于今定鼎南路的洛阳市广播局（周公庙）和洛阳日报社之间。20 世纪 60 年代初，考古人员经过勘察，了解和确定了遗址位置和大体范围等有关情况。在此基础上，1980 年秋配合基建工程，对该遗址进行了进一步的勘探和部分发掘。简报分为：一、遗址保存现状与地层堆积，二、宫城南墙，三、门道基石与城台墩基，四、城阙台基（西阙），五、出土器物，六、结语，共六个部分。有拓片、手绘图。

据介绍，应天门是隋唐东都宫城的重要建筑之一，它始建于隋大业元年（605 年），在隋唐三百余年的历史中一直沿袭使用，其间虽有过焚毁和重建，但从调查和发掘情况来看，其夯土台基系一次筑成，且台基范围和形状均无明显变化，说明遭受毁坏的主要限于上部的建筑物，重建时仍在原台基上进行。

简报称，应天门的确是一组规模宏大、形式复杂、雄伟壮观的组合式建筑群。首先从调查发掘资料可以推算出应天门下部台基的范围东西达 120 米以上，南北达 60 米以上，城门进深近 25 米，两阙的高度据文献记载为 120 唐尺，合今 35 米多。这样的建筑规模在当时无疑是十分雄伟的。通过发掘，对城台墩基左和右所连之双阙台基均已有所了解，从而可以推断出这是一组以城门楼（即"紫微观"）为主体，两侧辅以垛楼，向外伸出阙楼，其间以廊庑相连的建筑群体，其外观形制当与北京的明清紫禁城午门相似。

435.洛阳隋唐东都城 1982 ～ 1986 年考古工作纪要

作　者：中国社会科学院考古研究所洛阳唐城队　王　岩、冯承泽、杨焕新

出　处：《考古》1989 年第 3 期

洛阳隋唐城 1982 ～ 1986 年的考古工作主要在宫城、皇城内（包括诸小城），配合市政基本建设工程，进行必要的勘察和发掘。在这 5 年内，配合基建工程，清理了大量的建筑遗迹，可惜多数破坏严重，不辨形制。但也有重大发现，如明堂——含元殿遗址的发现，九洲池的范围及岛上亭阁遗址的发掘等。同时清理了一批古墓葬（包括东周墓 53 座，汉墓 22 座，晋墓 2 座。材料将另行发表）和四座西周车马坑。现择其重要者，简报分为：一、建筑遗址的清理和发掘，二、宫城、隔城、城垣及诸城门址的勘查，三、小结，共三个部分。有照片。

近年来，配合基建工程发现的多处建筑遗址，从其位置观察不少居于九洲池的沿岸，就其规模来说，一般多为小型的殿亭台阁式园林建筑，建筑结构也较为简洁，建造方法基本相同，具有明显的时代特征。同时这些建筑本身及其相互之间多有明暗水道相通。对隋唐宫城内中轴线上主要宫殿的勘察工作，虽还不能搞清它们的布局，但对主要殿址的位置、规模已有一定的了解。

简报称，这里处于市中心地带，地面建筑林立，道路纵横交错，能够开展工作的地方有限。在可能的条件下，今后仍然要继续做一些工作，不断丰富这一成果。

436.1987 年隋唐东都城发掘简报

作　　者：中国社会科学院考古研究所洛阳唐城队　冯承泽
出　　处：《考古》1989 年第 5 期

1987 年隋唐东都洛阳城的考古工作，主要集中在宫城范围内，先后发掘了 31 处，面积达 5000 多平方米。同时对皇城宫城内的水系也做了一定的勘查工作。简报分为：一、九洲池畔廊房建筑的发掘，二、东城南墙试掘，共两个部分。有手绘图。

据介绍，廊房位于宫城西北角，现洛阳玻璃厂平板车间成品库西部，为两座并列的长廊式建筑，据文献记载，当时环绕"九洲池"有多座庭院，此或为其之一。但限于条件不可能全面发掘，尚不能窥其全貌。东城南墙试掘地点位于老城区马市街166 号院内，南临大街，西距洛阳隋唐城东城西墙约110 米处。发掘出残存的唐代城墙，上部宽约11.40 米，底部宽约19.30 米。此次发掘，为我们了解唐代宫城、东城提供了新的材料。同时也证明日本平城京宫城确系仿唐东都洛阳而建。

437.唐洛阳宫城出土哀帝玉册

作　　者：中国社会科学院考古研究所洛阳唐城工作队　王　岩、冯承泽
出　　处：《考古》1990 年第 12 期

1989 年 11 月，考古人员在配合洛阳日报社家属楼基建工程中发现玉册 10 枚，其中 6 枚为唐哀帝即位册文。

遗址位于今定鼎南路与中州路相交的西南部，隋唐城宫城南部，应天门内中轴线西侧。发掘面积 324 平方米。简报配以照片予以介绍。

据介绍，哀帝，名祝，为昭宗第九子，景福元年九月三日生。乾宁四年二月,封辉王。天祐元年（904 年）八月十五日即帝位于洛阳。天祐四年（907 年）三月被迫让位给朱全忠，改为济阴王，迁于曹州。天祐五年（908 年）二月二十一日，为全忠所害，

时年 17，谥曰哀皇帝，以王礼葬于济阴县之定陶乡。

玉册出于唐东都洛阳宫城应天门内的残房基中，出土时散乱堆放一起，估计可能是在哀帝被害，朱全忠篡位称帝，将唐代亡国之君的档案遗弃，或是在战乱中被毁。简报称，哀帝玉册为首次发现的唐代皇帝即位册文，为了解唐代皇帝即位玉册的形制、礼制制度提供了实物证据，又是研究唐末政治、历史的珍贵资料。

简报附有哀帝即位册文全文。

438.洛阳孟津西山头唐墓

作　者：310 国道孟津考古队
出　处：《文物》1992 年第 3 期

1991 年 9 月，考古人员在孟津县送庄乡西山头村东南 1.5 公里处发掘了 1 座保存比较完整的唐代墓葬（编号为 M69）。简报分为：一、墓葬形制，二、随葬器物，三、小结，共三个部分。有手绘图、拓片。

据介绍，墓葬为单室土洞墓，由墓道、甬道和墓室三部分组成。该墓曾被盗，劫余随葬器物共46件，可分为俑及动物模型、瓷器、陶器、铁器，另有石墓志1合。据志文，墓主人岑氏葬于武则天大足元年（701 年），墓主岑氏的曾祖岑善方、祖父岑之象，见于史书，《周书·萧詧传附传》《北史·僭伪附庸传·梁萧氏传附传》均有记载。岑氏之父岑文昭，系太宗重臣岑文本之弟，见于《旧唐书·岑文本传》。岑氏之侄岑羲，即墓志撰文者，曾相中宗、睿宗，为岑文本之孙，见两唐书《岑文本传附传》。岑氏之子刘敦行，见于《新唐书·宰相世系表一》。简报未录志文全文。

439.洛阳含嘉仓 1988 年发掘简报

作　者：洛阳市文物工作队　赵春青等
出　处：《文物》1992 年第 3 期

1988 年秋至 1989 年 1 月，考古人员对含嘉仓城原钻探编号 G180、G195、G198 等 4 座仓窖进行了发掘。其中 G194、G195、G198 位于仓城的中部偏东，G180 位于仓城中部偏西。简报分为：一、地层关系，二、仓窖的形制与结构，三、出土遗物，四、结语，共四个部分。予以介绍，有手绘图。

据介绍，这次发掘的 4 座仓窖的口部均呈圆形，口大底小，整体呈缸形。仓窖底防潮处理的步骤大致如下：先用火焙烧窖底生土，再在烧结面上铺由红烧土块

（粒）、木炭屑和碎石子混合而成的防潮层，厚5～30厘米；然后在防潮层上铺设木板，木板上再敷以草席。在4座仓窖的填土中，出土了一些唐代遗物，有建筑材料、生活用具、刻铭砖和钱币等，其中刻铭砖对研究唐代含嘉仓的管理、官吏名称等有价值。

440.河南偃师唐柳凯墓

作　者：洛阳市第二文物工作队、偃师县文物管理委员会　李献奇等
出　处：《文物》1992年第12期

1988年4月，考古人员在配合偃师县政府招待所基建时，发掘了唐光州定城县令柳凯夫妇墓（编号M19）。简报分为：一、墓葬位置与结构，二、随葬器物，三、结语，共三个部分。有照片、拓片、手绘图。

据介绍，墓葬位于偃师县人民政府招待所院内，西距商城东墙约800米。墓葬为土洞结构，平面略呈"甲"字形，由墓道、甬道、墓室3部分组成。随葬的各类器物共计145件，其中镇墓兽4、男俑69、女俑38、家畜家禽模型18、生活用器及其他小件器物15件以及墓志1合。各种俑均以高岭土烧制，然后施白粉，加彩绘，有的还涂金装饰。随葬品大多放置在墓室东部，绝大多数保持原来位置，自甬道口往北依次为墓志、陶大马、文官俑、镇墓兽、武士俑、骑马俑、男女侍俑、小马、牛等。西北角有瓷四系罐、陶胡人俑和骆驼等。

此墓出土有墓志，简报未录志文全文。据志文，柳凯武德九年（626年）去世，夫人裴氏贞观二十三年（649年）去世，麟德元年（664年）合葬。据此，与柳凯夫人裴氏相距23年后亡故，又柳凯葬后38年裴氏才与其合葬，墓志则是合葬时才刻写的。志文载其祖先官爵较详，而《梁书》官职部分较略，志文多处可补史书之阙。

441.河南偃师唐严仁墓

作　者：樊有升、李献奇
出　处：《文物》1992年第12期

1992年1月，考古人员在配合偃师县磷肥厂扩建改造工程进行文物钻探时发现数座古墓，其中1座唐墓（编号92YLM4）的墓道和墓室分别将1座汉墓（编号92YLM5）的前室和墓室打破。唐墓中出土了唐代中期著名书法家张旭为墓主严仁所书墓志铭。简报配以照片、拓片、手绘图予以介绍。

据介绍，偃师县磷肥厂位于县城（槐庙村）北部的邙山脚下，陇海铁路从厂大

门前东西向穿过。该墓位于厂中心的高炉工地上，墓西南距偃师商城东北墙约 1.5 公里。该墓为土洞墓。由墓道、甬道、墓室 3 部分组成。由于该墓早年被盗，除墓志外仅出土 1 件红陶塔式盖罐的盖，且已残破。

简报称，此次发掘最大收获就是出土的墓志，志文计 430 字，简报未录志文全文。志文书写者为唐代著名书法家张旭。

442.河南偃师县四座唐墓发掘简报

作　者：偃师商城博物馆　郭洪涛、樊有升
出　处：《考古》1992 年第 11 期

偃师 4 座唐墓于 1991 年分别发现于偃师县城关镇北窑村和杏园村，它们均位于偃师县城以北的邙山脚下。大量考古资料表明，邙山南麓是汉唐时期墓葬的密集分布区域。近年来，这一带砖瓦厂在大面积取土过程中，不断有古墓被发现。以上 4 墓在砖瓦厂一经发现，考古人员及时进行了发掘清理，幸喜墓葬形制及随葬器物尚基本完整。这 4 座唐墓分别为北窑村二号墓（墓主杨堂）、五号墓、六号墓和杏园村一号墓（墓主崔凝）。简报分为：一、北窑村二号墓，二、北窑村五号墓，三、北窑村六号墓，四、杏园村一号墓，五、结语，共五个部分。有手绘图、照片、拓片。

据介绍，有墓志的墓葬有北窑村二号墓，砖墓室 1 合，墨书楷写，文字大都漫漶不清；杏园村一号墓，石墓志 2 合，志文楷书，38 行，行 46 字，简报均未录志文全文。北窑六号墓，随葬组合比较简单，陶俑为红陶质。其瘗埋年代当在玄宗天宝至肃宗时期，简报推断为中唐墓。杏园一号墓，墓主崔凝下葬于昭宗乾宁三年（896 年），已距唐亡不远。崔凝位居高官，曾任刑部尚书、户部尚书等职。

简报称，偃师 4 座唐墓形制比较完整，随葬品丰富秀美，为唐墓研究拨展了眼界。通过 4 座唐墓墓葬形制和出土主要俑群的比较，对它们之间的发展演变轨道看得更加清晰，加深了对洛阳地区唐墓分期的认识。崔凝，两《唐书》均无传，但崔凝墓墓志 1000 余字，对晚唐历史的研究也是一篇不可多得的文字资料。

443.隋唐洛阳城东城内唐代砖瓦窑址发掘简报

作　者：中国社会科学院考古研究所洛阳唐城队　包　强
出　处：《考古》1992 年第 12 期

1991 年 7 月，考古人员在配合洛阳市农副产品公司营业楼的基建工程中，发现 1 处唐代砖瓦窑遗址。遗址位于洛阳中州路老城段北侧，隋唐洛阳城东城中部。为了

解窑址情况，对窑址进行了全面发掘，取得了较为详细的资料。简报分为：一、地层关系，二、砖瓦窑结构，三、出土遗物，四、结语，共四个部分。有手绘图、照片。

据介绍，隋唐洛阳城的砖瓦窑，过去曾发现4处，计宫城内1处，皇城内1处，城外2处。在东城内发现砖瓦窑尚属首次。

从发掘情况看，此种窑的建筑程序为：先在生土中挖一方坑，然后在坑壁上掘出窑门，门成后再向四面扩展，挖成近方形的土洞，是为窑室；窑室作成后，在其后壁挖一宽约0.5米、进深约03米的沟槽，然后再向两面扩展成上小下大的烟室；烟室成后，用砖将沟槽砌死，将烟室与窑室隔开。整个砖瓦窑除烟囱外，皆在地下掏掘而成。

窑址中出土的遗物包括板瓦、筒瓦、瓦当、兽面梯形砖、绳文砖、莲花座等多种类型，而尤以板瓦、筒瓦、绳纹砖数量最多，烧制变形的废品也最多。由此可看出，此窑以烧制砖瓦为主，同时兼烧其他类型的建筑构件，具有多元化的产品结构。窑址中出土的建筑材料，在隋唐洛阳城宫殿遗址中屡见不鲜，显然其产品是修造宫殿之用。简报认为，此窑为官窑，此窑的使用年代简报推断当在唐太宗贞观四年至玄宗元开十九年（630～730年）之间。

444.洛阳孟津西山头唐墓发掘报告

作　者：310国道孟津考古队　王　炬、郭木森、廖子中、刘海旺
出　处：《华夏考古》1993年第1期

1991年夏秋，为配合310国道郑汴洛高等级公路工程建设，考古人员对310国道孟津段进行了考古发掘。9月，在孟津县送庄乡西山头村东南1.5公里处的邙山坡地发掘了唐代墓葬4座，编号分别为M64、M69、M80、M81，其中M69已在《文物》1992年3期上另文发表。M64、M80、M81这3座墓的发掘收获报告简报分为：一、第64号墓，二、第80、81号墓，三、结语，共三个部分。有手绘图、拓片。

据介绍，M64墓葬保存基本完整。墓葬形制不大，结构也较为简单。墓主人虽是一个年仅13岁的少年，但由于其出生于名将高官之门，随葬器物的数量和种类丰富多彩，有精美的三彩、彩绘、陶、瓷等俑类及各种明器。随葬品中以三彩器为主，所出三彩不但量多类繁，而且胎质洁白坚硬，造型生动华丽。M64有墓志1合，简报录有全文。死者死于大周天授二年（691年），当年下葬。其祖上屈突长卿，《旧唐书》有传。M80、M81位于M64东西200米处，2座墓平行排列相距仅1米，形制基本相同，均为南北向的单室土洞墓。由墓道、墓室2部分组成。M80也出土有墓志，简报录有全文。

简报称，根据墓志记载，墓主人姓庐，名不详，范阳人。其祖父庐文机，其父庐玄晏，官任郿城尉。其兄庐永，官任阳翟令。其丈夫姓衡，名不详，官任汴州、尉氏县令。墓主人卒年不详。死于渭南之官舍中，时年 29 岁，于天宝九年（750 年）二月廿五日迁葬于其丈夫坟茔边侧。此墓志记载之人均不见于正史。

M80、M81 这两座墓并排相距仅 1 米，形式基本相同，深度和大小相近，从墓志看这两座墓主人有着密切联系，M81 的墓主人当为 M80 墓主人庐氏夫人之丈夫衡公之墓。

445.唐东都乾元门遗址发掘简报

作　者：中国社会科学院考古研究所洛阳唐城队　杨焕新
出　处：《考古》1994 年第 1 期

考古人员于 1988 年 10 ～ 11 月为配合洛阳市建筑公司的基建工程，对乾元门遗址进行了发掘。此遗址在《洛阳隋唐东都城 1982 ～ 1986 年考古工作纪要》中称为一号台基。简报配以照片予以介绍。

据介绍，遗址南距宫城应天门约234 米，位于今中州路与定鼎路相交的东南角，洛阳市建筑公司院内。统观整座台基，除北部基址外，夯土下均发现路土，又南北两侧基底均呈外高内低斜坡状，由此认为基址是建在一条东西向的路沟内。再从基址的夯土结构和基址上残留的遗迹看，中部25.2 米宽的台基应是建筑物的主体基础，南北两侧台基是根据地形和中部建筑的需要，增筑的辅助地面。从中部建筑基址的宽度、夯土总厚度以及位于中轴线的重要位置分析，其上只可能建筑小型殿阁或门楼。

据文献记载，宫城应天门北有乾元门，乾元门内为乾元殿（武则天时改为明堂，玄宗时改为含元殿）。应天门遗址在 20 世纪60 年代初已经勘查清楚，位于今周公庙西侧，通经龙门的定鼎南路正从遗址上穿过。明堂基址于 1986 年在配合基建工程中进行了部分发掘，位于中州路与定鼎路相交的东北角，洛阳市公交公司院内。上述一号基址正处应天门北及明堂遗址南，其间无其他夯土基址遗存，看来应是乾元门的门址所在。简报据文献记载认为乾元门（包括左、右 2 小门及墙或廊）的两端很可能还会与东西两廊相接。

简报称，乾元门遗址的发现，使唐东都宫城内的布局进一步明确和完善，为逐步全面复原宫城布局提供了可靠依据。

446.洛阳唐东都履道坊白居易故居发掘简报

作　者：中国社会科学院考古研究所洛阳唐城队　王　岩、李春林
出　处：《考古》1994年第8期

白居易故居位于洛阳唐东都外廓城的东南部，洛水之南，伊水之北。1992年5月，考古人员从《洛阳日报》获悉，郊区安乐乡与狮子桥村准备恢复白居易在履道坊的故居，同时建立白居易纪念馆。洛阳隋唐东都城为全国重点文物保护单位，在此范围内施工要经报批和考古发掘。为此，考古人员立即找到了乡、村2级政府的领导，会商考古发掘事宜，得到了他们的大力支持，随之在10月14日开始进行大规模考古发掘。

考古人员曾在20世纪50年代末、60年代初对隋唐洛阳城的里坊区进行过全面细致的勘探工作，掌握了详细的资料，初步确定了里坊的布局和各个坊的位置。这次发掘的目的在于搞清白居易故居的位置、居住区以及园林部分的布局和建筑特点，为恢复白居易故居提供真实可靠的科学资料。

发掘工作进行了2个季度，第1次从1992年10月14日至1993年1月4日，因天气寒冷暂告一段落。第2次自1993年3月10日至5月10日，全部发掘工作结束。先后2次，历时140天，发掘面积共计7249平方米。简报分为：一、遗址附近地形及地层情况，二、遗迹，三、遗物，四、结语，共四个部分。有手绘图、照片。

据介绍，白居易故居位于今洛阳市郊的狮子桥村东北约150米处。遗址及其周围是一片农田，附近地势西部略高，一条现代水渠绕其西侧、北侧流过。保存情况较好。遗址中的出土遗物非常丰富，除建筑构件外，以陶瓷器数量最多。出土的唐代瓷壶、碗、盘、杯、盂等，器形多样，釉色纷呈，具有明显的晚唐作风。其中一些精品，反映了当时陶瓷制作工艺的先进水平。这些陶瓷器明显来自不同的窑口和产地，足见当时洛阳商业的繁荣。石、瓷两种质地的砚台，以及酒具和茶具，这些遗物和诗人可能有着密切的关系，展现出白居易生前勤于笔耕作诗及其嗜酒饮茶的生活画卷。而石经幢的出土，又证明了白居易晚年与佛教关系的密切。

白居易（772～846年），字乐天，晚居香山，与僧如满甚善，自号香山居士。祖籍太原，后迁下邽（陕西渭南县）。唐代宗大历壬子正月二十日生于郑州新郑县（今河南新郑县）东郭宅。会昌六年丙寅八月十四日卒于洛阳唐城履道坊白氏本家。子孙遵遗嘱，将其葬于龙门东山琵琶峰，如满师塔之侧。

白居易晚年寓居洛阳，在他53岁时（长庆四年，公元824年）罢杭州刺史后，回到洛阳，买故散骑常侍杨凭宅，位于履道坊的西北隅。此后又有短时间的外任。

58 岁时（大和三年，公元829 年）罢刑部侍郎，以太子宾客分司东都。四月由长安回归洛阳，居住石履道里本宅，直至寿终。

五代时社会大动乱，履道宅年久失修。后唐庄宗同光二年（924 年）改履道宅为普明禅院。北宋时称大字寺园。

白居易故居的地理位置、规模、布局及宅园内的构筑、景点的设置等，在其《池上篇》并序中以及《履道里第宅记》中有着详细具体的记载："地方十七亩，屋宇三之一，水五之一，竹九之一，而岛树桥道间之。""十亩之宅，五亩之园，有水一池，有竹千竿。……有堂有亭，有桥有船。"是一处水源丰富、林木茂盛，风景瑰丽的古典式宅院。

据《元史·塔里赤传》所载，简报认为，直到元代初年，白居易故居遗址的大致风貌犹存无疑。

随着时代变迁，及至元末明初，履道坊一带基本上已沦为农田。白居易故居遗址及其周围地貌大约就是这时遭到了严重损毁。时至今日，除古伊水渠和池沼遗迹保存较好外，其他遗迹的保存情况都很差，特别是建筑遗迹，仅残留了一些断断续续的墙基和散水砖，不过据此，我们仍然依稀可以看出当年住宅的大致布局和规模。

447. 洛阳伊川县出土的唐代墓志和神道碑

作　者：李献奇

出　处：《中原文物》1994 年第 3 期

简报配以照片，介绍了唐马炫墓志和唐裴遵庆神道碑，均录有全文。

唐马炫墓志。1981 年 2 月，在伊川县白沙乡范村北 200 米，郑潼公路南侧出土。马公名炫（712～791 年），两《唐书》有传，但传附其弟马燧传后。马炫历玄宗、肃宗、代宗、德宗四代为官，燧传详而炫传略，炫传仅有 173 字，而志文有 1247 字（其中漫漶不可识者 7 字）。马炫志与传对照，不仅志详，而且可纠传之误。

裴遵庆，字少良（690～755 年），绛州闻喜人，唐代宗时宰相，两《唐书》有传。其神道碑在伊川县彭婆乡许营村万安山南麓，南距北宋范仲淹墓约 1 公里。该碑 29 行，满行 59 字，隶书。因年深日久，碑中间、下部及左上 4 行文字已风化剥落。《金石萃编》有录文 682 字，现碑文 723 字，原录文碑下 16 字均未录。碑与两《唐书》本传比较，碑文详于传文。

448.洛阳后梁高继蟾墓发掘简报

作　者：洛阳市文物工作队　朱　亮、程永建等
出　处：《文物》1995年第8期

1986年7月，考古人员为配合铁道部十五工程局五处基建工程，清理了五代后梁教坊使高继蟾墓。简报分为：一、墓葬位置与形制，二、出土器物，三、结语，共三个部分。有照片、拓片、手绘图。

据介绍，墓葬位于洛阳北郊瀍河东岸、邙山南麓，南距隋唐东都外廓城北墙约1公里。墓葬为土洞墓，由墓道、甬道、墓室组成。出土器物共93件，包括陶、瓷、铜、铁、银、铅、石等多种质地。其中，青瓷当为越窑出品，白瓷当为定窑出品。

该墓出土有墓志。简报附有志文全文。由志文知墓主叫高继蟾，渤海郡人，生前任教坊使，封银青光禄大夫，勋上柱国，开平三年（909年）卒于洛京，葬河南府河南县平乐乡朱杨村。志文记述了死者家世，可补史之阙。

449.洛阳发现一座后周墓

作　者：洛阳市文物工作队　程永建、高金照等
出　处：《文物》1995年第8期

1992年9月，考古人员在配合洛阳铁路分局指挥部住宅南楼基建时，发掘了1座后周墓（编号C8M972）。简报配以彩照、拓片、手绘图予以介绍。

据介绍，墓葬为单室土洞墓，由墓道、甬道、墓室3部分组成。墓道斜坡状，位于墓室正南偏东处，有过洞。因墓道、过洞压在地表建筑物下无法清理，其长、宽不明。墓室中葬具、骨架已不存，墓底中部铺有一层青灰。出土器物有陶器、瓷器、石盒、铜镜、铜钱等，分置于墓室中部及东南、西南角。该墓的下葬年代，简报推断为后周显德二年（955年）九月至显德七年（960年）。

450.唐睿宗贵妃豆卢氏墓发掘简报

作　者：洛阳市文物工作队　方孝廉、谢虎军等
出　处：《文物》1995年第8期

豆卢氏墓位于洛阳市南郊龙门镇花园村（又名花子砦）南侧，东南2公里是驰名中外的龙门石窟，西面是风景秀丽的龙门西山（唐代曰万安山），北面约5公里是隋唐东都洛阳外廓城南门定鼎门故址，唐代的上层贵族多葬于此。据当地人介绍，

该村周围原有5个"大土堆",20世纪50代以来,4个"土堆"已被夷为平地,而该墓的封土是仅存的。墓葬历经盗掘,文物多已流失。1992年5～9月考古人员对墓葬进行了发掘清理。简报分为:一、地面遗迹,二、墓葬形制与结构,三、壁画,四、遗物,五、结语,共五个部分。有彩照、拓片、手绘图。

据介绍,墓葬为大型的砖结构洞室墓,由墓道、过洞、甬道和墓室组成。地面封土残高6.5米,略呈方形,夯土筑成。在墓道北半部有一长6.7米、宽4米的盗洞,从遗迹看该墓在唐代就遭到了严重盗扰。出土有劫余的三彩俑等。壁画内容多为宫内活动场景。另有一块券砖,上有题记,应是当时在东都修筑此墓的工匠陈某随意刻划的,证明建造豆卢氏墓的工匠或民夫有从潞州大都督府各县征调来的。

简报称,豆卢氏为唐睿宗贵妃,史书无传,有墓志出土,计796字,简报附有全文。据墓志记述,豆卢氏为唐睿宗的贵妃,开元二十八年(740年)夏四月甲申卒于亲仁里第,岁七十有九。玄宗诏官给丧事灵輀还都,并敕京兆尹田宾庭监护,以其年七月乙酉葬于东都河南龙门乡之原。由此知此墓的确切纪年为开元二十八年(740年)。

简报又称,在发掘此墓时,百姓报告在距此墓2公里处一座被人盗过的墓坑中又发现一墓碑。考古人员证实为唐代宗时秘书监崔望之夫妇墓。墓志计484字,楷书。简报也录有全文。

451.洛阳东郊发现唐代瓦当范

作　　者:洛阳市文物工作队　刘富良等

出　　处:《文物》1995年第8期

1992年在洛阳东郊热电厂考古发掘过程中,采集到瓦当范7件,其中6件为莲花纹瓦当,1件为兽面纹瓦当。6件莲花纹瓦当均作圆形筒状,依其纹饰可分为两型;兽面纹瓦当范1件,为抹角长方形。

简报称,类似的瓦当在唐代长安和洛阳的遗址中有过不少发现。这批瓦当范的时代简报推断应为唐代中晚期。这批资料的发现为研究唐代手工业及唐代建筑提供了实物资料。

452.伊川鸦岭唐齐国太夫人墓

作　　者:洛阳市第二文物工作队　严　辉、杨海钦等

出　　处:《文物》1995年第11期

唐齐国太夫人墓(编号91YCM1),位于河南伊川城西北约10公里的鸦岭乡

杜沟村。1991 年 3 月，一村民在其地窖中发现，随即多人参与盗掘。县人民武装部接到百姓举报，立即追缴文物，保护现场，后经公安部门立案侦破，并查获部分文物。考古人员对此墓进行了调查。同年 4 ~ 8 月，考古人员进行了抢救性发掘。简报分为：一、地理位置与墓葬形制，二、随葬器物，三、结语，共三个部分。并配以拓片、彩照。

据介绍，墓葬位于东西向的黄土梁缓坡处，北为杜沟村民居，南为横贯东西的黄土冲沟，周围是低山丘陵地带。附近为晚唐至宋代墓葬集中区，过去曾有大量发现。91YCM1 为单室土洞墓，由墓道、过洞、天井、甬道、墓室组成。

随葬器物出土 1618 件，县人民武装部移交 21 件，县公安局移交 5 件，地方移交 26 件，另外在公安局移交的碎片中包含 9 件银饰和 6 件金银容器，共计 1659 件。其中，金银器 21 件、金银饰 300 件、玉石器 36 件、宝石饰 1200 件、骨雕 35 件、铅饰 24 件、铜器、铁器 12 件、钱币 12 枚、陶瓷器 9 件、石刻 4 件。

简报称，伊川唐齐国太夫人墓规模较大，结构复杂，随葬的金银器、玉石器、宝石饰品等十分精美，这在洛阳地区较少发现。

该墓出土有墓志 1 合，简报未录全文。据志文，此墓主人齐国太夫人濮阳吴氏，为唐成德军节度使王承宗之母、王士真之妻。生于宝应二年（763 年），卒于长庆四年（824 年），享年 61 岁。王士真等两《唐书》均有传。王氏家族在晚唐地位显赫，志文提供的王氏家族及藩镇割据的材料，正可与史书相互印证。

453.唐郑夫人墓志考释——兼释《卢辂墓志》

作　者：李献奇、乔　栋
出　处：《中原文物》1995 年第 4 期

郑夫人墓志为青石质，方形，边长 62 厘米、厚 11.5 厘米。1985 年 3 月，出土于河南洛阳市伊川县彭婆乡许营村北，现藏伊川县文管所。志文楷书，45 行，满行 43 字，计 1768 字。简报分为：一、郑氏祖源，二、郑氏先人，三、其他人物，共三个部分。有照片。

简报录有志文全文，知郑夫人出身名门，其先祖郑浑，《三国志·魏书》有传。曾祖郑羡，《新唐书·宰相世系表》有记载。此志书写者卢辂，两《唐书》无载。

但志文亦可补史书之缺、之误。郑夫人系嫁与卢氏，有唐一代，郑氏家族 9 人为相，卢氏家族 8 人为相，均为唐代名门望族。

454.河南偃师唐墓发掘报告

作　者：偃师商城博物馆
出　处：《华夏考古》1995年第1期

1989年以来，为配合县城基本建设和乡镇砖瓦厂生产取土，考古人员先后抢救、发掘了6座唐墓。这6座唐墓有3座在发掘前已遭到破坏，无法提供详细的墓葬资料，只介绍出土器物。简报分为：一、寨后村砖厂一号墓，二、东蔡庄唐墓（M2），三、刘坡村唐墓（M3），四、山化乡石家庄村唐墓（M4），五、南蔡庄联体砖厂8号墓（郑炅墓），六、水泵厂六号墓（徐府君季女墓），七、结语，共七个部分。有照片、拓片、手绘图。

据介绍，这6座唐墓，有3方墓志和大量随葬品出土，为断代提供了可靠的实物证据。寨后村和东蔡庄两墓，未见纪年遗物。器物组合及形制差别不大，基本属一个时期，均为初唐墓。刘坡村唐墓墓主盛才，下葬于长寿三年（694年），合葬于圣历六年（698年），正值盛唐。墓葬虽遭破坏，由于抢救及时，部分文物被追回，随葬陶俑比较珍贵。石家庄唐墓已遭破坏，但仍出土了37件文物，为盛唐时墓。郑炅墓墓主终于玄宗开元九年（721年），迁厝于天宝十三年（754年）。

简报指出，此墓随葬品不多，但出土了一批洛阳地区唐墓中少见的墓葬石刻和安魂盒，其动物造型细腻，技术娴熟，为我们研究唐代石刻艺术和唐代中期随葬品提供了新的资料。水泵厂六号墓，墓主徐氏季女下葬于武宗会昌五年（845年），是洛阳地区有明确纪年的晚唐墓。

出土墓志，简报均录有志文全文。

455.白居易故居出土茶器

作　者：法门寺博物馆　梁　子
出　处：《农业考古》1995年第4期

白居易故居出土唐代瓷器有壶、罐、盆、澄滤器、碗、盘、盂、杯、茶托、茶碾、茶碾槽、盒和砚13种，总计有800余件，其中可复原者达300件。

据介绍，此次发现的茶具种类多，如有"澄滤器"7件。白居易一生写了不少优美的茶诗，为唐代茶文化增添了灿烂的篇章，在他的故居发现唐代茶器很有意义，不仅对认识当时茶道形式有意义，而且为研究唐代茶道的阶层性提供了实物资料。

456.河南偃师市杏园村唐墓的发掘

作　　者：中国社会科学院考古研究所河南二队　徐殿魁
出　　处：《考古》1996年第12期

1991年，考古人员在偃师市西2公里杏园村以南配合电厂基建时发掘了4座唐墓。简报分为：一、YD Ⅱ911号墓（M911），二、杏园1902号墓，三、代宗大历十三年（778年）郑洵墓，四、武宗会昌三年（843年）李郁墓，五、结语，共五个部分。有手绘图等。

据介绍，杏园911号墓为土洞墓，随葬品不多，其中黄釉武士俑比较珍贵。简报推断时代为唐代初期。杏园1902号墓，墓主人应为无官品女性，出土有镇墓兽、俑、陶器、唐三彩等。简报推断为盛唐墓。代宗大历十三年（778年）郑洵墓和武宗会昌三年（843年）李郁墓，墓葬形制完整，随葬品丰富，又都有墓志出土，可以很准确地判定为中唐时期墓葬和晚唐时期墓葬。

457.洛阳市北郊唐代墓葬的发掘

作　　者：洛阳市文物工作队　李德方、申建伟
出　　处：《华夏考古》1996年第1期

1994年4月，为配合洛阳铁路分局生活小区基建工程，考古人员在该区内清理了一批唐宋时期的小型土洞墓，其中有2座唐墓（编号C8M1038、C8M1037）的随葬品较为特殊。简报分为：一、墓地位置与墓葬结构，二、出土器物，三、墓葬年代及墓主人身份，共三个部分。有照片、拓片、手绘图。

据介绍，这2座墓葬位于邙山南麓龙泉东沟西侧的坡形阶地上。M1038居西，M1037居东，两者相距14米。墓地西距唐代下清宫遗址120米，下清宫之北1700米处则为唐代上清宫遗址。墓地南距隋唐东都洛阳城北郭墙300米。这2座墓均为小型刀形单室土洞墓，墓道均居南，墓室居北。这2座墓内的随葬器物甚少，其中M1038出土石墓志1合和4件生肖俑，M1037出土石墓志1合和一些残碎陶瓷器等。2方志石的铭文相同，并不刻死者的名号及下葬时间、墓地位置等，而是充满了招神拘鬼、移殃化吉的巫道词句。石墓志底座的方孔内还保存有道教炼师烧炼的"丹药"。简报认为这两座墓葬为唐代中期或稍晚的唐代道人墓。这是洛阳地区首次确认的唐代道人墓地，为研究唐朝东都一带的道教流行情况及道人的葬俗提供了十分宝贵的资料。

458.河南偃师市高龙逯寨出土唐代墓志

作　者：偃师商城博物馆　郭洪涛、王万杰
出　处：《考古》1997年第2期

1990年12月，距偃师县城西南约15公里的高龙逯寨村一农民在家中打井时发现3合墓志。考古人员前往调查，得知墓志出于距地表深10米左右的井壁上，估计此井打破了1座墓葬，因墓室延伸到住宅下面，无法清理，在取回墓志后将井填实，简报配以拓片予以介绍。

据介绍，3合墓志为：

（一）郑高墓志

墓志为青石质，正方形，盝顶盖，志盖阴刻"大唐故郑府君墓志铭"9字；志文共27行，满行30字。从志文中可知墓主人名郑高，字履中，荥阳开封人，于贞元二十一年（805年）终于洛阳县邙里，享年61岁。简报未录墓志全文。

（二）郑高夫人崔氏权厝墓志

墓志为青石质，方形，盖为盝顶，盖上阴刻"大唐故清河崔夫人权厝墓铭"12字，志文36行，满行37字。从志文可知，崔氏为清河东武城人，出身世代仕宦之家，生于大历庚戌岁（770年），终于元和景戌岁（应为丙戌岁即806年），享年37岁。因"贞于阳卜，视兆未叶"，"不克合祔"，故葬于河南府缑氏县张曲村。简报未录墓志全文。

（三）郑高合祔墓志

墓志为青石质，方形，盖为盝顶，四角较平斜，盖上阴刻"唐故荥阳郑府君合祔墓志铭"12字，志文27行，满行30字。从志文得知，合祔于事隔17年后由崔氏弟群提议，郑高之出于李氏子元余主持，时为长庆三年（823年）。简报未录墓志全文。

简报称，3合墓志同出一墓，最早者为公元805年，最晚者为公元823年。墓志的单线阴刻图案为晚唐时期墓志特征研究增添了新的资料。志文中提及的地名，对研究历史地理有价值。

459.隋唐洛阳城永通门遗址发掘简报

作　者：中国社会科学院考古研究所洛阳唐城队、洛阳市文物工作队　陈良伟
出　处：《考古》1997年第12期

1996年12月底，洛阳市郊李楼乡贺村农民取土时，于村南机耕道路西侧挖出几块长方形大青石，很像古代遗迹，考古人员前往实地勘察，初步确认其为永通门遗址。

由于道路两侧取土较多，遗址遭到严重破坏，决定进行抢救性发掘。

永通门是隋唐洛阳城郭城东面 3 个城门之最南一门，遗址位于洛阳市郊区李楼乡贺村南约 200 米处。发掘开始于 1997 年 1 月 6 日，至 1997 年 1 月 30 日结束，前后共工作 25 天。发掘面积约 560 平方米。简报分为：一、地层堆积，二、城门遗址，三、出土遗物，四、结语，共四个部分。有手绘图。

据介绍，该城门始建于唐代以前，曾被火焚，北宋初期或稍前被封堵。通过发掘，发现门址中许多建筑现象具有自己的特点，如柱础石直接坐在门址底部夯土上，柱础石与城垣之间、排叉柱与城垣之间、排叉柱与排叉柱之间皆不砌砖等，皆与以前发现的洛阳东都宣仁门、右掖门、崇庆门、德猷门、应天门，隋唐西京含耀门、含章门和明德门等遗址的情况不同，更与洛阳宋西京宋代早期城门出土的情况不同，这为研究两京地区城门形制与沿革提供了新资料。

简报称，永通门遗址是隋唐洛阳城郭城上的重要城门之一，这个城门的发现，为了解隋唐洛阳城郭城东南的里坊布局、寻找永通门大街提供了较为重要的实物资料。

460.洛阳唐东都上阳宫园林遗址发掘简报

作　者：中国社会科学院考古研究所洛阳唐城队　王　岩、陈良伟、姜　波
出　处：《考古》1998 年第 2 期

1989 ~ 1993 年间，为配合洛阳市西工区支建街住宅小区基建工程，考古人员在此进行考古发掘，清理了 1 处保存较好的唐代园林遗址。发掘工作分两次进行，历时 155 天，发掘总面积 1648.6 平方米，有关情况简报分为：一、地层堆积，二、遗迹，三、遗物，四、结语，共四个部分。有手绘图、照片、拓片。

据介绍，遗址发掘中没有发现有关建筑物名称及年代的文字资料。这次清理的园林遗址位居隋唐洛阳城皇城西南，北距皇城南墙 40 米，东距皇城右掖门约 250 米，南临古洛河，与文献中唐东都上阳宫的地望基本相符。简报据《大唐六典》卷之七"尚书工部"载，认为该园林遗址应属唐东都上阳宫内的 1 处建筑。从这次发掘的情况来看，该园林遗址充分体现了唐代高超的造园艺术。遗址出土的大量黄、绿琉璃瓦和精巧玲珑的铜制建筑构件，从一个侧面反映了当时的上阳宫建筑是何等奢华。简报认为在水池淤土中出土的 1 件龙首，用整块青石精雕而成，形神兼备，栩栩如生，可谓唐代石雕中的精品。

简报称，此次发掘的园林遗址仅是唐东都上阳宫内一个极小的局部，它的全貌如何，尚待以后的考古发掘与研究来解决。

461.河南洛阳市瀍河东岸唐代窑址发掘简报

作　　者：洛阳市文物工作队　俞凉亘
出　　处：《考古》1998 年第 3 期

1992 年 12 月至 1993 年 3 月，考古人员为配合中国第一拖拉机厂东关分厂 3 号家属楼的基建工程，进行了考古发掘。共开 2 个探方，面积 150 平方米，发现 6 座唐代窑址（编号 Y1 ~ Y6）。窑址位于洛阳市中州东路以北的瀍河东岸，处在隋唐东都洛阳外郭城东北部。清理情况简报分为：一、地层堆积，二、窑址形制与结构，三、出土遗物，四、结语，共四个部分。有手绘图、拓片。

据介绍，本次清理的 6 座窑址，均由操作坑、窑门、窑室、烟室（含烟道）诸部分组成，同属"马蹄形"窑。除 Y2 破坏严重外，其余 5 座窑保存较好。从这些窑的窑室口部都有部分包砖看，窑室不是从窑门向内掏掘而成，而是从地面直接下挖，建成后再在口部包砌部分青砖用以加固。操作坑也是从地面直接下掘，与窑室间留有一定宽度的土墙，并在土墙中部掏挖出拱形窑门。

简报推断，这批窑的使用年代主要在武则天至唐玄宗这段时期，至迟于开元十九年（731 年）可能已停止使用。

简报称，在城内里坊区清理窑址，还尚属首次。这批窑的发现，丰富了隋唐东都洛阳城遗址区的建窑资料。

462.洛阳北郊清理的一座晚唐墓

作　　者：洛阳市文物工作队　廖子中
出　　处：《考古与文物》1998 年第 6 期

1992 年 5 月，考古人员为配合洛阳市劳动教养所餐厅楼基建工程，发掘清理了 1 座晚唐时期墓葬（编号 C8M949）。C8M949 位于洛阳北郊、邙山南麓，南距隋唐外郭城遗址北墙约 1.5 公里，系一长方形土洞墓，由墓道、墓室两部分组成。由于早年平整土地，墓的上部已被破坏。简报配以拓片、手绘图予以介绍。

墓室中有棺，棺内葬 1 具人骨，仰身直肢，头朝北，已腐朽成粉末状。随葬器物有 4 件瓷罐放于棺外，其余均置于棺内。出土器物共 16 件，包括陶、瓷、铜、铁等多种质地，其中梳妆瓷人 1 件少见。

简报推断该墓的年代为晚唐时期。

463.洛阳发现"郑"刘开妻孟夫人墓志

作　者：洛阳市第二文物工作队　马三鸿、张书良
出　处：《文物》1999 年第 1 期

1996 年春，在洛阳市东郊塔湾村东北出土隋末"郑"刘开妻孟夫人墓志 1 合。墓志为青石质，近方形。志盖盝顶，宽 23.5 厘米、高 22.5 厘米、边厚 4.7 厘米。上篆书"孟夫人铭"4 字；志宽 23.2 厘米、高 24.2 厘米、厚 5.2 厘米。志文隶书，字间界栏，12 行，共 155 字。简报配以拓片予以介绍。

据介绍，"大郑"为隋末王世充所建割据政权。刘开，文献无载，据志文可知，刘开官居"郑"柱国，其妻孟淑容，字女媛，祖居渤海平昌（今山东德平县西南），于开明元年（619 年）因病卒于"将作监之官舍"，年仅 30 岁。"将作监"，官名，为职掌宫室、宗庙、路寝、陵园、土木建筑工程的官署。《资治通鉴·唐纪五》载：武德四年（621 年）五月"丙寅，世充素服率其太子、群臣二千余人诣军门降"。说明王世充称帝后仍因隋朝官制设置官吏。由此推知刘开曾确任"郑"国"将作监"一职。

志文称孟夫人"生于河南县千金乡"。据《洛阳伽蓝记》卷四、《水经·瀍水注》《谷水注》、杨守敬注引杨佺期《洛阳记》，千金堰在今洛阳老城东北的北窑村南与瀍河交会处，千金乡当因千金堰或千金渠而得名。

郑王朝历史短暂，从王世充代隋称帝至李世民击败王世充，前后只有两年多时间。有关郑的文物资料较为罕见。新中国成立前后在洛阳已出土郑国墓志有 5 方，即那卢妻元买得墓志、韦匡伯墓志、王仲暨妻淳于氏墓志、郑开明二年裴氏墓志及郑故大将军郕公墓志。新出土的刘开妻孟夫人墓志，对研究郑国的历史及隋代洛阳地区的地理等都具有一定的史料价值。简报录有墓志全文。

464.洛阳北郊唐颍川陈氏墓发掘简报

作　者：洛阳市文物工作队　廖子中等
出　处：《文物》1999 年第 2 期

1992 年 5 月，考古人员为配合洛阳市劳动教养所餐厅楼基建工程，在洛阳北郊、邙山南麓，南距隋唐外郭城北墙 1.5 公里处发掘清理了唐颍川陈氏墓。简报分为：一、墓葬形制，二、随葬器物，三、结语，共三个部分。有彩照、手绘图。

据介绍，墓葬（编号：C8M937）为洛阳地区常见的刀把形竖穴土洞墓，由墓道、甬道、墓室组成。因早年平整地面，墓上部已被破坏。棺内人骨 1 具，仰身直肢，

头朝北。道口放置墓志，墓室东壁放置武士俑、镇墓兽；墓室北部牵马俑、牵驼俑及马、骆驼、男女、塔式罐；墓室西南角置十二生肖俑和侍女俑。棺内放置铜镜、银平脱漆盒、铁刀和铜钱等。M937出土随葬器物共43件，依质地可分为陶、漆器、铜器、铁器和石器等。墓志砖1块，满行19字，共17行，简报未录志文。

据墓志，墓主陈氏"字小□，颍川人也"，"大唐颍上县（今安徽境内）丞贾公故夫人"。墓主人陈氏的祖父辈曾任司马、县尉等地方官吏，即"真人之后，良吏之家"。志文中陈氏名字不清，生卒时间未见。陈氏及志文中所涉人物在文献中均未有记载。故此墓的年代只能从墓葬形制、随葬器物等方面进行判断。简报推断M937的年代应属唐代中期。

465.隋唐东都洛阳城外廓城砖瓦窑址1992年清理简报

作　　者：洛阳市文物工作队　王　炬

出　　处：《考古》1999年第3期

1992年10至12月，考古人员在配合洛阳市瀍河区房管局的基建工程中，发掘清理出1处隋唐时期的砖瓦窑址。该窑址位于洛阳市火车东站南约200米、南新安街南段东侧、九龙台北约80米处，东距瀍河100米的原隋唐东都外廓城内北部里坊区履顺坊内。清理情况简报分为：一、地层关系，二、砖瓦窑分布与结构，三、出土遗物，四、结语，共四个部分。有手绘图、拓片。

据介绍，该砖瓦窑址占地面积大，出土遗物多元化，精美的莲花纹砖、板瓦、筒瓦等数量大，规格高，不是一般民间建筑所能使用的，而在隋唐洛阳城宫城区内的明堂、含元殿、上阳宫等遗址中这类遗物屡见不鲜，说明它们是专为营建洛阳城及宫殿而特设的，简报认为当属官营作坊。此窑址与洛阳已发掘的其他6处隋唐时期的窑址相比较，无论是规模、数量以及出土的大量莲花纹砖、瓦当、板瓦、筒瓦的质地、大小等方面都远远超过前者。简报推断该砖瓦窑址的使用年代上限不超过隋大业元年（605年），下限不晚于唐开元十九年（731年）。

466.偃师县沟口头砖厂唐墓发掘简报

作　　者：偃师商城博物馆　王竹林

出　　处：《考古与文物》1999年第5期

1990年春，考古人员在南蔡庄乡沟口头砖厂进行文物钻探时，发现1座古墓，经上级有关单位批准，及时对该墓进行了抢救性发掘，墓葬编号为90YNGM1。墓葬坐落在沟口头砖厂取土区东部。经发掘清理，墓葬形制保存尚好，并出土了一批珍贵的随葬器物。简报分为：一、墓葬形制，二、随葬器物，三、结语，共三个部分。有手绘图。

此墓为坐北向南的土洞墓，由墓道、甬道、墓室3部分组成。随葬器物共计64件，其中61件为陶器，铁器2件，蚌盒1件。沟口头砖厂一号墓的埋葬年代，简报推断应在唐高宗时期前后，是1座初唐时期的墓葬。

467.洛阳唐东都圆璧城南门遗址发掘简报

作　者：中国社会科学院考古研究所洛阳唐城工作队　陈良伟、石自社
出　处：《考古》2000年第5期

1997年8月，在配合洛阳市邮电局春都路家属住宅楼基本建设过程中，考古人员发掘出1座城门遗址。城门遗址西距今洛阳市道口路北口867.7米，北距春都路南侧道18.7米（以门址北壁为准），位于洛阳隋唐城宫城北隔城圆璧城和曜仪城之间的东西向城墙上。发掘始于1997年8月2日，结束于9月20日，前后共工作49天。门址虽然保存较差，但基本形制尚存，而且较为特殊，简报分为：一、地层堆积，二、门址和道路遗迹，三、城垣基槽，四、结语，共四个部分。有手绘图。

据介绍，春都路邮电局家属院内发现的唐代城门遗址东西两面都与雄峙于宫城北部的圆璧城与曜仪城之间的唐代城垣遗迹相接（西缘稍被破坏），同时坐落在隋唐洛阳城宫城中轴线上，并与业已发现的应天门遗址、钻探所得龙光门、玄武门、定鼎门诸遗址同在一条南北直线上。应当说，它应是隋唐洛阳城宫城中轴线上的1座重要门址。文献记载，曜仪城北、圆璧城南、南当玄武门、北通龙光门，原有圆璧南门。这座城门与其地望相合，简报推断应当就是圆璧城南门遗址。

简报称，唐代城门遗址这种城门建筑式样与在此之前于隋唐洛阳城发现的城门式样完全不同，也与隋唐长安城业已发现的城门形制完全不同，应当引起高度重视。

468.偃师出土颜真卿撰并书郭虚己墓志

作　者：偃师商城博物馆　樊有升、鲍虎欣
出　处：《文物》2000年第10期

1997年10月，偃师市首阳山镇砖厂在生产施工中，发现唐墓1座。考古人员进行了抢救性发掘。简报配以照片、手绘图予以介绍。

据介绍，这是1座遭到严重破坏的土洞墓（M1）。墓道位于墓室南侧。在清理

的范围内发现墓道两侧壁上各有壁龛1个，壁龛内空无一物。墓道与甬道之间有1道土坯封门墙。甬道呈过洞式，甬道中部有壁龛1对，壁龛内无遗物。在甬道内发现墓志1方。墓室长方形，南北长3.48米、东西宽2.95米。墓室西部为生土棺床，高出墓室地面0.3米。墓室已遭严重破坏，墓壁上残留有壁画痕迹，随葬器物荡然无存。

简报称，此次发掘最大的收获就是墓志。墓志青石质，志盖盝顶，长107厘米，宽104厘米，边厚4.5厘米。盖顶篆书16字："唐故工部尚书赠太子太师郭公墓志铭"。四刹单线浅刻瑞兽、海石榴及牡丹花纹。志文楷书，35行，满行34字，共1150字。有浅线界格，字体端庄工整，刻工十分精细。简报录有全文。

志文除了史学方面的价值外，还有书法方面的价值。志文书写者为颜真卿。唐代大书法家颜真卿（708～784年），新旧《唐书》有传。按颜真卿的生卒年限推算，天宝八年（749年）颜真卿41岁，其书法艺术已有相当深厚的功底。如果说《夫子庙堂记》残碑和《多宝塔碑》（752年），是过去发现的颜氏早期书法作品，那么，出土的这方墓志是当前发现的颜真卿书法艺术的最早作品。这时颜氏的书法与他成熟期的作品《麻姑仙坛记》《大唐中兴颂》《颜勤礼碑》等还有较大差距。

如果把唐代"草圣"张旭在天宝元年（742年）书写的楷书《严仁墓志》和这方墓志的书法艺术做一比较，就不难发现，两方墓志的艺术风格有许多相似之处，其师承关系显现于点画之间。虽然如此，郭虚己墓志仍是颜真卿楷书艺术的优秀作品，其整篇规整统一，单字结构严密，笔道刚劲有力。它和多宝塔碑前后相承，除《多宝塔碑》的字体略微显得丰腴饱满，郭虚己墓志的字体稍显清瘦挺拔外，其风格基本一致。值得注意的是，现藏最早的多宝塔碑拓本是北宋拓本的影印本。从唐天宝十一年（752年）至北宋时期，已有200多年的历史，在这期间，风雨剥蚀和人为打拓对字口造成损伤是可想而知的。而新出土的郭虚己墓志则保持了颜真卿楷书风格的原风原貌。

简报指出，这方墓志铭既是颜真卿书法艺术的范本之一，又是研究颜体早期书法成就的宝贵资料，弥足珍贵。

469.河南洛阳隋唐城宣仁门遗址的发掘

作　　者：中国社会科学院考古研究所洛阳唐城队　陈良伟

出　　处：《考古》2000年第11期

为配合洛阳市老城区政协南大街市场工程，考古人员于1996年10月29日至1997年1月23日发掘了洛阳隋唐城东城宣仁门遗址，发掘面积为444平方米。宣仁门遗址位于现今洛阳市老城区西大街上，东距十字街口 40 米左右。宣仁门遗址坐西朝东，是隋唐洛阳城东城东垣上唯一的 1 座城门，共有 3 个门道。由于中门道现在大部分压在西大街下，北门道则压在 1 座 5 层住宅楼下，未能进行全部发掘，此次仅发掘了南门道和中门道的西南角。简报分为：一、地层堆积，二、城门遗迹，三、其他遗迹，四、结语，共四个部分。有手绘图、照片。

据介绍，此次发掘出的城门遗址为 3 个门道，下层为土筑路面门址，上层以砖石铺路，建筑宏伟壮观，且使用年代较长，应当就是宣仁门遗址。宣仁门以砖铺路面的门址，简报推测其使用的下限应为北宋早期。宣仁门南门道下层发现的没有铺砖的门址，简报认为当为隋末唐初时期的城门遗迹，南门道曾遭火焚，很可能此门道是在宋时遭火焚烧后才废弃的。

简报称，宣仁门遗址的发现，为研究两京地区都城城门的形制及沿革提供了非常重要的实物资料，对寻找洛阳郭城东垣之北门上东门，解决洛北里坊的分布以及了解城内的道路和衙署分布，都有着十分重要的意义。

470.唐徐恽及夫人姚氏墓志考述

作　者：洛阳市第二文物工作队、中国历史博物馆　李献奇、周　铮
出　处：《中原文物》2000 年第 6 期

北宋赵明诚《金石录》卷七目录中著录有《唐陈留郡太守徐恽碑》，称碑立于"天宝五载八月"，"李邕撰，徐浩行书"。李邕长于碑颂，徐浩精于书法，均为当时名人，新旧《唐书》有传。到南宋陈思汇编《宝刻丛编》时，亦曾将徐恽碑收入，只是将立碑时间误作"天宝六载二月"，显然是与其下《薛氏追赠夫人碑》的立碑时间混同了。《宝刻丛编》所载碑刻均按原石所在地域集中排列，但徐恽碑却列为最后"刻石地里未详"卷中。《宝刻丛编》成书于绍定五年（1228 年），也许其时徐恽碑已经亡佚不存，人们对该碑的内容及树碑地点均茫然不知。1998 年 8 月，在洛阳市伊川县彭婆镇许营村北万安山南麓，竟出土了徐恽及夫人姚氏 2 方墓志，墓志对徐恽的生平事迹记述颇详，亦为徐恽神道碑的所在提供了确切位置，实在是一件值得庆幸的事。简报分为：一、关于徐恽、姚氏二人之先世，二、徐恽前期历官，三、徐恽后期历官，四、二志的其他问题，五、关于徐恽墓志的撰、书人，共五个部分。有拓片。

据介绍，徐恽志为楷书，计 1056 字；姚氏志隶书，计 451 字。简报录有 2 志志文全文。简报称，据 2 人墓志所记，徐恽"以天宝四载十月七，春秋六十有六"。由此推知，徐恽生于永隆元年（680 年）。姚氏"以大历九年四月十八日薨于南阳升

平里之私第，春秋八十有二"。由此推知姚氏生于长寿二年（693年），徐恽比姚氏年长13岁。不知什么原因，徐恽墓志中未提及夫人姚氏的情况，但姚氏墓志却有一些关于徐恽的记述，可对徐恽墓志作出补充。

471.洛阳地区唐代石雕塔

作　者：洛阳市第二文物工作队、洛阳古代艺术馆　严　辉、李春敏
出　处：《文物》2001年第6期

河南境内的唐代石雕塔主要分布在豫北、豫西地区，已经发表材料的有15座，集中于太行山东麓豫北的新乡、安阳地区。洛阳地区位于河南省西部，为唐代东都所在地，目前发现的石雕塔有13座。其中洛阳古代艺术馆藏5座、龙门石窟研究所藏3座、洛阳博物馆藏1座、孟津县文管所藏1座、偃师商城博物馆藏1座、洛阳邙山1座、偃师寇店乡孙窑村1座。除个别发表过图版照片，多数未有详细的报告。简报分为三个部分，有照片、拓片。

据介绍,13座石雕塔可分3大类: 楼阁塔、密檐塔、覆钵塔。其中有明确纪年的8座。

简报指出，唐代的造塔活动应该说在两京地区最为集中，原唐代东都河南府所辖地区保存至今的唐代实体塔数量非常少，只有今登封、巩县2地的13座。而今河南全境的唐体实体塔也不过17座。这些塔多建于盛唐或其后，属于初唐时期的很少，而且多为小型墓塔。可见洛阳地区这批石雕塔具有一定价值。豫北、豫西石雕塔具有明显的区域特征，豫北石塔均只建于开元、天宝年间，类型较单一，盛行密檐塔。而以洛阳为代表的豫西石雕塔，具有延续时间长、类型丰富和序列清楚等特点，应得到充分的重视。

472.龙门石窟新发现四个洞窟

作　者：龙门石窟研究所　杨超杰
出　处：《文物》2001年第9期

1998年秋，龙门石窟新发现了1组4个洞窟，在造像内容、洞窟保护措施等方面均丰富了龙门石窟的内涵。简报配以照片予以介绍。

据介绍，在龙门石窟东山，"擂鼓台"与"一道桥沟"之间的山腰上，下距洛（河南洛阳）界（安徽界首）公路30余米，海拔约260米的地方，有一处宽约20米的较为平整的台地。新发现的洞窟就位于这一台地东侧的崖壁上，共有4个，洞窟方向均面西，自南向北编号依次为新1～新4窟。简报逐个介绍了这4个洞窟，指出

这次新发现的 4 窟位于龙门石窟东山南端，这里山高林密，道路崎岖，一般人极少涉足此地。根据龙门石窟造像早期分区，东山石窟属第五区。

新窟开凿的时代应介于武周至唐开元间，简报认为属唐开元年间的可能性更大。

简报还介绍了在龙门石窟密如蜂房的窟龛上方，存在着大量的镶嵌石岩板的凹槽遗迹，以及大规模的排水设施。这些遗迹和设施在防止洞窟受破坏特别是雨水的侵害中起到了很大作用。时至今日，对我们保护石窟仍具有启发作用。但是，在开凿洞窟时，对洞窟积水问题仍考虑不周，这也使得后代人们为了解决洞窟积水，不得不凿破洞窟门槛以排水。而这次发现的新 2 窟、新 3 窟设置了立体的防水措施，不但在洞窟上方开凿半月形排水沟，而且均在前庭地面设置了排积水的凹槽。新 2 窟在地面设置了纵向排水槽，新 3 窟则为横向。这一现象实为我国石窟中所仅见。

473.龙门 565 号窟（惠简洞）调查简报

作　者：龙门石窟研究所　李随森、路　伟
出　处：《中原文物》2001 年第 5 期

惠简洞是龙门石窟中 1 处中型洞窟，因其是西京法海寺僧惠简为高宗、武后、太子、周王所造而得名，素有"小奉先寺"之称。龙门石窟研究所将其编为第 565 号窟。在许多石窟寺研究者的著述中对其多有述及，但仍有很多问题没论及。简报分为：一、前言，二、正壁（西壁）龛像，三、北壁；四、南壁，五、有关问题的探讨，共五个部分介绍了调查结果，有手绘图。

据介绍，该窟位于龙门西山中段偏北之山麓，坐西朝东。惠简洞南距莲花洞近 50 米，北距万佛洞 6 米，现洞窟地面高出窟前参观步道 2 米。惠简洞为敞口单室结构，洞窟平面呈长方形，前部已残。洞窟进深约 280 厘米，宽约 352 厘米，高约 420 厘米。西壁（即正壁）设一半月形浅坛，坛高 24 厘米。坛上造一弥勒倚坐像、二弟子及二菩萨五尊式，现仅存弥勒倚坐像、右侧弟子及二菩萨四尊造像。南、北二壁现仅存四头光，从造像组合分析应为二天王、二力士。洞窟南壁、北壁、正壁及弥勒佛座上，都有后来补凿的小龛，以南壁小龛数量为最多，计有 33 龛，北壁计 5 龛，正壁及佛座上计有 17 龛，共计 55 龛。

简报据题记，明确该窟完工年代为唐高宗咸亨四年（673 年）。清末民初时，一些头像已被盗走。

474.白居易故居出土的经幢

作　者：温玉成

出　处：《四川文物》2001 年第 3 期

白居易故居考古发掘出土的大量珍贵文物中，有石质残经幢。经考证，该经幢所刻为《佛顶尊胜陀罗尼》与《大悲心陀罗尼》，是白居易晚年书写，为研究白居易晚年的宗教信仰和书法艺术，提供了宝贵的新资料。简报配以照片予以介绍。

据介绍，白居易故居位于洛阳市区东南郊，今属安乐乡狮子桥村东130 米的一片田野。这里正是唐东都洛阳城的"履道坊"；而狮子桥村，则位于"集贤坊"；狮子桥村正北的军屯，则是位于"尊贤坊"；狮子桥村正东的何村，则是位于"永通坊"；何村南面，则应是"永通门"的位置。白居易故居，在履道坊西北隅。考古发掘判明，故居是一座含有前后庭院的两进式院落。宅院之西有"西园"，皆引伊水入园中。1992 年10 月至1993 年5 月间，考古人员对白居易故居作了考古发掘，历时6 个月。发掘的遗迹有宅院、庭园、水渠、作坊、道路等，出土了珍贵文物1000 多件。1993 年4 月20 日下午，在清理"南园"西侧的地层时，出土了石质残经幢1 件。经考证，上刻佛经为白居易本人亲笔。该经幢大约毁于五代或北宋初年。

简报称，白居易一生有 75 卷的《白氏文集》，共收诗文 3840 首存世。而有关这位伟大诗人的墨宝，竟无一字留存。今在白居易故居出土的残经幢上，发现了白居易亲笔所书的《陀罗尼》，计 300 余字。这是首次发现白居易的书法史料，十分珍贵。审视白居易的书法墨宝，知其书风远承欧阳询、褚遂良而近慕徐浩，自成一格。这是他 64 岁的作品。

475.隋唐洛阳城城垣 1995 ～ 1997 年发掘简报

作　者：中国社会科学院考古研究所洛阳唐城队　　陈良伟、石自社

出　处：《考古》2003 年第 3 期

1995 ～ 1997 年，在配合洛阳市基本建设的过程中，考古人员分阶段发掘了隋唐洛阳城的西隔城东西两垣、宫城南垣、东隔城东垣、玄武城南垣以及东城东垣和西垣。所获资料为研究隋唐洛阳城宫城和东城的平面布局、城垣建筑特征，以及隋唐东都的历史沿革等，都提供了较为重要的实物资料。有关资料简报分为：一、西隔城城垣，二、宫城南垣，三、东隔城东垣，四、玄武城南垣，五、东城城垣，六、结语，共六个部分。有手绘图。

据介绍，通过考古发掘，并结合40 余年来的发掘和铲探资料，简报认为有关隋

唐洛阳城宫城及诸小城的城垣建筑遗迹：隋唐洛阳城宫城原是由若干座小城组成的；隋唐洛阳城宫城城垣（比如宫城南垣和玄武城南垣）宽约11米，内外两面皆包砖；西隔城西垣早期城垣宽约11米，晚期城垣宽达8米，东壁包砖，规模仅次于宫城城垣；东城东垣宽达14米以上，规模超过了宫城城垣；宫城内的其余隔城城垣宽皆3～5米，都是普通的隔墙；上述城垣皆系隋末唐初始筑，下限不晚于盛唐前期；依据现有的发掘资料，隋唐洛阳城迄今为止发现的城垣（无论宫城城垣还是隔城城垣）皆可分为早晚两期。

476.河南洛阳市龙门北市香行像窟的考察

作　　者：龙门石窟研究所　张丽明
出　　处：《考古》2002 年第 5 期

北市香行像窟（编号1410）位于龙门西山南段的崖面上，是武周时期开凿的一座中小型洞窟。南距北魏窟古阳洞（编号1443）5 米，北距药方洞（编号1381）2.8米。香行像窟的右上方为六狮洞（编号1418），下方为来思久龛（编号1422）。此窟与栈道之间约 4 米，从窟底至现路面大约相距 9 米。由于年久，石窟顶部已崩塌；窟门呈敞口，顶部露天，外观上看已完全失去了窟形原貌。1998 年，考古人员在龙门对该窟进行了系统调查，发现内中另有小龛与雕像 28 个。有关香行像窟，仅在日本水野清一、长广敏雄编著的《龙门石窟的研究·龙门石刻录目录》中收有条目，未见有录文。此次考察结果，简报分为：一、北市香行像窟主室，二、主室内三壁小龛，三、关于北市香行及元行冲诸问题的讨论，共三个部分。有手绘图。

据介绍，北市香行像窟是由唐东都北市香行，从事贩香及香料行业的一批中外商人所完成的洞窟；"香行"的成立，反映了当时行会组织的成熟，香料行业的繁荣，以及西域和中国广大地域内信仰佛教的人很多。

简报称，北市香行像窟内，存在着一批武则天至中宗时期的小龛，他们供奉的主要有阿弥陀佛、药师佛及观世音菩萨等，反映了当时人们的信仰。

477.唐恭陵哀皇后墓部分出土文物

作　　者：偃师商城博物馆　郭洪涛
出　　处：《考古与文物》2002 年第 4 期

哀皇后墓位于唐恭陵陵园内主灵台东北部。恭陵是唐高宗李治的第五子、武则天长子李弘的陵墓，位于河南省偃师市南缑氏镇滹沱岭上。据新旧《唐书》记载：

李弘，字宣慈，生前为太子，唐上元元年（674年）十一月，高宗、武则天驾临神都洛阳，李弘奉诏纳右卫将军裴居道之女为妃。上元二年（675年）从幸合璧宫，不幸暴死，时年24岁。五月五日，诏赠谥为"孝敬皇帝"，同年八月十九日，葬于缑氏景山，庙号"恭陵"，"制度尽用天子礼"。次年太子妃也悄然而亡，九年后追谥"哀皇后"，陪葬恭陵。1998年2月15日，哀皇后墓被盗，经勘察，被盗部位为哀皇后墓道东壁龛。后经公安部门立案侦破并追回被盗文物。简报分为：一、陶俑，二、陶器，三、瓷器，四、金属器，共四个部分。有手绘图、照片。

据介绍，哀皇后墓道壁龛出土文物，制作精致，做工考究，无愧为皇家随葬器物，该墓出土的乐伎骑马俑、男女侍俑为研究初唐时期的服饰、化妆等，提供了弥足珍贵的实物资料。

478.洛阳杨文村唐墓 C5M1045 发掘简报

作　者：洛阳市文物工作队　邢富华
出　处：《考古与文物》2002年第6期

1996年6月，考古人员在配合洛阳电话设备厂（邮电537厂）综合楼建设工程中，发掘清理了一座唐代墓葬，编号为C5M1045，墓内随葬的一件三彩驯狮扁壶较为珍贵。简报分为：一、墓葬形制，二、随葬器物，三、结语，共三个部分。有手绘图。

据介绍，该墓位于洛阳邙山南麓的杨文村北，焦枝铁路东南侧，距洛阳市区约3公里。该墓为单室土洞结构，平面呈直背刀形，由墓道墓室两部分组成。随葬器物大多放置在墓室东北部，共计10件（套）。其中陶俑5件，制作比较粗糙。陶罐3件，均为泥质红陶。三彩器有七星盘1套，驯狮扁壶1件。根据墓葬形制及器物的种类特征，并结合以往对唐墓的分期研究成果，简报推断该墓时间应属盛唐时期，即武则天光宅元年至玄宗元年（公元7世纪末至8世纪前半叶）之间。

简报称，墓中出土的三彩驯狮扁壶在洛阳地区尚属首次发现。这件三彩驯狮扁壶是当时多彩社会生活的真实写照，为研究唐代中西文化交流提供了珍贵的实物资料。

479.洛阳市东明小区 C5M1542 唐墓

作　者：洛阳市文物工作队　司马国红等
出　处：《文物》2004年第7期

2000年7～9月，考古人员为配合洛阳市房屋第一开发公司东明小区基建工程，发掘清理了一批唐代墓葬。此墓区位于洛阳市东郊十里铺村，西距焦枝铁路500米，南邻白马寺路。其中编号为东区 C5M1542 的墓葬较为完整重要。简报分为：一、墓葬形制，二、随葬器物，三、结语，共三个部分。先行介绍了 C5M1542 的发掘情况，有彩照、拓片、手绘图。

据介绍，该墓保存较为完整，出土金、银、铜、铁、铅器以及玉石、木器等种类繁多的随葬器物。特别是工艺精湛的金银器皿，无论是造型还是制造工艺都堪称佳品；出土的银平脱鸾鸟牡丹纹镜、瑞兽鸾鸟复合镜等特种工艺铜镜，也极为精美。同时出土的墓志有明确纪年，这些为研究唐代的物质文化史、社会生活史和工艺美术史，增添了一批不可多得的实物资料。

墓志 1 合，楷书，行 25 字，每行 26 字。简报未录志文。据志文记载，墓主为高秀峰，渤海人，大历中特授朝散郎，试左青道率府兵曹参军。元和十四年（819 年）终于河南县清化里。夫人李氏，陇西人，太和三年（829 年）合葬于洛阳县平阴乡成村。

480.唐崔元略夫妇合葬墓

作　者：洛阳市第二文物工作队　王文浩、乔　栋等
出　处：《文物》2005 年第 2 期

2003 年 5 月，为配合少洛高速公路伊川段的建设，考古人员在伊川县彭婆乡范仲淹墓南 0.5 里、许营村西北 3 里处发掘清理了唐代墓葬 1 座，编号 2003SLYM1。该墓虽被盗掘，但仍出土有纪年墓志 2 合及少量随葬品。简报分为：一、墓葬形制，二、随葬器物，三、结语，共三个部分。有照片、拓片、手绘图。

据介绍，该墓为双室土洞墓，由墓道、甬道、壁龛、前室、后室组成。墓内葬有 3 人，即墓主崔元略及其夫人李氏，以及早逝的夫人长姒。因曾多次被盗，仅剩劫余瓷器残片、鎏金铜泡钉、铜钱、铁猪、玉器、银饰、石饰等，所幸的是 2 合墓志还在：一为墓主崔元略的墓志，计 1617 字；一为崔元略夫人李氏的墓志，计 1204 字。简报录有两志全文。

据墓志载，墓主崔元略，字弘运，博陵安平人。弱冠举进士，调补太子正字，判入高等，授渭南尉。历官监察御史里行、殿中、刑部员外郎、长安令、刑部郎中兼侍御史知杂事、御史中丞、京兆少尹知府事、左散骑常侍兼御史大夫、鄂岳观察兼大夫、大理卿、户部侍郎、检校吏部尚书、东都留守、检校吏部尚书兼御史大夫、郑滑节度观处置等使。崔元略两《唐书》均有传，但志文可补正史籍之处甚多。李夫人志文，也有可补史籍之阙处。另外，这两合墓志提及有关人物大都显赫一时，其中官至宰相者就有四人，为张弘靖、李程、李夷简、杨嗣复。且崔元略之妻江夏李氏一门也有宰相 2 人：李鄘为宪宗时宰相，李磎为昭宗时宰相。尤其是作为唐武宗、

宣宗两朝宰相的崔铉亲自书志，可见对该志之重视。

至于该墓年代，墓志明确记载，崔元略卒于唐大和四年（830年）十二月，葬于大和五年（831年）四月十七日。

481.洛阳伊川大庄唐墓（M3）发掘简报

作　　者：洛阳市第二文物工作队　吴业恒、王文浩等

出　　处：《文物》2005年第8期

2003年9～12月，考古人员为配合洛阳市西南环城高速的建设，在对伊川县城关镇大庄史前遗址进行抢救性发掘时，在遗址西部发掘唐墓2座，其中M3保存较好。简报分为：一、墓葬形制，二、随葬器物，三、结语，共三个部分。配以照片、手绘图，先行介绍了该墓的发掘情况。

据介绍，M3顶部已破坏，由斜坡墓道和长方形土洞墓室组成。墓底距地表0.9米。墓室内人骨架及葬具均已严重腐朽，葬式及性别不详，葬具不明。M3随葬器物较少，有陶罐、陶俑、金簪、铜镜、铜钱等11件。简报推断该墓的年代为唐代中期，墓主应为一般富人。

482.洛阳王城大道唐墓（IM2084）发掘简报

作　　者：洛阳市第二文物工作队　吴业恒、张建文、李　娟等

出　　处：《文物》2005年第8期

2004年3～6月，考古人员在配合洛阳市王城大道建设时，共发掘清理战国至唐宋时期的墓葬110余座。其中1座唐墓（IM2084）保存较好。简报分为：一、墓葬形制，二、随葬器物，三、结语，共三个部分。配以照片、拓片、手绘图，先行介绍了该墓的发掘情况。

据介绍，IM2084位于洛阳市王城大道与高速公路入口交汇处，顶部已在平整土地时破坏。此墓由斜坡墓道和土洞墓组成。距地表2.4～2.7米，墓室被淤土填实，随葬器物整齐摆放在墓室东部及北部。骨架已朽，性别及葬式不详。出土有陶器、陶俑、镇墓兽、铜钱等，简报推断年代为盛唐时期。

简报指出，该墓墓葬形制简单，随葬器物也较普通，墓主人应为一般的富人。此墓出土的女侍俑发髻偏向一侧，这在以前发掘的唐墓中比较少见。另外，牵马俑的着装及发式也较特殊，可能是当时的少数民族。

483.河南洛阳市中州路北唐宋建筑基址发掘简报

作　　者：中国社会科学院考古研究所洛阳唐城队　石自社、陈良伟等
出　　处：《考古》2005年第2期

1997年12月至1998年5月，为配合基本建设工程，考古人员在洛阳市中州中路中段北侧进行了发掘，发现依次叠压的北宋晚期宫殿基址、北宋早期建筑残址、唐代晚期步廊基址、唐代早期建筑残址各1座。遗址所处位置在洛阳玻璃集团小学院内，北距唐宫中路150米，东距定鼎北路300米，西距玻璃厂北路420米，南距中州路120米。因北宋早期建筑基址的主体已被北宋晚期的宫殿基址破坏（仅残存若干段夯土遗迹），唐代早期建筑基址多遭唐代晚期步廊基址破坏，它们的平面布局皆不详，故本简报从略。简报分为：一、地层堆积，二、唐代晚期步廊基址，三、北宋晚期宫殿，四、出土遗物，五、结语，共五个部分。先重点介绍与北宋晚期大型宫殿基址和唐代晚期步廊基址有关的遗迹和遗物，有拓片、彩照、手绘图。

据介绍，在洛阳市中州路北侧发现上下叠压的唐宋时期建筑基址，出土了较多建筑材料和瓷器、铜钱等。其中，唐代晚期的步廊建筑残存有步廊基础、地面、柱础石和柱础石坑，以及瓦片铺砌的小径等。北宋晚期的宫殿基址规模较大，形制较清楚，由主殿、天井、廊道和附属建筑等部分组成。

简报指出，宋代宫殿基址的发现意义重大。近些年来，在位于洛阳市西工区唐宫中路的洛阳玻璃集团附近屡屡发现宋代大型建筑基址，加上此次发掘的这座大型宫殿基址，在此区域已经发现5处规模较大的宋代建筑。由此可以确定，在北宋时期，这里是相当重要的政治中心之一。由于古代文献对北宋洛阳西京的记载大多语焉不详，这些发现就显得极为重要，可以补充史料的缺失。

简报称，由于受到施工场地的限制，此次发掘并未将北宋晚期的大型宫殿基址完全揭露，但仅就现有的遗迹也可看出北宋西京宫殿建筑的若干特点。宫殿台基均系垫土而成，底部基础的处理较为草率；不再利用底部的夯筑基础集中承重，而改由密布的磉墩柱网结构承重；宫殿建筑不再追求高度，转而向宽和广的方向发展；为解决宫殿中部的采光和屋脊处雨水排泄，在宫殿中部开始出现了天井和廊道。

至于唐代步廊，简报指出，虽然在许多文献中记载，隋唐洛阳东都宫城内原有多处步廊建筑，每逢大朝时，步廊都有禁军将士重重守卫。但步廊具体是什么样子，一直是难解之谜。此次发现的唐代晚期步廊基址虽然保存较差，但平面布局还基本清楚，这就为了解唐代步廊的形制提供了相当重要的实物资料。另外，唐代晚期的步廊位于宫城内西区，呈南北走向，应是连通其他重要建筑的通道之一。据文献记

载，在这座遗址所处位置附近，隋代有志静、修文诸殿，唐代则分布着中书省、史馆、命妇院、修书院和太平公主旧宅。因此，此步廊的发现，又为寻找上述诸多遗址提供了相当重要的地理坐标。

484.河南洛阳市白马寺唐代窑址发掘简报

作　者：中国社会科学院考古研究所洛阳汉魏故城队　钱国祥、肖淮雁、郭晓涛、
　　　　刘　涛等

出　处：《考古》2005 年第 3 期

1998 年 4 ～ 6 月，为配合河南省洛阳市荣康医院改建工程，考古人员在洛阳汉魏故城北魏西郭城内进行考古勘探，同年 8 月，开始对其中一些重要遗迹进行发掘，发掘出 1 组唐代烧窑遗址。这组窑址（编号为 1 号窑址）位于该医院南部新门诊楼西南侧，西距现白马寺院东墙 125 ～ 140 米。简报分为：一、地层堆积，二、窑址结构，三、出土遗物，四、结语，共四个部分。有彩照、手绘图。

据介绍，这处在洛阳白马寺院墙以东发现的窑址，为 4 座窑室共用 1 个操作坑的组窑，除 1 座烧造陶器外，其余都是砖瓦窑。这种兼容烧造不同产品窑室的组窑，是目前仅见的这一时期的实例。简报认为该窑应与武则天对大白马寺的扩建有关，是官窑，其开掘时间在盛唐，在寺院扩建完成后即被废弃变成垃圾坑。废弃时间在晚唐以后或唐末。

485.洛阳发现唐代林存古墓志

作　者：洛阳古代艺术馆　赵振华等

出　处：《考古》2005 年第 9 期

洛阳出土唐代墓志数量之多居全国之最，隋唐洛阳城北之邙山为集中地。但城外东部洛河之南，鲜有出土。李楼乡太平庄位于洛阳市东南郊，隋唐洛阳城外正东 3 公里处。1996 年 5 月，村民建房时在距地表深约 3 米处发现了 1 块刻字青石，是林存古墓志，没有墓志盖。这块正方形墓志较小，边长 39 厘米、厚 7.5 厘米。文字楷书 15 行，满行 18 字。简报未录志文。

据介绍，墓志撰文者为杨授，此人两《唐书》有传，为文宗时宰相杨嗣复之次子，字得符。官至刑部尚书、太子少保。

简报称，检《全唐文》《全唐诗》作者索引（马绪传编：《全唐文篇名目录及作者索引》，中华书局，1985 年 5 月版；张忱石编：《全唐诗作者索引》，中华书局，

1983年8月版）和《新增千家唐文作者考》（韩理洲：《新增千家唐文作者考》，三秦出版社，1995年10月版）等工具书，不见杨授的作品。这位晚唐大官僚咸通七年（866年）被排斥于社会主流之外。撰写的墓志成为传世的第一篇散文。文章虽短，却为后人提供了有关当时社会家庭奴婢的新材料。

486.河南洛阳隋唐东都皇城遗址出土的红陶器

作　者：中国社会科学院考古研究所洛阳唐城队　石自社、陈良伟等

出　处：《考古》2005年第10期

在为配合洛阳市基本建设而开展的考古工作中，考古人员陆续发现了一批较特殊的陶器，因其皆系细泥烧成，且呈红色，故被称作红陶器。洛阳市内出土红陶器的范围较为狭小，主要分布在西工区七一路以东、玻璃厂南路以西、凯旋路以南、中州渠以北这一东西向区域内。红陶器于隋唐东都皇城遗址出现，约可追溯至20世纪50年代中期，而后屡有发现。但过去一般将其视作普通陶器，长期以来并未引起人们的充分注意。20世纪90年代中期以后，因这类陶器出土数量较大，而且所出地层及分布地域较为固定，这才逐渐被研究者所重视。简报分为：一、发现概况，二、地层堆积状况，三、红陶器概述，四、结语，共四个部分。将隋唐东都皇城遗址出土红陶器的基本情况加以系统整理和报道，并就这类器物的分布状况、器类和形制特点以及相关的问题进行初步探讨，有照片、手绘图。

据介绍，隋唐东都皇城遗址西南隅出土的红陶器数量较大，经14年考古发掘粗略统计，可看出器形的共计1070件，主要分作4批出土。

简报称，通过对这些红陶器的发掘和相关资料的研究，主要有以下一些收获：

第一，北宋西京皇城的西南隅应较为空旷。

第二，红陶器的出土地点可能即是泻口碾坊故址。

第三，可对唐代东都皇城西部3个街区的平面布局有一个概要性的了解。大致在右掖门大街以西、皇城西垣以东、皇城南垣以北、皇城第三横街以南，原为唐代良酝署故地；右掖门大街以西、皇城西垣以东、皇城第三横街以北、第二横街以南，原为内坊故地；右掖门大街以西、皇城西垣以东、皇城第二横街以北，第一横街以南，原为太社故地。这个发现意义极为重大。数十年来，在唐东都皇城西部相继发掘出数十处唐代建筑残址，但因对皇城西部的宏观建置布局并不了解，无法将它们纳入具体研究之中。随着良酝坊、内坊、仓院等的位置大致被明确，就可以对上述遗址加以具体考证，从而有助于深化对于唐代东都皇城的认识。

第四，唐代泻口碾坊故址的发现为寻找隋代石泻的地望提供了重要线索。

第五，唐代东都皇城西南隅出土的红陶器，可能属于在泻口碾坊从事苦役的刑徒所用的生活器具。

众所周知，良酝署和泻口碾坊为皇家承办，其劳力主要来源于隶属皇家的奴仆和犯罪的朝吏。他们身无分文，没有社会地位，本身又隶属朝廷，在皇家作坊中做苦役。隋唐东都皇城西南隅出土的红陶器，有别于当时市场上流行的瓷器和陶器，价格较为低廉，又有多次修补的痕迹，正与官署所隶苦役者的低下身份和身无分文的境遇相吻合。

487.隋东都洛阳回洛仓的考古勘察

作　者： 洛阳市文物钻探管理办公室、洛阳古代艺术馆　谢虎军、张　敏、赵振华
出　处： 《中原文物》2005 年第 4 期

2004 年 6 月，考古人员于隋洛阳城北墙外东段，南距城北墙约 1.2 公里处发现 70 多座地下仓窖。仓窖纵横排列有序，经考证为隋代的重要粮仓——回洛仓。简报分为：一、回洛仓的考古勘察，二、有关回洛城与回洛仓的两个地理概念，三、回洛仓的废弃原因，共三个部分。有手绘图。

据《隋书·食货志》《文献通考》等史书记载，回洛仓是隋代东都洛阳附近的重要粮仓，隋炀帝时建，据说有 3000 多个窖，每个"窖容八千"。此次发现仓窖 71 座，道路 4 条，墓葬 458 座。仓窖的容量有差别，并不一致。回洛仓毁坏于隋末农民战争时期。后来唐代有鉴于回洛仓建于城外的弊端，而将含嘉仓建于城内。

488.洛阳北郊唐墓

作　者： 四川大学历史文化学院考古学系、洛阳市文物工作队　霍宏伟等
出　处： 《文物》2006 年第 3 期

1992 年 5 月，为配合基建工程，考古人员发掘清理了一批唐墓，在一座编号为 C8M932 的唐墓中，出土了较为少见的唐代"安史之乱"时期铸行的"得壹元宝"和"顺天元宝"铜钱。简报分为：一、墓葬位置与形制，二、出土器物，三、结语，共三个部分。有拓片、手绘图。

据介绍，该墓位于洛阳北郊、邙山南麓，南距隋唐洛阳外郭城北墙约 1.5 公里。墓葬为洛阳地区常见的"刀把形"竖穴土洞墓，由墓道、甬道、墓室组成。因早年平整地面，墓的上部已被破坏。在墓室偏西部置 1 棺，已朽。棺内葬 1 人，仰身直肢，头朝北，骨架已朽成粉末状。随葬器物除 1 只白瓷罐放于棺外东侧，其余均

置于棺内。出土器物共计90件，包括瓷器、铜器、铁器、水晶玉石串饰等。比较重要的是发现了史思明在"安史之乱"时攻占洛阳后所铸"得壹元宝""顺天元宝"铜钱。时在唐上元元年至宝应元年（公元760～762年），废止年代不应超过宝应二年（763年）。

简报指出，史思明叛乱据守东都洛阳，所铸"得壹元宝""顺天元宝"数量较少，铸行时间短，后世出土不多，故流传至今的绝大多数为传世品。1949年以来，在隋唐洛阳城范围内的遗址、窖藏中也偶有发现。但经科学发掘，在洛阳唐墓中同时出土"得壹元宝"和"顺天元宝"，这在国内还是首次。此外，该墓出土的水晶玉石串饰，工艺精湛。这座墓葬尽管规模不大，出土遗物也不多，但为研究唐代安史之乱提供了重要的实物资料。

489.洛阳关林大道徐屯东段唐墓发掘简报

作　　者：洛阳市第二文物工作队　张建文、蔡梦珂、李　娟等
出　　处：《文物》2006年第11期

2005年7月，在配合洛阳市关林大道徐屯东段建设时，考古人员发掘清理古墓葬110座，其中唐墓86座。简报分为：一、LNGM29，二、LNGM38，三、结语，共三个部分。配以照片、手绘图，先行介绍两座唐墓（LNGM29、LNGM38）的发掘情况。

据介绍，这两座唐墓，平面均为直背刀形，墓道为竖井斜坡，墓室呈梯形。简报推断年代为唐代中期。两座墓葬不大，但随葬器物较为丰富，如彩绘陶俑造型优美，做工精细，非一般平民所能拥有；又如三彩罐色彩鲜艳，工艺精湛。因此，简报认为墓主人当为中小地主。

490.河南洛阳市关林1305号唐墓的清理

作　　者：洛阳市文物工作队　俞凉亘、朱　亮等
出　　处：《考古》2006年第2期

2003年10月，为配合中国石油一公司石油宾馆的建设工程，考古人员在洛阳市关林发现并清理了一座唐墓。此墓编号简称M1305，保存状况尚好，出土了较多随葬品。简报分为：一、墓葬形制，二、随葬器物，三、结语，共三个部分。有彩照、手绘图。

据介绍，此墓为单室土洞墓，由墓道、甬道和墓室3部分组成。墓道位于墓室

的南部偏东，长 30 米、宽 0.9 米，底部呈斜坡状。甬道位于墓道北侧，紧靠墓室，为过洞式，弧形顶，长 1.3 米、宽 0.9 米、高 1 米；其东部被一长方形盗洞打破，盗洞长 1.6 米、宽 0.6 米。墓室平面呈长方形，长 3.6 米、宽 2.7 米；顶部已坍塌，据残迹推断，原先应呈弧形，高 2.1 米。近甬道处有一个直径 0.75 米的圆形盗洞，直挖到墓底。尽管两次被盗，仍出土有各类随葬品 65 件（套），主要包括俑、动物模型、生活用具等各类陶器，以及少量瓷器、铜器、铁器。陶俑的数量较多，均饰彩绘。此墓的年代可推断在初唐晚段或盛唐早段。

491.河南洛阳市隋唐城宣政门遗址的发掘

作　　者：中国社会科学院考古研究所洛阳唐城工作队　韩建华、石自社、陈良伟等
出　　处：《考古》2006 年第 4 期

在配合豫通街小学基本建设过程中，考古人员于 2000 年 9 ～ 10 月对洛阳隋唐城宫城南垣东向的宣政门遗址进行了发掘。宣政门遗址今位于洛阳市老城区豫通街小学院内，其西距定鼎南路东沿 522 米，南距九都路北沿 521 米，北距中州东路南沿 409 米。该门址发现于 1982 年，当时仅做了局部钻探。此次的发掘，不但揭露了门道，而且还对其南北两侧的宫城城垣做了局部试掘。发现的遗迹有早期门址、晚期门址、晚唐至五代封门夯土排水渠和北宋补筑的城垣等。简报分为：一、地层堆积，二、遗迹，三、出土遗物，四、结语，共四个部分。有手绘图等。

据介绍，宣政门是洛阳隋唐城宫城南垣上 5 座城门之一，与崇庆门东西相对。宣政门为单门道结构，分为早、晚两期，早期为隋至盛唐前期门址，晚期为盛唐后期门址。宣政门于晚唐年间被封堵，宋时期又在晚唐封门砖外侧有所补筑。出土遗物有唐代方砖、长方形砖、瓷器、石器、钱币等。宣政门遗址的发现，为复原洛阳隋唐城平面布局及其路网结构提供了重要的实物资料。

492.河南洛阳市隋唐洛阳皇城东垣的清理

作　　者：中国社会科学院考古研究所洛阳唐城队　韩建华、石自社、陈良伟等
出　　处：《考古》2006 年第 9 期

1999 年春，为配合基本建设，考古人员发掘了一段夯筑城垣，同时发现穿城而过的水渠遗迹。遗迹位于洛阳市金业路以东 40 米，马市街以南 20 米，中州东路以南 750 米，九都路以北 150 米。参考以前的考古资料可知，新发现的夯筑城垣是隋唐洛阳皇城东垣北段中的一段，其旁横穿城垣而过的水渠即文献所载皇城中的一条

水渠。由于此处地势低洼，拆迁面积较小，其南为洪水沟，其北为马市街，其东西两面皆为居民住宅，无法扩大发掘面积，故而未能将遗址进行全面揭露。简报分为四个部分，有手绘图。

简报指出，此次发现的唐代遗迹虽较残破，但较为重要。在此之前，一直以为皇城东垣已经毁于洛水北溢。此次发掘出的唐代皇城东垣不但保存较好，而且北连东城西垣，南至南侧的洪水沟北壁，长达 40 余米，这为了解唐代皇城东垣的残存长度、建筑结构和规模，以及宋代重新利用的过程，提供了相当重要的实物资料。另外，该段皇城东垣的发现，为寻找洛河泛滥时北溢的边岸同样提供了较为重要的实物资料。

另外，东西向穿皇城东垣而过的水渠，其使用过程可以分为两期。早期水渠系唐代遗迹，晚期水渠系宋代遗迹。早期水渠规模较小，疑其原为暗渠；晚期水渠较宽，疑其已成明渠。从渠内存有大量淤土观察，该渠并非人为破坏而突然废弃，而是在使用过程中，因年久失修，淤积过厚而自然废弃。

简报称，皇城东垣内侧发现的路土东西残宽超地 7.5 米，厚达 0.3 米，并呈南北走向，应是文献所载皇城东侧的顺城街。许多年来，在研究隋唐洛阳城平面布局过程中，顺城街与城垣的位置关系始终未能搞清。此次发掘出的皇城东垣顺城街同样贴城垣而行。由此可知，盛唐时期，隋唐东都郭城、皇城和宫城及诸小城内的顺城街应当都是贴城垣而行，这对复原隋唐东都城内的路网结构具有较为重要的意义。

493.洛阳岳家村 30 号唐墓出土波斯萨珊朝银币

作　者：四川大学历史文化学院考古系、河南省洛阳市文物工作队　霍宏伟、
　　　　程永建

出　处：《四川文物》2006 年第 2 期

新中国成立初期，河南洛阳北郊岳家村 30 号唐墓中出土了若干波斯萨珊朝银币，通过重新整理报道，初步考证出部分银币的铸造地点，并推测出该墓墓主人有可能是来自西域的少数民族。简报分为：一、30 号唐墓概述，二、银币类型，三、结语，共三个部分。有照片。

据介绍，3 号唐墓位于洛阳市老城北郊邙山下的岳家村，即隋唐洛阳宫城附属小城圆璧城的北侧。该墓为土圹洞室墓。长方形竖井墓道位于墓室北侧，宽 0.9 米。墓室北窄南宽呈梯形，南北长 2.3 米，前宽 1.3 米、后宽 1.6 米，小砖封门。因该墓属于配合基建的抢救性发掘，墓室已遭破坏，仅作草图，后根据草图复原其平面

形状。墓室中央有人骨架 2 具，西侧的 1 具头南足北，仰身直肢，保存较为完整。位于东南角的 1 具零乱成堆，似为二次迁葬。葬具皆朽，仅存 26 枚棺钉。随葬器物共计 28 件，皆置于西侧人骨架头部。其中，有波斯银币 17 枚，画像镜、瓷四系罐、瓷胭脂盒各 1 件，小铜盒、小瓷盒、小陶盒各 1 件，蚌壳 5 个，均残。在 17 枚银币中，完整的 8 枚，有不同程度残损的 9 枚。钱币正面均为王者侧面头像，背面中央为一祭台，两侧各立一祭司。钱径 27～2.8 厘米，重 3.7～4 克，平均重 3.85 克。其中，卑路斯时期的银币 16 枚，卡瓦德一世银币 1 枚。简报考证了银币的铸造地点，认为该墓的时代为隋至唐初。墓主人很可能是来自西域的少数民族。

494.洛阳关林大道唐墓（C7M1724）发掘简报

作　者：洛阳市文物工作队　任　广等
出　处：《文物》2007 年第 4 期

2005 年 7～8 月，在配合当地工程建设中，考古人员发掘清理了西晋至唐宋时期墓葬 60 余座。其中 1 座唐代墓（C7M1724）虽经多次盗扰，但仍出土了一些精美器物。简报分为：一、墓葬形制，二、随葬器物，三、结语，共三个部分，先行介绍这座唐墓。有照片、拓片、手绘图。

据介绍，该墓为单室砖室墓，由墓道、过洞、天井、甬道、墓室组成。出土随葬器物 8 件（组），有陶罐、石猪、铜钱、金钗、鎏金铜龙等。有墓志 1 合，计 519 字，简报录有全文。

简报称，墓志中记载的刘氏等人均不见于文献记载。从志文来看，墓主人夫妇祖上身份显赫，但这也极有可能为溢美之词。墓主人刘氏，为山西壶关县县令，官至七品，卒于长寿二年（693 年），其后迁葬，与夫人合葬于开元八年（720 年）。

495.洛阳龙康小区唐墓（C7M2151）发掘简报

作　者：洛阳市文物工作队　商春芳、黄吉博等
出　处：《文物》2007 年第 4 期

2005 年 4 月，考古人员在配合洛阳市龙康小区基本建设过程中，发掘清理了一批唐宋时期墓葬。其中，一座唐墓（C7M2151）出土有精美的鎏金银器和铜镜、骨尺等器物。简报分为：一、墓葬位置及形制，二、出土器物，三、结语，共三个部分。有照片、手绘图。

据介绍，C7M2151 位于洛阳市关林镇皂角树村西，洛龙路西侧。北距离隋唐东

都城南墙 1.5 公里。墓葬为单室土洞墓，平面为直背刀形。墓道位于墓室南部，为长方竖井式。出土遗物有鎏金银器 29 件。塔形陶罐 1 件、铁剪 1 件、骨尺 1 件、木梳 2 件等。简报推断年代为 9 世纪的晚唐时期。

简报指出，此次出土的29 件鎏金银饰，其数量之多、制作工艺之精，在以往洛阳地区发掘的唐墓中是不多见的。这些银饰从纹饰上看既有象征爱情的鸳鸯、蝴蝶，也有象征吉祥如意的孔雀等图案；从种类上看，既有簪、钗，又有各种花饰，展现了唐代盛装女子的装束。这为研究唐代妇女装饰及当时的金银器制作工艺提供了新资料。

496.洛阳唐卢照己墓发掘简报

作　者：洛阳市第二文物工作队　吴业恒、司马俊堂、慕　鹏等

出　处：《文物》2007 年第 6 期

2005 年 1 ～ 6 月，考古人员在配合洛南新区永泰街、金城寨街、翠云路工程建设中发掘清理了春秋至唐宋时期墓葬 130 余座。其中，唐卢照己墓（5005LNCM9）虽遭盗掘，但仍出土墓志等随葬器物。简报分为：一、墓葬形制，二、随葬器物，三、结语，共三个部分。有照片、手绘图。

据介绍，该墓为单室砖室墓，由墓道、甬道、墓室组成。由于墓葬被多次盗扰，墓室内仅散见陶俑、陶片等，还有盗墓工具。随葬器物大多残碎，经修复，有陶器座、陶马残片、陶骆驼、陶俑等。有墓志，简报录有墓志全文。

据墓志，此为2 人合葬墓，墓主卢照己卒于唐开元二十一年（733 年），享年73 岁，葬于开元十二年（724 年）。此墓为斜坡单室弧方形砖室墓，平面略呈刀形，属中型墓葬，与墓主人身份相当。关于墓主卢照己，文献无载，志文称"君讳照己，字炅之，范阳涿人，汉侍中府君植之十六代孙"。卢植，《后汉书》《三国志》均有载。志文载："君之昆弟八人咸能知名当代，有若照乘、照邻、照容泊君并弱冠秀出，皆擅词宗，翰墨浃于寰瀛，文集藏于天阁。"

卢照邻（公元635 ～689 年），字昇之，范阳涿郡人，两唐书有传，为初唐四杰之一。其传与墓志所反映的内容相吻合。此墓墓主卢照己当为初唐知名诗人卢照邻之弟。范阳涿郡卢氏自东汉卢植后，迄魏晋逐步发展成关东大族，历南北朝、隋唐而不衰。卢照己墓的发现为我们研究卢氏家族世系，了解唐代的官制及唐前期的考试制度等，提供了新资料。

497.洛阳伊川后晋孙璠墓发掘简报

作　　者：四川大学历史文化学院考古系、洛阳市第二文物工作队　乔　栋等
出　　处：《文物》2007年第6期

2005年11月，位于伊川槐树街的伊川机械厂在厂区建设中发现1座古代墓葬，考古人员对其进行了发掘清理工作。该墓葬（M1）墓顶东南有一直径约0.6米的不规则形盗洞，棺床东南角铺底方砖被揭开，墓顶北部塌落，其余部分保存相对完整。简报分为：一、墓葬结构，二、随葬器物，三、结语，三个部分。有照片、拓片、手绘图。

据介绍，M1为砖室墓，由墓道、甬道、墓室组成。墓口距地表0.4米、墓底距地表7.4米。因曾被盗，仅剩劫余遗物13件（组），有陶罐、陶砚、瓷罐、铁环、铜钱等。但所幸有墓志，计339字，简报录有全文。

据志文，墓主孙璠为亳州成武县安乐里人，官至检校尚书左仆射兼御史大夫，历唐、后梁、后唐、后晋四朝，享年81岁，天福五年（940年）正月一日葬。此人文献无载。

简报指出，后晋历时10年，历史短暂，迄今能确定这一时期的遗迹遗物极为少见，孙璠墓的发现，为我们研究五代后晋时期的历史提供了宝贵的实物资料。

498.龙门石窟东山擂鼓台区乐舞资料的新发现

作　　者：龙门石窟研究院　李晓霞
出　　处：《文物》2007年第10期

2006年6月，龙门石窟研究院对擂鼓台区的一小型洞窟（编号2125）进行测绘前的清理时，在主室佛坛坛基处发现了一组乐舞图像资料，保存较为完好。简报配以照片、手绘图加以介绍。

据介绍，2125号窟的主室资料未见任何著录。在1999年编著《龙门石窟总录》时，2125号窟主室堆满了现代建筑材料，当时绘制的平面图和纵剖图以及所拍照片仅为前庭，并无主室资料。后来虽然移走建筑材料，但窟底堆积着一层厚土石，看不出有佛坛的存在，更没发现佛坛坛基的乐舞石雕。

2125号窟位于龙门石窟擂鼓台区北部，坐东朝西，前庭后室（主室），为唐朝前期石窟。主室内坛基雕琢一组乐舞图像。此组乐舞图像共6名，中间为二舞伎，两侧各两乐伎，他们均发髻高耸，袒露上身，下着长裙。这组保存完好的乐舞石雕，实为龙门石窟有关唐代乐舞图像资料的重要补充。

499.河南孟津县大杨树村唐墓

作　　者：洛阳市文物工作队　马毅强、方　莉、李惠君等
出　　处：《考古》2007 年第 4 期

1960 年夏，在配合洛阳中州渠水利工程中，考古人员于中州渠中段孟津县大杨树村村东清理 1 座唐墓（M71）。简报分为：一、墓葬形制，二、出土遗物，三、结语，共三个部分。有彩照、手绘图等。

据介绍，此墓为单室土洞墓，由墓道、甬道和墓室组成。墓葬早年被盗，墓室南部扰乱不堪，从出土的铁棺钉和板灰痕看，应有葬具。墓中随葬品多存于扰土中，仅有墓室北部部分瓷器和陶俑基本保持原位。随葬遗物 75 件（套），有陶器、陶俑、动物模型和瓷器等。

该墓的年代，简报推断为盛唐时期，尽管曾被盗，但出土遗物仍颇可观，尤其是彩绘陶武士俑，与过去出土的同时期武士俑形制相近，而头盔等又具有自己的特色。该墓的发掘，为研究唐代墓葬习俗及雕塑艺术等提供了新的实物资料。

500.河南洛阳市隋唐东都应天门遗址 2001 ～ 2002 年发掘简报

作　　者：中国社会科学院考古研究所洛阳唐城工作队　陈良伟、韩建华、石自社等
出　　处：《考古》2007 年第 5 期

应天门是隋唐东都宫城和北宋西京宫城南垣正门，隋末唐初称则天门，盛唐时期称应天门或神龙门，晚唐至北宋时期称五凤楼。遗址位于洛阳日报社和都城博物馆两个单位院内，定鼎南路从遗址中部横穿而过。此前有关应天门遗址，曾经做过 4 次工作，相关资料多已发表。然受种种因素制约，上述发掘始终未能揭示应天门遗址的墩台规模和门道数量。2001 年 10 月 20 日至 2002 年 1 月 30 日，为配合洛阳市定鼎南路道路扩建，考古人员再次进入该遗址进行发掘。简报分为：一、地层堆积，二、建筑遗迹，三、出土遗物，四、结语，共四个部分。有手绘图等。

简报称，应天门遗址可以分为早、晚两期：早期门址可能重修于盛唐时期，当与文献所载武则天当政时期韦机重修应天门有关。晚期门址可能重修于晚唐、北宋年间，当与文献所载天佑年间改称五凤楼有关。

应天门遗址早、晚两期门址皆为 3 个门道。早期门址 3 个门道，东西各宽 5 米，3 个门道之间的隔墙东西各宽 5 米。晚期门址 3 个门道破坏严重，目前仅发掘出东门道东壁及其相关遗迹。仅就残迹可知，晚期门址整体向东平移 3.25 米。晚期门址的各个门道内地面皆铺石，这种现象应引起重视。定鼎门遗址三期和四期门址的 3 个

门道内的地面都没有铺石。应天门遗址晚期门址的规格显然高于定鼎门遗址三期和四期门址。

应天门遗址西飞廊破坏严重，目前仅知其残存早期门址西飞廊的夯筑基槽。经拼接，早期门址西飞廊与晚期门道东飞廊（1990年发掘）宽度基本相同，推测早、晚两期应天门遗址东、西飞廊的规模和形制没有发生太大变化。

简报指出，应天门遗址晚期门址东门道内出土的长方形砖，皆有被火烧痕迹，说明应天门宋代可能毁于战火。关于应天门遗址，文献未载其废弃原因和过程，此发现也可补历史记载之阙。

501.河南洛阳市东郊十里铺村唐墓

作　者：洛阳市文物工作队　司马国红等
出　处：《考古》2007年第9期

2000年7～9月，为配合基建工程，考古人员在洛阳市东郊十里铺村发掘清理了30座唐墓。该墓区西距焦枝铁路500米，南距陇海铁路200米，多数墓葬遭到盗扰。其中东区墓葬C5M1532保存较为完整。简报分为：一、墓葬形制，二、出土遗物，三、结语，共三个部分。有手绘图。

据介绍，该墓为南北向土洞墓，由墓道、甬道、墓室3部分组成。甬道北端有一方墓志砖。甬道人口在墓室南壁中部。葬具均已腐朽。由于被盗扰，墓室内人骨保存状况较差，仅存腿骨，根据腿骨的保存特征可知，葬式为仰身直肢。出土遗物共计26件，主要集中在墓室东半部，以陶俑的数量最多，出土时有的已破碎，有的无法复原。其中，陶镇墓兽、俑等遗物分布于墓室东南部，陶马、骆驼分布于墓室中部，白瓷罐分布于墓室西部。

据介绍，出土的墓志砖墨写楷书"宗君墓志"4字。志文记载：墓主人宗光，河南宁□人，永徽六年（655年）终，当年葬于感德乡。

简报指出，该墓的墓葬规模不大，但出土遗物考究，陶俑制作技术娴熟。出土的镇墓兽以及武士俑、文官俑、侍俑、侏儒俑等，均制作精细、考究，造型匀称、俊秀。尤其是该墓出土的粉彩贴金装饰的女侍俑，是盛唐时期洛阳地区极有代表性的作品。镇墓兽形象凶猛而庄重，武士俑威武华丽，胡人俑、侏儒俑形象生动，表情逼真，女侍俑细颈削肩，衣着华丽，身材秀美。这些充分反映了唐初社会安定、人民生活舒适安逸，东西方物质文化交流频繁的历史盛况。

502.河南洛阳市隋唐东都重光北门遗址的发掘

作　者：中国社会科学院考古研究所洛阳唐城队　陈良伟、石自社、韩建华等

出　处：《考古》2007 年第 11 期

2001 年 8 ～ 12 月，在配合洛阳市基本建设开展的考古工作中，考古人员对位于隋唐东都洛阳城东宫北垣上的重光北门遗址进行了考古发掘，揭露面积约 3000 平方米。此门址位于现今洛阳市唐宫东路北侧，南距唐宫东路北沿 152 米，东距环城西路西沿 182 米，北距道南路南沿 182 米。简报分为：一、地层堆积，二、建筑遗迹，三、出土遗物，四、结语，共四个部分。有照片、手绘图等。

据介绍，此次发掘发现门址、路土、封门夯土和城墙等各类遗迹，出土一批重要遗物。重光北门为梁架式单门道结构，大致可分为三期，晚唐前后被人为封堵。

简报认为，此门应当就是重光北门。根据文献记载，隋唐东都洛阳城的东宫有 4 座城门，即重光门、宾善门、延义门和重光北门。前 3 座城门地望明确，皆位于东宫南垣上。而重光北门应在何处，过去存在不同意见。20 世纪 80 年代中期，考古人员发现东宫东垣居中有一个豁口（南距东宫南垣 570 米），宽约 4 米，颇似城门，于是将其定位为重光北门。但疑点颇多，其一，豁口不等于就是城门遗址；其二，若是城门，也有可能是文献所记载的重润门，未必一定就是重光北门；其三，如果这里有城门，那么由东宫即可向东通过重光北门直接前往左府藏，这与皇家管理体制有悖；其四，东宫东垣或西垣上的城门，为何不仿效洛城南门、洛城西门、曜仪西门、曜仪东门、圆璧东门那样，将其直接称作重光东门或重光西门，而非要称作重光北门呢？显而易见，元代的《河南志》成书时，该门已废弃，作者只凭传说，故而记载的方位有误。此次发掘出的城门位于东宫北垣正中，恰与重光门南北相对，应当就是文献所记载的重光北门。

简报指出，重光北门遗址的发掘情况表明，此门形制比较特殊。虽为单门道建筑结构，但墩台向外凸出城垣，墩台南侧左、右各有登城的马道，墩台顶层可能还有观，所有这些都与以往洛阳城发掘出的单门道结构的城门遗址有所不同，从而大大丰富了有关城门类型的认识。另外，此次清理出的东宫北垣东西长达 138.5 米。发掘情况表明，东宫北垣（也即玄武城南垣）北壁包砖，南壁涂抹白灰墙皮，这是比较特殊的建筑形式，可能与加强宫城北面的防御有关。城墙附近发现了带"玄"字款印戳的长方形包墙砖，或与此城垣为玄武城南垣有关。

简报强调，重光北门遗址与文献所记载的东宫正门重光门南北相对，从而证实东宫原本存在南北向轴线。这种情况与隋唐长安城宫城中的东宫并无二致，说明它们的平面布局基本相同，这为研究隋唐洛阳城东宫和宫城的平面布局提供了极为珍贵的实物资料。

简报最后指出，晚唐时期，重光北门被人为封堵。在隋唐洛阳城中，目前已发掘出的右掖门遗址、永通门遗址、宣仁门遗址、宣政门遗址、崇庆门遗址皆有类似情况。原因待考。

503.河南洛阳市东北郊隋代仓窖遗址的发掘

作　　者：洛阳市文物工作队　俞凉亘、贺　辉等
出　　处：《考古》2007 年第 12 期

2004 年 6 月，为配合中国第一拖拉机厂东方红轮胎有限公司整体搬迁改造工程，考古人员在洛阳市东北郊瀍河乡小李村以西、邙山大渠以南的空地上进行考古钻探，共探明仓窖 71 座、道路 3 条、古代墓葬数百座。洛阳市文物工作队于 2004 年 9 月下旬至 2005 年 6 月上旬对编号为 C56、C63、C64 的 3 座仓窖和相关遗迹进行了发掘。简报分为：一、地层堆积及遗址分期，二、遗迹，三、出土遗物，四、结语，共四个部分。有照片、手绘图。

据介绍，这 3 座仓窖均为口大底小的缸形，窖壁加工细致，窖底经过夯打，铺有木板或篾席。仓窖内出土遗物的年代均不晚于初唐。根据文献记载和出土遗物，简报认定这处仓窖遗址应为《隋书·食货志》所载隋代的回洛仓。

简报称，这处仓窖遗址向东、向南、向西均超出勘探区，仓窖的数量应超过 71 座。据钻探资料，这些仓窖排列规整有序，东西成排，南北成列，间距 8 ～ 10 米，应为同一时期所筑。这处仓窖遗址位于邙山南麓的缓坡带，不易积水。这里的土层为黄褐色黏土，直立性强，很适宜筑窖储粮。遗址南部紧邻瀍河，往南直通洛河，粮食水运条件十分便利。从发掘结果看，仓窖窖体是被自然而非人为因素所破坏，这从窖口均匀塌落、窖内呈凹状的淤积填土等处可得到印证。

简报指出，这次只发掘了 3 座仓窖，仓窖遗址的范围、结构、布局、仓窖数量、储粮种类、城内外道路、生活设施、管理机构等诸多问题均未能得到解决，还有待于下一步深入的工作。这处仓窖群的发现，是隋唐洛阳城考古的重要收获，对研究隋代洛阳城的兴建、仓储情况及中国储粮史等具有重要意义。

504.河南洛阳市关林镇唐代烧瓦窑址的发掘

作　　者：洛阳市文物工作队　王　炬、郑　莉等
出　　处：《考古》2007 年第 12 期

2005 年 6 ～ 7 月，为配合洛南新区城市基本建设，考古人员在隋唐洛阳城外郭

城外南部，洛龙区关林镇牡丹大道一标段考古发掘工地，发掘清理出一处唐代烧瓦窑址。该烧瓦窑址位于隋唐洛阳城外郭城定鼎门遗址南部1.2公里处，关林镇皂角树村西侧。简报分为：一、地层堆积，二、砖瓦窑的形制，三、出土遗物，四、结语，共四个部分。有彩照、手绘图。

据介绍，发掘的烧窑有单窑、对窑、"品"字形窑和串窑等几种，出土遗物主要是建筑材料。串窑的筑窑方式在目前已发掘的唐代烧窑中是首次发现。从出土遗物看，这些窑应是官营窑址作坊，但属级别较低的官窑。烧窑的使用年代上限在文献记载中开元十九年（731年）玄宗下令禁止在东西两京城内穿掘为窑烧造砖瓦的禁令之后，下限当不晚于中唐时期。

505.河南洛阳市瀍河西岸唐代砖瓦窑址

作　者：四川大学历史文化学院考古学系、洛阳市文物工作队　霍宏伟等

出　处：《考古》2007年第12期

2004年春、夏两季，在配合中国石化洛阳石油分公司小北门加油站（用"X"表示）和洛阳东站南侧天主教爱国会教堂及办公楼工地（用"Z"表示）基建过程中，考古人员发掘了两处唐代砖瓦窑址，这两座窑址均位于瀍河西岸，在隋唐洛阳外郭城东北里坊遗址区范围内。简报分为：一、小北门窑址，二、洛阳东站南侧窑址，三、结语，共三个部分。有彩照、手绘图。

据介绍，洛阳小北门和洛阳东站南侧两处窑址均位于瀍河西岸，两者相距约400米，均在隋唐洛阳外郭城东北里坊遗址区范围内，所处位置应当属于履顺坊。两处窑址出土遗物多以砖、瓦等建筑材料为主，其中也有一些烧制变形或烧裂的废品。陶瓷类生活用具在小北门窑址中极少出土，在洛阳东站南侧窑址也仅有少量出土，说明窑址均为砖瓦窑。这两处窑址的使用时间大致在盛唐时期，即武则天、中宗时期，其使用下限不晚于唐玄宗开元十九年（731年）。或许是因官府禁止在城中取土烧窑故而停止使用。

简报指出，两处窑址相距较近，应同属1个较大的作坊遗址区。近年来，在该区域配合基建进行过多次考古发掘，清理出相当数量的隋唐时期烧窑。据初步统计，这一窑址区共钻探出烧窑90余座，已发掘80余座。根据已发掘出的窑址，大致可推测出该烧窑作坊区的范围：北至唐城花园一线，东至瀍河西岸，南至环城北路、九龙台街南侧一线，西至洛阳机床厂一带，总面积约30万平方米。除了上述位于瀍河西岸、洛北里坊区的这一处窑址之外，新中国成立以来，隋唐洛阳宫城、皇城、东城、外郭城内发掘了大批隋唐时期的烧窑，另外在城外四面也曾发掘出相当数量的窑址。

506.河南洛阳市龙门镇唐墓发掘简报

作　者：洛阳市文物工作队　司马国红、马毅强、侯秀敏等
出　处：《考古》2007 年第 12 期

2005 年 11～12 月，在配合洛阳市第十四中学教学楼工程建设时，考古人员发掘战国至唐宋时期的墓葬 10 余座，其中 1 座编号为 C7M2668 的唐代墓葬保存完整，没有被盗扰过。简报分为：一、墓葬形制，二、随葬遗物，三、结语，共三个部分。有照片、手绘图。

据介绍，该墓由竖井式墓道、甬道、长方形土洞墓室组成，应为盛唐时墓葬，随葬品有镇墓兽、侍俑、铜钱等 30 余件。墓葬形制比较简单，随葬遗物也较常见，墓主人应为一般士族。墓内出土的彩绘镇墓兽、天王俑、骆驼俑、三彩龙柄壶等，制作精细考究，造型匀称俊秀，色彩亮丽，是盛唐时期的典型遗物。

507.洛阳孟津朝阳送庄唐墓简报

作　者：洛阳市文物工作队　方　莉、马毅强、李惠君
出　处：《中原文物》2007 年第 6 期

1986 年，河南省孟津县朝阳村砖厂取土时发现 1 座古墓，清理时该古墓已遭严重破坏，经追查多数文物被收回。其中部分绿釉随葬品十分少见，体现了当时的制作水平。根据墓葬形制和器物特征，简报判断为初唐时期墓葬，墓葬的发掘为研究洛阳地区唐代习俗及雕塑艺术等提供了新的资料。简报配以照片予以介绍。

简报称，该墓出土随葬品种类不是很多，但制作精细，造型逼真，特别是绿釉随葬品在初唐时期较为罕见。该墓的发掘，为研究洛阳地区唐代墓葬习俗及雕塑艺术等提供了新的资料。

508.洛阳龙门张沟唐墓发掘简报

作　者：洛阳市文物工作队　程永建、王　炬等
出　处：《文物》2008 年第 4 期

2002 年 5 月，在洛阳市洛龙区张沟村西快速通道东侧施工中发现几座古代墓葬（C7M2669），考古人员对该墓葬进行了抢救性清理。简报分为：一、墓葬形制，二、随葬器物，三、结语，共三个部分。有照片、手绘图。

据介绍，C7M2669 墓上部已被破坏，墓顶和墓道无存。经清理，此墓为一带墓

道的唐代土洞墓，墓道朝北。墓道位于墓室北侧偏西，宽 0.9 米，长度不详。墓道与墓室之间有甬道相连，甬道北端有两层封门砖，砖仅存最底部一层，呈一平一侧砌法封堵。甬道进深 1.54 米、宽 0.9 米，高度不明。甬道东西两侧各有一耳室，墓室呈长方形。墓室中部有一呈南北向的长方形棺床，棺床中间用 4 块长 1.3 ～ 1.4 米、宽 0.8 米的石块铺成，东、西、北三面用条形石包边，其中东、西两面用 2 块，北面用 3 块。墓室东西壁又各设一壁龛，东龛进深 0.8 米、宽 1.82 米、高 0.9 米；西龛进深 0.62 米、宽 1.5 米、高 0.9 米。出土随葬器物 154 件，绝大多数为陶器，另有瓷器、石器等。另出土有墓志，简报录有志文。据墓志，此墓下葬年代为唐玄宗开元二十三年（735 年）。志文还详述了墓主人的家世、历任官职等，可补史书之阙。志文书法为行书，楷书为辅，个别草书。

简报指出，此墓虽被破坏，但墓葬形制比较清晰，其甬道带双耳室的"铲"形墓，是洛阳地区常见的唐墓形制，但墓室左右两侧带壁龛，且一侧壁龛内空无一物则较为少见。所出陶俑制作精细，白瓷形制规整，釉质细腻洁白，应属唐代白瓷精品。墓中棺床四角的带杆帐座上有铁片连接，直观地反映出帏帐的使用方式，为洛阳地区唐墓中首次发现。

509.洛阳发现的一件唐代山水禽兽纹铜镜

作　　者：洛阳市文物工作队　侯秀敏

出　　处：《文物》2008 年第 10 期

1992 年 5 月，考古人员在洛阳东郊热电厂发掘清理了一批唐代墓葬，其中 C7M622 中出土 1 件山水禽兽纹铜镜。简报配以拓片予以说明。

据介绍，铜镜圆形，圆钮，钮周围环绕水波纹。其外环列四山，层峦叠嶂。山间又有四座远山，均为三峰相连。山坡上有树木，天空饰云朵，禽鸟飞翔，山下草木繁茂，间有兔、猴、鹿、虎等。素宽平缘，直径 24.8 厘米。这件铜镜纹饰清晰，线条流畅，其中禽兽的造型生动逼真，应属唐代铜镜中的精品。

510.河南洛阳市隋唐东都外郭城五座窑址的发掘

作　　者：四川大学历史文化学院考古系、洛阳市文物工作队　霍宏伟等

出　　处：《考古》2008 年第 2 期

2003 年 8 ～ 9 月，在配合洛阳市按摩医院综合楼基建工程中，考古人员发掘 1 处唐代窑址群，共清理窑址 5 座（编号为 Y1 ～ Y5）。该工地位于洛阳东车站南侧

300 余米，南新安街北段东侧，东临自立南街，北邻唐城花园住宅小区，西为洛阳市天主教堂，南接瀍河区房管分局所辖住宅小区。北距隋唐洛阳外郭城北城垣中段约 330 米，东距瀍河约 300 米，属于隋唐洛阳外郭城东北里坊的进德坊。简报分为：一、地层堆积，二、窑址分布及其形制结构，三、出土遗物，四、结语，共四个部分。有彩照、手绘图。

据介绍，共计发掘了 5 座烧窑遗址，出土有长方形砖、板瓦、筒瓦等建筑材料，以及瓷器、釉陶器及陶器等生活用具。根据烧窑的形制结构及出土遗物，再结合与临近地区窑址的比较，简报推断该窑址应属于隋唐时期的官窑作坊遗址，为研究我国瓷器史尤其是青花瓷的起源，提供了重要的实物资料。

简报称，此次发掘的窑址使用年代上限不超过隋大业元年（605 年），下限不晚于唐开元十九年（731 年）。

511.洛阳关林镇唐墓发掘报告

作　者：洛阳市文物工作队　王　炬、尚巧云等
出　处：《考古学报》2008 年第 4 期

2002 年 11 月至 2004 年 1 月，为配合城市基本建设，考古人员先后在洛龙区关林镇中国储运公司 802 仓库住宅楼考古工地、洛阳市世祺房地产公司世祺嘉苑一期商品楼考古工地、河南省地矿局地质调查一队办公楼考古工地、世祺嘉苑二期商品楼等 4 处考古工地发掘出唐代墓葬共计 61 座。墓葬分布比较密集，其中中储 802 仓库工地发掘墓葬 5 座，世祺嘉苑一期工地发掘墓葬 7 座，地质调查一队工地发掘墓葬 13 座，世祺嘉苑二期工地发掘墓葬 36 座。4 处考古发掘工地均位于隋唐洛阳城外郭城外南部，北距外郭城南城墙约 1.5 公里。地质调查一队考古发掘工地位于洛龙路东侧 60 米、关林大道南侧 180 米，现地质调查一队办公区院内；中国储运公司 802 仓库考古发掘工地与世祺嘉苑一、二期商品楼考古发掘工地，3 处考古发掘现场相连，位于洛龙路东侧 500 米、关林大道北侧 100 米，原中国储运公司 802 仓库家属区院内。简报分为：一、墓葬形制，二、随葬器物，三、结语，共三个部分。有彩照、手绘图。

据介绍，61 座唐墓包括竖穴土坑墓 5 座，土洞墓 56 座。出土随葬器物 459 件，包括方砖墓志 4 合。简报将这 61 座唐墓分为 4 期，分别为初唐时期、盛唐时期（武则天至玄宗开元年间后期）、中唐时期（玄宗至代宗）和晚唐时期（德宗至唐末）。简报指出，墓葬之间存在着较明显的等级差别，反映出墓主人之间不同经济条件和阶层的差别。随葬品达 20 件以上的墓葬规模一般较大，墓室较宽，墓道较长，随葬

品种类也较齐全，都随葬有陶俑和瓷器，只是未见墓志，表明墓主人生前拥有的经济力量和社会地位高于无随葬品或只有几件陶器的小型墓，其身份可能是无官品的普通较富裕阶层的平民或庶族地主。出土墓志的 4 座墓葬，从墓文可以看出，墓主人是无官品的庶族，其身份可能与普通的地主阶层相接近，其社会地位与随葬品达 20 件以上的中型墓葬墓主人身份地位相近或略高。无随葬品的墓葬或只有几件陶器的墓葬一般规模较小，墓室狭窄，反映墓主生前的经济状况较差和政治地位较低，其身份可能是普通平民。

512.洛阳市关林唐墓（C7M1526）发掘简报

作　者：洛阳市文物工作队　任　广、李　飞
出　处：《中原文物》2008 年第 4 期

2005 年 6 ～ 7 月，考古人员在配合河南省地矿局地质调查一队 11 号住宅楼工程建设中发掘了 1 座唐宋墓葬，其中 1 座唐代墓葬出土了较为精美的三彩俑、釉陶俑、彩绘陶俑等，年代为盛唐时期。简报分为：一、墓葬位置及形制，二、随葬器物，三、结语，共三个部分。有拓片、照片、手绘图。

据介绍，发掘地点位于洛龙大道东侧约 200 米，关林庙南部约 600 米，河南省地矿局地质调查一队院内北部。C7M1526 为竖穴墓道式单室土洞墓，平面呈铲形，由墓道、甬道、墓室 3 部分组成，长 6.8 米。该墓曾被盗，葬具未见，人骨散乱。劫余随葬品有三彩俑 7 件、陶器等共 24 件（套）。有墓志 1 合，字迹已无法辨认。

513.洛阳龙门新村出土隋代墓志

作　者：洛阳市文物工作队　武　海、马春梅等
出　处：《文物》2009 年第 11 期

2000 年 8 月，在洛阳市龙门新村考古工地清理出 1 座带长斜坡墓道的隋代中型土洞墓。该墓已被盗，仅在墓室前部靠近墓门处出土青石质墓志 1 合。在洛阳地区有明确纪年、经科学发掘的隋代墓葬材料尚属首次发现。简报配以拓片、照片予以介绍。

据介绍，志盖厚9.5厘米，盝顶，界格内篆书3行9字，为"隋故记室卫君墓志铭"。墓志方形，四刹线刻连枝蔓草纹，边长43厘米、厚6.5厘米。志文隶书，书于界格内，共23行，514个字。简报录有志文全文。据志文，墓主卫侗隋大业八年

（612 年）卒于河南贤居里家中，次年葬于阙岩里。阙岩里当是当时地名，对研究隋时洛阳里坊布局有一定价值。另外，志文中提到一些人物，可补史籍之缺。志文中别体字较多，也可用以研究文字学。

514.河南荥阳唐代邛州刺史赵德明墓

作　者：郑州市文物考古研究院　刘良超、李根枝、于宏伟等
出　处：《文物》2010 年第 12 期

2009 年 3 月，荥阳市广武镇白寨村西的 1 座古墓被盗，考古人员对该墓进行了抢救性发掘，墓葬编号简称 M1。简报分为：一、墓葬形制，二、随葬器物，三、结语，共三个部分。有照片、拓片、手绘图。

据介绍，墓葬地表原先有高大的土冢，后经 20 世纪 70 年代的土地平整运动被削平。为长方形斜坡墓道砖室墓，由墓道、天井、甬道、墓室组成。因条件所限，仅对甬道和墓室进行了发掘清理。该墓历史上多次被盗，墓室内出土遗物多为残片，可辨器形的有 46 件，种类有武士俑、女侍俑、男侍佣、陶狗、陶羊、陶马、陶牛、陶磨、陶纺轮、白瓷罐、铜钱等。另外，在甬道发现石质墓志 1 合。简报录有志文，文长不引。据墓志，墓主人为初唐时邛州刺史赵德明。

据墓志，墓主人赵德明的先祖叫赵喜，见载于《后汉书》，《后汉纪》亦有相同记载。"熹"字又省作"喜"，史书记载与志文完全一致。从志文记载来看，赵德明出身官宦世家，隋时已享有从四品之勋级，唐建立后授从七品勋级，官阶屡次升迁，最后官居从四品。赵德明一生宦海浮沉，辗转泾州（今甘肃镇原东南）、并州交城（今山西交城县）、兰州（今甘肃兰州市）、豫州（今河南汝南县）、丰州（今内蒙古西部一带）、灵州（今宁夏灵武一带）、岷州（今甘肃岷县）、邛州（今四川邛崃市）。赵德明墓志所载之事于史书多有记载，但志文也有的地方更为具体。因此，该墓志的发现填补了历史文献的空白。

515.河南荥阳市薛村遗址唐代纪年墓

作　者：河南省文物局南水北调文物保护办公室、河南省文物考古研究所、荥阳市文物保护管理所　楚小龙、李胜利、陈国乾、楚东亮等
出　处：《考古》2010 年第 11 期

2005 ～ 2006 年，为配合南水北调中线穿黄工程，考古人员在荥阳市薛村遗址发掘了一批唐代墓葬。荥阳薛村遗址位于河南省荥阳市王村镇薛村村北，遗址地处邙

山南麓，南距薛村约 1 公里，北距黄河约 0.8 公里，西南距著名的虎牢关故址 4 ～ 5 公里。遗址总面积约 50 万平方米，为一处夏代晚期至早商时期小型聚落和大型汉唐墓葬区重叠的大型遗址（墓地）。其中第 IV 发掘区编号简称 M2 的唐墓，是一座未遭盗扰且保存完好的墓葬，并出土墓志，墓主人为唐代河阳军兵马副使宋华及其夫人阎氏。简报分为：一、地理位置，二、墓葬形制，三、出土遗物，四、结语，共四个部分。有彩照、手绘图、拓片。

据介绍，M2 出土器物组合为彩绘塔式陶罐、灰陶瓶、长方形铁片、白瓷碗、酱釉四系瓷瓶、瓷钵等。出土有开元通宝铜钱，部分铜钱铜质粗劣，锈蚀较重，甚至有铁锈色。从墓葬出土墓志志文中得知，墓主人宋华卒于唐宪宗"元和丙申岁七月六日"，即816年。唐宪宗元和庚子岁闰正月己酉下葬，即820年下葬。属于唐代晚期。墓志没有特别交代宋华夫人阎氏的死亡时间，从发掘的实际情况来看，西棺比宋华的东棺略小些，西棺内尸骨不全，为二次葬，显然是从别处迁葬过来的。按常理，应该是阎氏先死暂厝某处，宋华死后迁入后再合葬。西棺的人骨鉴定结果是1位55 ～60 岁的女性，而墓志志文说宋华"春秋七十有四"，可见也是阎氏先于宋华去世。

516.洛阳红山工业园区唐墓发掘简报

作　者：洛阳市第二文物工作队　张建文等
出　处：《文物》2011 年第 1 期

2006 年10 月，考古人员于洛阳红山工业园区发掘了一批墓葬，其中有2 座唐墓（编号HM588、HM598）虽经盗掘，但墓葬形制基本完整，随葬器物也较丰富。简报分为：一、墓葬形制，二、随葬器物，三、结语，共三部分。有照片、拓片、手绘图。

据介绍，这两座墓位于 310 国道以南约 500 米，洛阳红山乡工业园区内。墓葬形制基本一致，都由墓道和墓室两部分组成，平面呈直背刀形。墓道较长，均位于墓室南端，底部起缓坡。墓室顶部均已坍塌。HM588 入口处有一直径约 0.74 米的圆形盗洞。HM598 入口处偏北有一直径约 0.72 米的圆形盗洞。由于 2 座墓均被盗掘，因此随葬器物分布较为散乱。劫余遗物有陶器、陶俑、玉器、铜镜等。其中 HM588 墓出土的天王俑头带鹰形冠饰，HM598 出土有玉粉盒和玉牛，这些在洛阳地区以往的小型唐墓中较为少见，为研究当时的墓葬制度、社会生活等提供了新的资料。

简报推断这 2 座唐墓年代为中唐时期。

517.洛阳新区厚载门唐墓发掘简报

作　者：洛阳市第二文物工作队　黄吉军、郑　卫、刁淑琴、马伊莎等
出　处：《文物》2011 年第 1 期

2005 年 4 ~ 5 月，考古人员为配合工程建设对洛阳新区厚载门大修工程进行了考古钻探和发掘，在厚载门大街南段发掘清理晚唐时期小型单室土洞墓 94 座。多数墓葬盗扰严重，仅存少数保存完整。简报分为：一、M2，二、M38，三、结语，共三个部分。先行介绍了 M2、38 两座墓葬的发掘情况，有彩照、手绘图。

据介绍，洛南新区厚载门大街一带是古代墓葬密集区，处在洛阳隋唐故城南郊，是昔日城南交通要冲，其所以成为大片庶民墓地，有可能与当时京城已经败落有关。该区域墓形制特点较为单一，基本为直背刀形单室拱顶土洞墓。墓向坐北朝南，没有墓志铭，随葬器物置于墓室东边，棺置于墓室西部。此次出土随葬器物除个别实用器外，其他器形一般比较小，但造型敦厚稳重。简报推断年代为唐代晚期。

518.洛阳涧西区唐代墓葬发掘简报

作　者：洛阳市第二文物工作队　吴业恒、庄　丽等
出　处：《文物》2011 年第 6 期

2008 年 12 月，考古人员为配合洛阳涧西区中信重机建设项目，清理发掘唐墓 2 座，编号分别为 EM722 和 EM723。简报分为：一、墓葬形制，二、出土器物，三、结语，共三个部分。有照片、手绘图。

据介绍，这 2 座唐墓保存完整，2 墓相距约 1.5 米，形制略有不同，均为刀形单室土洞墓，由墓道、墓室两部分组成。2 墓人骨、葬具均已朽。随葬器物风格差别较大，EM722 随葬器物以银器为主，少量铜器、陶器等；而 EM723 随葬器物以陶器为主，少量银器、铜器、铁器、陶器、瓷器等。2 墓随葬器物都以生活用品为主，如陶罐、铜釜、铜盘、铜镜、剪刀、银饰品、饮酒器等，但 EM722 随葬器物偏重女性日常用品，如鎏金银粉盒、银钗、银手镯等；EM723 随葬器物偏重男性日常用品，如陶马、陶骆驼、瓷酒杯等。EM722 未随葬陶俑，EM723 随葬陶镇墓兽、天王俑、侍俑等，出土 2 件男侍俑分别立于马和骆驼头部一侧，显示其应为牵马（驼）俑。虽然 2 墓人骨已朽，性别难定，但依据随葬器物的特征，简报推测这 2 座墓葬为夫妻异穴合葬墓，推断年代为盛唐时期。

简报认为，2 墓规模小，形制简单，反映墓主人社会地位不高，但随葬器物丰厚，

说明墓主人有一定的经济实力。出土的鎏金银粉盒、铜镜等均堪称精美,为我们研究唐代物质文化、社会生活和工艺美术史提供了丰富的实物资料。

519.河南孟津县上店村唐代壁画墓

作　　者:洛阳市文物工作队
出　　处:《考古》2012 年第 2 期

2010 年 4 ~ 5 月,为配合河南豫煤集团孟津县乙二醇项目建设,考古人员在孟津县考古工地清理唐代墓葬 8 座。墓葬均被盗严重,其中编号为 MJYM9 的墓葬规模较大,形制保存较好。简报分为:一、墓葬形制,二、随葬品,三、结语,共三个部分。有彩照、手绘图。

据介绍,在孟津县上店村清理了 1 座唐代土洞墓。墓葬由墓道、过洞、天井、壁龛、甬道、墓门、墓室等组成。壁龛内出有较多盛唐时期的彩绘骑马俑、立俑和陶猪、狗、马、牛、鸡、羊等遗物。简报称,该墓葬的发掘,为研究洛阳地区盛唐时期大型墓葬的形制、出土器物组合、制陶工艺等提供了实物资料。

520.洛南新区龙盛小区唐墓 M12 发掘简报

作　　者:洛阳市文物工作队　潘付生、李惠君、薛　方
出　　处:《中原文物》2012 年第 5 期

2009 年 10 月至 12 月,考古人员在洛南新区龙盛安置小区 B 区发掘古代墓葬 108 座。这些墓葬大部分已被严重盗扰,仅有少数墓葬保存较好。M12 是其中 1 座保存较好且出土随葬品级别较高的墓葬。该墓葬位于洛阳市洛南新区香山路和伊洛路之间、伊洛路和通济路交叉路口东北角。简报分为:一、墓葬形制,二、随葬器物,三、小结,共三个部分。有拓片、照片、手绘图。

据介绍,这座墓葬的形制为带长方形竖穴墓道的土洞墓。由墓道、墓室两部分组成。内有棺两具,男、女尸各 1 具,男左女右,葬式皆为仰身直肢葬。右边的女主人其下葬的年代稍早,随葬品数量较多,规格较高。脚部棺外随葬品有三彩俑、陶俑、陶罐。头部一旁随葬有 1 把铜剪刀、1 面铜镜、几枚铜钱。头部棺外的右侧则有一具动物骨架,简报推测应为女主人生前喜欢的宠物殉葬。左边男主人其下葬的年代较晚,随葬品数量较少,规格较低。其棺内随葬品有 1 面铜镜、2 只陶鸡。棺外在靠近头部的方向则陪葬有 2 个塔式罐。该墓葬出土的随葬品共有:三彩天王俑 1 件,三彩马 1 件,三彩骆驼 1 件,陶马 1 件,陶骆驼 1 件,塔式罐 2 件,泥质灰陶罐 1 件,

陶鸡 2 件，铜剪刀 1 件，铜镜 2 面，铜钱 6 枚。

简报称，这应是 1 座典型的由盛唐向中唐过渡的合葬墓。它一方面反映了唐代的国力逐渐衰微的历史特征，另一方面也说明大型三彩俑的陪葬的确只在盛唐时期流行。简报指出，这座墓葬虽然不是 1 座纪年墓，但是它在墓葬的形制和器物组合等埋藏习俗方面，为唐代小型墓葬的分期和断代提供了非常重要的参考资料。

521.洛阳关林唐代陈晖墓发掘简报

作　者：洛阳市文物考古研究院　侯秀敏、李淑霞
出　处：《中原文物》2012 年第 6 期

1990 年，在洛阳市洛南洛龙路关林路南段发现 1 座唐代墓葬，出土有陶俑、动物模型、生活用具、石墓志等。此墓葬的发掘为唐代洛阳的分区、葬俗、行政区域管辖范畴的划分等提供了可靠的实物依据。简报分为：一、墓葬位置，二、随葬器物，三、结语，共三个部分。有照片、手绘图。

据介绍，墓葬位于洛龙区洛龙路关林南段，西距龙门大道约 200 米处，南距龙门石窟 4 公里处，系在施工中发现。由于墓已扰乱，墓道、墓室被毁，原摆放位置不甚清楚，共清理器物 51 件，种类有：陶俑 30 件、动物模型 7 件、生活用具 13 件、石墓志楷书，简报录有全文。知墓主叫陈晖，为"朝散大夫"，咸亨元年（670 年）卒，享年 71 岁，当年下葬。

522.洛阳发现唐代咸亨三年石塔

作　者：中国国家博物馆　霍宏伟
出　处：《文物》2013 年第 11 期

此文虽无"简报"之名，而有简报之实。作者虽未直接参加此次发掘活动，但曾多次参加同一区域的考古发掘。作者首先写道：2002 年 5 月，洛阳市文物工作队在位于洛阳市东北郊的杨文一带收集到 1 座石塔（以下简称"杨文石塔"）。据了解，该塔早年出土于此处。

据作者介绍，杨文石塔为石灰岩质，青灰色。原为仿木结构密檐式圆雕方塔，可分为基座、塔身及塔刹 3 个部分。基座与塔刹已失，仅存塔身，残高 168 厘米。塔身表面打磨平整，可分四层，逐级向上略有收分，各在檐部雕刻出数道纵向瓦垄。塔身下有一上大下小的榫头，表面粗糙，有纵、横凿痕，高 21 厘米、上宽 30 厘米、

下宽28.5厘米。第一层塔身略呈四方体，高54厘米、上宽46厘米、下残宽44厘米。正面凿一圆拱形佛龛，石面剥落严重，龛门两侧残损较甚，高37厘米、宽33.5厘米、深3.5厘米。内刻一佛二菩萨，头部均已缺失，服饰不甚清晰，仅能大致辨出身形。佛坐于须弥座之上，2位菩萨分立左右。佛龛下部两侧，各有一供养人小龛，高10厘米、宽6厘米、深1.5厘米。人像为坐姿，面目不清。左侧女供养人，双手置于腹前，上身为窄袖襦衫，下身着裥裙，裙带在胸前结成双环活结。右侧供养人残损较甚，但可以看出是1个着窄袖团领袍的男子，双手置于胸前，腰间隐约可见革带。左侧面以阴线界格，刻有楷书铭文12行，共计160余字。铭文多已漫漶，不易辨识。背面、右侧面皆素面无纹。檐角左右两侧略有残损，檐高25.5厘米、上宽43厘米、下残宽约58厘米、出檐6厘米。

第二层塔身高75厘米、宽42厘米。檐角左侧残损严重，檐高22.5厘米、上宽38厘米、下宽55.5厘米、出檐7厘米。

第三层塔身高7厘米、宽37厘米；檐高23厘米、上宽33厘米、下宽48厘米、出檐5.5厘米。

第四层仅存一边角，残高7.5厘米。

作者认为，此塔为仿木结构密檐式方塔，是唐代洛阳地区较为盛行的佛塔类型，但洛阳所见有明确初唐纪年的石塔数量较少，杨文石塔有明确的"咸亨三年"纪年铭文，为研究唐代密檐式石塔的发展演变提供了断代依据。

原文录有铭文，中多缺字。有照片、拓片、手绘图。

523.唐代张文俱墓发掘报告

作　者：洛阳市文物考古研究院　黄吉军、司马俊堂、黄吉博、赵向青
出　处：《中原文物》2013年第5期

2010年在洛阳市红山乡工业园区发掘清理了1座唐代墓葬，墓主人是唐慎州司仓窦州潭峨县丞张文俱。墓内发现有明确纪年墓志1合，填补了洛阳地区以往发掘唐墓无唐代早期纪年墓的空缺，为研究唐代墓葬断代分期提供了新的确切标尺。该墓出土1件"八星拱月"三彩盘，打破了以往人们普遍认为"唐三彩"是盛唐时期才出现的论断。简报分为：一、墓葬形制，二、随葬器物，三、小结，共三个部分。有拓片、照片、手绘图。

据介绍，墓葬整体平面为"铲"形，由斜坡墓道（坡度30°）、甬道、墓室3部分构成。曾被盗，但仍出土有瓷器、陶器、墓志等计106件。简报录有志文全文。由志文知下葬日期为唐咸亨元年（670年）。

平顶山市

524.河南宝丰县文化馆收集到几件隋代铜质造像

作　者：宝丰县文化馆　邓城宝
出　处：《文物》1981 年第 11 期

宝丰县文化馆最近在前营公社吴庄村收集到几件隋开皇五年铜质造像。造像出土于 1976 年冬，是农民平整土地时在吴庄村西土岗一次挖出的，共 30 余件。其中佛像造型分 6 种。简报配以照片予以介绍。

据介绍，这些造像的工艺特点是铸、雕相结合。除像座和外形属铸造外，其余细部如面部、背光、花饰、衣纹等都有明显的雕刻痕迹。造像背光背面有浅刻"开皇五年四月十日像主秦都喜"铭文。开皇五年即 585 年，时处南北朝末及隋统一中国的开始。581 年隋文帝即帝位，大力恢复佛、道二教，令旧时沙门、道士重新入寺、观传教，准民任便出家，并令计口出钱，营造经、像，佛教因此盛行。宝丰前营公社吴庄村一次出土大量铜质造像的事实，可以反映出隋代大兴佛教的盛况。

525.河南平顶山苗侯唐墓发掘简报

作　者：平顶山市文管会　张肇武
出　处：《考古与文物》1982 年第 3 期

1980 年 6 月，考古人员在市郊白龟山水库东沿的苗侯村魏某院内，发掘清理了 1 座公元 725 年的唐代砖券墓，墓室穹隆顶，坐北向南，呈长方形。简报配以拓片予以介绍。

据介绍，出土器物有铜镜、陶砚、瓷三足器、石龟、陶罐、开元通宝铜钱和墓志 1 合，简报录有志文全文，志文多处模糊不清。墓主人仅知姓刘，名字和籍贯已辨认不清，推断刘某应为当地人，至迟其祖上已迁居此地。刘某的曾祖隋代居官显赫，《隋书》等均不载，其祖父刘行范是唐代洺州（今河北卢龙县）刺史，其父刘嘉德是荣州（今四川荣县）司马，至于刘某本人则历任宋州宋城（今河南商丘县南）等县尉，刘某应为进士出身。

简报称，志文云："于饥馑之岁，克成三墓"，其子在饥荒之年能完成 3 座砖券墓，应尽了最大努力；其陪葬器物之俭，足证这个四代簪缨官宦之家已是贫穷潦倒。

526.河南临汝县发现一座唐墓

作　者：临汝县博物馆　杨　澍

出　处：《考古》1988 年第 2 期

1983 年 10 月，有关人员在临汝县城东 15 公里的纸坊乡拖拉机站挖地基时发现唐墓 1 座。该墓是 1 座大型土洞墓，因墓底距表较浅，表土已下陷，破坏较甚。从残余的遗迹表明，墓室作长方形，近南北方向，大约南北长 2.5 米，东西宽 2.3 米。简报配以手绘图、照片予以介绍。

据介绍，出土遗物有三彩马 2 件、三彩骆驼 1 件、三彩镇墓兽 1 件、天王俑 1 件、文吏俑 1 件、男侍俑 3 件、女侍俑 3 件、狗 1 件、鸡 1 件、猪 1 件、三彩水盂 1 件、三彩盏 1 件、三彩罐 1 件、三彩瓶 1 件、三彩水桶 1 件、三彩绞釉枕 1 件、三足炉 2 件、青瓷罐 1 件。简报推断该墓的年代为盛唐。

焦作市

527.河南温县唐代杨履庭墓发掘简报

作　者：河南省文化局文物工作队　杨宝顺

出　处：《考古》1964 年第 6 期

杨履庭墓位于温县城东约 4 公里，清风岭之阳的徐沟村。1956 年，徐沟村村民发现此墓后，曾取出墓志 1 合及骑马俑等遗物。考古人员于 1962 年 12 月间前往清理。简报配以拓片、照片、手绘图。

据介绍，此墓为 1 座土洞墓，墓道已不存在。墓顶已塌。墓内应有两棺，其西侧一棺内有人骨三架，大部已腐朽，只能看出骨架的轮廓，皆为头北足南的仰身直肢葬。棺内西侧的骨架右肩上置残墨 1 锭，头部有海兽葡萄镜 1 面。东侧的骨架右手附近放"开元通宝"1 枚。两骨架的足端横置幼儿骨架 1 具，两手附近各放有"开元通宝"1 枚，腰部放小型葡萄镜 1 面。另一棺位于上述棺木的东侧，内有人骨 1 架，保存较上述骨架为好。两手附近各置有"开元"钱 2 枚，头部附近放有灰色陶罐 1 件，头部的西侧还放有蚌壳盒 1 件，内装少许粉状物。出土遗物有陶俑 26 件及陶器、铜镜等。有石墓志 1 合，简报未录志文全文。

简报称，墓志为正方形。盖上篆书"大唐故杨府君墓志铭"，中刻"大唐故游击将军上柱国行原州都督府三郊镇副杨府君墓志铭并序"，楷书，共 25 行，每行 25

字。在豫北平原地带，经发掘的带有墓志的唐墓极少，因此这座墓很值得注意。从墓志可知墓主人杨履庭系弘农华阴人，死于长寿元年（692年），景云二年（711年）和其妻薛氏合葬于温县。

简报还指出，此墓安置骨架，已有将小孩安葬于成人足端的习俗。山西太原南头坪六号宋墓也有此发现，这座墓证明远在唐代豫北已有这种葬俗。

528.温县两座唐墓清理简报

作　者：杨宝顺、王清晨
出　处：《河南文博通讯》1979年第1期

温县位于豫北平原的西南部，南面黄河，北靠太行，境内文物古迹众多，尤其清风岭一带，分布着大量的汉唐墓群。1975年1～2月间，温县城关公社西关五大队柿树园和招贤公社古城大队的农民，在进行农田基本建设时，先后发现墓砖并出土许多三彩器。考古人员进行了清理。两墓清理情况，简报分为：一、西关柿树园唐墓，二、古城村唐墓，共两个部分。有照片。

据介绍，西关柿树园墓为小砖拱券的洞室墓，由墓室、甬道及墓道3部分组成。简报推断墓的时代为唐玄宗开元、天宝年间或近于这个时期。古城村墓位于温县城西古城村南的清风岭上，也是由墓室、墓道和甬道组成的洞室墓。简报推断，该墓的时代可能较柿树园唐墓为早，属盛唐初期。

简报称，古城村唐墓中出土的方形铜镜是这一时期铜镜中比较罕见的，为研究古代铜镜造型艺术的发展、变化，提供了新的资料。

529.武陟出土两方唐代墓志

作　者：千平喜
出　处：《中原文物》1986年第2期

1979年4月，武陟县城东北15华里的亢杨村出土1块唐贞元五年（789年）阆州阆中县令崔惟悌的墓志铭。简报配以拓片予以介绍。

据介绍，墓志为青石，正方形，长宽各49.7厘米，厚19厘米，无盖。志文阴刻楷书21行，行21字，并有阴刻浅线分格。全志共554字。简报录有志文全文。由志文看，崔氏从汉至唐历代为官，是所谓"著姓"。

1982年8月，考古人员在县城西南50里的大封村，清理了1座被破坏的唐墓，出土遗物中有墓志1合。该墓志为劣质青石，字体也很不规整。墓志正文楷书22行，行字 18 ～ 22 不等，墓志为唐故陈州溵水县令赵岯的墓志铭。简报录有志文全文，知其死于开成五年（840 年）。志文称赵氏自其曾祖，四代为官。

530.河南孟县店上村唐墓

作　者：尚振明
出　处：《考古》1988 年第 9 期

1982 年春，孟县西虢乡店上村农民在黄河岸边挖土时发现 1 座唐墓。考古人员立即赶到现场，发现墓室被渠水冲塌，墓道、甬道均被水冲刷过，部分殉葬品被一些农民拿走。经过收集基本齐全，随即运回馆内保存。1985 年 7 月，文物普查时对该墓进行了挖掘清理。简报分为：一、地理位置和墓葬形制，二、殉葬器物，共两个部分。有手绘图、拓片。

据介绍，该墓位于县城西 10 公里的店上村西黄河岸边二级台地上，面积约 400 平方米。地面蒿草丛生，水道纵横，孟洛公路从墓地北面通过。该墓为南北向的土洞基，由墓道、甬道、墓室 3 部分组成。随葬器物有陶俑、铜镜、狮首镇墓兽、石如意坠等。简报认为该墓为唐代前期小官吏之墓。

531.焦作赵张弓出土唐三彩三足罐

作　者：马正元
出　处：《中原文物》1991 年第 4 期

1981 年初夏，焦作市郊区待王乡赵张弓村农民，在村西北地 1 里许抗旱挖渠道时，发现 1 座唐代墓葬，出土"开元通宝"铜钱 2 枚和三彩三足罐 1 件。简报配以照片予以介绍。

据介绍，该墓为竖穴土洞墓。墓道宽 0.8 米，底部距地表 2.7 米，甬道处宽 0.65 米；墓室东西长 2.15 米，南北宽 1.45 米。墓室内有人骨架 1 具，头西足东，仰式葬，停放在平铺的一层卵石之上，无棺木痕迹。2 枚铜钱分别置于头部与手部（其中 1 枚已锈毁）。三彩三足罐置于墓门偏西部位，保存基本完好。高 18 厘米、口径 14 厘米、腹径 21 厘米。器形浑厚，粉色陶胎。釉色以绿釉为主，口沿挂棕黄釉，堆塑纹饰施赭、淡绿、棕黄色釉，兽足以下圜底无釉露胎。口沿处有明显磨擦使用痕迹，当为生活实用器皿。

简报称，三彩器盛产于唐开元时期，在陕西、河南等地出土甚多，但三彩三足罐，在全国唐三彩器中并不多见。赵张弓出土的三彩三足罐，胎质细腻，造型美观，釉彩协调，堆塑构图严谨，色彩艳丽，丰满厚重，工艺精湛。根据该器物的造型与纹饰特点及同墓出土的"开元通宝"断定，当是唐中期的优秀作品。

532.博爱县石佛滩隋代摩崖造像调查简报

作　者：河南省古建研究所、博爱县博物馆　陈　平、牛　宁、杭　侃、张英钊
出　处：《中原文物》1992 年第 1 期

简报分为：一、自然地理环境与历史沿革；二、龛像综述；三、石佛滩摩崖造像的考古收获，共三个部分，有照片、拓片等。

石佛滩摩崖造像是第二批省级文物保护单位，位于博爱县城北 9 公里许良乡下伏头村附近丹河东岸的石灰岩峭壁上。这里自古以来就是中原地区通往山西上党地区的咽喉要道。自北魏以来，佛教在此大盛，沿太行山麓，历代均留下不少重要的佛教艺术遗存。目前调查所见有北魏、东魏、北齐、隋唐等朝代的石窟摩崖造像，石佛滩隋代摩崖龛像，就是其中最重要的一处。

据介绍，石佛滩摩崖造像分布在一南北长 60 米、高约 20 米的陡直崖壁上，从北至南分为三个自然小区，共有龛 59 个，各种造像 78 尊，造像题记 10 方。据题记有隋大业十一年（615 年）、十二年（616 年）纪年，大业十三年（617 年）隋亡而停工，唐开元年间又开龛造像，可惜唐龛已被毁灭殆尽。

简报称，此处造像尽管是隋朝即亡之时的匆忙作品，在艺术上有不尽完美之处，但它的主持开创者，仍在力采众家之长，对于整体题材及表现形式的选择慎思熟虑，弃旧迎新，充分显示出隋末即将完成南北朝以来向唐代新风转变的最后过渡风格。这批龛像与铭记，对于佛教考古的分期断代，研究隋末唐初的造像风格均具有重要价值。

533.河南孟县堤北头唐代程最墓发掘简报

作　者：焦作市文物工作队、孟县博物馆　杨贵金、邢心田、韩长松
出　处：《中原文物》1995 年第 4 期

唐代程最墓位于孟县城西 3.5 公里的堤北头村西北角 100 米处，坐落在西北至东南迤逦数十里远的缓坡——"北邙岭"的南麓。这里北靠太行，南临黄河，和黄河南岸的邙山遥相呼应。考古资料表明，"北邙岭"是唐墓的集中分布区域。著名的韩愈墓和 1985 年 7 月发掘的店上村唐墓以及明万历年间在县西北 10 公里处苏庄村出土的韩昶墓志都在这条土岭上或南缘。1991 年 12 月当地村民取土时发现了程最

墓。考古人员赶到时，墓室北部已被破坏，部分文物被挖走。简报分为：一、墓葬形制，二、出土文物，三、结语，共三个部分。有照片、手绘图。

据介绍，该墓单砖室结构。由墓道、甬道、墓室3部分组成。墓道未挖。甬道拱券顶，在墓道之北，开在墓室南偏东处，高137厘米，宽62厘米，进深76厘米。墓室平面南北长258厘米，东西宽230厘米，略呈长方形。墓底至墓顶高300厘米。随葬品有陶器、瓷器、铁器、铜钱。陶器质地红色，皆绘彩粉，多数模制。镇墓兽2件，天王俑2件，马2件，骆驼2件，牵马男俑1件，牵骆驼男俑2件，骑马男俑2件，骑马女俑1件，男立俑4件，女立俑6件，鸭2件，鸡1，狗1件，羊1件，墓志砖2合，白瓷罐8件，铁斧头1件，铜币1枚，共41件。或许还有少数文物没有追回。棺木和尸骨皆朽，仅见几根腿骨，似为1男1女。

该墓出土有墓志2方：其中一方已漫漶难辨，另一方为程最墓志。简报录有志文全文。知墓主人程最，于太极元年（712年）去世，开元五年（717年）与其妻合葬。此人为官宦子弟，但无官职。此墓的情况，已远超《唐六典》的规定。

534.河南焦作博爱聂村唐墓发掘报告

作　者：焦作市文物工作队、洛阳市文物工作队、河南省文物局南水北调办公室、博爱县文物局　韩长松、邢心田、张丽芳

出　处：《文博》2008年第3期

聂村唐墓位于焦作市博爱县阳庙镇聂村东、太行山之南，20世纪80年代发现，1989年被博爱县人民政府公布为文物保护单位。南水北调中线干渠工程从墓区的村东部分由西南向东北斜穿而过，干渠占压墓区面积3万平方米。为配合南水北调中线工程建设，2006年7～10月，考古人员对南水北调工程途经的博爱县文物保护单位"聂村墓区"的河道占压部分，进行了考古勘探发掘，发掘唐代墓葬13座，出土一批唐三彩器、瓷器、铜器、陶器、钱币、纪年墓志等70多件珍贵文物。唐墓发掘情况，简报分为：一、墓葬形制，二、出土器物，三、结语，共三个部分。有照片。

据介绍，博爱聂村墓地唐墓共计13座，均为砖室墓。13座唐墓中，各墓葬出土的器物，因墓葬形制的不同而多寡不一，砖棺墓多无藏品，或葬品的档次很低。共计有铜器、瓷器、陶器、陶俑、铜镜、钱币、其他等，计66件。方形墓志2合，长方形2方，能辨认部分文字3个，虽然墓志的志文能够辨认的较少，但仍然记录了墓葬的年代，为唐高宗咸亨二年（671年）至唐玄宗天宝年期间、盛唐时期。聂村墓地唐代墓葬的形制和随葬物的数量，反映了墓主人的身份和墓葬的等级制度。从发

掘的情况看，简报认为应为家族墓地。其墓葬年代简报据墓志志文推断为唐高宗咸亨二年（671 年）至唐玄宗天宝年期间，应为盛唐时期的墓葬。

简报称，聂村墓地唐代古墓葬的发掘，不仅出土了精美的三彩器等一批珍贵文物，而且填补了焦作地区以往没有唐代墓葬群出现的空白，证明了唐代的焦作地区（古怀州）不仅是黄河以前通往唐东都洛阳重要交通咽喉要道，而且是东都北邻的富饶繁华之地。

鹤壁市

535.河南淇县靳庄发现一座唐墓

作　者：淇县文物保管所　耿青岩
出　处：《考古》1984 年第 12 期

河南淇县高村公社靳庄大队位于县城东北 9.5 公里处。1982 年 7 月，靳庄大队农民在村西北约 0.5 公里的台地上发现 1 座小型唐代砖墓。这里东傍淇河，西望太行，淇浚公路由东向西北通过，墓葬周围地势平坦。考古人员清理了此墓，编为一号墓。简报配以手绘图、照片予以介绍。

据介绍，此墓无墓道、墓门，墓室四周有 0.25 ~ 0.3 米的活土，可能是挖好墓坑后，用砖铺成墓底在其上放置棺和随葬器物，再顺棺砌筑墓壁。与现在豫北寄葬砖丘的建筑方法相似。墓室内有 30 厘米厚的淤泥，人骨已碎，棺木已朽，仅发现 2 个铁质棺钉。出土物有陶、瓷、三彩器及铜器。

简报称，靳庄一号唐墓规模虽小，其形制特殊，较为罕见。随葬的器物虽少，其瓷瓶、三彩三足罐和海兽葡萄镜也堪称珍品。靳庄一号唐墓没有明确的纪年物出土，根据墓中出土的唐高宗、武则天时期较盛行的海兽葡萄镜和三彩器，简报推断墓葬的年代大体相当于这个时期。

536.淇县出土一件彩釉斑瓷壶

作　者：耿青岩
出　处：《考古与文物》1984 年第 4 期

河南淇县文管所现收藏 1 件彩釉斑双系白釉瓷壶。此壶是 1982 年 1 月在淇县关庄唐墓出土的。简报配以照片予以介绍。

据介绍，此壶胎厚质硬，壶流短小且直附于肩上，在壶把两侧的肩部饰有双系，通高21.2厘米。该壶胎骨灰白，釉质不甚精细，釉色白中闪黄，有细碎的冰裂纹开片。壶的二系、流部和把手附近分别涂有大小不同的褐绿色彩釉斑。

简报说，根据其特点，此壶应属唐中晚期郏县窑的产品。

另据《考古》1987年第10期报道，1984年春，河南淇县城关镇西街村农民在村西取土垫屋地时，于距地表1米深处发现1面唐代海兽葡萄纹铜镜。

据介绍，该镜直径12.5厘米、边缘厚1.5厘米，重900克。镜钮为一鼓腹青蛙，镜背中部由一周凸棱相隔，分为内外两轮区。其内轮区饰有5只半浮雕海兽，外轮区四周饰有许多小鸟和蜻蜓，千姿百态。内外两轮区均饰有缠枝葡萄。

537.鹤壁市发现一座唐代墓葬

作　　者：王文强、霍保成

出　　处：《中原文物》1988年第2期

1985年8月，鹤壁市鹤壁集第六中学，在校院内建楼施工时，发现1座有纪年的唐代砖室墓，考古人员前往清理发掘。简报分为：一、墓室结构，二、随葬器物，三、结语，共三个部分。有手绘图。

据介绍，该墓为一座小型砖室墓，南北向，由墓室和甬道两部分组成。葬具已朽，出土遗物有鹤壁窑瓷器、陶仓5件、陶罐2件、玉珠1颗、开元通宝8枚及墓志1合。简报未录志文全文。

由志文知墓主王仁波，祖籍山西太原人，性义淳素，意厚忠贞，志乐山欢，不求名利，得硕人之称，乡党称其楷模，开元二十六年（738年）三月十一日卒于私第，享年83岁，当年下葬。

新乡市

538.新乡市唐墓清理简报

作　　者：新乡市博物馆

出　　处：《河南文博通讯》1979年第2期

1977年2月，新乡市北郊距市区约15公里处，北站公社西张门大队第六生产队在平整土地时，发现墓葬1座。考古人员对该墓进行了现场勘察。简报配以照片、手绘图予以介绍。

据介绍，该墓为麟德元年（664年）埋葬的一座唐代墓，方向为南北向。墓平面几乎近于正方形，墓壁全部用砖平砌。墓顶为叠涩盝顶，距地坪为2.3米。墓内紧靠北壁有一东西向的棺床，上有人骨1架，头西足东，葬式不明。随葬品近40件，有陶俑、陶器、墓志1合等。其中1件陶碓，为粮食加工工具模型，不多见。简报未录志文全文。根据墓志可知墓主人为张枚，字恭，祖父张齐曾任兖州录事参军。张齐、张枚史书无传。

539.新乡市大里村发现一座唐墓

作　者：张鸣珂
出　处：《中原文物》1982年第2期

1980年4月，新乡市西郊西王村公社大里大队四小队在村东犁地时，发现1座唐初处士墓葬。该墓距市区约10公里，南临卫河，在新乡至合河公路北80米处。

据介绍，清理时，墓顶已塌陷，但形制仍清晰可辨，为单室券顶，竖井式墓道，南北向，长约3米，宽约2米，墓底平铺小薄砖，未发现葬具痕迹。出土器物，有比较完整的男女陶俑（包括残肢残身俑）12件，不同个体的俑首、俑身十数件；陶马2件、陶牛1件、陶羊2件、陶鸭2件、陶骆驼1件、镇墓兽（1人面、1兽面）1对，陶车1辆，皆严重残毁。还有不少陶器碎片。随葬器物确数无法统计。陶俑制作较粗糙。

简报称，有墓志1合，简报未录志文全文。墓主人李遇，祖父叔如，曾任齐司州司马；父子高，隋豪士。墓主生前"其有庭趋百隶，家积万金"，显然属地主阶级，死后于咸亨三年（672年）迁葬新乡县。

540.河南新乡市唐代墓葬发掘报告

作　者：新乡市文物工作队　张春媚、刘习祥、赵争鸣
出　处：《华夏考古》2004年第3期

1999年以来，考古人员在市区内几个地点共发掘7座唐代墓葬。墓皆为砖室，可分为长方形多室墓、长方形单室墓和方形单室墓3种。简报分为：一、墓葬形制，二、随葬器物，三、小结，共三个部分。有照片、手绘图。

据介绍，7墓出土有陶器、瓷器、铜器、铁器等遗物。XJM2出土有墓志砖1

块，上有唐开元二十六年（738年）纪年。其他6座墓的时代，应为唐早期。此外，XRM3中出土的两件唐三彩，也证实该墓主人不是一般平民。

541.河南新乡市南华小区唐墓发掘简报

作　　者：新乡市文物考古研究所　韩国河
出　　处：《华夏考古》2008年第4期

2004年，新乡市强业公司在市金穗大道东段开发南华居民小区，经文物钻探在该工地探明古墓5座，考古人员于2004年6月对这批墓葬进行了发掘清理。5座墓同位于9号楼基础内，自西向东编号为M1、M2、M3、M4、M5。由于M2墓室上部被现代房屋所压，无法发掘，只发掘清理了墓道。

这5座墓葬的发掘资料，简报分为：一、墓葬形制与出土器物，二、年代分析，三、结语，共三个部分。有手绘图。

据介绍，这次发掘的5座墓均为砖室墓，随葬器物多为陶器。这5座墓葬，是唐代新中乡杨金工家族墓地的一部分，其年代延续不足百年（唐开元至元和年间）。从墓志砖上看，简报推断：M1的年代为唐宪宗元和九年（814年），M2的年代为唐代宗大历六年（771年），M3的年代为唐玄宗开元年间（公元713～741年），M4的年代为唐大历年间（公元766～779年），M5的年代应与M1相当。

542.河南新乡市凤泉区王门唐墓发掘简报

作　　者：新乡市文物考古研究所　傅山泉、赵　昌
出　　处：《华夏考古》2010年第2期

王门村位于新乡市凤泉区西北3公里处，2004年垃圾场工程建设中发现并清理了256座唐、宋时墓葬，其中唐墓24座。简报分为：一、墓葬形制，二、葬具和葬式，三、随葬品，四、结语；共四个部分。先行介绍这批唐墓，有拓片、手绘图。

据介绍，24座唐墓均为土洞墓，其中男女合葬墓8座，3人合葬墓1座，单人墓15座。葬具有木棺，均已朽。葬式中大多为仰身直肢，但有一座墓墓主人却是面向下。24座墓中，有8座没有随葬品，其余也只有1～2或5～6件陶器、瓷器、铜器或铁器。时代简报认为应为唐代早期、中期墓葬。

543.河南新乡市仿木结构砖室墓发掘简报

作　　者：新乡市文物考古研究所

出　　处：《华夏考古》2010年第2期

2006～2007年，考古人员对市区内5座砖室墓进行了抢救性发掘。这5座古代墓葬均为仿木结构墓，在墓室的四壁采用雕刻、拼砌等手法装饰出桌椅、箱柜、衣架、灯檠、门窗等内容。5座墓葬中分别出土了石墓志、瓷碗、瓷罐、铜镯以及铜钱等遗物。根据墓志以及其他信息，发掘者将它们的年代定为晚唐或五代。

简报分为：一、新乡电视台2006XDM1，二、南华小区2006XNM1和2006XNM2，三、荣军休养院2007XRM1，四、宝山西路2007XFBM1，五、结语，共五个部分。有照片、手绘图。

据介绍，此5墓均为仿木结构砖室墓。简报认为，此类墓有一个由简单到复杂的发展过程。墓室平面形状由早期的略显圆形逐渐向多边几何形发展，仿木建筑及构件的风格因时而宜且越来越精细复杂，砖雕题材越来越多样化并更加贴近生活。按照这种发展趋势可将这5座墓葬进行早晚排序：

2006XDM1→2007XRM1→2006XNM2→2006XNM1→2007XDFM1。

据简报介绍，新乡电视台墓有石墓志1合，楷书，简报录有志文全文。知墓主人张希元，有3子3女，享年87岁，唐大和元年（827年）与夫人合葬。

此外，2007XFBN1出土的白釉瓷钵上的"官"字，并非"官窑"的代名词，而是指由官方指定烧制的明器，由皇帝赐予臣子。此墓墓主人，生前应有一定的社会地位。

安阳市

544.安阳隋张盛墓发掘记

作　　者：考古研究所安阳发掘队

出　　处：《考古》1959年第10期

1959年5月，考古人员在安阳豫北纱厂附近发掘了隋开皇十五年（595年）张盛墓。简报分为三个部分予以介绍，有手绘图等。

据介绍，该墓为有墓道砖砌单室墓，棺木已朽，人骨2具。出土遗物192件，其中俑类95件，大多为陶俑，也有少量瓷俑。出土的青瓷器及陶制家具模型，都很重要。

该墓出土有墓志，简报未录墓志全文。张盛正史无传。隋开皇十四年（594年）卒于相州安阳修仁乡，享年93岁；夫人王氏先卒于开皇六年（586年），乃于开皇十五年（595年）合葬于相州安阳城北五里白素乡。

545.河南安阳隋墓清理简记

作　者：安阳县文教局
出　处：《考古》1973年第4期

安阳县文教卫生管理站于1971年5月发掘了1座北齐范粹墓后，同年6月又清理了1座隋墓。简报配以照片予以介绍。

据介绍，这座墓是遂州刺史宋循的墓。它位于安阳县北部安丰公社北丰大队村西的土圪岭里，临近京广线西侧，紧靠漳河南岸。宋循墓是1座洞室墓，坐北朝南。墓道为斜坡式，在墓室之南，墓室平面呈长方形。棺木已朽，只在棺床上留有人骨1架，头南脚北，仰身直肢。墓中随葬器物共30多件，有瓷器、陶俑、陶器，墓志1合，志文19行，满行18字，正书。宋循字景遵，史书无传。据墓志可知其原籍广平平温，北魏永安之初始入封建官僚统治集团，后历仕东魏、北周，到隋开皇四年（584年）官至遂州刺史。卒于开皇九年（589年，开皇九年是"己酉"，志文误作"丁酉"），年90，同年十月葬于清德乡西门豹祠西北0.5公里处。

简报称，遂州今四川遂宁之地。北周闵帝元年（557年）正月于剑南（今四川中南部）遂宁郡置遂州，隋文帝时因之，志文中所称"遂州"即指此地。墓中发现的青釉四系罐、陶俑等随葬品，虽与河北景县封氏墓和河南安阳洪河屯北齐范粹墓、琪村隋墓所出的大同小异，但仍为研究北朝至隋唐北方青瓷器的发展和衣冠服饰之演变，增添了一些有确切年代的资料。

546.河南安阳隋代瓷窑址的试掘

作　者：河南省博物馆、安阳地区文化局　杨宝顺
出　处：《文物》1977年第2期

1974年2月，在安阳市北郊安阳桥南洹河之滨进行基本建设工程时，发现古代窑址1处。简报分为窑址的试掘经过；出土遗物两部分予以介绍，有照片。

据介绍，窑址所在地原为一片小丘，北面濒临洹河，隔河与安阳桥村相望。窑址南北长约350米、东西阔约260米，面积达90000平方米。堆积层一般厚1米左右，

最厚的达 1.5 米。当时这里应为 1 处具有相当规模的瓷窑遗址。出土遗物 400 多件，简报推断安阳窑的烧造年代约在公元 7 世纪初期前后，根据出土的器物，简报推知此窑延续烧造的时间可能还要晚一些。

简报称，多年来人们对安阳出土的大批青瓷的烧造地点猜测不一，如今安阳窑的发现确凿证实了这处窑口的地点，这是我国北方青瓷史上的一个重要收获。

547.林县洪谷寺唐塔调查

作　者：曹桂岑、郭友范
出　处：《河南文博通讯》1978 年第 3 期

简报配以手绘图等介绍了洪谷寺唐塔，该塔为七级密檐式砖塔，高 15.4 米，平面呈方形，塔内中空，用叠涩法砌出塔心室。1978 年 6 月维修，考古人员还进行了全面调查与勘测。

今有朱己祥先生《中原东部唐代佛堂形组合式造像塔调查》（甘肃文化出版社2021 年版），可参阅。

548.河南安阳修定寺唐墓

作　者：河南省博物馆、安阳地区文管会、安阳县文管会　杨宝顺、孙德萱
出　处：《文物》1979 年第 9 期

安阳修定寺唐塔，是一座单层砖浮雕舍利塔。新中国成立前塔上的雕砖屡遭外国人和古玩商的盗窃破坏，当地百姓为了保护这座古塔，用白灰泥把四壁的浮雕覆盖起来。长期以来，塔的原来面目就很少为外人知道了。1973 年秋和 1978 年冬季，考古人员经过细心剔剥才使这座华丽壮观的佛塔外壁浮雕全部显露出来，并初步加以修整。简报分为三个部分，有照片、手绘图。

据介绍，安阳县西北 35 公里有一海拔 609.6 米的清凉山。修定寺塔就位于该山东南麓的砂岩峡谷台地上。修定寺原是一所大型寺院，传为僧人张猛创建于北魏太和十八年（494 年），毁于后周，唐又复修，清末废弃。此塔原表面涂有一层橘红色，当地人称"红塔"。简报推断为唐太守时所建。塔身四外壁的砖雕面积达 300 平方米，内容有精美生动的人物、动物和以莲花为主题的花卉图案，共 72 种。

549.安阳隋墓发掘报告

作　者：中国社会科学院考古研究所安阳工作队
出　处：《考古学报》1981 年第 3 期

1966 年至1975 年，考古人员在殷墟先后发掘隋墓29 座。其中有1973 年在小屯村南地发掘10 座，同年秋在小屯村北马家坟发掘2 座；1966 年夏在大司空村豫北纱厂西侧发掘6 座；1974 年春在梅园庄北地安阳钢厂东南边发掘9 座；1975 年夏在孝民屯安阳钢厂东北边发掘2 座。这五处墓葬以小屯村南地和梅园庄北地分布比较密集，且排列有序。这批墓葬原编号很不一致，为叙述方便，按墓地重新编排墓号。小屯村南地为101～110，马家坟为201～202，大司空村为301～306，梅园庄北地为401～409，孝民屯为501～502。简报分为：一、墓葬形制，二、随葬器物，三、组合与分期，四、结语，共四个部分。有照片、手绘图，最后附有安阳隋墓资料摘要。

据介绍，这批墓葬绝大多数未经盗扰，资料完整，墓形及随葬品组合又有明显差别，墓主身份及等级有农民或平民、中小地主等。随葬品中的陶俑、瓷器，以及刀形墓比例之大（29 座中占19 座）应引起注意。

550.安阳活水村隋墓清理简报

作　者：安阳市博物馆　朱爱芹
出　处：《中原文物》1986 年第 3 期

位于安阳市老城西南约6 公里的活水村，1975 年发现1 座隋墓，并进行了清理。简报配以手绘图、拓片予以介绍。

据介绍，该墓系砖石墓，随葬器物共13 件。其中瓷器12 件，石墓志1 合。瓷器的品类有碗、四系罐、高足盘、砚四种，皆为青釉，尤其是高足盘，十分精美。石墓志志文楷书，简报未录志文全文。从墓志的记载来看，墓主人姓韩名邕，字显和，大隋开皇七年（587 年）卒于相州零泉县，时年86 岁。该墓墓主生前是有过官品的，他于天保元年（550 年）任赵州录事，至四年转任东郡丞。天统元年（565 年），特任徐州司马骑都尉，本号龙骧，进加骠骑，后弃官就垄，按其身份，在北齐属正五品至正六品。

551.安阳市第二制药厂唐墓发掘简报

作　　者：安阳市博物馆　段振美、孟宪武

出　　处：《中原文物》1986年第3期

1983年5月，位于安阳市铁西区郭家庄东侧的安阳市第二制药厂，在基建过程中发现2座唐墓，考古人员进行了发掘清理。2墓东西相距6米。墓葬编号：西侧为M1，东侧为M2。简报分为：一号墓（M1）、二号墓（M2）、结语，共三个部分，有照片。

据介绍，M1是1座砖室墓，平面为方形，四壁略外弧，顶为四面弧起的穹隆形，东西长3.7米、南北宽3.3米、高2.85米。该墓由墓道、甬道、墓门、墓室组成，因墓前有障碍物，墓道及1段甬道未作发掘。因被盗，葬具、人骨已散乱不存。随葬品有陶俑、陶器、瓷、铁器、铅盘等共计107件。石墓志1合，行书，计343字。M2结构与M1相同但要小一些。棺已朽，人骨2具，仰身直肢葬。随葬品除墓志置于棺床东侧近墓门外，其余均放置在墓室北部或墓主人头部。计有瓷罐、瓷碗、陶罐、铁器、铁镜。东侧尸骨腰部发现3枚铜钱，头侧出2枚铜钱，头部有铜笄1件。

简报未录墓志全文，据墓志载，M1的墓主人死于显庆元年（656年），是年迁葬于相州平原里（即其葬地）。M2亦为迁葬，从M2所出开元钱推算，这座墓早不过开元年间，大约比M1晚几十年。两座墓的形制相同，所出瓷器完全一致，很可能是一处家族墓地。

简报称，M1的墓主人出身世家，其本人曾为越王府执仗，品级不高，墓室规模及随葬仪仗与其身份基本相符。M2没有仪仗随葬，仅随葬几件日常生活用器，显然是一般的平民。作为一个家族墓地来看，在不到70～80年的时间里，其社会地位变迁之快，值得深思。

552.安阳西郊刘家庄唐墓

作　　者：中国社会科学院考古研究所安阳工作队　戴复汉

出　　处：《考古》1991年第8期

刘家庄位于安阳市火车站正西，直线距离不足2公里。近年来，考古人员在该村附近多次进行过配合基建的发掘。M179为1989年春季发掘的1座墓。简报配以照片、手绘图予以介绍。

据介绍，此墓有墓道，墓室呈椭圆形，人骨散乱。出土有铜勺、陶罐、钱币等不多的几件随葬品。有砖墓志1合，但字迹已无从辨认。该墓年代，简报推断为盛唐时期或稍偏早。

553.河南安阳市两座隋墓发掘报告

作　者：安阳市文物工作队　孟宪武、李贵昌
出　处：《考古》1992年第1期

1983年3月和1986年10月，安阳市于建七公司加工厂和安阳滑翔学校在基建过程中分别发现2座隋墓。考古人员前往调查清理。2墓虽经扰乱，但出土器物仍相当丰富。简报分为：一、梅元庄隋墓，二、安阳桥隋墓，三、结语，共三个部分。有照片、手绘图。

据介绍，两座墓均为砖砌的单室墓，铲形。都有甬道，墓室四边略弧近似正方。两座隋墓中出土瓷器150件，其中主要是青瓷器。安阳桥村隋墓的1件瓷器刻画1个"相"字，为断定安阳隋墓中青瓷器的产地提供了证据。安阳古代属相州。刻画"相"字的，以及安阳隋墓中出土的青瓷器，其产地应该就是当今的安阳市。简报推断墓葬的年代约在仁寿年间至隋末。

简报称，殿宇建筑模型是该墓中的重大发现之一，也是隋代文物中的稀有珍品，它为我国古代建筑学的研究提供了十分珍贵的实物资料。

554.安阳市发现隋代大型家族墓地

作　者：贾玉俊
出　处：《华夏考古》1994年第2期

1992年冬至1993年春，考古人员在安阳市所建洹北胜利小区配合基建工程时，发现汉至宋代墓葬152座，其中尤为重要的是1993年2至3月发掘了一处规模很大的隋代家族墓地。

据介绍，在这处基地共发掘隋代墓葬64座。墓地平面呈三角形，自南而北，呈扇形展开。墓地中，各墓葬位次清楚，排列有序，无打破关系。显然，这是一处延续数代的大型家族墓地。这批墓葬的形制都是带有墓道的洞室墓。墓道有坡形、台阶形、坡台结合形3种形式。墓葬的整体型式可分为刀形、靴形、铲形等3种。这处墓地中没有发现合葬墓，均为单葬墓。葬式皆为仰身直肢，骨架多数保存完好。经初步鉴定，墓主有男有女，年龄多为老年，也有个别为青壮年。这批墓葬多为隋代中、小型墓。也有个别铲形墓墓室面积较大，随葬品也较丰富。共出土隋代文物

860 余件，包括瓷器、陶俑、陶器、石墓志、砖铭，铁器、铜钱、金器等 8 种。这批文物中仅瓷器就达 200 余件，种类包括四系罐、三系罐、二系罐、瓮、盘口瓶、小瓶、博山炉、砚、房、盘、杯、碗、坛、豆、盂等。其中瓷盘口瓶、瓷房、瓷博山炉是隋代瓷器中极少见或仅见的瓷器类型。它们的发现为隋代瓷器研究增加了新的实物资料。安阳这批隋墓出土的青瓷器，应是隋代相州窑的产品。另外，这批墓葬均未经盗掘，保存完整，且又出有墓志铭和砖铭。这也为隋代墓葬的断代分期及对墓主身份地位的研究提供了一个准确的科学标尺。

555.安阳市戚家庄隋唐窑址发掘简报

作　者：安阳市文物工作队　李贵昌、孟宪武、韩为公、桑学士
出　处：《华夏考古》1997 年第 3 期

1995 年 10 月～1996 年 4 月，为配合安阳钢铁公司第六生活区住宅建设工程，考古人员在殷墟戚家主城南先后发掘古代墓葬 100 余座，发掘遗址 120 平方米，其中清理汉代灰坑 1 个、古代窑址 2 座。简报分为：一、发掘概况，二、窑址，三、出土遗物，四、结语，共四个部分。有手绘图。

据介绍，窑址位于建设工程的最北部，北距戚家庄村约 500 米，南距西八里庄村约 400 米。2 窑址内出土的遗物主要是砖、板瓦、筒瓦等建筑构件和生活器皿，如瓷碗、盆、杯及陶盆、陶甑等。Y1 的始建年代可能在魏晋时期，其后延续到唐代才废弃。另外，Y1 的操作坑被 Y2 的窑道拦腰打破，表明 Y1 建造时间早于 Y2。从遗迹看，应是以木材为燃料。简报称，这次发掘的两座保存完好的窑址，对于研究豫北地区隋唐时期的窑址提供了科学资料。

556.安阳出土唐代窖藏钱币研究

作　者：王义印、万洪瑞
出　处：《中原文物》1998 年第 4 期

1971 年夏，在安阳市南关原安阳地区储运站大门外的人防工程中，发现了 1 个唐代钱币窖藏，共出土钱币 171 公斤。出土时，钱币放置于 1 个大陶瓮中，瓮口用两块砖封盖。钱币是用麻绳穿成串放置的，出土时钱币还粘连成串，钱串的穿洞中尚残存有麻绳朽迹。这批窖藏钱币现由濮阳市博物馆收藏。考古人员对此窖藏钱币做了细致的整理和拣选，从中拣选出各种钱币标本 60 枚，其中有开元通宝、乾元重宝和前代钱币。简报分为：一、窖藏开元通宝分析，二、窖藏乾元通宝分析，三、

窖藏中前代钱币介绍，四、窖藏埋藏时间的推断，共四个部分。有拓片。

据介绍，在此窖藏中，开元通宝钱数量最多，占全窖藏的97.59%，其中官铸者占全部同种钱币的94.55%，私铸者（小径开元）占5.45%。从钱币各方面特征分析，又可分为早期开元通宝和中期开元通宝两类。乾元重宝中有私铸品。前代钱表明朝廷虽禁止使用，但民间一直在用，来源大多源自盗墓。简报将本窖藏的入土时间确定为唐肃宗乾元元年当十乾元钱铸行之后至乾元二年（759年）七月之前这一具体而短促的时间段内，或与安史之乱有关。

557.河南安阳市置度村八号隋墓发掘简报

作　者：安阳市文物考古研究所　孔　德、焦　鹏、申明清等
出　处：《考古》2010年第4期

2008年2月，为配合河南省安阳市龙安区党政综合楼的建设工程，在施工范围内进行了考古钻探，共发现战国至明清时期的墓葬15座。墓葬所处区域在龙安区置度村南，东北距安阳老城区约6公里。考古人员于2008年4月对这批墓葬进行了发掘。其中的八号墓（M8）为隋墓，规模较大，保存基本完整，出土了60余件随葬器物，包括生活用瓷器、瓷俑、陶俑、陶模型明器等，在安阳地区的隋代墓葬中颇具代表性。

简报分为：一、墓葬形制，二、随葬器物，三、结语，共三个部分。介绍了这座隋墓的发掘情况。

简报推断，M8隋墓的时代，在仁寿年间到隋末。

至于墓主身份，简报指出，1949年以来在安阳地区发现很多隋墓，墓主一般具有较高的身份。简报称这应与北周大象二年（580年）隋文帝杨坚焚毁邺城、迁邺地之民于安阳，安阳成为相州、魏郡、邺县三级治所的事件有关。这批隋墓除部分为土洞墓外，多为砖室墓，砌筑形式及墓葬方向基本相同，随葬品组合以瓷罐、高足盘、碗、杯及镇墓兽、陶侍女俑、伎乐俑为主，具有较强的地域文化特色。所出瓷器从釉色及器形上判断多为相州窑产品。安阳发现的此种规格的隋代墓葬一般都应有墓志出土，但置度村M8却未发现墓志。此墓的墓室四周原有壁画，虽已大部分脱落，但仍可辨认出侍女、人物及车马出行等图案，其规格可能要超过同时期的无壁画墓。

简报称，从出土器物、墓葬形制及墓葬规模来看，墓主人的身份也应该更高，可能属于有三品或四品官身份。但墓未发现墓志，也不能排除墓主为豪强富商之类人物。

558.河南安阳市北关唐代壁画墓发掘简报

作　者：安阳市文物考古研究所　郑汉池、刘彦军、申明清等
出　处：《考古》2013年第1期

2000年3月，为配合安阳市农贸公司旧房改造工程，考古人员对施工区域进行了全面的考古勘探，发现1座唐代晚期的砖室壁画墓，随即进行了抢救性发掘。该墓葬由墓道、天井、甬道和墓室四部分组成，位于安阳市北关区自由路西段南侧的农贸公司家属院内。清理时，墓室、甬道、天井顶部均坍塌损毁严重，随葬品也被盗一空。但在墓室周壁、甬道两侧发现了保存较好的壁画，天井两侧的壁画也依稀可见。简报分为：一、墓葬形制，二、墓葬壁画，三、结语，共三个部分。有彩照、手绘图。

墓葬壁画分布在墓室四周、甬道两侧及天井东、西两壁,内容主要包括人物、花鸟、动物、器皿、家具、工具及建筑等。除天井之外，都是在砖墙上用草拌泥做成地杖，厚0.5～0.8厘米，地杖之上涂抹较薄的白灰面，在白灰面上彩绘壁画。

另外，在甬道口的封门砖下，发现有1合青石墓志，主要内容为墓主家世。

根据墓志铭文，这是赵逸公与夫人孟氏的合葬墓，建于唐文宗太和三年（829年），墓葬由其长子赵文雅和次子赵文英主持修造。由墓志所记家世来看，墓主身份应属中层贵族。

简报指出，这一时期政治稳定，经济发展，历经东魏、北齐以及唐朝的发展，安阳与北方、西方少数民族地区的文化相互渗透和交融。壁画中的侍女人物具有高耸的发髻，上端很尖，这些都颇具特色。

简报认为，此次发掘的这座唐代晚期壁画墓虽然被盗严重，随葬品荡然无存，但墓中保存了大量精美的壁画，这为我们研究唐代晚期官僚阶层的墓葬形制以及当时的绘画艺术提供了宝贵资料。

濮阳市

559.南乐县前王落古墓葬清理简报

作　者：濮阳市博物馆、濮阳市文物队、南乐县文化馆
出　处：《中原文物》1988年第2期

1986年3月，南乐县前王落村群众起土时发现一墓群共18座墓，考古人员

于 3 月 25 日~4 月 7 日对其中 12 座（即 M1、M5、M6、M7、M8、M10、M11、M12、M13、M14、M16、M17）进行了清理。简报分为：一、墓葬形制，二、随葬品，三、结语，共三个部分。有照片、手绘图。

据介绍，该墓群位于南乐县城东南 17.5 公里前王落村中东段大坑底部。坑底面积约 1400 平方米，由于历次黄河泛淤，从大坑的剖面看，淤积层达十层之多。从墓的开口层位至现在地表约 3.5 米。墓群基本排列有序。18 座墓葬从北向南共分东西向 3 排。前排 2 座（西侧民宅下还有墓）；中排 10 座；后排 6 座（东侧宅基下经勘探压有墓葬）。发现的 18 座墓除 M13 外，均为穹隆顶单室砖墓。墓砖形制均为长方形单面绳纹砖，砖长 28 厘米、宽 14 厘米、厚 5 厘米。墓门居中朝南，人骨架均头西足东，东西向的棺床也都横置在墓的北壁之下。没有发现墓具，更不见棺钉。随葬品有铁鼎、铁镣斗、银发钗、铜钱、瓷器等。有墓志砖 3 座，其中 2 方已无从辨认。M1 所出墓志砖全文 100 字，简报录有全文，中有"建中二年"纪年。可知此处为唐中期偏晚的墓地。骨架均为头西脚东，或许是墓主人信仰佛教所致。

560.河南省清丰县发现一批大周证圣元年石刻造像

作　　者：李顺改
出　　处：《中原文物》1992 年第 1 期

1989 年 9 月，考古人员在清丰县大屯乡炉里村调查冶铁遗址时，在地下发现一批大周时期石刻造像。简报配以照片予以介绍。

据介绍，这些汉白玉残佛像，体态丰满、圆润，雕刻精细，充分显示了当时的审美观点和精湛的石雕艺术。其中一尊上有铭文，铭文中有"大周证圣元年"（695 年）纪年。此次发现对研究佛教史及唐代石刻艺术均有重要价值。

561.河南濮阳县城出土唐代墓志

作　　者：濮阳市博物馆　王义印、万洪瑞
出　　处：《考古》2003 年第 8 期

1988 年 8 月，濮阳县城西街一居民建房时发现 1 座古墓。濮阳市博物馆、濮阳县文化馆联合对该墓进行清理，发现墓葬（编号为 M1）早年遭到严重破坏，仅见 1 合墓志。1992 年 3 月，在 M1 西南约 30 米处又清理了 1 座唐墓（编号为 M2），该墓亦遭严重破坏，所出遗物有墓志 1 合、铜镜 1 面、瓷罐 2 件和陶罐、铁镣斗、梳子各 1 件，器物多已残碎。

据介绍，上述 2 墓位于县城西南隅、西环城路东侧的一大坑内，其西侧隔西环路即是西水坡仰韶文化遗址。对出土的 2 墓志志文初步研究后简报认为，2 墓所处地为晚唐时期阎氏家族墓地，2 墓主人为祖孙关系。

阎子光及夫人崔氏合葬墓志，志文 24 行，满行 30 字。从志文可知，墓主人为阎子光及夫人崔氏。阎子光，冀州南宫县人，死于唐宪宗元和五年（810 年），享年 75 岁。崔氏死于唐敬宗宝历元年（825 年），享年 85 岁。阎肇及夫人孟氏合葬墓志，志文 19 行，满行 30 字。

从志文可知，墓主人是阎肇及夫人孟氏。阎肇字务本，河南人，死于唐懿宗咸通十二年（871 年），享年 59 岁。孟氏死于咸通十三年（872 年）。

许昌市

562.河南省禹州市神垕镇下白峪窑址发掘简报

作　者：北京大学中国考古学研究中心、河南省文物考古研究所　秦大树、
　　　　赵　辉、刘　岩等

出　处：《文物》2005 年第 5 期

下白峪窑址位于河南省禹州市神垕镇，发现于 1977 年，但长期以来未对其进行科学发掘。2001 年 11 月，考古人员对该窑址进行了考古发掘。简报分为：一、窑址环境及地层，二、主要遗迹，三、出土遗物，四、瓷窑生产的时代及相关问题，共四个部分。有彩照。

据介绍，共发现 1 处残窑炉、1 处窑前作坊。发掘材料表明，下白峪窑是 1 个以生产质量较差的黑釉和青黄釉瓷器为主的唐代窑场，花釉瓷器是窑场中的精品。像下白峪这样的窑场在晚唐时期的广泛出现，是瓷器从主要面向上层贵族变为广大民众普遍使用的一种日用器具的重要体现。

简报还指出，由于听不懂当地口音，一些学术名著都以讹传讹将"下白峪"误记为"小白峪"甚至"上白峪""小北峪"。这是需要纠正的。

563.河南禹州新峰墓地唐墓发掘简报

作　　者：河南省文物考古研究院、许昌市文物工作队　姚军英、陈军锋等
出　　处：《华夏考古》2013 年第 4 期

新峰墓地位于禹州市西南约 3.5 公里的梁北镇，跨苏王口及郭村 2 个行政村。墓地东临省道 231 线，西临平禹煤电公司（原新峰矿务局），坐落于三峰山之东峰山的东坡梯级台地上，地势西高东低。该批唐墓位于郭村南约 0.8 公里的南水北调中线干渠范围内。为配合南水北调中线工程建设，考古人员于 2007 年 6 月～2011 年 5 月对新峰墓地进行了发掘，发掘战国、两汉以及唐、宋、明、清等时代的墓葬共计 551 座。本简报分为：一、墓葬形制，二、结语，共三个部分。介绍了 7 座唐代墓葬，有手绘图。

据介绍，这 7 座唐代墓葬均为竖穴墓道土洞墓。出土有陶器、瓷器、铜器、铁器、骨器、石器及蚌器。其中，3 件花釉瓷器的出土尤为引人注目，为研究唐代花釉瓷器的制作工艺及其窑口特点提供了新的实物资料。

另外，7 座唐墓中出土人骨 5 座，其中单人葬 2 座（M202、M221）、双人葬 3 座（M96、M199、M235）。而在 M199 及 M235 中，均有 1 具人骨具有明显人为摆放的迹象，简报推测应为迁葬。简报说，迁葬习俗在当时比较常见，而迁葬习俗的形成或与唐宋时期堪舆术的盛行有关。

564.河南禹州唐郭超岸墓出土瓷器

作　　者：北京大学考古文博学院、河南省禹州市文物管理处、河南省禹州钧官窑址博物馆　徐华烽、王　豪、苏朝阳
出　　处：《文物》2014 年第 5 期

1987 年 5 月，有关人员在河南省禹州市浅井乡横山村西北侧的砖厂取土时发现 1 座唐墓，出土了 2 件花釉瓷罐和 1 方墓志、1 件鎏金铜兜鍪、2 件残破金银平脱铜镜及零星银饰件，据墓志载墓主为郭超岸。1987 年 10 月，在郭超岸墓西北约 15 米处又发现 1 座墓葬，出土 1 件花釉瓷罐。上述器物现分别收藏于河南博物院、河南省禹州市文物管理处、河南省禹州钧官窑址博物馆。简报配以照片予以介绍。

据介绍，墓志载墓主郭超岸为"大唐故东都畿汝州节度先锋兵马使兼押衙充阳翟镇遏兵马使中大夫检校太子宾客合浦郡王"，"以元和三年（808 年）正月十三日寝疾，薨逝于河南府阳翟县文信里之私第，春秋七十有五，……夫人弘农杨氏……以其年十一月十二日终，享年五十有七，……遂择元和庚寅岁（元和五年，公元 810 年）

戊戌月庚申日，合祔于阳翟县麦秀里西北原之礼也"，可知郭超岸墓为夫妻合葬墓，合葬于唐元和五年（810年）。简报未录志文全文。

漯河市

三门峡市

565.陕县唐代姚懿墓发掘报告

作　者：三门峡市文物研究所　翟继考、侯　旭
出　处：《华夏考古》1987年第1期

姚懿墓位于陕县东22.5公里的张茅乡西崖村南地，北邻陇海铁路和洛潼公路，南为山间溪流。墓地坐北向南，现立有碑1通。墓前的石人、石兽等现已不存，在墓前不远的河涧内，沿线存部分兽身及其残片。碑后18米处为1个土冢，冢前原有斜坡神道，早年兴修梯田时被夷为平地。墓西北约200米处，有1个祠堂废墟，当地人称为"姚公祠""唐相祠"或"姚相祠"。据《陕县志》记载，祠堂始建于北宋元祐八年（1093年）。现祠堂房舍全废，唯有一窑堂内还存几通民国时期的碑刻。1983年12月，为配合陇海线——庙张段电气化铁路改线工程，对姚懿墓进行了发掘（编号SZTM1）。简报分为：一、墓室结构，二、随葬品，三、墓碑、墓志，四、结语，共四个部分。有手绘图。

据介绍，姚懿墓建筑在神道碑后2米处，为土洞墓，由墓道、甬道、墓室、东西耳室组成。出土有门上铁饰品、镶铜片木器、漆器、陶器、瓷器、木俑、玉带、墓志等计30余件。未见葬具、遗骨。出土有石墓志，地表有神道碑。简报录有神道碑文全文，未录墓志全文。碑文等可补两《唐书》处颇多。

简报称，新、旧《唐书》均不见姚懿传记。但在其子姚崇传和《新唐书·宰相世系表》中提及其姓名和官职。按碑文所记，姚懿（公元590～662年），字善意，原葬吴兴（今浙江吴兴南），因先辈为官陕圻，遂为硖石县人。隋末，姚懿任硖石县令。姚懿在任期间，曾帮助隋王朝镇压过农民运动。其子姚崇曾任四朝宰相，父因子贵，姚崇为其父追赠官职并重建此墓。发掘结果证明，不见棺木朽迹和遗骨，只有棺床上清理出1条玉带。碑文称："神道贵静，玄宅不移。"说明重建此墓时，未将原墓挖开移其遗骨于新墓，只是将1条玉带置于棺床之上，以示迁葬。

566.三门峡市两座唐墓发掘简报

作　者：三门峡市文物工作队　宁景通
出　处：《华夏考古》1989 年第 1 期

考古人员在配合三门峡市的基建工程中，发掘了一批唐代墓葬，其中 1985 年发掘的张弘庆墓和 1986 年发掘的韩忠节墓保存比较完好，并出有墓志。简报分为：一、张弘庆墓，二、韩忠节墓，三、结语，共三个部分。

据介绍，张弘庆墓葬位于三门峡市粮食局第二面粉厂的西北部。南北向土洞墓，由墓道、甬道、墓室 3 部分组成。随葬器物有瓷器、陶器、玉器、银器、铜器、铜钱等，墓志 1 合，简报录有志文，大多漫漶不清，故对志文内容仅能知其大概。据志文记载：墓主人张弘庆，其先祖为清河人，后迁居陕州甘棠，任朝中武职，张弘庆生前受父传训，继承了先人习武的传统，但终世无官。下葬年代不应早于公元 758 年。

韩忠节墓葬位于三门峡市工商银行家属楼工地的中部。该墓为土洞墓。由墓道、甬道、天井和墓室四部分组成。随葬器物有铜器、陶器、骨器、蚌壳、铜钱等，墓志 1 合，简报录有志文全文。由志文知韩忠节死于天宝元年（742 年），其妻关氏早逝，到天宝元年与夫合葬。韩氏宇仲子，昌黎人，官宦家庭，本人曾任蓬州大竹主簿、雁门县尉、蔚州司马兼河东道支度营田铸钱司马等职。

简报称，唐墓被盗的很多，此两墓出土的越窑瓷、银耳杯、银盒、墨锭、鎏金铜蛙等十分珍贵。

567.三门峡市水工厂唐墓的发掘

作　者：三门峡市文物工作队　任留政、景润刚
出　处：《华夏考古》1993 年第 4 期

三门峡水工厂位于市区西部，建设路西段北段。1989 年 11 月，考古人员在配合水工厂建设西宿舍楼的考古发掘中，在宿舍楼基础的西南角发现 1 座唐墓，遂编号为 M5。简报分为：一、墓葬形制，二、出土遗物，三、结语，共三个部分。有照片、手绘图。

据介绍，M5 为刀形土洞单室墓。由墓道、墓室 2 部分组成。墓道因未清理，形制不明，棺木已朽，人骨为仰身直肢。墓中共出土遗物 10 多件，有瓷碾、瓷兔、铜镜、铜笄、铜钱、骨笄和蚌饰。其中白瓷碾、瓷兔十分珍贵。该墓墓主当为女性，下葬时代应为唐代晚期。

568.河南三门峡市印染厂唐墓清理简报

作　者：河南省文物考古研究所　衡云花、毛杰英

出　处：《华夏考古》2002年第1期

1965年，考古人员在配合三门峡市的基建工作中，发掘了一批唐墓，其中印染厂就有100多座。简报分为：一、墓葬形制，二、出土遗物，三、结语，共三个部分。配以照片、手绘图，先行介绍其中的M36。

据介绍，此批墓中的M36为单室土洞墓，由墓道、墓室两部分组成。墓道为长方形竖井式，底长2.50米（钻探），宽1.24米，深5.20米。墓室平面为长方形，底长4.20米，宽2.10米。棺木已朽，有3具人骨架，葬式可能是仰身直肢。墓中出土遗物有铜器、铁器、瓷器、陶器和蚌壳。其中铜镜2件，神话图案奇特，保存完好，值得重视。有墓志砖1合，字迹已模糊不清，但"元和四年"（809年）纪年尚可辨认，表明此墓为唐晚期墓。

569.三门峡三里桥村11号唐墓

作　者：三门峡市文物考古研究所　胡焕英

出　处：《中原文物》2003年第3期

三门峡三里桥村11号唐墓经过发掘，出土器物较为丰富，包括各式人物俑和动物俑以及陶器、铁器等，其中贴金武士俑、陶牛车、乐舞俑、骆驼俑、陶琵琶等在豫西地区已发掘的同类墓葬中为首次发现。该墓的发掘为研究豫西地区唐墓提供了新的实物资料，据其形制与出土陶俑的形态特点，其年代当为唐代早期。简报分为：一、墓葬形制，二、随葬器物，三、结语，共三个部分。有照片、手绘图。

据介绍，该墓是2000年11月三门峡市西南三里桥村施工中发现的，由墓道、甬道、墓室3部分组成，已遭施工破坏。棺木已朽，有1男1女尸骨两具，仰身直肢。该墓出土随葬器物共计88件，绝大部分为彩绘陶器，均为模制，泥质红陶，火候较低。有砖墓志1合，可惜已无法辨认。简报推断，该墓的时代为唐代早期，墓主人生前应有很高的社会地位。

570.河南三门峡市清理一座纪年唐墓

作　者：三门峡市文物考古研究所　胡焕英、祝晓东等
出　处：《考古》2007 年第 5 期

2003 年 10 月，为配合市十一局勘测设计院基建，考古人员对该工地的 1 座墓葬（编号为 M1）进行了清理。简报分为：一、墓葬形制，二、出土遗物，三、结语，共三个部分。有手绘图、拓片等。

据介绍，该墓为南北向土洞墓，由墓道、墓室两部分组成。墓道口距表地 0.5 米，墓道长 3.7 米、宽 1 ~ 1.4 米，最深处距地表 4.8 米。墓室内发现有棺钉，棺痕不完整，人骨散乱于中部。随葬品分别放置于墓室内靠近北壁和东西壁处。该墓共出土遗物 17 件，包括陶器、瓷器、铁器、铜器、石器、墓志等。

此墓出土石墓志 1 合，志文较清晰。知墓主为王迈，字子超，太原祁人，明经贡士，四代有学识。因病死于大中九年（855 年）九月二十四日陕县甘郜里，即今陕州故城附近，享年 20 岁，同年十一月八日葬于陕州硖石县门信乡赵上村，即今三门峡市湖滨区会兴镇上村。大中是唐宣宗年号，大中九年即 855 年。

南阳市

571.河南省淅川县西岭隋画像砖墓

作　者：南阳市文物研究所、淅川县博物馆
出　处：《中原文物》1996 年第 3 期

1988 年 3 月中旬，位于淅川县大石桥乡的县林业高中在建教学楼挖基础时发现 1 座古墓，施工人员已打破券顶进入墓室，并拿出了 4 块画像砖。该校教师阮建国把这 4 块画像砖及时收回并妥善保管，迅速报告文化部门。3 月下旬，考古人员对该墓进行了清理。简报分为：一、墓葬形制、画像砖位置，二、随葬品、画像砖内容，三、结语，共三个部分。有手绘图等。

据介绍，墓地位于县城西南约 35 公里西岭村北的一个黄土梁上，其北数百米为怪石嶙峋的大山，下梁下为一条东西向通往县城的公路。该墓由主室、甬道两部分组成，呈"凸"字形。全长 4.45 米，宽 2.35 米。因严重被盗，随葬品仅存少量陶片及五铢钱 2 枚。该墓共发现 8.5 块画像砖（原来应为 10 块，有 1.5 块找

不到），均嵌于主室的两侧壁及后壁中的丁砖层上，内容为接迎图及花纹。简报推断该墓的时代为隋代。

572.河南南阳市地税局唐墓发掘简报

作　者：南阳市文物考古研究所　刘小兵、曾庆硕
出　处：《华夏考古》2008 年第 4 期

南阳市地税局新征地位于南阳市建设东路路南，南距白河 500 多米，向西 200 米是独山大道。2002 年 7 月，在配合南阳市地税局的基建工作中，考古人员发掘了一批以汉墓为主的古代墓葬，其中有一座保存基本完整的唐代砖室墓，编号 02NDSJM13（简称 M13），出土了部分较珍贵的随葬品。简报分为：一、墓葬形制，二、出土遗物，三、结语，共三个部分。有手绘图。

据介绍，M13 为单室砖砌墓。墓葬由墓门和墓室 2 部分组成，尸骨已朽。M13 发掘出土的随葬品有银盒 1 件、铜钵 1 件、铜镜 2 件、铜钱 30 枚、铁刀 1 件、铁器 1 件、陶罐 2 件等共 30 余件，其中鎏金银盒十分精致。简报称，M13 的年代应在盛唐至中唐时期，极有可能在天宝年间。

商丘市

573.河南永城市侯岭唐代木船

作　者：商丘市文物工作队　王爱华
出　处：《考古》2001 年第 3 期

该船位于河南永城市东 9 公里，311 国道北侧的侯岭乡乡政府约 20 米处，此处原是京杭大运河故道。1996 年 4 月，河南省永城市政府在拓宽永宿公路时发现。1996 年 5 月 17 日，考古人员对该船进行抢救性发掘，5 月 30 日发掘结束，历时 13 天。

发掘情况，简报分为：一、地层关系，二、木船结构，三、出土遗物，四、结语，共四个部分。有手绘图、拓片。

据介绍，从发掘资料中可知，该船为斜尖头、平底大型木船，船艄底斜向上，底板与船底连在一起。该船复原后长 25.4 米、宽 5 米、深 1.5 米，可分为 33 个舱。此船沉没于通济渠内，简报推断该船的时代应为唐初。

574.河南商丘汴河济阳镇段考古调查发掘简报

作　者：河南省文物考古研究院、夏邑县博物馆　张　帆
出　处：《华夏考古》2014 年第 1 期

2011 年，考古人员对位于河南商丘夏邑县的隋唐大运河通济渠的济阳镇段进行考古发掘，对大堤、河床的结构有了初步了解。简报分为：一、发掘概况，二、地层堆积，三、遗迹，四、遗物，五、结语，共五个部分。有手绘图。

据介绍，汴河济阳镇段河道宽阔，是一般河道宽度的 3 倍多，现在仍然保留有故道水面，曾出土大量瓷器和两艘宋代木船、铁锚、耢石等文物，简报推断这里很可能是一处码头遗址，使用年代为隋唐到明代。

信阳市

575.河南息县唐墓出土瓷器

作　者：张泽松
出　处：《文物》1991 年第 6 期

1987 年 11 月，河南省息县许店乡戴寨村常庄农民清理围塘时，发现 1 座砖室墓，出土 4 件瓷器和 1 件残铜镜。考古人员闻讯赶到现场时，墓室已被塘水淹没，仅收集了出土的器物。简报配以拓片予以介绍。

据介绍，出土的瓷器有注子 1 件、碗 2 件、四系罐 1 件。简报推断墓葬的时代约为唐代中期。

周口市

576.河南扶沟县唐赵洪达墓

作　者：河南省文化局文物工作队　郭建邦
出　处：《考古》1965 年第 8 期

1964 年 1 月，在扶沟县城南 6 公里的马村西土岗上发现了 1 座古墓，考古人员随即进行了清理。简报配以拓片、手绘图予以介绍。

据介绍，该墓为近正方形的砖室墓，墓底距地平面3米。棺床上有人骨架两具，出土有陶俑、陶镇墓兽、铁犁、铁镜、铁剪等31件。有墓志2方：其中一方未刻文字，另一方上刻文字9行，行12字。简报未录全文，中多缺字。知墓主人叫赵洪达。志文未见确切纪年，简报推断为唐开元、天宝以前。

驻马店市

577.河南上蔡县贾庄唐墓清理简报

作　者：河南省文化局文物工作队　李京华

出　处：《文物》1964年第2期

贾庄位于上蔡县城东南约0.5公里。1962年12月间，该村农民在挖土时发现了1座唐墓，考古人员前往清理。简报配以手绘图等予以介绍。

据介绍，该墓在1949年前曾经过数次盗掘，墓室残破严重，清理时仅余墓室的东北角和棺床的一部分。从残存的遗迹来看，墓室是正方形，大约是4米见方，方砖铺地，在墓室的西半部，用长方形小砖筑成2平方米的棺床。墓室的四壁，为小砖交错顺砌法，从土壤上部遗留的砖痕来看，顶部可能是四面钻尖式。墓门南边有甬道，长约2米，据说1949年前被挖开时在甬道的两侧还各有1个耳室。墓底距地表面仅有3米左右。虽然墓室的详细结构，已无法了解，但从墓内清理出来的一些残存破碎的小件随葬品看来，是一般唐墓中所罕见的，有较高的工艺价值，其中有金、银、玉、铜、料器等装饰品，铜钱和蚌盒、漆盒等，这些随葬品多放在棺床上。此外，在棺床下边和甬道内，除清理出一些残漆器外，还有陶器、陶俑等。其中带银质花纹的漆器十分珍贵。简报推断该墓的年代为盛唐时期。

578.新发现一面唐代透光镜

作　者：王　铠

出　处：《中原文物》1981年第2期

1975年12月25日遂平县修复河堤，在月儿湾工地上，嵖岈山公社土山大队农民刘国安挖出1面铜镜，立即交给文化馆。当时考古人员已发现此镜有透光效应。目前经过多次验证，查对了有关资料，初步定为"唐代宝象花透光镜"。简报配以照片予以介绍。

据介绍，该镜直径16.9厘米，半球形钮，钮径1.5厘米，重500克。镜背有7朵全开的花朵：1朵居中，6朵分布于周围。将铜镜对准阳光，映在墙上能把背面的花纹显现出来。因为出土后边缘略有碰撞，未经加工磨研，因此映像中有3朵花纹较清晰，其余显扁形。花朵的位置前后相对，边缘有两处散光，尚未查明原因。从正面丝毫看不出有图像痕迹。

579.遂平县又发现一面唐代透光镜

作　者：遂平县文化馆　赵中强
出　处：《中原文物》1985年第2期

1985年2月15日，遂平县诸市乡任马庄农民孙广凡在村中挖地基时，发现1座墓葬，墓室已被破坏。出土有唐代透光镜1面，绿釉瓷碗、钵各1件。简报配以照片予以介绍。

据介绍，透光镜为八角形，直径17.9厘米，半球形钮，镜边高出，边厚0.3厘米，镜背有7枝花朵：1朵居中，6朵分布于周围，将铜镜对准阳光，映在墙上能将背面花纹反射出来。因镜体残为3块，镜面有四处锈蚀严重，因此映像中花纹不清晰，多处散光。这面唐代透光镜，较之《中原文物》1981年第2期介绍的那面宝相花透光镜，除在形制、图案尺寸上略有差别外，其映射图像为同一类型，均为菱花突起部为暗线，菱花边框以外为亮线。这面透光镜的发现，又为研究唐代透光镜工艺提供了新的资料。

580.河南省平玉县发现四神八卦镜

作　者：史延玲
出　处：《文物》1986年第10期

1984年7月，平玉县高洋店乡金刘庄农民在砖瓦场取土时，发现铜镜1件。简报配以照片予以说明。

据介绍，铜镜直径24厘米。圆钮，蝙蝠纹钮座。座外方框，框外饰青龙、白虎、朱雀、玄武四神，间以花枝纹。其外饰双弦纹一周和乾、坎、艮、震、巽、离、坤、兑八卦图案，间饰小花及连珠纹。外缘饰十二生肖。

简报称，此镜纹饰清晰，保存较好。从特征看当是隋、唐时代的遗物。

581.西平唐墓发掘简报

作　　者：驻马店地区文化局、西平县文化局　李芳芝
出　　处：《中原文物》1988 年第 1 期

　　西平唐墓位于西平县城西南 20 公里，专探乡朱湖村东沟（原为东沟庙）小学西北 200 米处，毗邻于由西平县至杨庄高中东西公路的北侧。据当地人回忆，当年该墓地面原有封土堆高约 3 米，底部直径有 10 米左右，俗称为"娃娃坟"或"娃娃冢"。1977 年修筑这条公路时，地面封土堆被夷为平地，墓顶削去大半，墓室南壁以及墓道、墓门全被挖掉，现仅存东、西、北 3 面略成半弧状残顶墓砖暴露于地面。整个墓室被雨水冲进去的淤土积满，室内积土与室外土层结为一体。1986 年 9 月 22 日，考古人员进行了清理发掘。简报分为：一、墓葬结构与葬式，二、出土文物，三、结语，共三个部分。有手绘图。

　　据介绍，该墓残存墓顶低于四周地面约 0.60 米。清理过的墓室内壁东西长约 2.40 米，南北宽约 2.25 米，残高约 1.17 米。墓室平面呈略近正方形。这座墓被宋、金墓葬及现代工程破坏得比较严重，墓门、墓道或墓门里侧的部分随葬品、墓志等被破坏或盗去，但其余随葬品尚保存完好。经过清理出土的遗物有陶器、铜器、铁器、货币等 30 余种。其中的 13 件彩绘陶俑，尤为精湛。

　　简报推断这座方形砖室单室墓，应是初唐时期的 1 位中级官吏的夫妇合葬墓，最迟也不会晚于武则天时期。

济源市

湖北省

武汉市

582.武汉市东湖岳家嘴隋墓发掘简报

作　者：武汉市文物管理处　蓝　蔚
出　处：《考古》1983 年第 9 期

1982 年 6 月，武汉东湖岳家嘴中国科学院测地所基建工地发现砖室墓 1 座，考古人员 6 月 30 日至 7 月 6 日进行了清理。简报分为：一、墓葬形制，二、随葬器物，三、结语，共三个部分。有照片、手绘图。

据介绍，该墓由券门、甬道、前室、过道、主室和后耳室组成。墓葬顶部已被破坏，残存高度仅 1 米。墓壁嵌有画像砖。随葬品有青瓷器等 37 件。其中石板 1 块疑为墓志，但已无字痕。此墓年代据简报推断应在隋大业年间（605 ~ 618 年）。

简报指出，此墓墓室规模较大，装饰华丽，随葬大批陶俑，可见墓主人的官阶和地位较高。出土的青瓷鸡首罐、四系罐是同时期墓葬中少见的，至于墓室后端两侧建筑耳室的做法更为独特。这座墓的发现和清理，为认识南方隋墓的特点提供了有益的资料。

583.武汉测绘学院隋墓发掘简报

作　者：武汉市文物管理处　蓝　蔚、魏航空、郝钢以
出　处：《江汉考古》1984 年第 1 期

1982 年底到 1983 年初，武汉测绘学院在校内进行基建施工时，先后发现了 2 座古代砖墓。考古人员进行了清理。简报分为：一、概述，二、随葬品，三、结语，共三个部分。有手绘图、拓片。

据介绍，2 座墓葬都在武测校园之内，M32 位于校园北部，西距教工食堂 200 米，东距武测幼儿园 100 米；M34 位于校园东北部，南距体育馆 10 余米。简报推断 2 墓

的年代为隋代晚期。武汉地区出土的隋墓较多，但这次清理的隋墓中出土的七联盂、四系双唇罐等器物，形制上有一定的特点，为过去所少见。出土的小陶鸟也做工精细，神态生动。

584.武昌石牌岭唐墓清理简报

作　者：武汉市文物管理处　魏航空
出　处：《江汉考古》1985 年第 2 期

1982 年 12 月，武昌石牌岭湖北省轻工业学院，在平整运动场时，发现 1 座古墓。考古人员进行了清理。简报配以照片、手绘图予以介绍。

据介绍，这座古墓位于该院运动场中部小土丘南麓，墓底距现地表 3 米左右，是 1 座砖室墓，平面近似"凸"字形。此墓前端及墓顶均已残缺，墓内遗有较多楔形砖，推测原为券顶。墓内分甬道和主室两部分，主室两侧有耳室。随葬品有青瓷器 9 件、陶俑、陶器、金圈、铜铊尾等。简报推断，此墓上限不会早于唐高祖武德四年（621 年），下限不应迟于唐玄宗以后。墓主人应为下级官吏或一般富人。

585.武昌县郑店乡关山村发现隋墓

作　者：杨锦新
出　处：《江汉考古》1985 年第 4 期

考古人员为配合基建工程，在武昌郑店乡关山村先后发掘清理了三座隋墓。1984 年 6 月，在修建关山公路时发现两座古墓，出土了青瓷器等文物 10 余件，其中有四系盘口壶、青瓷碗、青瓷碟等器物，特别有价值的是清出莲花瓣壶残片一块，经初步鉴定为隋代器物。可惜该墓已遭破坏（以前被盗过）。墓葬结构，分墓门、甬道、棺室三部分，墓壁上有画像砖和花纹砖，系隋代风格。1985 年在修关山口至关山村公路时，又发现有古墓砖，出土了青瓷器、铜钱、装饰品、铁钉等器物。其墓葬结构比前两墓小，为单棺砖室墓，也有花纹砖，纹饰与前墓同，初步断定也是隋墓。

586.湖北武昌马房山隋墓清理简报

作　者：武汉市博物馆　蔡华初
出　处：《考古》1994 年第 11 期

1988 年 5 月，武汉工学院分部在武昌马房山的南坡建房挖地基时，发现了一座砖室墓。考古人员对该墓进行了科学清理。简报分为：一、概况；二、随葬器物；三、结语，共三个部分予以介绍。有手绘图、拓片。

该墓早年破坏严重，仅有两后耳室残存部分券顶，其他部位的顶端均破坏无存。墓坐北向南，为前后室、东西各三耳室的券顶砖室墓。随葬器物共有 75 件，分为青瓷器皿、陶器和陶俑、铜钱三类。器物主要分布在各耳室，前后室散见。

简报称，该墓所在地武昌马房山，为一古墓地，过去曾出土了不少隋唐墓葬，都有规模大、结构复杂、随葬品丰富等特点。随葬品有大量的花纹砖和人物造像砖，其艺术构造繁复精美。所有这些，反映了南朝至隋唐时，汉水流域日见繁昌和庶族地主呈上升之势的历史情形。该墓出土的"五铢"和"太货六铢"铜钱，均为南朝陈铸造并通用的。南朝陈文帝为了稳定币值，于天嘉三年（562 年）改铸五铢，一枚抵旧钱十枚。因此，该钱比旧钱厚重。"太货六铢"为陈宣帝于太建十一年（579 年）铸，一枚当五铢十枚。

简报推断，该墓的年代为隋开皇三年（583 年）前或稍后。

587.阅马场五代吴国墓

作　者：武汉市博物馆　李永康、郑自斌
出　处：《江汉考古》1998 年第 3 期

1996 年 8 月，武汉市武昌区首义房管所，在武昌阅马场一民居危房改建工地上，开挖房基桩井，挖至 6 余米深时，发现了古代墓葬。经现场勘查，在不足 1000 平方米的施工范围内，已发现土坑木棺墓 4 座。考古人员确认该处为一古代墓地。因客观条件有限，只对其中两座墓进行了抢救性发掘，对另两座进行了保护性封填。简报分为：一、地望与地层，二、墓葬形制，三、随葬品，四、结语，共四个部分。有手绘图。

据介绍，墓地位于武昌区阅马场武昌路辎重营街 4～6 号，南距武昌蛇山约 600 米，西邻辛亥革命首义纪念馆即"红楼"。随葬品有铜钱、木梳、木勺、铜镜、银钗、漆枕、漆碗，制作精良。两墓各出买地券一方，简报录有 M1 买地券全文。通过 M1 买地券的文字记载得知，M1 下葬时间为五代时期吴国乾贞二年戊子七月（928 年），墓主姓王，男性，吴国鄂州府江夏县（今武汉市）人。M1 为五代时期吴国墓葬。M2 买地券字迹不清，但可看出下葬年为 930 年，墓主人为女性。故两墓应为同茔异穴夫妻合葬墓。

五代十国时的吴国，由唐末节度使杨行密于 892 年建立，凡 46 年，辖 27 州，建都于江都府（今扬州市），后为南唐所灭。吴国考古材料不多，有明确纪年的墓葬更少。

588.武汉江夏流芳唐墓清理发掘简报

作　者：武汉市文物考古研究所、武汉市江夏区博物馆
出　处：《江汉考古》2003 年第 4 期

流芳唐墓位于武汉市江夏区流芳镇大邱村，为一"亚"字形单室砖墓，是南方地区比较流行的唐代墓葬。出土有盘口壶、碗、双唇罐等青瓷器和镣斗、洗、盘、勺等青铜器。该墓的发掘为研究两湖地区唐墓提供了重要资料。

简报分为：一、墓葬地理位置与墓葬形制，二、随葬器物，三、结语，共三个部分。有手绘图。

据介绍，该墓系 1997 年 11 月农民修路取土时发现。考古人员进行了抢救性发掘。该墓由甬道、主室、东西两个亚室组成。简报认为为唐初墓，最迟不会晚于盛唐后期。随葬品有青瓷器、青铜器 11 件，另外有 3 枚"开元通宝"铜钱。

黄石市

589.黄石市新下陆一号唐墓

作　者：黄石市博物馆　龚长庚
出　处：《江汉考古》1984 年第 1 期

新下陆一号唐墓（即 M1），位于黄石市东方公社官唐四队，南距新下陆火车站约 200 米，北依东方山南麓。1984 年 3 月，当地居民在建房挖地基时发现此墓，考古人员前去清理。

简报分为：一、墓葬结构，二、出土器物，三、结语，共三个部分。有照片、手绘图。

据介绍，M1 是一座土坑单室砖墓。墓顶距地表约 1.80 米。墓室周围充填黄土，无墓道。这座砖室墓为券顶结构，平面呈长方形，一椁一棺。随葬品有铜器、陶器、瓷器等。该墓出土了一批完整的器物，出土有"亚"字方形青铜镜，瓷器如托盏、灯盏、碗，钱币有"开元通宝"和"乾元重宝"。简报推定为唐代后期墓，其下葬年代的上限当不早于唐肃宗乾元六年（758 年）。唐代墓葬在黄石地区的发掘清理还是首次。

襄樊市

590.湖北宜城市皇城村出土唐代文物

作　者：宜城县博物馆　张乐发
出　处：《考古》1996 年第 11 期

1986 年夏，宜城市博物馆在郑集镇皇城村五组征集到铜镜、铁剪和瓷盘口壶（残破）各1件。以上文物是村民在平整耕地时从一座砖墓中挖出的。在现场调查中又拾到几块瓷盘口壶上的残片和一枚"开元通宝"（据说像这样的铜钱当时曾挖出好几枚）。据介绍计青瓷六系盘口壶1件、铁剪1件、瑞兽葡萄镜1面、开元通宝1枚。

591.襄阳县东津陈坡六朝隋唐墓葬发掘简报

作　者：襄樊市考古队、襄阳县文物管理处　邵　萍
出　处：《江汉考古》1999 年第 4 期

陈坡墓地位于襄阳县东津镇陈坡村北侧，地处汉水中游冲积平原上。1997 年 10 月，襄樊火电厂配套工程——陈坡变电站在此征地进行基本建设，考古人员于 1998 年 4 月进行了文物钻探，发现该处为一战国至汉代文化遗址和六朝隋唐墓地。同年 6 至 7 月进行了抢救性发掘（遗址材料另发），共清理六朝隋唐墓葬 23 座，均为长方形单室砖墓，分布较为散乱。

简报分为：一、六朝墓，二、隋墓，三、唐墓，四、结语，共四个部分。有照片、手绘图。

据介绍，六朝墓仅 1 座，葬具、人骨均已朽。随葬品仅存铁镰 1 件、铅饰 1 件，"永通万国"铜币 2 件。其余 22 座墓，均为隋唐墓。其大小形制，墓葬方向都基本相同，随葬品的类别及形制相近。随葬器物以瓷盘口壶、碗、杯为主，个别陶罐、碗、铜镜、银簪、铁剪是为隋唐常见的器物组合形式。

时代应为隋及唐初。简报认为这 23 座墓的墓主人均为庶民。

592.襄樊高新区黄家村唐墓发掘简报

作　者：襄樊市考古队　张　靖

出　处：《江汉考古》1999 年第 4 期

黄家村唐墓位于市高新区团山镇黄家村西北约 400 米。1998 年 12 月中旬，市污水处理公司在开挖地下水道时发现一批墓葬。考古人员对发现的墓葬进行了抢救性发掘，共清理墓葬 7 座，分别编号 M1 ~ M7，除 2 座墓遭严重破坏外，其余 5 座保存较好。

简报分为：一、墓葬形制；二、随葬物品；三、小结，共三个部分，有手绘图等。

据介绍，7 座墓除一座为长方形土坑竖穴墓外，其余的 6 座均为长方形砖室墓，其中有两座为双室砖墓，方向大都朝南。随葬品共 13 件，有瓷碗、陶盘口壶、铁剪、铁匕首、铜钱、铜环等。

这批墓葬的时代，简报推断为唐代早中期。

593.襄樊太平店发现一合唐代墓志

作　者：王先福、杨　一

出　处：《江汉考古》2009 年第 1 期

2008 年 4 月下旬，为配合湖北襄樊新集水利水电枢纽工程建设，考古人员在对工程淹没区进行文物调查时，从樊城区太平店镇李家湾五组李景先家征集到一合墓志。据李景先介绍，该墓志是他在汉江边耕地时于江岸断面上发现的，简报推测该处原有一座墓葬，后因江水冲刷致墓葬垮塌而使墓志暴露了出来。

据介绍，志石为青石质，志文共 318 字，简报录有志文全文。从志文记述的情况看，该墓志主人及撰文者似在正史及襄樊地方史志无载，它的发现填补了文献的空白。而结合墓志出土地在本次调查中发现较多的同时代墓葬简报分析，这里很可能是其家族墓地，墓主人的确切判定有赖于将来配合工程建设进行的考古发掘。根据志文记载，结合墓主人的祖籍及现住地分析，平原君赵胜的后裔很可能有一支曾自今河北邯郸（战国时期赵国都城）西迁今甘肃天水，历经数世后，最迟在唐代又东南迁于今樊城太平店附近。

简报称，该墓志的发现为研究我国重要姓氏——"赵"姓的迁移提供了重要实物资料。

十堰市

594.湖北郧县唐李徽、阎婉墓发掘简报

作　者：湖北省博物馆、郧县博物馆　全锦云等
出　处：《文物》1987 年第 8 期

1984 年12 月，湖北省郧县砖瓦厂在施工中发现古墓两座，其中一墓的墓室顶部已被推土机推掉。经调查，露出墓顶的是一座唐代壁画墓。考古人员于1985 年3 月进行了抢救性发掘。简报分为：一、李徽墓，二、阎婉墓，三、结语，共三个部分。有照片、拓片。

据介绍，郧县砖瓦厂位于郧县城关镇东南隅，地势略高，古称马檀山。这里三面临水，自1973 年起，当地已陆续发掘过4 座古墓葬，其中2 座汉墓，2 座唐墓。此次发掘两墓顺次编为Y·ZM5 和M6。根据墓志，这2 座墓均为唐宗室墓。MS 为唐太宗之孙、濮王李泰次子、新安郡王李徽墓；M6 为濮王李泰之妃、李徽之母阎婉墓。

李徽墓（M5）为砖室墓，由墓室、甬道、墓道三部分组成。出土82 件随葬品，依材质有瓷、铜、铁、银、金、骨、蚌等。墓室四壁原有壁画，惜已剥落。阎婉墓（M6）也为砖室墓，随葬品出土34 件，有陶瓷器、银器、铜器、铁器等。M5 中出有大量南方风格双唇罐，值得注意。

两墓均出土有墓志，简报附有二志全文，可补史籍之缺。但个别地方墓志有误，可依《周书·阎庆传》《北齐书·阎庆传》校正。

简报还介绍了唐代砖室墓的修建过程：砌筑墓室时先挖墓圹，铺地砖，然后起四壁，最后筑顶、封土。甬道则是由墓道北端挖洞，与墓室相通，然后铺地砖，砌两壁，最后起券、封门。墓室四壁错缝平砌，向上再砌，然后起券，构成顶部。

595.唐嗣濮王李欣墓发掘简报

作　者：高仲达
出　处：《江汉考古》1980 年第 2 期

李欣墓位于湖北省郧县新县城东约 500 米，北依土岗，东临捶河，南近汉水。南距唐李泰墓约 200 米。因郧县砖瓦厂平地取土将墓室顶部挖破，为保护文物，于

1973年2月进行清理。简报分为：一、墓的形制，二、出土文物，共两个部分。有手绘图、照片。

据介绍，墓由墓道、过洞、天井及砖砌甬道、墓室组成，墓道与过洞、天井均用土填实。出土的文物有小铜马镫、铜饰花片、石饰牌、白素珠、鎏金开元铜钱等，墓志1合，简报录有墓志全文。据志文，知唐嗣濮王李欣以开元十二年（724年）岁次甲子六月二日葬于此地。简报称，此墓出土文物有价值的主要是墓志和壁画。

596.湖北郧县后房村唐代崖墓群调查与发掘

作　者：山东大学东方考古研究中心、湖北省文物局、郧县文物局　王　芬、栾丰实等

出　处：《考古》2010年第1期

地处鄂西北的郧县境内群山起伏，沟壑纵横，汉江自西北向东南穿过全境。后房村隶属于郧县青曲镇，2004年村镇合并时后房村与王家山村合并，改名为王家山村。后房村南北狭长，东西较窄，汉江在这里形成了一个狭长的"U"字形弯曲，将后房村围成了一个半岛状区域，南端突出的临江区域被当地人称为前房。2006年，南水北调中线工程启动。受湖北省文物局的委托，山东大学东方考古研究中心承担了前房遗址的保护性发掘任务，对前房和后房一带进行了详细的考古调查，在前房遗址两侧5公里的汉江两岸范围内，调查发现两大群8组崖墓，数量70座，并对其中海拔低于172米的3组崖墓进行了发掘和清理。这批崖墓在目前所见的考古文献和档案资料中尚无记录。

简报分为：一、崖墓分布，二、后房口崖墓群，三、猴子头崖墓群，四、流湾崖墓群，五、结语，共五个部分，介绍了相关发掘情况。有彩照、手绘图。

据介绍，本次发掘发现的崖墓，其洞室结构主要有两大类别：一类为纵向墓室，呈前后较长的"凸"字形，即墓室的前后长度较长，左右宽度较短。另一类为横向墓室，呈左右较宽的"凸"字形，墓门在正中或略偏向一侧，墓室左右长度较长，前后宽度较短。

崖墓主要由墓前平台、墓门、墓道和墓室等部分组成。墓门的情况有两种：一种比较简单，通常是位于墓道和墓室之间的位置，并且以砖垒砌封堵，构成墓门，这一类崖墓一般较小且较为简陋，见于后房口和猴子头崖墓群。另一种相对比较复杂，多有保存较好的拱形墓门，门之两侧及上方经过较为细致的雕凿和修整，有的还雕刻花纹，墓室的上方一般雕成人字形，其下还有呈三角形的外突部分，象征屋顶的重檐形状，见于流湾崖墓群。

简报称，第一种墓门崖墓的墓道类似于一般的墓葬，在封门砖墙之外，长短不一，因为发现的墓葬均为小型墓，墓道的长度均不足1米。第二种墓门崖墓的墓道则在墓门与墓葬之间，墓道的长度亦较短，长度也在1米之内。崖墓的墓室平面均为长方形，地面加工得较为平整，但往往由内向外倾斜。墓室的四壁，左右两壁较直，后壁中下部多向后方凿进20厘米左右，其上缘呈平置的两个弧形，状似眼眉。后壁上方的正中多凿一个小龛，小龛的形状近似桃形，或认为象征火炬的形状，简单者近似三角形。墓室顶部或近平，或为弧形，或横断面近似人字形，呈现屋顶形态。一部分保存较好的崖墓，墓门之前有一个平整的扁长方形平台，平台或与墓室地面等高，或略低于墓室的地面，有的与墓门之间还有一段较窄的通道。这一设施当是用于祭祀活动的场地，可惜，由于多数崖墓前半部已被毁不存而不知道是否存在这样的设施。

至于年代，简报推断为唐代前期。因为墓内人骨多保存不好，所以对崖墓墓主的性别、年龄等问题难以展开讨论。但简报认为，置墓于临水山崖，既需要工匠开凿崖体，还需要运棺于陡峭山崖之上，需要耗费大量的人力、物力。而且从铜镜、铜熨斗、瓷砚等随葬遗物来看，墓主应该是有一定社会地位和财富的人。

简报最后指出，关于崖墓的起源、族属以及反映的观念意识等问题，一直为学界所关注。所谓崖墓是指直接利用山崖向内开凿墓穴的一种墓葬形式，与悬棺葬、崖葬等有很大区别。崖墓结构有简有繁，一般包括墓门、前堂、墓室、壁龛等，墓葬的布局、随葬品等与同时期的砖室墓基本相同，之前主要见于四川、云南和贵州一带，时代多为东汉至魏晋南北朝时期。值得注意的是，近些年来在与鄂西北临近的陕西商洛的丹江、乾佑河等流域发现了3000多座汉代崖墓。在鄂西北地区，当地人墓穴称为"老人洞""自死窑""寄死窑""巴人洞"等，虽然之前也有关于崖墓的发现见诸报端，但是因为都没有经过正式的发掘，所以对其结构、功能和年代问题大都语焉不详。后房村一带的唐代崖墓提出了很多问题，如它们是否存在更早的文化渊源，是否和巴人或濮人有关，周围有无汉代或更早时期的崖墓存在，与我国西南地区的悬棺葬有无关系，它们体现了什么样的民族迁徙、民族融合的背景，在民族高度融合的唐代还集中出现这种埋葬形式，反映了怎样的时代背景和观念意识等，不同地点的崖墓群代表了什么样的社会组织和社会阶层，等等。对于这些问题，目前尚难给出回答，有待进一步的考古发现。

荆州市

597.沙市市郊发现唐代墓塔

作　　者：程欣人

出　　处：《文物》1959 年第 2 期

沙市和平乡人民公社在荒草丛中发现了一座斗笠式的唐代和尚墓塔，此处原属江陵县，距县城东门数里。塔高略与人等，塔身呈圆球状，球体上端饰有莲瓣花纹一周，球体腹部有阴文楷字一行"唐天皇道悟禅师墙"，塔石质，呈灰白色。

简报介绍，关于此塔，据清顺治时的《江陵志余》卷六中记述，按元和系唐李纯（宪宗）的年号，可知此墓塔为元和二年（807 年）所建。

598.湖北监利县出土一批唐代漆器

作　　者：湖北荆州地区博物馆保管组

出　　处：《文物》1982 年第 2 期

1978 年监利县福田公社在挖河工程中，发现了一座长方形券顶土洞小型砖室墓。经清理，出土了一批珍贵的漆器，还有几枚开元通宝钱和几件已残的三彩陶罐。据初步鉴定，这批漆器，均系木胎，外表髹褐黑色漆，内表髹朱漆，无彩绘纹饰，造型精致，保存完整，其中有漆碗、漆盂、漆盘、漆勺、漆盒等。简报配以照片予以介绍。

值得注意的是，这批漆器除漆勺是用整木雕成外，其他的器胎制法与木胎、皮胎、夹纻胎均不相同。它们的做法是采用 0.2 厘米宽的薄衫木条，一圈圈卷制成器形，外裱麻布，然后髹漆，因而胎质极轻、薄，既坚牢耐用，也易脱水保存。出土时，这批器物泡在水中，取出放置一段时间后，就自然干燥了，器形也没有收缩变化。这种器胎的制法，在我国漆器工艺史上未见记载。据我国漆器研究专家介绍，全国仅在浙江发现过一件类似的宋代漆碗。

简报指出，这批唐代漆器的发现，把我国古代漆器木条圈卷工艺出现的时期从宋代提到了唐代，它为研究我国漆器工艺史提供了重要的实物资料。

599.江陵雨台山出土唐代云龙纹青铜镜

作　者：韩楚文

出　处：《江汉考古》1984 年第 1 期

1982 年 10 月，荆州地区畜科所的民工在雨台山砂场挖土取砂时发现一面青铜镜。简报配以照片予以介绍。

据介绍，铜镜呈青灰色，镜面有少量的绿色斑点，且平整光滑，人影清晰可见，保存完好。镜呈八弧葵花形，镜背面绕钮浮雕一龙。镜重 0.85 公斤，直径 18.5 厘米，圆钮。该镜造型美观，形象逼真，使人望而心爱。简报推断为唐镜。

简报称，唐代铜镜是我国历代铸镜工艺水平较高的，也是最精致的，可称当时金属钿工的代表作品。

雨台山出土的云龙纹青铜镜，其制作之精细，造形之美观，正说明了一千多年前我国制镜工匠们的精细工艺。

宜昌市

荆门市

600.钟祥出土唐代铜镜和熨斗

作　者：刘卫东

出　处：《江汉考古》1991 年第 2 期

钟祥县文物补查工作人员，在张集镇栎湾收集得一件唐代青铜熨斗，经文物工作者现场调查了解，熨斗是墓葬中的出土物。简报配以照片予以介绍。

据介绍，熨斗是农民李显义年前在修电站取土时得到的。同时出土的还有铜镜和 20 余枚"开元通宝"钱币。熨斗宽沿外弧，直腹，平底长柄，素面，柄附器外侧。铜镜为八瓣葵形花鸟镜，桥形钮。两器制作精美，保存完好。钱币"开元通宝"已失。

从铜镜造型、花纹特点及钱币判断，熨斗应为唐代遗物。

601.湖北京山县孙桥镇出土一面唐代铜镜

作　　者：熊学斌

出　　处：《考古》1993 年第 4 期

1984 年 6 月，京山县孙桥镇一农民在挖房基时，挖出一面铜镜。该镜制作十分精良，出土时通体呈银白色，光亮照人。简报配以照片、拓片予以介绍。

据介绍，该镜为龟纽，纽外饰浮雕式仙鹤四只。鹤外为铭带，铭文左旋，句首与结尾间隔以梅花点。文为"伏龟飞鹤，□往风来。隐间明照，宫光洞开。同物永影，所鉴俱回。既摘宝奁，何须玉台？"文体篆书，葵花式素斜边缘，直径 21.9 厘米，缘宽 0.7 厘米。

鄂州市

孝感市

602.安陆县发现唐代王妃墓

作　　者：孝感地区文化局　宋焕文

出　　处：《江汉考古》1980 年第 1 期

安陆县木梓公社新近发现了一座初唐时期的王妃墓，出土了一批工艺水平很高的金质头饰和其他珍贵文物。该墓位于公社附近的曾毛大队王子山。1979 年 4 月，农民们抗旱挖井时发现砖室建筑结构，经考古人员钻探，认为是一座结构比较复杂而又庞大的砖室墓。12 月下旬对该墓进行了清理。

据介绍，此墓有墓道、甬道、主室、两旁还有四个侧室。此墓早年虽被破坏，但还有不少残存器物，计出土有金质头饰、波斯银币（15 枚）、绿釉陶器、铜器、铜钱（"开元通宝"），以及陶俑等，共 200 余件。其中纯金头饰共 300 多件。最值得称道的是 2 件宫扇形的金花，极为精细，工艺水平相当高超。墓中出土了 1 块青石墓志盖，盖上刻有篆文："大唐吴国妃杨氏之志"九字。经查对两《唐书》得知墓中死者即吴王恪之妻，吴王恪为唐太宗李世民第三子，恪母即隋炀帝之女。恪初封郁林王，贞观十一年（637 年）改封吴王，并授安州都督之职。安州的州治即今安陆，吴王恪任安州都督的时间是 637 至 638 年，故其妻杨妃死后埋在此地。

603.湖北安陆发现唐双耳葡萄铜壶

作　者：余从新

出　处：《文物》1983年第6期

1981年10月，湖北省安陆县文化馆征集到一件唐代双耳葡萄铜壶。简报配以照片予以介绍。

据介绍，壶重22斤，通高34厘米。整个器物厚重，造型别致。这件铜壶是该县孛畈公社农民1980年冬盖房挖地基时出土的。

604.安陆王子山唐吴王妃杨氏墓

作　者：孝感地区博物馆、安陆县博物馆　宋焕文、吴泽鸣、余从新等

出　处：《文物》1985年第2期

1980年1月，考古人员在湖北省安陆县清理出一座唐代吴王妃杨氏墓。此墓位于木梓公社曾毛大队王子山南岗上，东距县城14公里，西距木梓树集镇1公里，北距安（陆）天（然）公路200米。1979年4月，当地农民打井发现墓砖，考古人员及时清理了墓西的两个耳室。同年6月到12月至翌年1月，考古人员进行了清理，编号为王子山一号墓。简报分为：一、墓葬结构，二、随葬器物，三、墓主及其他，共三个部分。有手绘图、照片。

据介绍，此墓属大型砖室墓，由墓道、甬道、前室、耳室及主室组成，墓内设有排水道。此墓随葬物有瓷器、陶俑、陶禽畜、陶模型器、金头饰、波斯银币、铜器、珠玉器（119件）、墓志（2件），共300余件。

简报根据墓志铭文和《旧唐书·太宗诸子传》载，认为吴国妃当即吴王李恪的妃子，可能是他在安州任职时，杨氏死后埋葬于此。墓葬规模较大，早期被破坏，遭到挖墓抛尸，其原因可能与吴王李恪参与"谋反"有关。

黄冈市

605.黄州市王家坊唐墓的清理

作　者：黄州市博物馆　董仔儒、刘　焰

出　处：《江汉考古》1997年第2期

1991年11月，黄州市王家坊乡魏家湾村民在村南300米处的小山岗（岗名祖坟

四）上植树时，发现古墓一座（编号91WM4）。考古人员对之进行了抢救性清理。有关情况简报分为：一、墓葬形制，二、随葬器物，三、结语，共三个部分。有手绘图。

据介绍，M4是一座土坑单室砖墓。该墓出土了一批完整的随葬品，在黄州市还属首次，特别是出土的葫芦形执壶选型优美，制作精良，为过去所少见。而盘口壶、灯盏等物与黄石市新下陆一号唐墓出土的同类器基本一样。另M4出土了"开元通宝"，简报推断该墓下葬时代为唐代末期。简报称，唐墓的发现在黄州市为数很少，它为研究当地的历史提供了可靠实物资料。

606.湖北浠水胡油铺唐墓发掘简报

作　者：浠水县博物馆　岑东明、陈小兵、王再东
出　处：《江汉考古》2009年第4期

湖北浠水胡油铺唐墓位于浠水县散花镇胡油铺村，为单室画像砖墓。2007年，为配合大广高速公路建设，考古人员对墓葬进行了发掘。墓葬保存完整，画像砖主要为花草、人物画像，出土唐代青瓷器若干件。该墓是鄂东乃至湖北地区少见的保存完好的唐代画像砖墓之一，为研究隋唐时期长江流域历史文化、丧葬风俗提供了新的资料。简报分为：一、墓葬形制，二、随葬器物，三、结语，共三个部分。有照片、拓片、手绘图。

据介绍，胡油铺M1为单室券顶砖室墓，墓室平面呈"凸"字形，由墓室、甬道两部分组成，通长702厘米、通宽328厘米、通高352厘米，发掘前墓西端被挖土机挖出一长150厘米、宽80厘米的洞口。该墓没有被盗，墓室内存放的器物大多完整，分青瓷器、钱币两类。青瓷器有盘口壶、碗、盏等，钱币为铁钱。墓主人应为唐早期一位没落的中等地方贵族。

咸宁市

607.唐兴宁陵调查记

作　者：咸阳市博物馆　王丕忠
出　处：《文物》1985年第3期

1977年12月，咸阳市博物馆在规划唐兴宁陵保护范围的同时，对该陵进行了调

查。简报配以照片予以介绍。

据介绍，唐兴宁陵，又名唐代祖元皇陵，是唐高祖李渊的父亲李昞之墓，位于咸阳市红旗公社后排村的北原上。兴宁陵封土圆形，尚存5米高。封土前（南）面有石雕两排，从南向北计有天禄（俗呼独角兽）2个，鞍马4个，狮2个，均两两对称。据当地人介绍，石马与石狮之间，原有石人3对，亦是两两对称，现已埋入1米以下的深土中。造型古朴生动，是初唐石雕艺术的珍品。

随州市

恩施州

仙桃市

608.湖北沔阳发现隋代四神镜

作　者：姚高悟

出　处：《文物》1986年第10期

1985年1月，沔阳县红庙村农民在开挖鱼池时，挖出铜镜一件。简报配以照片予以说明。

据介绍，四神镜镜面现微弧凸，光亮仍可照影。直径16.5厘米，圆钮，柿蒂纹钮座。座外方框，框外饰青龙、白虎、朱雀、玄武四神。其外有楷书铭文一周："灵山孕宝，神使观炉，形圆晓月，光清夜珠，玉台希世，红妆应图，千集娇影，百福来扶。"根据铜镜的图案、铭文等特征，并参考同时出土的盘口高颈壶，此镜应为隋代遗物。

609.沔阳出土的唐代铜镜

作　者：姚高悟

出　处：《江汉文物》1986年第4期

沔阳在唐王朝统治时期，是复州治所。当时经济、文化较为发达，因此，唐代遗物常有发现。近几年，沔阳县博物馆搜集汉以来铜镜60多件，其中唐代铜镜16件，从形制和纹饰内容上看，大体可分为10种，大多有明确出土地点。简报配以照片等予以介绍。

据介绍，这些铜镜，据调查都属历年农田水利建设中从地下古墓中出土。同时出土的还有"开元通宝"、盘口长颈壶、双唇罐、璧形足碗等多种唐代器物。

简报称，唐代由于经济文化繁荣，铜镜铸造曾一度相当兴盛。铜镜形式多样，纹饰内容丰富，但又显示出每个时期的不同风格。沔阳出土的唐代铜镜有一定的代表性。高浮雕的瑞兽葡萄镜是盛唐的铜镜代表。圆形的双鸾莲花镜、菱形的连枝花卉镜、葵形的花鸟镜，造形美观，纹饰精细，以半球纽为主，盛行于中唐。连珠花卉镜、八卦镜、莲花镜、万字镜以弓形纽为主，体型较薄，制作渐为粗糙，多出现于晚唐。至于盘龙镜，沔阳盘龙镜制作较为粗糙，或应稍后到晚唐时期。

潜江市

天门市

神农架林区